D1413884

Comment
penser chat

Pam Johnson-Bennett

Comment
penser chat

Traduit de l'américain
par Julien Deleuze

Petite Bibliothèque Payot

Retrouvez l'ensemble des parutions
des Éditions Payot & Rivages sur

www.payot-rivages.fr

TITRE ORIGINAL :
Think like a cat
(Penguin Book, 2000)

Aux deux plus grands hommes que j'aie jamais connus : mon mari, John Bennett, et feu mon père, Albert Johnson.

Et à ma mère et ma sœur, si belles... notre cœur appartiendra toujours à Papa.

INTRODUCTION

J'ai écrit ce livre pour que tout nouveau propriétaire d'un chat puisse dès le début lui offrir ce dont il a besoin. Je ne veux pas que vous perdiez de temps à interpréter de travers ce que votre chat essaie de vous communiquer, ni que vous gâchiez votre relation avec lui en utilisant des techniques dépassées et inefficaces. Le titre de cet ouvrage décrit très exactement la façon dont je conçois le dressage. En comprenant les motivations, les besoins et les méthodes de communication de votre chat, vous parviendrez aisément à établir avec lui une relation intime et merveilleuse. Et même si vous n'êtes pas novice en la matière, je suis certaine que vous pouvez améliorer en de nombreux points vos rapports avec les chats. Peut-être vous êtes-vous depuis longtemps résigné à subir un comportement indésirable ? Ce livre vous proposera peut-être des solutions auxquelles vous n'avez pas pensé. Au lieu d'observer les alentours d'une hauteur d'un mètre soixante-dix environ, regardez donc à travers les yeux de votre chat. À quoi le monde ressemble-t-il quand vous êtes à vingt-cinq centimètres du sol ?

Ce livre vous permettra de régler divers problèmes en vous concentrant sur le comportement que vous souhaitez obtenir plutôt que sur celui dont vous ne voulez pas. Bref, en passant d'une approche négative à une approche positive. La progression est facile et logique : pensez au comportement que vous désirez de votre chat et aux moyens d'y parvenir. Je vous guiderai à chaque pas.

Comme beaucoup de gens, j'ai découvert les chats par hasard. Ayant grandi dans une famille d'amateurs de chiens, je pensais que ceux-ci étaient les plus merveilleux animaux de compagnie du monde et que les chats étaient – eh bien, des *chats*. Je croyais à toutes les faussetés qu'on raconte sur eux et, si je les trouvais beaux, je préférais les chiens.

Puis, il y a bien des années, la veille de Noël, ma vie changea pour toujours. Je passais les vacances chez mes parents. Il neigeait, le froid était intense, et je faisais des courses de dernière minute. Je vis une adolescente debout devant une église ; sur les marches se trouvait un carton avec une pancarte sur laquelle était inscrit : « Chatons à donner ». Cette jeune fille ne pouvait pas avoir emmené dehors des chatons par un temps pareil, me dis-je. Je regardai dans le carton : il y avait bel et bien à l'intérieur, sur une serviette, deux minuscules chatons blottis l'un contre l'autre pour se réchauffer.

Rendue furieuse par le manque de sensibilité et l'irresponsabilité de cette jeune fille (et de ses parents qui l'avaient sans doute chargée de cette tâche), je proposai de prendre les chatons, ouvris ma veste et les glissai sous mon pull. On aurait cru deux petits glaçons, et je me dis qu'ils n'arriveraient pas vivants à la maison.

Je mis le chauffage de la voiture à fond et me dépêchai de rentrer, persuadée que mes parents ne se réjouiraient guère de cet ajout inattendu aux festivités. Heureusement, leur compassion envers tout animal en détresse a compensé la désapprobation de mon acte impulsif.

Les fêtes de Noël tranquilles que nous avions prévues se transformèrent en tourbillon de folles responsabilités. Ma mère se mit à chercher une bouillotte depuis longtemps égarée pendant que mon père préparait une caisse à chats à partir d'un vieux carton. Ma sœur et moi nous activions dans la cuisine à nourrir les chatons, qui pouvaient déjà absorber des aliments solides (nous ne le savions pas alors, mais ils avaient six semaines).

Une fois réchauffés et le ventre plein, les chatons se roulèrent en boule sur le manteau que j'avais jeté par terre en entrant. Nous tous les regardions s'installer, même les deux chiens de mes parents. Le gâteau pétri par ma mère était toujours posé, cru, sur le comptoir de la cuisine et les cadeaux que j'avais achetés plus tôt, oubliés et non emballés, se trouvaient encore dans le coffre de la voiture. Pendant ce temps, deux minuscules chatons frigorifiés, mal nourris, infestés de puces, sales et effrayés, firent une chose extraordinaire : ils *survécurent*.

Ces deux petits chats parvinrent à survivre bien qu'ils aient été enlevés beaucoup trop jeunes à leur mère, qu'ils aient été exposés à des températures très basses et qu'ils aient été adoptés par des gens qui ne connaissaient rien aux chats.

Ces deux vies dépendant totalement de moi me firent réaliser que je savais très peu de choses sur les chats, et le peu que je savais n'était même pas exact. Lucy et Ethel (c'est ainsi que nous les avions appelées) subirent mes soins bien intentionnés mais souvent maladroits avec grâce, tolérance et amour.

On dit que les chats sont distants, alors pourquoi ces deux-là étaient-ils si doux et affectueux ? On sait bien qu'il est impossible de dresser un chat, alors pourquoi me fut-il si facile de leur apprendre à bien se comporter ? On dit que les chats sont indépendants, alors pourquoi donc Lucy et Ethel devinrent-elles des compagnes de tous les instants ? Je commençais à réaliser que la vision négative des chats est due à l'ignorance. Les connaître, c'est les aimer.

Lucy mourut à l'âge de trois ans d'une maladie de cœur congénitale – ironiquement, le jour de Noël. Ethel, qui souffrait de la même maladie, vécut beaucoup plus longtemps avant d'y succomber. Ces deux chattes non seulement m'ont apporté amour et bonheur, mais m'ont amenée à me lancer dans une carrière que je n'aurais jamais imaginée (pas plus que ma famille).

Si vous êtes de longue date possesseur de chats, les informations contenues dans ce livre vous paraîtront certainement rabâchées, mais je vous conseille vivement de ne pas sauter les passages qui peuvent sembler ne pas vous concerner. Vous n'avez peut-être pas besoin d'apprendre comment choisir un vétérinaire ou installer un bac à litière mais, en voyant la vie de votre chat à travers ses yeux et en *pensant comme un chat*, vous pourrez résoudre certains problèmes de comportement, en éviter d'autres et échapper à bien des déceptions.

Si vous vous disposez à avoir un chat pour la première fois, félicitations. Vous allez découvrir une relation où vous serez aimé sans condition, où vos erreurs vous seront toujours pardonnées, où vous ne serez jamais jugé et constamment amusé. Un chat peut faire disparaître le stress de la journée rien qu'en se roulant en boule sur vos genoux le soir. Quand vous travaillez trop, un chat s'installera sur vos papiers pour vous faire comprendre qu'il est temps de faire une pause. Un chat montre sa gratitude pour la plus simple des choses, comme des caresses sous le menton, par une riche et profonde sérénade de ronronnements. Un chat continue de vous adorer même les jours où vous avez une sale tête et vous écoute patiemment quand vous racontez la même histoire pour la troisième fois. Un chat constitue le réveil le plus fiable que vous aurez jamais. Un chat vous apprendra à jouir de la vie.

Un chat choisit ses fréquentations.

CHAPITRE PREMIER

Le chat de vos rêves

Un chat, ce n'est pas comme un vêtement qu'on achèterait dans un magasin et que l'on pourrait rapporter parce qu'il ne va pas ; ce n'est pas non plus comme une paire de chaussures devenues trop petites que l'on pourrait donner ou jeter. Ces comparaisons vous paraîtront ridicules tellement elles sont évidentes ; hélas, beaucoup trop de personnes qui possèdent un chat considèrent leur animal de cette façon. Résultat, d'innombrables chats finissent dans des refuges ou sont tout simplement abandonnés parce qu'ils ne répondaient pas à ce que leur maître ou leur maîtresse attendait d'un « chat parfait ».

Vous voulez un chat ? Demandez-vous pourquoi. Prendre le temps d'examiner honnêtement ce désir peut vous aider à vivre de longues années d'amour avec votre futur chat.

Choisir de devenir l'heureux possesseur d'un chat, c'est bien sûr une décision émotionnelle. Mais cela signifie également que vous endossez une lourde responsabilité, parce que la santé et le bien-être de l'animal vont entièrement dépendre de vous. Si vous considérez qu'avoir un chat implique seulement de remplir son bol de nourriture et de vider son bac à litière, votre animal et vous serez bientôt très malheureux. Bien qu'il puisse *sembler* demander moins de soins qu'un chien, vous devrez être prêt à répondre à ses besoins émotionnels, physiques et médicaux.

Avoir un chat, cela implique aussi des dépenses auxquelles certaines personnes ne sont pas préparées. Les chats ou chatons obtenus gratuitement nécessitent les mêmes soins nutritionnels et vétérinaires que l'animal de race qui coûte une fortune : vaccinations initiales, puis rappels durant sa vie entière, ou encore stérilisation. Il faut aussi s'attendre à des soins occasionnels si votre animal tombe malade ou se blesse – et savoir que la médecine vétérinaire n'est pas bon marché.

Entre un chat et son propriétaire, la relation peut être d'une incroyable intensité. Mais j'en ai vu également qui paraissaient juste coexister dans la même maison, sans aucun lien émotionnel. Très souvent, cela provenait du fait que, au départ, la personne en question attendait du chat autre chose que ce qu'il pouvait lui apporter. Ce livre vous offrira l'occasion de nouer avec votre futur chat des liens très intimes ; si vous en possédez déjà un (peut-être même depuis des années), vous y trouverez de quoi renforcer votre relation avec lui – et c'est cela la clé : entre votre chat et vous, il s'agit d'une *relation*.

Rumeurs, insinuations et mensonges

J'ai souvent entendu, parmi d'autres, les affirmations suivantes : les chats étouffent les bébés ; si vous êtes enceinte, débarrassez-vous de votre chat ; les bacs à litière sentent toujours mauvais ; les chats abîment les meubles. Si tout cela était vrai, *personne* ne voudrait d'un chat ! Malheureusement, ce genre d'informations, non seulement fausses, mais encore injustes, continuent d'être véhiculées. Résultat, de nombreuses personnes qui auraient pu avoir des chats s'en détournent par crainte – et les chats, accusés de crimes dont ils sont innocents, souffrent. Examinons donc ensemble, de plus près, quelques-unes des idées fausses les plus répandues ; vous pourrez ainsi démêler le vrai du faux et envisager de partager votre vie avec un chat.

LES CHATS SERAIENT DISTANTS

Cela, nous l'avons tous entendu dire ! En fait, si l'on demandait aux gens de décrire les chats en un mot, c'est celui-ci – « distants » – qui reviendrait le plus souvent. Et si vous dites « distants », vous pouvez aussi bien ajouter « indépendants ». Je crois que ces termes viennent de comparaisons inappropriées avec les chiens. Ceux-ci sont des animaux de meute qui chassent en groupe et dont toute la structure sociale est fondée sur l'appartenance au groupe. Certes, le chat est lui aussi un animal social, mais, contrairement au chien, il ne vit pas en groupe et sa structure sociale repose sur le sens du territoire. Que l'on me comprenne bien : je ne veux pas dire que les chats ne peuvent pas cohabiter harmonieusement, mais plutôt que leur but premier n'est pas de créer une meute.

Une des raisons pour lesquelles les chats peuvent sembler distants est qu'ils sont des prédateurs, conscients de tout ce qui les environne. Un chat peut rester sur vos genoux et apprécier vos caresses, mais à certains moments il préférera se tenir à l'écart, détendu quoique prêt à l'action au cas où une proie se présenterait. Les chats sont sensibles au moindre mouvement qui pourrait signaler une proie.

Par nature, ce ne sont pas des animaux de *contact* comme les chiens. Parce qu'ils ont l'esprit de meute, ces derniers ont de nombreux contacts physiques entre eux. Chez un chat adulte à l'état sauvage, les contacts avec ses congénères se limitent en général à des combats et à des accouplements. Cela ne signifie pas que votre chat n'apprécie pas les caresses, mais que certains individus ont besoin de plus d'espace personnel que d'autres et que, si vous respectez ce besoin, vous gagnerez leur confiance et les mettrez à l'aise. La façon dont ils ont dans leur jeune âge été socialisés et manipulés par les humains joue aussi un rôle dans l'espace individuel dont l'adulte aura besoin. Une grande partie de la personnalité de votre chat en provient, il dépend de vous qu'il soit affectueux et sociable ou timide et hostile.

Ce livre vous apprendra à comprendre son langage et à communiquer avec lui pour former un lien affectif fort. Si vous attendez de lui qu'il fasse tout le travail, oui, vous vous retrouverez avec un chat distant et indépendant.

Une fois de plus, cessez de comparer votre chat à un chien et vous remarquerez immédiatement ses caractères uniques et merveilleux.

IL EST IMPOSSIBLE DE DRESSER UN CHAT

Faux ! Une fois encore, il convient de cesser de penser « chien » pour penser « chat ». Mon approche du dressage est basée sur le renforcement positif. Si je veux que mon chat arrête de faire quelque chose, je le dirige vers une activité plus agréable. Ma méthode – *penser comme un chat* – implique de comprendre les raisons de son comportement pour répondre à ses besoins de façon acceptable. Cette technique de dressage est plus facile et plus efficace que de réprimander continuellement l'animal pour des comportements qui lui sont naturels, comme de se faire les griffes. Oubliez donc toutes vos vieilles idées selon lesquelles on ne peut pas dresser un chat. C'est plus facile que vous ne le croyez ; en fait, je crois qu'il est plus aisé de dresser un chat qu'un chien.

Avant tout, en cas de grossesse, il y a des précautions à prendre à l'égard de la litière. Le bac à litière peut représenter un danger pour le fœtus, mais cela ne signifie pas qu'il faille se débarrasser de l'animal. Pour plus de détails, reportez-vous à l'appendice médical en fin d'ouvrage. Quant à la stupide légende voulant que les chats étouffent les bébés, elle est fausse et pourtant refait surface année après année. Ma théorie est qu'il y a bien longtemps, avant que le syndrome de la mort subite du nourrisson ait été identifié, on accusait les chats de la mort inattendue de bébés endormis.

UN BAC À LITIÈRE SENT TOUJOURS MAUVAIS

En fait, le bac sentira mauvais *si vous ne le nettoyez pas* ! Du moment que vous le nettoyez régulièrement, personne n'aura à se boucher le nez pour entrer chez vous.

LES CHATS ABÎMENT LE MOBILIER

Il y a du vrai, mais seulement si vous omettez de fournir au chat un griffoir adapté. Je sais que certains d'entre vous vont se dire : « Mon voisin a un griffoir et son chat *continue* de s'en prendre au mobilier. » Ma réponse ? Le griffoir n'est pas adapté. Le chapitre IX vous expliquera comment en choisir un du premier coup.

Maintenant que nous avons réglé ces questions et que vous êtes sur le point de prendre un chat, vous pensez peut-être que c'est le moment d'y aller. Pas tout à fait encore. Car il vous reste de nombreuses décisions à prendre. Voulez-vous un chaton ou un adulte ? Un mâle ou une femelle ? Un chat d'extérieur ou d'intérieur ? Où vous le procurer ? Dans un magasin ? Chez un éleveur ? Chez le voisin ?

Chat ou chaton ?

Les chatons sont mignons, vraiment très mignons. Mais avant de tomber amoureux d'une délicieuse boule de fourrure, prenez le temps de réfléchir à ce qu'avoir un chaton exigera de vous.

Si vous décidez de prendre un chaton, il vous faudra rendre sûre votre maison, vérifier que des fils électriques ne pendent pas et qu'aucun produit toxique n'est accessible. (Même si vous choisissez un chat adulte, vous devrez le protéger de ces dangers, mais les chatons semblent particulièrement décidés à chercher les ennuis.) En fait, vous aurez besoin de savoir à chaque instant où se trouve votre chaton pour l'empêcher de se blesser. Il n'est pas très difficile de rendre sûr pour un chaton un lieu d'habitation, mais c'est parfois impossible pour certaines personnes. Par exemple, une de mes amies, peintre, vit dans un deux-pièces. Elle souhaitait la compagnie d'un chat et savait bien qu'un chaton renverserait forcément de la peinture, ce qui non seulement serait salissant mais éventuellement dangereux pour l'animal. Elle choisit d'adopter un chat adulte de caractère tranquille. À part une fois où il a marché sur la palette de Sonia, laissant une traînée d'empreintes couleur fuschia sur la moquette, leur relation a toujours été harmonieuse.

Si vous avez des enfants en bas âge, il vaut mieux ne pas songer à un chaton et choisir un animal plus vieux (âgé d'au moins six mois). Les chatons sont très fragiles et peuvent facilement être blessés par des enfants exubérants. Un chat moins jeune pourra malgré tout être blessé, mais sera plus aisément capable d'échapper à l'étreinte d'un enfant.

Si quelqu'un chez vous souffre de difficultés de locomotion, un chaton qui court partout peut représenter un danger.

Pensez au *temps* que vous pourrez consacrer à un chaton. Il leur faut plus de surveillance et on ne peut pas les laisser seuls aussi longtemps qu'un chat adulte.

Si vous adoptez un chaton, vous aurez plus de possibilités de former son caractère que ce ne serait le cas avec un adulte. En le plaçant dans des situations variées, vous aurez de bonnes chances qu'il se sente à l'aise parmi des inconnus ou dans un environnement nouveau et qu'il n'ait pas peur des voyages.

Alors, pourquoi se priver de la joie d'avoir un chaton et choisir un adulte ? D'abord, parce que vous savez à quoi vous attendre. Physiquement, vous n'aurez pas de surprises : forme du corps, couleur et longueur du poil sont définitivement établis. Vous pouvez aussi vous faire une bonne idée du tempérament de l'animal – actif, nerveux, docile, sociable, bruyant, tranquille, etc. Tous les chatons ayant tendance à se comporter comme de petites voitures de course couvertes de fourrure, on ne peut savoir lesquels se calmeront avec l'âge ou garderont le même caractère. Si vous tenez à un tempérament ou à des traits particuliers, choisissez un adulte.

Toutefois, une chose qu'il faut garder à l'esprit est qu'un chat venant d'un refuge peut au début sembler très craintif ou sur la défensive dans cet environnement hostile. Une fois acclimaté chez vous, il peut s'épanouir. D'un autre côté, un chat de refuge peut avoir été abandonné par son propriétaire à cause de problèmes de comportement. Cela ne signifie pas qu'ils soient insolubles, mais vous devez être prêt à faire face à toute situation. Je parlerai plus loin dans ce chapitre des adoptions auprès des refuges.

Un chat adulte ne nécessite pas la surveillance quasi constante que nécessite un chaton. C'est important pour les gens qui n'ont pas le temps de suivre un chaton à travers la maison toute la journée.

Si vous désirez vraiment partager votre vie avec un chat, adopter un adulte peut littéralement lui sauver la vie. Que des chatons soient confiés à un refuge, trouvés dans une arrière-cour ou proposés chez un épicier, ils ont plus de chances de trouver un foyer qu'un chat adulte. En prenant un tigré âgé de quatre ans, vous lui éviterez une vie passée derrière les barreaux ou pire, la mort.

Financièrement, un chat adulte est souvent moins coûteux qu'un chaton. Ceux-ci nécessitent une série de vaccins et, à six mois, il faut les stériliser. Un chat adulte venant d'un refuge ou d'un particulier est en général vacciné et stérilisé.

Mâle ou femelle ?

C'est un autre domaine où abondent légendes et rumeurs. Si vous connaissez quelqu'un qui n'a jamais eu que des chats mâles, il vous étourdira de toutes les qualités de ceux-ci et des défauts des femelles, vous disant qu'ils sont plus intelligents et sociables. Les propriétaires de femelles le nieront et ajouteront que les mâles sont plus attachés à leur territoire.

En vérité, une fois qu'un chat est stérilisé, peu importe qu'il soit mâle ou femelle. Les comportements indésirables tels que les marquages à l'urine des mâles ou les cris des femelles en chaleur sont déterminés par les hormones, et la stérilisation met fin à ces comportements. Faute de quoi, que vous ayez choisi un mâle ou une femelle, vous en souffrirez, et c'est peu dire. Les mâles non stérilisés veillent sur leur territoire et le marquent à l'urine. Si on les laisse sortir, ils fuguent et se livrent à d'innombrables combats qui peuvent leur coûter la vie. Les femelles non stérilisées, quand elles sont en chaleur (plusieurs fois par an), appellent sans cesse le mâle et n'auront de cesse d'aller dehors. Les chats stérilisés font de bien meilleurs compagnons. Ils ne vivent pas dans une frustration permanente et leur propriétaire ne passe pas son temps à s'arracher les cheveux.

Les chats de race (à pedigree)

Bien que la plupart des gens choisissent des chats de gouttière, vous pouvez vous être décidé pour un animal de race.

Les amateurs soutiendront qu'il y a des centaines de raisons de les préférer aux chats de gouttière mais, en supposant que vous soyez novice dans le monde félin, je vais me concentrer sur ce qui à mon sens compte le plus pour un nouveau propriétaire.

Quand vous envisagez l'acquisition d'un chat de race, pensez à d'éventuels problèmes de santé particuliers à telle ou telle race, par exemple les ennuis respiratoires des persans au nez court et les troubles osseux du chat de l'île de Man. Renseignez-vous avant de faire votre choix. Lisez des ouvrages concernant la race en question, consultez des sites Internet, votre vétérinaire et des gens qui possèdent des chats de cette race. Visitez des expositions félines pour voir de plus près les animaux, et discutez avec les éleveurs qui s'y trouvent. Pour savoir où ont lieu des expositions félines, lisez les magazines spécialisés ou consultez Internet.

Dans le monde canin, on trouve de grands chiens, des chiens encore plus grands, de petits chiens, des chiens encore plus petits, des chiens de chasse, des chiens de berger, des chiens de course, des chiens de garde, des chiens à poil long, à poil court, sans poils, des chiens bruyants et des chiens tranquilles. Dans le monde félin, la plus grande variété se trouve parmi les races pures. La taille, par exemple : si vous voulez un très grand chat, vous serez sans doute intéressé par le Maine Coon. Si vous préférez un chat très actif, vous pouvez choisir entre plusieurs races, par exemple l'Abyssin. Si vous aimez certains traits physiques ou de caractère, les pure-race sont plus prévisibles, et cela peut jouer un rôle important dans votre décision. Parmi les pure-race, on trouve des chats aux oreilles plissées, à la queue courte, sans queue, au poil frisé, sans poil, ou de couleurs qui n'existent pas dans la nature, des chats volubiles ou silencieux.

Certaines races nécessitent des soins que vous n'aurez pas forcément le temps, le désir ou la capacité de leur donner. Par exemple, plusieurs des races à poil long, comme les persans et les chats de l'Himalaya, ont besoin d'un brossage quotidien, faute de quoi leur poil se feutre. Aurez-vous le temps de vous occuper convenablement de ce genre de chat ?

Enfin, il y a la question financière. Un chat de race vous coûtera cher. Certains sont encore plus chers que d'autres, mais il vous faudra de toute façon payer.

Le poil : court ou long ?

Aucun doute, c'est une splendeur qu'un chat à poil long bien soigné. Les persans par exemple sont les équivalents félins des vedettes de Hollywood. On les voit à la télévision, mollement allongés sur des coussins, portant des colliers de diamants, mangeant dans des bols de cristal taillé... C'est sans doute pourquoi les persans sont une des races les plus populaires. Il suffit de les voir pour en tomber amoureux, sans réaliser le travail « en coulisses » qui entretient cette splendide fourrure.

Le pelage de nombreux chats à poil long se feutre s'il n'est pas brossé quotidiennement. Cette fourrure soyeuse fait des nœuds plus vite qu'on ne peut dire « crème démêlante ». Sans parler de l'aspect esthétique, le feutrage peut provoquer des problèmes de santé en empêchant l'air d'atteindre la peau. Les puces y trouvent aussi un abri sûr. Quand il se rétrécit, le poil feutré tire la peau, rendant les mouvements douloureux, et les griffes du chat peuvent s'y planter sans qu'il puisse les libérer lorsqu'il essaie de se gratter. J'ai vu des persans mal soignés s'arracher la peau en tentant de se gratter sous le feutrage. Si le pelage soyeux d'un persan vous attire, réfléchissez au travail d'entretien.

Tous les chats à poil long ne sont pas sujets au feutrage mais, même si vous choisissez une race qui ne connaît pas ce problème, sachez que tout poil long nécessite un brossage plus fréquent. Le Maine Coon et le chat des Forêts Norvégiennes, par exemple, ont un pelage long et épais qui ne feutre pas mais qu'il faut brosser pour lui garder belle apparence.

Les chats à poil long, qu'ils feutrent ou non, ont parfois besoin d'une aide particulière d'ordre hygiénique ; des excréments s'accrochent parfois à leur fourrure et, en cas de diarrhée, le nettoyage est plus compliqué que dans le cas d'un chat à poil court.

Les boules de poils. Vous en avez entendu parler, vous en avez peut-être même vu. Tous les chats peuvent en avoir, quelle que soit la longueur du poil (cela dépend de la fréquence du toilettage), mais les chats à poil long en ont plus que leur part. Un brossage régulier et un médicament préventif que vous trouverez chez un vétérinaire vous aideront mais, sans entretien parfait du pelage, votre chat sera sujet à des boules de poils. Pour plus de détails sur le brossage, voir le chapitre XII.

Certaines races sont plus fragiles que d'autres. Le Sphinx, par exemple, un chat presque dépourvu de poils, a besoin de températures élevées et ne conviendrait donc pas à une personne désirant garder le thermostat au minimum.

De magnifiques chats de gouttière

Nombre de chats parmi les plus aimés, gâtés, choyés, chouchoutés et adorés n'ont pas de pedigree. Ils ont été trouvés perdus dans la rue, à notre porte, dans le garage du voisin, dans une grange ou le refuge local, tremblant de froid dans un parking. Ils sont si nombreux à avoir besoin de notre aide ! En fait, je crois que, souvent, ce sont eux qui *nous* viennent en aide.

À moins que vous ne soyez déjà décidé sur une race, ne projetiez de présenter votre chat à des concours (et, en fait, il y a des concours pour chats de gouttière) ou de vous lancer dans l'élevage (ce que je déconseille vivement), vous devriez envisager de choisir un gouttière, ou sang-mêlé.

Qu'est-ce qu'un sang-mêlé ? On appelle ainsi le produit des accouplements, au hasard des rencontres, d'animaux de races différentes, qu'il s'agisse d'individus de pure-race ou de sang-mêlé. On remarque parfois la trace identifiable d'une race particulière (par exemple, un chat au corps oriental et vocalisant beaucoup) mais, d'ordinaire, les accouplements successifs produisent des chats dont l'arbre généalogique reste un mystère.

Les chats de sang-mêlé sont de toutes forme, taille et couleur. Du point de vue de la personnalité, ils ne sont pas aussi prévisibles que les pure-race, mais sont en général vigoureux et adaptables.

Où trouver votre chat ?

Maintenant que vous êtes certain de vouloir partager votre vie avec un chat, examinons les divers lieux où vous procurer votre nouveau compagnon – que ce soit un chaton, un adulte, pure race ou sang-mêlé, à poil court ou long, un mâle ou une femelle.

Vous savez certainement que les chats ne sont pas rares. Vous pourriez sans doute ouvrir la porte et en trouver un dans la cour. J'ai un terrain d'un hectare et demi, et presque tous les matins je vois un nouveau chat.

Si beaucoup de gens trouvent le chat de leurs rêves grâce à un organisme de sauvetage, cette méthode ne convient pas à tout le monde. Un chat blessé ou affamé ramassé au bord de la route, ou retiré du couloir de la mort d'un refuge, peut ne pas se révéler l'animal affectueux, confiant et bien socialisé que vous espériez. J'approuve quiconque donne à un chat une deuxième chance, mais réfléchissez avant de vous engager. Je veux que votre chat et vous connaissiez ensemble de très nombreuses années de bonheur.

Un bon conseil : je vous recommande de ne pas emmener vos enfants avec vous au début de vos recherches. Vos premières visites à des refuges ou des éleveurs ne vous serviront que d'évaluation. J'ai vu trop de gens rentrer chez eux avec un chaton sans y être prêts juste parce que les enfants en étaient tombés amoureux. Et il faut bien dire que les enfants ne sont pas les seuls à se montrer incapables de sortir les mains vides d'un refuge ou d'une animalerie – les adultes sont pareils !

LES REFUGES

Entrer dans un refuge est une expérience très violente pour un amoureux des animaux. En sortir *les mains vides* est encore plus difficile. Préparez-vous à cette idée – vous ne pouvez pas sauver tous les pensionnaires. C'est très dur d'aller d'une cage à l'autre en regardant dans les yeux tous ces chats qui cherchent un foyer. Aussi fort que vous souhaitiez prendre pour toujours dans vos bras le plus malheureux de ces animaux, pensez à ses besoins. Prendre une décision impulsive sans y être préparé pourrait se révéler mauvais pour vous et pour le chat.

Il existe de nombreux refuges, privés ou publics ;

dans vos recherches, vous rencontrerez des endroits bien tenus et d'horribles prisons.

Vous avez très peu de chances de trouver un chat de pure race dans un refuge, mais cela se produit parfois, surtout en ce qui concerne les très populaires persans ou siamois. Les chatons partent très vite – tout le monde veut des chatons, en particulier à l'époque de Noël. Si toutefois vous n'êtes pas opposé à l'idée d'un chat adulte, vous en trouverez de tous âges, couleurs et caractères.

Bien que la majorité des gens qui travaillent dans les refuges fassent de leur mieux pour offrir aux animaux un environnement aussi agréable que possible, ne vous attendez pas étant donné le stress lié à la vie en refuge à trouver des chats au mieux de leur forme. Ils sont très souvent en état de choc émotionnel, beaucoup ont été abandonnés par leur propriétaire, se sont perdus ou n'ont jamais eu de maison, et ils souffrent parfois de blessures. Ils se sont soudain retrouvés dans une cage, loin de tout ce qui ressemble à la vie qu'ils connaissaient, et sont terrifiés. Même si vous avez un cœur grand comme ça et comptez bien offrir à l'animal la meilleure maison du monde, il peut au début ne pas apprécier vos efforts à leur juste valeur. Certains chats, amenés au refuge à cause de problèmes de comportement, vous poseront des difficultés particulières. Très souvent cependant, un chat adopté en refuge finit par oublier son passé pour devenir l'amour de votre vie. Certains des chats les plus intelligents, beaux, sociables et tolérants que j'aie vus venaient de refuges.

Les employés des refuges s'efforcent maintenant de rendre plus adoptables les chats dès leur arrivée. Il y a des années, quand des animaux étaient amenés au refuge, on les jetait dans une cage ou un enclos où ils restaient jusqu'à l'adoption ou l'euthanasie. Heureusement, de plus en plus de bénévoles se rendent dans les refuges pour maintenir un contact humain avec les animaux, leur offrant affection, réconfort et temps de jeu.

Avant de décider d'adopter en refuge, visitez les lieux, posez des questions et informez-vous des règles (par exemple, nombre de refuges exigent que le chat adopté soit gardé en intérieur). Certains exigent même de venir chez vous pour s'assurer que *vous* ferez l'affaire.

LES ORGANISATIONS DE SAUVETAGE

Si vous souhaitez recueillir un chat par l'entremise d'un organisme de sauvetage, sachez que, comme dans le cas d'un chat adopté en refuge, vous aurez très probablement affaire à un animal traumatisé. Il faut à ces chats un environnement stable, paisible, rassurant, et un maître doté de patience et d'amour en quantité.

Nombre de chats ainsi sauvés n'auront jamais été socialisés par des humains durant leur jeune âge. Il est important de le savoir si vous voulez absolument un chat d'humeur égale, venant ronronner sur vos genoux. Un chat trouvé dehors aura parfois besoin d'un long laps de temps avant d'oser vous faire confiance. Lorsque cela se produit, cependant, il est étonnant de voir l'animal baisser sa garde et s'ouvrir à vous. Le souvenir de telles scènes auxquelles j'ai assisté restera toujours gravé dans ma mémoire.

LES ÉLEVEURS : LES BONS, LES MAUVAIS ET LES EXÉCRABLES

Si vous vous êtes décidé pour un chat de pure race, le meilleur endroit où le trouver est chez un éleveur. Il n'est pourtant pas si facile de trouver un *bon* éleveur. Comme dans tout autre domaine, quand l'argent rentre en jeu, il arrive que l'éthique en souffre.

UN BON ÉLEVEUR...

- connaît très bien la race dont il s'agit ;
- répond volontiers à toutes vos questions ;
- refuse l'ablation des griffes ;
- présente des animaux dans des expositions ;
- spécifie par contrat que le chat doit être gardé en intérieur ;
- offre des références ;
- vous fait visiter sa chatterie ;
- ne vous presse pas d'acheter ;
- vous fait voir les parents des chatons ;
- montre un amour véritable pour ses chats ;
- a tous les papiers de ses animaux ;
- s'assure de vos capacités à offrir un bon foyer au chaton ;
- exige que l'acheteur stérilise l'animal ;
- dispose du carnet de santé du chat indiquant les vaccinations ;
- propose en cas de problème un remboursement, pas un autre chaton ;
- ne vend aucun chaton âgé de moins de douze semaines ;
- exige que vous lui rendiez le chat si vous ne pouvez pas le garder.

Les bons éleveurs tiennent à préserver la pureté de la race, prennent un soin jaloux de la propreté de leur chatterie et ont un savoir étendu en matière de santé, de nutrition et de comportement. Ils doivent connaître tout problème congénital auquel peut être sujette la race dont il s'agit et être capables de l'éviter. Les bons éleveurs accueillent volontiers les questions et font visiter leurs locaux.

Pour commencer votre quête d'un bon éleveur, débutez par les expositions félines se tenant près de chez vous. Même si cela implique un déplacement non négligeable, cela en vaut la peine. Les bons éleveurs *exposent* leurs chats, et c'est une bonne occasion pour vous de discuter avec plusieurs éleveurs. Sauf s'ils sont en train de préparer leur chat pour le concours, ils devraient se montrer heureux de vous répondre.

Vous entendrez souvent dans la bouche des éleveurs l'expression *élevé sous le pied*. Elle signifie que les chatons ont été manipulés et socialisés par des humains et non enfermés en cage. Méfiez-vous toutefois, tout le monde peut prétendre qu'un chaton a été élevé sous le pied, à vous de décider si c'est vrai. Visitez la chatterie, posez des questions, observez soigneusement les chatons et manipulez-les. Rappelez-vous qu'un pedigree n'est qu'un morceau de papier à l'air officiel et ne garantit pas que le chaton est bien adapté.

LES ANIMALERIES

Ne vous laissez pas avoir. Dans les animaleries, les chatons sont beaucoup trop chers, mal socialisés et viennent sans doute de chez un amateur qui joue à l'éleveur. N'achetez pas de chatons en animalerie, c'est contraire à l'éthique.

Un bon éleveur ne vendra jamais de chaton à une animalerie. Que vous ayez de l'argent ne fait pas de vous le propriétaire idoine d'un chat de pure race. Vous ne devriez même pas envisager d'acheter un chat auprès d'une personne prête à le vendre au plus offrant.

Certaines animaleries ont changé de politique et refusent de vendre chatons et chiots à cause du nombre d'éleveurs ne respectant pas l'éthique. Je les applaudis et leur montre mon soutien en y achetant mes fournitures.

ACHETER UN CHAT SUR PHOTOGRAPHIE

Que vous ayez affaire à un éleveur ou à un propriétaire privé, n'acceptez jamais d'acheter un chat sans l'avoir vu. Certains éleveurs vivant loin de chez vous accepteront de vous vendre un chat par correspondance. Vous recevez une photographie et ne voyez votre chat en chair et en os qu'en allant le chercher à l'aéroport. Mon avis à ce sujet : refusez.

Si l'éleveur d'une race inhabituelle à laquelle vous tenez habite loin de chez vous, ce qui est possible, et que vous tenez absolument au chaton proposé, prenez un avion pour aller le voir, évaluez les lieux et, si tout paraît en ordre, ramenez le chaton avec vous.

LES ANNONCES DANS LES JOURNAUX

Soyez prudent. Ce n'est pas parce qu'on vous propose un chaton gratuitement et qu'il est décrit comme parfait que c'est vrai.

Traitez les propriétaires comme vous le feriez d'un éleveur, en posant des questions. Comment l'animal a-t-il été élevé ? Dans le cas d'un chat adulte, demandez pourquoi les propriétaires souhaitent s'en séparer. La raison peut être précisée dans l'annonce, mais vous ferez mieux de demander des détails.

Examinez soigneusement la maison, ne laissez pas les propriétaires vous accueillir sur le seuil avec le chaton dans les bras. Il vous faut voir où il a grandi, et aussi sa mère.

Si les propriétaires essaient de se débarrasser d'un chat à problèmes et que vous souhaitiez toujours l'adopter, renseignez-vous sur tout, je dis bien *tout,* ce que vous pouvez ; pas seulement la nature du problème mais quand, comment et où il se manifeste. De quelle façon a-t-on essayé de résoudre ce problème ? Un trouble de comportement peut provenir des humains occupant la maison et disparaître une fois le chat installé ailleurs. Assurez-vous qu'on vous a tout dit, et armez-vous de patience pendant la période d'adaptation de l'animal.

On propose parfois de donner des chats adultes à cause de changements familiaux. Par exemple, suite à un décès, les héritiers peuvent essayer de placer le chat. Si vous savez pourquoi on veut le donner, vous pourrez mieux l'aider à faire face au changement.

Un chat adulte ayant déjà vécu avec des humains est souvent un parfait compagnon, si vous avez le temps et la patience de lui venir en aide. Des chats qui ont perdu leur maître, qui ont été battus ou soudain mis à l'écart (par exemple rejetés par un nouveau conjoint) sont abasourdis, effrayés, en état de choc. Mais grâce à votre amour, ils peuvent connaître une vie merveilleuse.

Si l'annonce propose un chaton et affirme que les vaccinations initiales ont été faites, ne croyez pas un inconnu sur parole, demandez comme preuve le carnet de vaccination, et ne vous contentez pas d'une petite brochure où le propriétaire coche les dates des vaccins ; il suffit d'un stylo pour cela. Demandez le nom du vétérinaire et vérifiez auprès de lui le cas échéant.

Si la mère du chaton se trouve chez le propriétaire, demandez si ses vaccinations sont à jour et si elle a subi les tests de la *leucémie féline* et du *virus d'immunodéficience féline*.

Une autre question qu'il faut vous poser est de savoir pourquoi le propriétaire de cette chatte l'a laissée tomber enceinte. S'agit-il d'éleveurs amateurs pensant se faire un peu d'argent en accouplant une chatte de race pure avec un mâle appartenant à un ami ? En achetant un chaton à de tels gens, vous ne faites que les encourager à continuer. Si vous vous imaginez obtenir un pure-race de valeur à bas prix, vous vous trompez. Vous pourriez bien payer cher un chat sans grandes qualités et atteint de défauts héréditaires.

J'en veux aussi aux gens qui ne stérilisent pas leurs chats de gouttière et qui, lorsqu'une portée arrive, passent une petite annonce, sachant qu'il y a toujours quelqu'un pour chercher des chatons et les débarrasser de ces quatre ou cinq petits *problèmes*.

Référez-vous au paragraphe précédent concernant les petites annonces, il n'y a pas de différence. Vos voisins peuvent être de merveilleux jardiniers, des gens charmants, mais ne pas savoir s'occuper de chats. Posez les bonnes questions.

OBSERVEZ LES GENS, PAS SEULEMENT LES CHATS

Armez-vous de toute votre intuition et, lorsque vous posez des questions, assurez-vous qu'on vous dit la vérité et non ce qu'on pense que vous souhaitez entendre. En tant que spécialiste du comportement animal, j'ai appris à faire la différence entre fait et fiction. Si par exemple ce que vous dit un éleveur, un propriétaire ou l'employé d'un refuge ne correspond pas à ce que vous voyez, méfiez-vous. Posez des questions et apprenez-en autant que possible sur l'animal.

QUAND C'EST LE CHAT QUI VOUS CHOISIT

Si l'on faisait un sondage parmi les propriétaires de chats, je suis certaine que l'écrasante majorité d'entre eux diraient qu'ils ne cherchaient pas de chat, ne souhaitaient pas en avoir un, et peut-être même ne les aimaient pas beaucoup – l'amour félin de leur vie est arrivé tout seul. Le plus souvent, ce sont les chats qui nous choisissent, qu'ils apparaissent sur le seuil, au bord de la route lors d'une promenade, ou pelotonnés sur le capot chaud d'une voiture lors d'une nuit d'hiver. C'est ainsi que presque tous mes chats sont entrés dans ma vie.

Si un chat apparaît à votre porte, assurez-vous qu'il n'appartient à personne avant de décider de devenir son maître. Vérifiez bien sûr qu'il ne porte pas de collier, ni d'autre identification. Renseignez-vous auprès des refuges et vétérinaires du coin pour savoir si personne ne recherche un chat perdu. Regardez les petites annonces des journaux et faites-en passer une vous-même, mais ne donnez pas une description trop détaillée de l'animal, pour pouvoir identifier le vrai propriétaire. Si par exemple le chat a une tache blanche à la patte arrière droite, ou s'il lui manque une canine, voilà ce que seul le vrai propriétaire saura.

Avant de garder le chat qui vous a choisi, il vous faudra vérifier qu'il n'est pas porteur de maladies mortelles comme la leucémie féline et le virus d'immunodéficience féline. Si les tests sont négatifs, il faut le vacciner et le vermifuger.

Si l'animal est un *haret* (un chat domestique retourné à l'état sauvage) et non un *vagabond* (un chat qui a vécu avec des humains et été socialisé, mais qui pour une raison ou une autre vit maintenant seul), le processus est plus compliqué. Un haret n'a pas été manipulé et socialisé quand il était petit, et peut rester méfiant et distant. Introduire un tel animal dans une maison où se trouvent déjà d'autres chats peut aussi se révéler difficile.

L'heure du choix

Vous voyez donc que *comment* et *où* un chaton a été élevé déterminent s'il sera un membre sociable et affectueux de la famille ou une invisible boule de fourrure qui passe ses journées cachée sous un lit et évite les humains autant que possible. Où que vous vous adressiez, n'omettez pas de prendre en compte l'environnement dans lequel a été élevé l'adorable petit chaton que vous voyez.

Règle numéro un : n'acceptez jamais qu'on vous donne ou vende un chaton séparé de sa mère avant qu'il ait douze semaines. Les chatons ont besoin de leur mère et aussi de la compagnie du reste de la portée jusqu'à cet âge. Ils apprennent les uns des autres, leurs jeux les préparent à l'âge adulte et leur enseignent des aptitudes sociales importantes. Des chatons séparés trop tôt de la portée ont souvent du mal par la suite à s'intégrer à un foyer où se trouvent d'autres chats. Ils ne savent pas bien *jouer* ni établir des liens avec d'autres animaux.

Un chaton enlevé à sa mère avant qu'elle ait eu le temps de le sevrer graduellement peut se mettre à téter de la laine (ou vos doigts, vos lacets, etc., la liste est interminable).

Règle numéro deux : un chaton qui n'a pas été socialisé comme il convient aura du mal à se lier à des humains. La période cruciale de socialisation se produit entre trois et sept semaines. C'est à cette époque que des manipulations fréquentes et douces aident les chatons à se sentir à l'aise parmi les effrayants géants que nous sommes.

Observez si possible la mère et demandez comment elle s'occupe de sa portée. Quel est son état de santé ? Si elle paraît maigre et maladive, son lait peut être inadapté en qualité et en quantité.

Avec cinq adorables chatons les yeux fixés sur vous, comment en choisir un ? C'est difficile. Votre esprit dit calmement : « Nous avions décidé de ne prendre qu'un seul chaton », mais votre cœur hurle : « Ils sont si mignons, je les veux tous ! ». Réfléchissez un instant. Cinq chatons, cela signifie cinq fois autant de dépenses en soins et en nourriture, cinq fois autant d'attention, et finalement cinq chats adultes. Vous pouvez vous trouver dépassé par les événements.

Si toutefois vous n'avez pas déjà d'autres chats, je vous recommande fortement d'envisager de prendre *deux* chatons, ça en vaut la peine. Ils continueront d'apprendre l'un de l'autre en grandissant, ils se tiendront compagnie (vous ne pouvez pas être là en permanence) et, d'un point de vue comportemental, il est infiniment plus facile d'ame-

ner chez vous deux chatons en même temps que d'en prendre un maintenant et de décider plus tard, une fois le chat adulte, qu'il a besoin d'un camarade. Les chats adultes sont attachés à leur territoire et il peut se révéler très difficile de les amener à le partager.

TROUVER L'ÂME SŒUR

Si on vous présente toute une portée, examinez les chatons un par un. Même si vous avez déjà décidé de prendre une femelle alors qu'il n'y en a qu'une dans la portée, regardez de près tous les petits. Pourquoi vous intéresser aux mâles alors que vous êtes sûr de vouloir une femelle ? Parce qu'observer l'ensemble de la portée peut vous aider à déterminer la personnalité des individus qui la composent. Vous avez peut-être décidé de prendre une chatte mais pas une petite sauvageonne et, en examinant l'ensemble de la portée, vous pourrez comprendre comment elle s'y intègre. Un de ses petits frères pourrait se montrer joueur et confiant mais moins excité.

Vous serez peut-être tenté de choisir le plus malingre de la portée, mais il faut savoir que les chatons qui se trouvent aux extrémités de l'échelle (c'est-à-dire très agressifs ou très timides) sont susceptibles de développer par la suite des problèmes de comportement. Je ne veux pas dire que seuls doivent être choisis des chatons parfaits, mais vous devez savoir ce que vous voulez. Si par exemple vos enfants s'attendent au plus mignon petit chat du monde, leur amener un chaton terrorisé qui se cache au moindre mouvement sera désastreux et pour eux et pour le chaton.

Beaucoup de gens choisissent un chaton juste sur son apparence extérieure, ayant toujours désiré un chat noir, ou peut-être un tigré orange. N'oubliez pas cependant que, avec des soins et de la chance, le chat que vous aurez choisi passera avec vous de dix à vingt-trois ans, et peut-être même plus. L'apparence extérieure ne fait pas le chat.

COMMENT ÉVALUER LE TEMPÉRAMENT D'UN CHATON

Avant de vouloir juger de leur personnalité et de leur niveau d'activité, demandez quand les chatons ont mangé pour la dernière fois ; ils seront somnolents juste après un repas.

Remarquez lesquels sont joueurs, confiants et amicaux.

Asseyez-vous par terre et laissez les chatons s'accoutumer à vous. Comment réagissent-ils ? Paniquent-ils et essaient-ils de se cacher ? Feulent-ils ? Ils devraient se montrer à l'aise, sans signe de peur.

Essayez de les faire jouer, n'importe quel objet fera l'affaire, par exemple une plume. Ils devraient s'y intéresser, sauter dessus, donner des coups de patte et, s'ils vous font rire, ils méritent une bonne note.

Après avoir bien joué et s'être calmés (pensez que les chatons ont des à-coups d'énergie), essayez de les prendre doucement dans vos mains. Ils ne devraient pas cracher, feuler ni essayer de mordre ou de griffer. Les chatons en général ne veulent pas qu'on les tienne longtemps, mais doivent accepter d'être brièvement manipulés. Un petit chat mal socialisé fera tout ce qu'il pourra pour vous échapper. Qu'il se débatte un peu ne pose pas de problème, mais peur et agressivité ne sont pas acceptables.

Un chaton n'acceptera sans doute pas de rester tranquille assez longtemps pour un examen complet, mais il vous faut vous assurer de sa santé (et le montrer à votre vétérinaire) avant de prendre une décision. Une fois encore, je ne dis pas qu'il vous faille rejeter un chaton parce qu'il a des puces ou de la gale dans les oreilles, mais *réalisez* dans quoi vous vous lancez. Un chaton malade vous fera aller sans cesse chez le vétérinaire. Êtes-vous prêt à ces dépenses, ou à tomber amoureux d'un chaton qui ne survivra peut-être pas ? *Informez-vous bien.*

La peau et la robe

Un chaton en bonne santé a un pelage doux, sans zones pelées ni poils brisés (pouvant indiquer des parasites intestinaux). Reniflez sa fourrure – elle doit sentir le propre. Si le pelage est gras, rude, trop sec ou malodorant, cela peut être le signe de parasites, de soins inappropriés ou d'une maladie non encore déclarée. La plupart des chatons et chiots naissent atteints de parasites et il faut les vermifuger plusieurs fois dans leur jeune âge.

La peau doit être propre, sans irritations ni rougeurs. Vérifiez s'il y a des puces (leurs excréments sont de petites poussières noires). La présence de puces ne doit pas vous faire rejeter un chaton, mais une infestation trop sévère peut causer une anémie par perte de sang.

Le corps

Un chaton pris dans vos mains ne doit pas donner l'impression d'être gras ni efflanqué. Si vous sentez ses côtes sous vos doigts, c'est bien, si vous pouvez les *voir*, il est trop maigre. Le ventre ne doit pas être dur ou gonflé. Si le chaton a le ventre très enflé, il a sans doute des vers.

Les yeux

Ils doivent être nets, sans pellicule superficielle ou présence de liquide (qu'il soit aqueux, laiteux ou verdâtre). Le chaton ne doit pas loucher et la troisième paupière (une membrane protectrice interne) ne doit pas être visible. En position normale, cette membrane est pliée au coin intérieur de l'œil.

Les oreilles

L'intérieur doit être propre. La présence d'un dépôt brun-noir et une sensibilité particulière indiquent une probable gale auriculaire. Quoique sans gravité, la maladie nécessitera des soins pendant environ trois semaines (durée du cycle de vie du parasite).

La bouche

Les gencives doivent être roses, ni rouges ni trop pâles, et les dents blanches. Dans le cas de chats adultes, recherchez des signes de problèmes dentaires (gencives rouges et enflammées, présence de tartre, dents branlantes, mauvaise haleine). Informez-vous de l'appétit et de la diète de l'animal. Assurez-vous qu'un chaton peut déjà absorber de la nourriture solide.

La queue

Pour être précis, c'est le *dessous* de la queue qui nous intéresse. Cette zone doit être propre, sans signe de suintements ou de diarrhée.

Soyez réaliste quand vous évaluez un chat ou un chaton. Ne le rejetez pas simplement parce qu'il a des puces (ce qui signifie qu'il a sans doute aussi des vers), mais ayez conscience d'éventuels problèmes.

DOCUMENTATION, GARANTIES ET PAPERASSES

Si vous vous procurez un animal auprès d'un éleveur ou d'une animalerie, lisez mot à mot le contrat et la garantie. Demandez des explications sur tout ce que vous ne comprenez pas. Le vendeur doit s'engager à reprendre l'animal si un vétérinaire le trouve en mauvaise santé. Je sais que cela paraît manquer de cœur, comme si vous achetiez une lessiveuse et non un être vivant, mais rappelez-vous que certaines personnes dépensent des fortunes pour des chats de races rares et que certains vendeurs sont prêts à vous céder en toute connaissance de cause un animal en mauvaise santé, mais pas à vous rembourser.

Si la garantie prévoit en cas de problème de santé non pas un remboursement mais un remplacement de l'animal, exigez une modification. Un autre chaton pourrait ne pas vous plaire. C'est à vous de décider si vous voulez porter ailleurs votre clientèle ou choisir le « meilleur du pire ».

LES CHATS AVEC DES « BESOINS PARTICULIERS »

Tout le monde ne cherche pas le chat parfait, certaines personnes sont attirées par le chat ou chaton dont nul ne veut. Des chats ayant des problèmes de santé se révèlent souvent des compagnons extraordinaires – on pourrait même dire que certains sont des modèles du genre. Malheureusement, d'autres ne se montrent pas aussi satisfaisants. Si vous vous sentez capable de donner une deuxième chance à un chat, consultez votre vétérinaire pour savoir à quoi vous attendre en termes de soins nécessaires et de pronostic à long terme.

Si vous décidez de soigner et guérir un animal malade, pensez au temps et aux dépenses que cela implique, et au chagrin si vos efforts ne réussissent pas. Si vous avez déjà des chats, amener chez vous un individu malade implique de l'isoler pour protéger les autres. Réfléchissez bien avant de vous engager auprès d'un chat aux besoins particuliers.

CHAPITRE II

Votre chat et ses moyens
de communiquer

Prenez le temps de faire le tour du corps de votre chat. Ce n'est pas simplement une jolie petite boule de fourrure qui poursuit les souris et dort au soleil. Le corps d'un chat est parfaitement adapté à la chasse, tous ses organes remplissent des fonctions précises. Et ses miaulements, signifient-ils vraiment quelque chose ? Les chats communiquent avec leur voix, leurs postures corporelles, et des marquages olfactifs. Vous familiariser avec le langage de votre chat vous permettra de dévoiler les mystères des problèmes comportementaux et des malentendus entre maître et chat.

Commençons par quelques informations de base sur le fonctionnement interne et externe d'un chat.

Petit voyage autour de votre chat

LA TEMPÉRATURE

Elle va de 38°5 à 39° centigrades. En cas de stress, la température peut s'élever, lors d'un examen vétérinaire par exemple ; dans ces circonstances, on peut considérer une température de 39° comme normale.

LE CŒUR

Le cœur d'un chat bat de 120 à 140 fois par minute. Le rythme cardiaque augmente en cas de stress, de peur, d'excitation ou d'activité physique. La fièvre peut aussi l'accélérer.

LE RYTHME RESPIRATOIRE

La moyenne pour un chat au repos est de vingt à trente inspirations par minute. Les humains prennent deux fois moins d'inspirations.

LE GROUPE SANGUIN

Il y a chez les chats trois types sanguins : A, B et AB. Ce dernier type est très rare.

LES YEUX

Les chats ont une vision binoculaire, c'est-à-dire qu'une image est perçue par les deux yeux en même temps, ce qui donne à l'animal une excellente perception de la profondeur.

La lumière qui pénètre l'œil par la pupille se focalise sur la rétine. Une lumière vive fait se contracter les muscles de l'iris, étrécissant verticalement la pupille.

Comparée à celle d'un humain, la rétine d'un chat comporte beaucoup plus de bâtonnets (récepteurs de lumière), ce qui lui permet de voir dans le noir presque complet. Les gens supposent parfois que les chats voient dans le noir total, ce qui est faux, mais ils peuvent voir dans ce que nous considérons comme les ténèbres. Leur rétine comporte moins de cônes (récepteurs de couleur) que celle des humains ; on a pu déterminer qu'ils voyaient certaines couleurs, mais la façon dont ils les interprètent reste un mystère. L'aube et le crépuscule sont les moments de chasse privilégiés des chats, aussi la détection des couleurs est-elle moins importante que la capacité à repérer le moindre mouvement. J'imagine que, le soir, les différences de couleur entre un écureuil et une souris ne comptent guère pour un chat affamé.

Les chats ont derrière la rétine une couche de cellules appelée *tapetum lucidum*, qui agit comme un miroir et renvoie la lumière sur la rétine, permettant au chat d'utiliser toute la clarté disponible. C'est ce qui fait briller dans les phares les yeux des animaux nocturnes.

Les chats ont une troisième paupière connue sous le nom de *membrane nictitante*. Cette membrane rose pâle est normalement repliée au coin intérieur de l'œil et se déplie pour le protéger.

Les chatons sont aveugles à la naissance et, au fur et à mesure de leur développement, leurs yeux qui d'abord focalisent mal deviennent très sensibles à la lumière. Ils naissent avec les yeux bleus et la couleur définitive s'installe plusieurs semaines plus tard.

Les yeux des chats peuvent être de diverses couleurs, les plus courantes étant le jaune et le vert. Les chats blancs aux yeux bleus souffrent de surdité congénitale. Il est fréquent que des chats aux yeux vairons soient sourds de l'oreille située du côté de l'œil bleu.

Les yeux d'un chat indiquent ses sentiments. Les pupilles se dilatent quand un chat est intéressé, surpris ou effrayé ; des pupilles contractées peuvent indiquer de la tension et éventuellement de l'agressivité.

Un chat dominé essaiera d'éviter le contact oculaire pour prévenir une confrontation violente avec un autre chat. Un chat agressif regardera droit dans les yeux.

Les chats préférant chasser dans la pénombre, leur ouïe est aussi importante pour eux que la vue ou l'odorat. Un bon prédateur doit détecter le moindre froissement d'herbe. L'ouïe d'un chat est plus fine que celle d'un humain ou même d'un chien, si sensible que le chat peut différencier à plusieurs mètres de distance deux sons similaires émis l'un près de l'autre.

La *pinna* est un repli de l'oreille en forme de cône, qui recueille les ondes sonores et les transmet à l'oreille interne. Les nombreux muscles de la *pinna* permettent au chat de faire largement pivoter ses oreilles et de localiser avec précision la source d'un bruit.

Les oreilles d'un chat sont de bons indicateurs de son humeur. Abaissées et aplaties, elles signalent irritation et parfois soumission. Un chat inquiet peut agiter les oreilles. Dirigées vers l'avant, elles indiquent la vigilance. Durant un combat, ou lors d'une situation pouvant y conduire, les oreilles sont tournées en arrière et aplaties pour les protéger.

LE NEZ

Un odorat bien développé est vital pour la survie dans le monde félin. Il permet au chat d'identifier les territoires, transmet des informations relatives au sexe opposé, l'informe de la présence d'ennemis potentiels et lui signale la présence de proies. Il influence aussi son appétit. Un chat qui perd l'odorat devient anorexique.

L'intérieur du nez d'un chat est tapissé d'une muqueuse qui piège les particules étrangères et les bactéries pour les empêcher de pénétrer dans le corps. Cette muqueuse réchauffe aussi et humidifie l'air inspiré avant qu'il parvienne au système respiratoire.

Certains chats ont plus de mal que d'autres à respirer à cause des différentes formes de museau. Les races au nez aplati, comme les persans, ont des capacités respiratoires diminuées à cause de leur nez déformé, et leur odorat peut de même en être diminué.

Les chats ont aussi un « analyseur » olfactif supplémentaire qui joue un rôle spécifique dans l'identification de marqueurs sexuels dans l'urine.

LA BOUCHE

Les chatons ont leurs dents de lait à quatre semaines. Les dents définitives sont en général toutes présentes à six mois, trente dents au total. Les canines servent à trancher la moelle épinière de la proie et la mettre à mort. Les six incisives situées à l'avant de la bouche sur les mâchoires inférieures et supérieures arrachent de petits morceaux de viande et sont utilisées pour plumer les oiseaux. Les prémolaires et les molaires coupent de plus gros morceaux de viande, que les chats avalent entiers, sans les mâcher.

La langue est couverte de petits barbillons dirigés vers l'arrière (*papillae*) qui servent à la toilette et aussi à nettoyer les os des proies. Les chats boivent en incurvant le bord de la langue en cuillère.

Les chats utilisent très efficacement leur langue pour nettoyer leur pelage, ce qui a aussi une fonction comportementale. Dans une situation de stress, un chat peut se toiletter pour se libérer de la tension ressentie. Vous pouvez observer ce comportement si votre chat regarde un oiseau par la fenêtre. Quand l'oiseau s'envole, le chat se livre parfois à une séance de toilettage pour évacuer l'énergie accumulée et oublier sa frustration.

Dans la voûte du palais se trouve un organe sensoriel appelé organe de Jacobson (ou organe voméronasal), avec des conduits qui mènent à la bouche et au nez. Le chat inhale, ouvre la bouche et retrousse la lèvre supérieure. L'odeur est alors recueillie par la langue, dans un compromis entre le goût et l'odorat.

La langue se déplace alors vers le palais, transmettant l'odeur à l'organe de Jacobson. Pendant qu'il se livre à cette analyse olfactive, les lèvres du chat sont retroussées en une sorte de grimace (appelée réaction de Flehmen). Ce comportement se rencontre surtout chez des mâles réagissant à l'urine ou aux phéromones de femelles en chaleur.

LES MOUSTACHES

Les moustaches, ou vibrisses, servent d'organes sensoriels et transmettent des messages au cerveau. Les vibrisses sont situées sur les lèvres supérieures, les joues, au-dessus des yeux et sur les pattes avant. Les vibrisses de la lèvre supérieure forment quatre rangées. Les vibrisses supérieures, qui s'étendent au-delà de la tête, servent aussi à guider l'animal dans le noir complet. Celles des pattes avant permettent de détecter tout mouvement d'une proie maintenue par le chat.

Les vibrisses jouent aussi un grand rôle dans le langage corporel des chats. Dirigées vers l'avant et étendues en éventail, elles signifient en général que le chat est bien éveillé et prêt à agir. Un chat détendu porte ses vibrisses sur le côté et moins déployées. Si l'animal a peur, ses moustaches sont resserrées et aplaties contre la face.

LES GRIFFES

Les chats ont cinq doigts aux pattes avant et quatre aux pattes arrière. Le cinquième doigt, vers l'intérieur de la patte avant, s'appelle l'ergot ; il ne touche pas le sol lors de la marche. Certains chats présentent une polydactylie (des doigts en surnombre).

Quand un chat se fait les griffes sur un arbre ou un griffoir, l'enveloppe externe de la griffe est arrachée, ce qui permet la croissance d'une nouvelle enveloppe.

On trouve au bas de l'endroit griffé de petits étuis de griffe en forme d'arc-de-cercle.

Contrairement à celles des chiens, les griffes des pattes avant des chats ne s'usent pas, car elles restent rétractées lorsque l'animal ne s'en sert pas.

LA QUEUE

Continuation de l'épine dorsale, la queue sert à équilibrer le corps et joue un rôle important dans la communication gestuelle. Une queue dressée à la verticale signifie que le chat est bien éveillé, c'est aussi la position employée pour accueillir le maître. La queue d'un chat détendu est horizontale ou légèrement penchée. Si votre chat remue sa queue dressée, il s'agit usuellement d'un signal affectueux. La plupart du temps, il vous dit que vous lui avez manqué et qu'il se demande à quelle heure le dîner est prévu. Une queue battant l'air ou frappant le sol est signe d'agacement. Si cela se produit alors que vous caressez l'animal, mieux vaut le laisser tranquille. Lorsqu'un chat est au repos, d'occasionnels battements de queue signalent un état de détente et de veille à la fois. Si l'animal a peur, il hérissera sa queue pour au moins en doubler le volume. La queue en forme de « U » inversé indique de l'effroi et une éventuelle agression défensive. Un chat qui se sent dominé se cachera la queue entre les pattes pour paraître aussi petit et inoffensif que possible.

CALCULER L'ÂGE D'UN CHAT

On entend toujours dire qu'une année de vie humaine vaut sept années de vie de chien. Ce n'est pas très exact, et encore moins pour les chats. Comme vous allez le voir, il y a des variations suivant l'âge.

Dans le cas des chiens, l'espérance de vie dépend de l'espèce, les grands chiens vivent moins vieux que les petits. En ce qui concerne les chats, la race influe moins sur la durée de vie que le mode de vie. Un chat d'intérieur bien soigné a bien plus de chances d'atteindre un âge avancé qu'un animal vivant dehors qui ne voit un vétérinaire qu'en cas d'urgence.

ÂGE DU CHAT	ÂGE HUMAIN
1 mois	6 à 8 mois
3 mois	4 ans
6 mois	10 ans
8 mois	15 ans
1 an	18 ans
2 ans	24 ans
4 ans	35 ans
6 ans	42 ans
8 ans	50 ans
10 ans	60 ans
12 ans	70 ans
14 ans	80 ans
16 ans	84 ans

La communication verbale

Les chats utilisent la communication verbale autant que le langage corporel ou les marquages odorants pour transmettre des messages visant à *réduire* ou à *augmenter* la distance.

Un propriétaire de chat se familiarise vite avec les nuances subtiles (ou parfois moins subtiles) du vocabulaire de son animal. On peut presque toujours identifier les sons qui signifient *à l'aide, je veux une friandise, ouvre la porte, j'ai mal, je veux jouer, laisse-moi tranquille* ou *le dîner est en retard*. Quand j'ai été trop occupée et n'ai pu assez jouer avec les chats, Olive émet un son qui ne trompe pas et signifie :

« C'est ta dernière chance, joue avec moi *maintenant* ou je vais faire tomber quelque chose... quelque chose *qui se casse* ! » J'ai appris par expérience, suite à la destruction de nombreux objets précieux, qu'elle pensait ce qu'elle disait.

Le répertoire vocal d'un chat est très étendu, allant de doux murmures et gémissements à des cris impérieux. Il n'existe pas de simple « miaou ». Voici quelques exemples de vocabulaire félin.

LE RONRONNEMENT

C'est le son le plus attendrissant qu'émet un chat. La façon dont le son est produit est longtemps restée mystérieuse. Les experts avançaient diverses théories, mais des études récentes semblent indiquer que le ronronnement provient d'un changement soudain de pression de l'air lors des ouvertures et fermetures de la glotte déclenchées par les muscles du larynx.

Au départ, le ronronnement est employé par la mère pour communiquer avec ses chatons. Les vibrations produites leur permettent de la localiser.

Les maîtres connaissent surtout le ronronnement émis lors de moments de contentement ou de caresses, mais un chat peut ronronner dans des situations plus inattendues. Des vétérinaires ont vu ronronner des chats en proie à des souffrances extrêmes ; on suppose que l'animal essaie ainsi de réduire le stress encouru. Un chat agonisant peut aussi ronronner, peut-être à cause d'une certaine euphorie provoquée par l'imminence de la mort. Certains patients humains en toute fin de vie ont fait part de la même expérience.

LA RÉPONSE

Un bref murmure proféré par un chat qui répond à son nom ou comprend qu'on va lui offrir une friandise.

L'APPEL

Utilisé par les femelles pour signaler aux mâles leur disponibilité et par les mâles pour encourager les femelles. Les matous utilisent aussi l'appel pour signaler à d'autres mâles qu'ils sont prêts à combattre si nécessaire.

LE GROGNEMENT

Principalement émis par des chatons nouveau-nés.

LE GAZOUILLIS

Une sorte de trille employée comme signe d'accueil.

LE CLAQUEMENT DE DENTS

Produit par un chat excité qui regarde, souvent par une fenêtre, une proie inaccessible.

LE CRI D'EXIGENCE

C'est la version féline de la mendicité.

LA PLAINTE

Aucun chat qui se respecte n'omettrait de son répertoire une *plainte* bien modulée.

LE CRI D'ÉTONNEMENT

Une bruyante exclamation signalant la confusion. Les chats âgés peuvent pousser un cri d'étonnement s'ils ne savent plus où ils se trouvent. Cela se produit souvent la nuit lorsque tout le monde est couché et que l'animal se promène dans une maison sombre.

La femelle en œstrus pousse un cri bisyllabique ; l'appel du mâle évoque un hurlement. Ces sons nocturnes provoquent chez les humains privés de leur sommeil des lancers de chaussures, des jets d'eau et des jurons.

FEULEMENTS ET CRACHEMENTS

Le feulement, son défensif, est produit bouche ouverte et lèvres retroussées ; l'air est propulsé sur la langue recourbée. Le chat emploie ce bruit ressemblant au sifflement d'un serpent pour essayer de décourager un agresseur.

Le feulement est souvent accompagné de crachements, si l'animal est pris par surprise ou se sent menacé. Un coup de patte avant sur le sol renforce le caractère dramatique du crachement.

Le feulement est un avertissement défensif ; le chat espère que cette vocalisation et la posture qui l'accompagne empêcheront une agression. Si le danger persiste, l'animal passera sans doute à l'attaque.

LE GRONDEMENT

C'est un son d'avertissement grave et bas. Tout comme le chat essaie de paraître plus grand et impressionnant en se hérissant, le grondement profond vise à effrayer l'ennemi. Mon chien a vite appris à s'écarter d'un chat qui gronde.

RAUQUEMENT

Un son agressif, bref mais intense, d'ordinaire émis lors d'un combat.

Le plus souvent émis par une femelle à la fin de la copulation. Le pénis du mâle comporte de petits aiguillons orientés vers l'arrière qui la blessent lorsqu'il se retire.

LE MIAULEMENT SILENCIEUX

Il est en effet *silencieux*. La bouche s'ouvre mais aucun son n'est émis. Cela semble être une version visuelle du miaulement. La première fois que j'ai vu un de mes chats se comporter ainsi, je travaillais à mon bureau. Ma chatte Ethel sauta et s'assit délicatement sur le coin du meuble. J'étais concentrée sur mon travail, et elle paraissait comprendre qu'il ne fallait pas me déranger. Je l'ai regardée, nos yeux se sont rencontrés et elle a ouvert la bouche comme pour miauler, mais sans émettre un son. C'était comme si elle savait qu'il ne fallait pas me déranger mais qu'elle ne pouvait s'en empêcher ; elle parvenait juste à contenir la vocalisation. Inutile de dire que l'effet sur moi fut plus fort que celui de n'importe quel cri, et que mon travail s'en trouva remis à plus tard.

Le maître se transforme en pâte à modeler devant un miaulement silencieux. Le but de ce comportement dans les relations entre chats est mystérieux, mais mon cœur fond à chaque fois.

La communication par marquage olfactif

Les chats disposent de glandes produisant ce qu'on appelle des *phéromones,* et qui se trouvent sur le front, autour de la bouche, des coussinets et de l'anus. L'utilisation du marquage olfactif par le chat est extrêmement développée : par exemple, les sécrétions des glandes d'une femelle informent le matou de son état hormonal.

Pour vous donner une idée de l'état émotionnel de votre chat lors d'un marquage particulier, imaginez-le de profil. Les phéromones produits par l'avant du corps (marquage facial) ont un effet calmant et servent d'ordinaire à marquer le centre du territoire de l'animal. Les phéromones provenant de l'autre extrémité (jets d'urine) sont employées en cas d'excitation ou d'angoisse.

Les glandes situées entre les doigts du chat déposent une odeur quand il se fait les griffes sur un arbre ou un poteau, ce qui ajoute un marquage olfactif au marquage visuel.

Une autre glande employée dans la communication féline se trouve au bout de la queue. Cette glande sébacée assez mystérieuse est plus active chez les mâles non stérilisés. Elle peut se montrer suractive, la queue semble alors graisseuse ; on appelle ça une *queue d'étalon.*

Les chats emploient les odeurs comme moyen de se reconnaître et de communiquer. Deux chats habitués l'un à l'autre se reconnaissent en se reniflant la tête et l'arrière-train.

MARQUAGES URINAIRES

Les phéromones de l'urine sont le moyen le moins subtil dont dispose un chat pour marquer son territoire. Les mâles non stérilisés sont très attachés à leur territoire et tendent à établir leur droit de propriété par des jets d'urine très odorante (il est sage de faire stériliser votre chat avant qu'il prenne cette habitude). Le périmètre du territoire est marqué, ainsi que les passages et les croisements. Un chat sur le point de projeter un jet d'urine tourne le dos à sa cible, et sa queue frémit souvent. Lors d'une projection d'urine (à ne pas confondre avec l'évacuation normale de l'urine), celle-ci est envoyée vers le haut pour correspondre à la hauteur du nez d'un autre chat. Cela permet aussi un marquage plus étendu.

À l'extérieur, le marquage urinaire d'un mâle lui sert aussi à attirer les femelles. Cette méthode de projection est plus efficace que la façon normale d'uriner, grâce au niveau atteint par le jet.

En liberté, le marquage urinaire informe les autres chats de qui revendique tel territoire et de quand date cette revendication. Si vous laissez sortir votre chat, vous le verrez vérifier tous ses marquages.

Il y a aussi des glandes odorantes autour de l'anus du chat, qui peut ainsi marquer ses fèces de son odeur. Un chat dominant peut déféquer à un endroit bien visible et ne pas recouvrir ses déjections. J'ai vu dans des maisons comprenant plusieurs chats un monticule de litière dans la caisse, avec des fèces au sommet – une marque d'affirmation.

FROTTEMENTS FACIAUX

Le chat se frotte souvent la tête contre certains objets de son territoire, par exemple le chambranle d'une porte, des pieds de table ou de chaise, vos propres jambes, des lampes... pour y déposer l'odeur des glandes du front et de la bouche. Déposer ses phéromones faciaux sur différents objets dans son territoire paraît réconforter le chat. Alors que le marquage urinaire est en général associé à une menace, le frottement facial indique une émotion positive.

Il s'agit d'un comportement social amical, des chats vivant ensemble se frottent et se toilettent mutuellement très souvent, ce qui permet de renforcer une odeur « familiale ». Un chat peut même venir frotter sa tête contre le visage de son maître en un geste d'acceptation et d'amour, le plus souvent en ronronnant. En cas d'émotion particulièrement intense, le chat ouvre un peu la bouche, dégageant ses lèvres. Certains se laissent même emporter au point de baver.

La prochaine fois que votre chat saute sur votre lit pour vous donner des coups de tête, ne vous irritez pas, c'est un compliment.

SE FAIRE LES GRIFFES

Cela sert non seulement à laisser un marquage et à entretenir les griffes mais aussi à détendre les muscles du dos et à réconforter l'animal. Ce comportement est examiné en détail plus loin.

Les postures du corps

En faisant le gros dos et en hérissant sa fourrure, le chat essaie de paraître plus grand et menaçant.

Au contraire, un chat dominé s'aplatit sur le sol, abaisse les oreilles, ramène sa queue sous lui et essaie de paraître aussi petit et peu menaçant que possible. Un chat couché sur le dos et exposant son ventre ne se montre *pas* soumis (alors qu'il s'agit de la posture de soumission d'un chien), il se prépare à combattre jusqu'au bout. Dans cette position, il peut utiliser les griffes de ses quatre membres aussi bien que ses dents ; c'est son ultime position de défense. Une remarque intéressante à cet égard : lorsqu'il est détendu, il arrive que votre chat se mette sur le dos et s'étire, donnant l'impression qu'il offre son ventre à la caresse. Si vous avez essayé, vous vous êtes sans doute fait lacérer la main. Même si la position était à l'origine détendue, vous avez déclenché un réflexe de défense. Une femelle peut aussi se rouler sur le dos lors des préliminaires amoureux. Une même position peut donc avoir plusieurs significations suivant les circonstances. Quand deux chats se rencontrent et se sentent mutuellement, ils peuvent se frotter l'un contre l'autre. S'ils se connaissent peu, ils peuvent adopter des postures menaçantes pendant qu'ils se mesurent l'un l'autre. Dans le cas de mâles non stérilisés, les coups de patte au visage et au cou ne sont pas rares. Les matous ont sur les côtés de la tête une épaisse fourrure qui les protège au moins en partie des griffes d'un adversaire.

Autrefois, on croyait que les chats étaient des créatures asociales, vivant seules. On sait maintenant que les chats peuvent avoir des amitiés félines et vivre en communautés (en particulier organisées autour d'une source de nourriture commune). Au sein d'une telle communauté, on trouvera vraisemblablement des animaux dominants qui se réservent de petits territoires individuels, et aussi des chats dominés qui essaient de se protéger en prenant aussi peu de place que possible. On peut imaginer que chaque chat occupe un barreau d'une échelle, et la vie est relativement paisible tant que chacun connaît sa place ; les ennuis commencent quand un animal essaie de grimper sur le barreau supérieur. Bien sûr, la présence d'une femelle en chaleur change les règles ; les mâles de tout statut se battent pour s'accoupler.

Vous pouvez, en apprenant à déchiffrer le langage corporel de votre chat, améliorer vos relations avec lui. Comprendre ce qu'il essaie de vous communiquer permet d'éviter d'éventuelles attaques et de saisir son humeur. Par exemple, lors de tensions entre plusieurs chats dans la maison, la posture et les pupilles vous permettront de savoir lequel se montre *offensif*. Savoir aussi que, si le chat bat de la queue alors que vous le caressez, cela signifie qu'il en a assez vous évitera d'être griffé ou mordu.

Petit guide des postures de votre chat

Il ne s'agit ici que de descriptions générales, prenez en compte la situation dans laquelle se trouve l'animal. Celui-ci peut ne montrer que certaines caractéristiques d'une posture donnée. Observez votre chat dans des circonstances diverses (pendant le jeu, au repos, chez le vétérinaire) pour vous familiariser avec son langage propre.

AMICAL

Ses oreilles sont légèrement pointées vers l'avant.

S'il est détendu, ses moustaches sont étendues sur le côté.

Les moustaches étalées vers l'avant sont une marque d'intérêt.

Il a le poil lisse.

Il a la queue verticale.

Il se frotte la tête contre vous.

Il murmure de reconnaissance.

Il touche votre nez avec le sien.

JOUEUR

Il a les oreilles complètement en avant.

Il a les pupilles dilatées.

Sa queue change de position.

Il a moustaches étalées vers l'avant.

Il adopte des attitudes de chasse.

Il produit des claquements de dents occasionnels.

EFFRAYÉ

Il a les pupilles dilatées.

Les poils du dos et de la queue sont hérissés.

La queue bat ou est ramenée sous le corps.

Les moustaches sont rabattues sur les joues.

Les oreilles aplaties sont dirigées vers le bas et en arrière.

Le corps est ramassé, souvent de profil par rapport à l'assaillant.

Il produit des feulements, des grondements ou des crachements.

AGRESSIF (EN ATTAQUE)

Il a le regard direct, les pupilles contractées.

Ses moustaches sont étalées vers l'avant.

Ses lèvres sont retroussées en grimace.

Les poils des épaules et de la queue sont hérissés.

Le corps fait face à l'adversaire, l'arrière-train relevé (prêt à bondir).

Il a la queue basse.

AGRESSIF (EN DÉFENSE)

Ses pupilles sont dilatées.

Il a les oreilles aplaties, orientées vers le bas et l'arrière.

Ses moustaches sont rabattues contre les joues.

Il a le dos arrondi.

Son pelage est hérissé.

Sa queue est soit recourbée sur le dos, soit proche du sol, soit en « U » inversé.

Il garde le corps de profil par rapport à l'agresseur.

Il a la bouche ouverte.

Il émet des feulements, des grondements et des crachements.

Il donne des coups de patte avant sur le sol.

S'il n'y a pas de possibilité de fuite, l'animal se couche sur le dos pour se battre.

SOUMIS

Il a les pupilles dilatées, évite le regard direct.

Il a les oreilles aplaties.

Son pelage est lisse.
Il a la queue basse et proche du corps.
Il adopte une position accroupie, tête basse.
Il émet parfois un « miaulement silencieux ».

Maintenant que vous en savez plus sur les méthodes de communication de votre chat, vous souvenez-vous d'occasions où vous avez peut-être mal déchiffré un signal ? J'ai rencontré des centaines de clients qui avaient pendant des années cru que les battements de queue de leur chat étaient une marque de contentement ; parce qu'ils n'avaient pas compris les avertissements de l'animal, ils étaient toujours surpris de se faire griffer ou mordre.

Quand je donne des conférences et que les auditeurs viennent me voir, je regarde leurs mains en les serrant. Si elles portent des traces de griffures, je me dis souvent : « Voici quelqu'un qui n'écoute pas ce que son chat essaie de lui dire ! »

CHAPITRE III

Créer un environnement sûr
pour votre chaton

Souvent, nous retenons la leçon trop tard. Ce n'est que lorsque le chaton s'est brûlé sur la cuisinière ou a avalé du fil que nous réorganisons la maison. Ne croyez pas qu'il suffit de poser un vase en cristal sur une étagère pour empêcher un chaton curieux et aventureux de le renverser.

C'est *avant* l'arrivée de l'animal, et l'excitation générale qu'elle implique, qu'il vous faut passer votre maison au peigne fin pour créer un environnement sûr.

En particulier s'il s'agit d'un chaton, vous devrez examiner la maison centimètre par centimètre, parce que son énergie, sa curiosité et son manque d'expérience peuvent le mettre en danger. Si vous adoptez un chat adulte, il vous faudra quand même prendre des précautions, mais un chaton à la curiosité sans bornes est certain sans vous d'avoir des ennuis.

Plus loin dans ce chapitre, j'examinerai la meilleure façon d'introduire un chaton ou un chat chez vous et de lui réserver un espace pour qu'il puisse s'adapter à sa nouvelle vie. Pour l'instant, il convient de prendre des mesures préventives.

Suggestion

Du point de vue d'un chaton, tout ce qui n'est pas cloué au sol, vissé au plafond ou collé au mur est un jouet potentiel.

Une maison est un endroit dangereux

Lorsque vous amenez un nouvel animal chez vous, vous avez deux soucis : protéger *l'animal* et protéger *votre maison.*

Un chaton a beau être minuscule, très peu de choses sont hors de sa portée. Pour comprendre comment un chaton voit le monde, mettez-vous à quatre pattes et déplacez-vous dans la maison. Ne soyez pas gêné, personne ne vous regarde. Voyez comme la perspective change... Les fils électriques que, debout, vous ne remarquez jamais, sont maintenant parfaitement visibles. Et cette trousse de couture près du fauteuil – vue d'ici, c'est un panier rempli de bobines de fil, de pelotes de laine et d'autres choses irrésistibles. Encore un peu de patience, couchez-vous sur le ventre et regardez autour de vous. La perspective change de nouveau (et maintenant vous êtes vraiment *à hauteur de chaton*). Que voyez-vous ? Peut-être ce cachet d'aspirine perdu l'autre soir, qui avait roulé sous une chaise. Et cette aiguille par terre à côté de la trousse de couture. Et ce bonbon perdu hier par votre fille. Et il y a juste assez de place derrière le réfrigérateur pour qu'un chaton s'y coince. Et regardez toute cette poussière – mieux vaut sortir l'aspirateur.

L'exercice suivant consiste à regarder vers le haut à partir du sol. Si quelqu'un entre, dites que vous faites du yoga. De cette position, vous pourrez voir comment un chaton trouvera le moyen de grimper vers ce qui l'intéresse. Après avoir escaladé l'arrière du canapé, que trouvera-t-il sur la table, un cendrier plein de mégots ? S'il grimpe à un rideau, atteindra-t-il une fenêtre ouverte, sans écran anti-moustiques ?

Ils présentent trois dangers principaux : 1) le risque de chocs électriques si l'animal mord les câbles, 2) la possibilité qu'il se fasse tomber dessus un objet (lampe ou fer à repasser) et 3) l'éventualité qu'il s'emmêle dans un fil torsadé.

Essayez d'éviter les câbles pendants, en particulier ceux qui se trouvent à l'arrière des chaînes stéréo et des ordinateurs. Mettez autant que possibles les fils hors de vue et de portée. On trouve dans le commerce des gaines faites pour cacher les câbles, vous pouvez aussi en faire avec des tubes de plastique que vous fendez pour y glisser les fils. Non seulement cela protégera votre chaton mais cela fera disparaître cette vilaine masse de câbles. À tout le moins, faites-les courir le long des plinthes et fixez-les au mur. Toute partie de câble exposée devrait être enduite d'une substance amère (on en trouve dans les animaleries) empêchant les chats de les mâcher. Vérifiez régulièrement les fils électriques pour voir si le chat s'y est attaqué.

Pour empêcher votre chaton de fourrer ses griffes dans les prises électriques, utilisez des protections pour enfants.

Le risque de voir un chaton tirer sur un câble électrique et se faire tomber dessus ce qui se trouve au bout, par exemple un fer à repasser, est bien réel. Si vous utilisez un tel appareil, ne le laissez pas sans surveillance, et assurez-vous de fixer solidement les fils des lampes.

Pour protéger votre chaton des câbles torsadés employés pour les téléphones, n'en utilisez que des courts. Si vous avez réellement besoin de vous déplacer en parlant au téléphone, achetez un fil rétractable ou un poste sans fil.

> **Suggestion de prudence**
>
> Si vous voyez un fil sortant soit de la bouche soit du rectum de votre chaton, *ne tirez pas dessus*. Il pourrait y avoir une aiguille au bout, et le fil peut être assez emmêlé pour que vous causiez des lésions internes en le tirant. Emmenez immédiatement le chat chez un vétérinaire.

La langue des chats comporte des barbillons orientés vers l'arrière (c'est ce qui donne cette sensation râpeuse quand ils vous lèchent) et s'ils prennent dans la bouche certains objets, ils seront forcés de les avaler faute de pouvoir les recracher. Le fil à coudre est particulièrement dangereux. On voit de nombreuses photos de mignons chatons en train de jouer avec des pelotes de laine ou d'autres objets mais, dans la réalité, cela peut provoquer de graves blessures. C'est vrai aussi des rubans et des élastiques.

Il est ironique qu'il soit parfois presque impossible de donner à un chat une pilule dont il a besoin, alors que le même animal avale gaiement des objets invraisemblables tels que boucles d'oreille, pièces de monnaie, médicaments qui ne lui sont pas destinés, éléments de jouets ou autres choses aussi peu appétissantes. Quand vous faites le tour de votre maison, rangez tout objet assez petit pour être avalé.

ÉVITER LES DISPARITIONS

Dans ses explorations incessantes, un chaton essaiera toujours de s'insinuer dans les plus petits recoins de la maison – l'espace derrière le réfrigérateur ou l'intérieur d'une chaussure au fond d'un placard, par exemple. Veillez à lui interdire l'accès aux endroits dangereux et utilisez des sécurités pour enfants sur les portes qui ferment mal. Si vous avez adopté un chat adulte qui ne se sent pas à l'aise dans ce nouvel environnement, il peut chercher une cachette pour se rassurer. Si l'endroit choisi ne présente pas de danger, laissez faire l'animal, le temps qu'il s'habitue. Mais, avant de l'amener chez vous, rendez inaccessibles les cachettes potentiellement dangereuses.

Vérifiez toujours où se trouve votre chaton quand vous ouvrez ou fermez portes et tiroirs. Chats et chatons adorent les placards. Si vous voulez laisser votre chaton jouer ou dormir dans un placard, bloquez la porte de façon à ce qu'elle ne ferme pas entièrement. Chaque fois que vous ouvrez un placard, vérifiez encore et encore avant de refermer la porte. Il est souvent arrivé qu'un chaton reste enfermé par accident toute une journée parce que son maître ne s'en était pas aperçu avant de partir travailler.

Boîtes, sacs de voyage et même piles de linge sont aussi des cachettes appréciées, vérifiez toujours que votre chaton ne s'y trouve pas avant de jeter un carton aux ordures ou d'enfourner une pile de linge dans la machine à laver.

Un chaton peut grimper dans un tiroir ouvert sans que vous vous en aperceviez, aussi fermez les tiroirs dès que vous avez fini, mais vérifiez d'abord à l'intérieur. Il est également facile pour un chaton de se glisser *derrière* le tiroir, et vous pourriez le blesser en refermant celui-ci.

Une bonne chose à savoir : vous devrez changer vos habitudes du temps où vous n'aviez pas de chat. Si vous faisiez signe devant la porte ouverte à vos enfants partant à l'école, vous devrez maintenant le faire derrière la moustiquaire.

Plus loin dans ce chapitre, nous examinerons la maison pièce après pièce pour organiser la sécurité du chaton.

PRODUITS DOMESTIQUES :
DES POISONS QUI N'EN ONT PAS L'AIR

Nombre de produits domestiques sont toxiques pour les chats – depuis les détergents sous l'évier jusqu'aux boules de naphtaline du placard. Il ne suffit pas de

Suggestion

Quand vous pulvérisez un répulsif sur vos plantes vertes, sortez celles-ci dehors ou recouvrez le sol de papier journal pour éviter d'en mettre partout. Lavez-vous les mains dès que vous avez fini, le produit a mauvais goût pour vous aussi.

s'assurer que les récipients sont bien fermés, vous devez aussi vous assurer que les portes ferment bien, pour que le chaton ne puisse pas approcher du danger. Même si le couvercle est bien fermé, des gouttes du produit peuvent avoir coulé sur les bords et empoisonner le chaton qui les lèche ou se frotte contre le contenant. Une liste des poisons domestiques se trouve au chapitre XVIII.

De nombreuses plantes sont vénéneuses pour les chats et peuvent provoquer des irritations ou même la mort. Mettez-les hors de portée. Taillez les plantes retombantes pour éviter la tentation et aspergez les feuilles avec un répulsif spécial pour plantes vertes (se trouve dans les animaleries). Cela n'endommage pas les plantes, et le goût amer empêchera votre chat de les mâcher. Une liste des plantes vénéneuses se trouve au chapitre XVIII.

Vos médicaments et vitamines sont très dangereux pour un chaton. Certains analgésiques sont si toxiques qu'un seul comprimé peut se révéler fatal. Ne laissez jamais traîner de médicaments, votre chaton risque de jouer avec et pourrait les ingérer.

L'antigel est toxique pour les animaux et peut être mortel même en petite quantité. Le goût sucré de certains de ces produits, qui peut attirer un chat, représente un danger supplémentaire. Certains produits modernes sont moins toxiques, vérifiez auprès de votre fournisseur.

LES FENÊTRES

Beaucoup de gens croient que les chats ont un sens de l'équilibre parfait et retombent toujours sur leurs pattes en cas de chute. Les chats peuvent en effet changer de position en l'air, mais ils n'y arrivent pas si la distance est trop faible et, s'ils tombent de trop haut, l'impact provoquera de graves lésions aux pattes et à la poitrine. Une chute d'un étage élevé tuera un chat – et peu importe comment il se reçoit. Croyez-vous que la faculté de retomber sur vos pieds vous aiderait beaucoup si vous chutiez du dixième étage ?

Toutes les fenêtres devraient avoir des écrans solides et bien fixés. Un chat poursuivant une mouche ou attiré par un bruit ou une odeur peut se faufiler par une fenêtre à peine entrebâillée.

Ne faites pas l'erreur tragique de croire que votre placide chat réalise à quelle hauteur il se trouve et qu'il se contentera de prendre sagement le soleil au bord de la fenêtre. Il suffit que son attention soit attirée par un insecte ou un oiseau pour qu'il perde l'équilibre.

Les cordons de rideaux et stores sont très dangereux aussi. Un chat peut s'emmêler dedans et même se pendre. Mettez tous les cordons hors de portée.

LA MAISON PIÈCE PAR PIÈCE

La cuisine

Malgré son apparence inoffensive, c'est une pièce dangereuse. Il y a de tous côtés des choses susceptibles de blesser votre chat. Commençons par le mobilier.

Un chaton capable de sauter sur le plan de travail (et il n'a pas besoin d'être très vieux pour y parvenir d'un seul bond) peut marcher sur une cuisinière brûlante. Les alléchantes odeurs de nourriture rendent cela encore plus probable.

Quand vous faites la cuisine, gardez à portée de main un pulvérisateur à eau, au cas où votre chat s'apprêterait à sauter. La risque majeur étant que l'animal atterrisse sur un brûleur allumé, soyez toujours sur vos gardes s'il est dans la cuisine avec vous. De son point de vue, des odeurs intéressantes viennent du plan de travail, et c'est tout ce qu'il sait. Il réalisera trop tard qu'il est arrivé sur une surface brûlante. Si nécessaire, placez des protections sur les brûleurs après usage.

J'ai vu des chatons curieux se glisser dans des réfrigérateurs sans que leur maître s'en aperçoive. Avant de refermer la porte, vérifiez toujours que votre chaton n'est pas caché derrière un pot de mayonnaise.

Pour empêcher un chaton de se faufiler derrière le réfrigérateur, bloquez le passage avec un morceau de carton.

Oh, les délicieuses senteurs qui viennent du broyeur à ordures ! Nettoyez-le régulièrement et ne laissez jamais de nourriture dans le réceptacle, la tentation est dangereuse. Broyez souvent des tranches de citron, les chats n'en aiment pas l'odeur et cela nettoie l'appareil. Par sécurité, couvrez l'orifice.

Avant de refermer la porte du lave-vaisselle, assurez-vous que le chaton ne s'y est pas introduit pendant que vous ne regardiez pas.

Très souvent, les chats ne savent pas quelle nourriture leur convient. De leur point de vue, le monde est une table ouverte, mais certains aliments peuvent se montrer mortels (le chocolat autant que les os de poulet), et d'autres, trop riches ou épicés, risquent de les rendre malades. Gardez la nourriture dans des boîtes fermées et ne laissez jamais de choses tentantes sans surveillance. Utilisez des poubelles munies d'un couvercle ou mettez-les dans un placard dont la porte est bloquée. Après les repas, ne laissez pas de choses dangereuses (comme des os de poulet) dans la poubelle, sortez immédiatement le sac.

Même les éponges de cuisine ou le papier absorbant peuvent être dangereux. Un chaton risque d'avaler des morceaux d'éponge.

Les objets cassants, comme les verres, peuvent tomber et se briser quand un chat saute sur le plan de travail. J'estime indispensable d'établir dès le début des règles quant aux endroits permis et interdits à votre chaton. Le plan de travail devrait toujours être interdit. Pour des astuces de dressage, référez-vous au chapitre VII.

Les insecticides et autres mort-aux-rats et souricières placés dans certains endroits de la cuisine peuvent ne pas être aussi inaccessibles que vous le croyez. Faites très attention aux produits que vous utilisez et à leur emplacement. Si vous avez des problèmes d'infestation, consultez un professionnel ou demandez à votre vétérinaire quels produits employer.

Les ustensiles tranchants ou pointus portant des traces de nourriture peuvent causer des blessures si le chat essaie de les lécher.

Ne laissez jamais de cure-dents sur le plan de travail, le chat risque de les mâcher. Rangez-les dans une boîte fermée, dans un placard. Si vous vous en servez pour vérifier la cuisson d'un gâteau, jetez-le immédiatement après.

La salle de bains et les toilettes

Prenez l'habitude de refermer le couvercle des toilettes. Un chaton voulant sauter dessus peut facilement tomber à l'intérieur ; un chat adulte en ressortira, mais un chaton risque la noyade. Si vous utilisez un désinfectant à déclenchement automatique, le produit peut incommoder même un chat adulte qui l'avalera en se léchant. Maintenir le couvercle fermé empêchera aussi le chat de boire dans la vasque. Je déconseille fortement les désinfectants à cause du danger qu'ils présentent pour les chats (même si vous laissez une note pour rappeler aux membres de la famille et aux invités de refermer le couvercle, quelqu'un peut oublier). Cela évite aussi que des objets posés sur le réservoir d'eau soient bousculés par le chat et tombent dans la vasque.

Sèche-cheveux, fers à friser et rasoirs électriques ne devraient pas être laissés à portée. Si le chaton tire sur le fil, il peut faire tomber l'appareil sur lui.

Non seulement les médicaments mais le maquillage, le vernis à ongles et son décapant ainsi que le parfum sont toxiques ; vissez bien les bouchons si ces produits ne sont pas dans des placards.

La poubelle de la salle de bains doit comporter un couvercle fermant bien ou être placée derrière une porte. Il peut s'y trouver des choses dangereuses comme du fil dentaire, des lames de rasoir ou des rasoirs jetables.

Gardez tous les produits de nettoyage de la salle de bains dans des placards (assurez-vous que le chat ne parvient pas à les ouvrir).

Le salon

Regardez le mobilier à travers les yeux de votre chat. Y a-t-il des choses potentiellement dangereuses ? Les fauteuils à bascule sont connus pour écraser les pattes et les queues. Si vous avez un fauteuil de relaxation à commande électrique, le danger est grand pour le chat si vous utilisez le mécanisme alors qu'il se trouve dessous.

Si vous avez une cheminée, il vous faudra un pare-feu très solide pour protéger votre chaton. Ne le laissez jamais sans surveillance dans une pièce où brûle un feu.

Les chats adorent les endroits chauds, vérifiez avant de refermer les portes d'un meuble TV que l'animal n'y est pas.

La chambre

Comme je l'ai dit, veillez à ne pas enfermer le chat dans un placard ou un tiroir. Les boules de naphtaline représentent un danger supplémentaire ; leurs émanations peuvent causer des lésions au foie, aussi n'en mettez pas dans un endroit accessible à votre chat.

Attention aux bijoux de petite taille. Mettez-les dans une boîte ou un tiroir pour que le chaton ne les avale pas, ni ne les abîme en jouant avec (cela aura aussi l'avantage de vous éviter de perdre vos boucles d'oreille en diamant).

De nombreux chats, surtout s'ils sont effrayés, attaquent le dessous des sommiers à ressorts pour se réfugier à l'intérieur. Pour éviter cela, placez une alèse à l'envers sous le sommier.

La buanderie

Quand je travaillais dans une clinique vétérinaire, j'ai vu plusieurs personnes qui avaient, tragiquement, oublié de vérifier l'intérieur du sèche-linge avant d'en fermer la porte. Un chaton s'était glissé dedans, et l'horreur de cette mort continue à me hanter. Je vérifie sans faute machine à laver et sèche-linge avant de les mettre en marche. Je ne me contente pas de regarder, je tâte l'intérieur. Après avoir vidé ces appareils, je vérifie qu'un chat ne s'y est pas glissé avant de fermer la porte.

Si votre buanderie a une porte, fermez-la derrière vous pour empêcher votre chaton de venir. C'est la raison majeure pour laquelle je n'aime pas vraiment placer la caisse à chat dans une buanderie.

Quand vous faites du repassage, ne laissez pas sans surveillance fer et planche à repasser. Si votre chaton essaie de sauter dessus, il peut se les faire tomber dessus. Dès que vous avez fini, débranchez le fer, enroulez le fil et mettez-le dans un endroit sûr pendant qu'il refroidit.

Si les membres de votre famille laissent les vêtements sales en pile ou même dans un panier, le chaton estimera sans doute que c'est un endroit idéal pour la sieste. Ne mettez pas le linge en vrac dans la machine sans vérifier. La présence du chaton peut vous servir d'excuse pour demander à votre famille un peu plus d'ordre. Il faut placer le linge sale dans un réceptacle et refermer immédiatement celui-ci.

Lessive et détergents doivent être rangés hors d'atteinte des chats.

Le bureau

Pendant que j'écris, un chat est couché sur mes genoux, un autre sur une chaise près de moi, et mon chien dort sous la table. Je ne peux imaginer ne pas avoir au moins un chat à côté de moi quand je travaille dans mon bureau, mais il y a parfois des incompatibilités entre les chats et les ordinateurs ; il vous faut donc prendre des précautions pour protéger et l'animal et votre équipement.

Entre l'ordinateur, l'imprimante, le fax, le téléphone, la photocopieuse, les lampes et tout le reste de ce qui se branche, on a d'habitude une grosse masse de câbles dans un bureau. Reportez-vous au passage sur les fils électriques plus haut dans ce chapitre pour savoir comment en protéger votre chaton.

Ne laissez pas votre clavier accessible quand vous vous éloignez ou vous trouverez un écran couvert de Z ou de Q, cadeau d'une patte féline. Un tiroir à clavier vous rendra la tâche facile. Mettez aussi la souris à l'abri.

Si vous utilisez une déchiqueteuse à papier, assurez-vous que le chaton n'est pas dans le voisinage. Tout équipement doté de parties mobiles est dangereux, surveillez votre chaton.

Pour limiter la quantité de poils de chat qui se retrouveront inévitablement dans vos machines, vous pouvez les installer dans des placards ou acheter des protections en plastique.

Assurez-vous que tous les petits objets tels que punaises, élastiques et trombones sont dans des tiroirs ou des boîtes fermées.

Si votre chat essaie régulièrement de mordiller les élastiques qui entourent des liasses de papiers, ou mange les papiers eux-mêmes, laissez traîner une liasse couverte d'un produit répulsif chaque fois que vous travaillez, pour que le chat reçoive le message répété d'un goût affreux. Ne laissez cependant pas d'élastiques ainsi traités à sa portée en votre absence.

Une leçon que j'ai rapidement apprise en installant mon bureau fut de placer mon répondeur là où mes chats risquaient le moins de marcher dessus. Albie a une fois marché sur le bouton d'enregistrement d'annonce, effaçant la mienne et la remplaçant par un « miaou » bien placé. J'avais trouvé cela très charmant et intelligent de sa part, mais je fus moins contente quelques jours plus tard quand il appuya sur le bouton d'effacement.

Chambres d'enfants

Ne laissez pas de tétines là où le chat pourrait s'en emparer et les mâcher. La pâte à modeler, les jouets de petite taille ou tous les éléments susceptibles d'être avalés devraient être rangés quand les enfants ont fini de jouer. Je sais qu'il est déplaisant d'essayer de faire ranger leurs jouets aux enfants, mais les conséquences peuvent se révéler pires – par exemple faire opérer un chaton en urgence à cause d'une occlusion intestinale.

Regardez autour de vous – ballons de baudruche, rubans, ficelles, etc., *tout* ce qui est tentant ou dangereux doit se trouver hors de portée.

Sous-sol, grenier et garage

Ce sont les trois endroits les plus dangereux de votre maison, et un chaton ne devrait jamais y avoir accès.

Lorsque vous devez aller au grenier, je vous conseille d'enfermer le chaton dans une autre pièce. Un grenier sombre et plein d'objets est irrésistible pour un chaton. Les matériaux isolants peuvent provoquer des problèmes respiratoires ou cutanés et, si vous enfermez involontairement l'animal, des températures extrêmes en été ou en hiver peuvent causer sa mort.

Sous-sols et garages comportent aussi de nombreux dangers, sous la forme de pots de peinture, décapants, pesticides, produits divers... On y trouve aussi des outils tranchants ou pointus qui peuvent blesser un chaton curieux.

Par temps froid, un chat peut se glisser dans le compartiment moteur d'une voiture, en quête de chaleur, et être tué quand vous démarrez. De l'antigel ayant fui sur le sol représente aussi un danger mortel.

Une porte automatique de garage peut tuer un chat qui essaie d'entrer ou sortir pendant la fermeture. Certaines portes de garage sont équipées d'une sécurité qui arrête le mouvement en cas d'obstacle, mais pas toutes.

À cause des nombreux dangers que recèlent sous-sols et garages, je pense qu'un chaton ne devrait jamais s'en approcher. Il est déjà assez difficile de créer un environnement sûr *à l'intérieur*, pourquoi prendre des risques inutiles en exposant l'animal à d'autres périls ?

Balcons

On ne devrait jamais laisser un chat sortir sur un balcon. Les garde-fous n'offrent guère de protection pour un chat qui peut passer entre ou sous les barreaux.

Il suffit que l'animal soit distrait par un oiseau ou une mouche pour qu'une tragédie se produise. Ne vous imaginez pas que votre surveillance le protégera. L'instinct qui le pousse à bondir après une proie lui aura fait franchir le garde-fou bien avant que vous ne puissiez l'attraper.

Si vous croyez encore que les chats retombent toujours sur leurs pattes, relisez ce que je dis plus haut des fenêtres.

Dehors, c'est la jungle

Je ne pense pas qu'il soit bon pour un chat d'aller dehors. Les dangers sont trop nombreux, et un petit chat de quatre kilos ne fait pas le poids devant voitures, camions, gros chiens, humains malveillants, maladies et autres dangers bien réels. Votre chat a beaucoup plus de chances de vivre vieux s'il reste chez vous. Tout ce dont il a besoin se trouve à l'intérieur. En lisant ce livre, vous apprendrez comment lui donner tout ce que l'extérieur offre de mieux sans l'exposer à ses dangers.

Même si mes chats d'intérieur peuvent tomber malades ou se blesser, je suis très réconfortée de savoir qu'ils ne se feront pas écraser, attaquer par des chiens, empoisonner ou frapper par des gens cruels, ni ne se battront avec d'autres chats. Chaque soir, en m'endormant, je sais que mes chats sont en sécurité.

Si vous voulez laisser votre chat aller dehors, il vous faudra faire très attention aux engrais, herbicides et pesticides dont vous vous servez. Fixez le couvercle de toute poubelle d'extérieur pour que le chat n'aille pas fouiller dans les ordures.

Certains produits qui peuvent fuir d'une voiture, comme l'antigel, sont mortels.

En hiver, le sel utilisé pour faire fondre la neige

peut brûler les coussinets des pattes, et la bouche de l'animal quand il se lèche. On trouve dans les animaleries des produits sans danger.

Enfin, même si vous prenez grand soin de veiller à la sécurité de votre chat quand il se trouve dans votre jardin, vous ne savez pas quels dangers il rencontrera s'il s'aventure chez le voisin.

COLLIERS ET MOYENS D'IDENTIFICATION

Même si vous n'avez pas l'intention de laisser sortir votre chat, il faut qu'il ait un moyen d'identification. Un chat d'intérieur peut se retrouver dehors par accident, et un tigré gris traversant un jardin ressemble du point de vue de vos voisins à tous les autres. Un moyen d'identification peut faire la différence entre retrouver l'animal et ne jamais le revoir.

On trouve des plaques d'identité dans les animaleries, vous pouvez aussi en commander par la poste, qu'elles soient en métal ou en plastique. De nombreux fabriquants en font en plastique fluorescent, ce qui les rend très visible. La plupart des gens font graver le nom du chat, celui du propriétaire, son numéro de téléphone et – s'il reste de la place – son adresse. C'est très bien pour un chat d'extérieur, mais je recommande quelques changements pour un chat d'intérieur. La plaque des miens est ainsi conçue :

CHAT D'INTÉRIEUR
JE SUIS PERDU
SI VOUS ME TROUVEZ, APPELEZ
(mon nom)
(mon numéro de téléphone)

Je vois dans mon jardin beaucoup de chats qui portent des plaques indiquant leur nom et les coordonnées de leur propriétaires. J'ai de nombreuses fois appelé pour m'entendre dire que le chat a le droit de sortir et n'est pas perdu. Alors, comment reconnaître un chat perdu ? Grâce aux informations portées sur la plaque. Le nom du chat compte moins que le fait qu'il s'agit d'un chat *d'intérieur*.

En ce qui concerne le collier, choisissez-en un muni d'un insert élastique, afin que le chat ne risque pas de s'étrangler si le collier se prend dans une branche.

Lorsque vous attachez le collier au cou du chat, attention à ne pas trop le serrer. Vous devez pouvoir passer deux doigts en dessous. S'il s'agit d'un chaton, pensez qu'il grandit constamment ; vérifiez la largeur du collier tous les jours.

Pour habituer votre chat au port d'un collier, mettez-le lui puis détournez son attention en jouant avec lui, ou donnez-lui à manger. Il peut au début essayer de s'en débarrasser mais, si vous attirez son attention sur autre chose, il se sentira vite à l'aise. Si le chat continue à se débattre, enlevez le collier et essayez de nouveau plus tard. Jusqu'à ce que l'animal soit habitué au collier, ne le lui laissez pas en votre absence.

Il y a d'autres formes d'identification. Aux États-Unis, par exemple, une puce électronique lisible par un scanner manuel peut être implantée juste sous la peau du chat. L'inconvénient est que tous les vétérinaires et refuges ne disposent pas de scanners, et que le voisin susceptible de trouver votre chat perdu n'en a certainement pas. On peut également le faire tatouer. Je pense, quant à moi, qu'une plaque d'identité bien visible est la meilleure façon d'être contacté. Si vous voulez vraiment protéger votre chat, utilisez en outre la méthode du tatouage.

En plus de l'identification que porte votre chat, ayez toujours au moins une photo récente au cas où l'inimaginable se produirait, au cas où votre chat se perdrait. Au fur et à mesure de la croissance de l'animal, prenez quelques photos montrant bien son visage et les marques de son pelage. En tant que propriétaire, j'ai bien sûr de nombreuses photos, mais je n'ai pas envie en cas de crise de fouiller mes placards pour trouver celle qui convient. Je conserve mes photos « chat perdu » et « chien perdu » dans une enveloppe clairement marquée, afin de ne pas perdre de temps si un tel désastre se produisait. Pour des astuces visant à retrouver un chat perdu, voir le chapitre XIV.

Votre chat n'est pas le seul qu'il faille protéger

Votre fils a un lézard ou votre fille une gerbille. Vous-même avez peut-être des oiseaux ou aimez les aquariums. Comment dresser le chat à ne pas s'en prendre aux oiseaux ? C'est impossible. Les chats sont des prédateurs et les oiseaux leurs proies naturelles, aussi il vous faut séparer les animaux. Votre chaton peut sembler bien s'entendre avec le perroquet, mais ne prenez pas de risques. Gardez-les à l'écart l'un de l'autre – *toujours.*

L'arrivée du chaton

Que vous ameniez à la maison un minuscule chaton pesant moins d'une livre ou un énorme Maine Coon adulte de neuf kilos, il vous faut un *panier*. Si vous avez déjà un chat, n'utilisez pas le même panier pour le nouveau. Reportez-vous au chapitre XIV pour les types de paniers et la façon de transporter un chat.

Pourquoi vous faut-il un panier ? Parce c'est un *grand*, vraiment un *très grand* pas dans la vie de l'animal, quittant tout ce dont il a l'habitude pour l'inconnu. Même si sa vie n'était pas agréable, il n'a aucune idée de ce qui l'attend. Le panier le protégera durant le transport et lui offrira une cachette.

Placez une serviette de bain au fond du panier pour que le chat aie chaud, et aussi pour absorber d'éventuels débordements. J'emporte toujours une serviette supplémentaire pour pouvoir changer la première si elle est salie.

C'est un si grand pas pour un petit chat, et pour vous, que le mieux est de l'amener chez vous au début d'un week-end, à moins que vous ne puissiez prendre un ou deux jours de congé.

Si votre chaton n'a pas encore vu le vétérinaire, faites-le dans les jours qui viennent. Si vous avez déjà des chats à la maison, le chat *doit* subir les tests de la leucémie féline et de l'immunodéficience féline ainsi qu'un examen général et être vacciné avant d'être mis en contact avec vos chats. Vous ne souhaitez pas amener chez vous un chaton malade et, même si les vaccins de vos autres chats sont à jour, ils ne les protègent pas à cent pour cent.

Toute la famille est excitée, même le chien bat de la queue en attendant l'arrivée du chat. De votre voix la plus douce, expliquez à tous que le chat aura besoin d'être tranquille le temps de s'adapter à son nouvel environnement. Quand vous verrez les sourires s'effacer et la queue du chien retomber, rappelez-vous que vous avez raison d'agir ainsi.

Pourquoi suis-je si méchante et ne vous permets-je pas de laisser le chat se promener dans toute la maison, étant donné que vous avez déjà pris la peine de la rendre sûre pour lui ? Parce qu'il ne faut pas lui en demander trop. C'est un petit chat et votre maison est grande. Imaginez qu'on vous transporte soudain au milieu d'une grande ville inconnue, et qu'on vous dise de vous débrouiller seul tout de suite. Vous vous sentiriez sans doute perdu, débordé, apeuré, et votre première impression de cet endroit étrange serait négative. En fait, c'est ce que vous feriez à votre chat en lui ouvrant la maison entière – vous le transporteriez dans une ville inconnue, et étrangère qui plus est.

Le sentiment de sécurité d'un chat dépend de son territoire, laissez le vôtre s'habituer peu à peu. C'est particulièrement important dans le cas d'un chaton, qui ne sait pas où se trouve ce dont il a besoin.

Si vous amenez chez vous un chat adulte, le changement est encore plus important pour lui, et il faut qu'il se sente en sécurité, ce qui pour lui signifie disposer d'un petit sanctuaire. Quand vous préparez l'endroit dévolu au nouvel arrivant, placez la litière d'un côté de la pièce et les bols d'eau et de nourriture à l'opposé. Il est important de bien les séparer car les chats ne mangent pas là où ils éliminent.

Placez le panier dans la pièce et ouvrez-le mais laissez le chat sortir de lui-même. Un chaton jaillira probablement du panier immédiatement, mais un adulte peut ne pas oser tout de suite. Même après qu'il en soit sorti, laissez le panier dans la pièce, il sert de cachette supplémentaire.

Il est possible que le chat se dissimule sous un meuble pendant deux jours, ce n'est pas grave. Le fait qu'il *puisse* se cacher le réconfortera. Une fois seul, il commencera à explorer la pièce. Il étendra centimètre par centimètre la zone où il se sent à l'aise, tranquillement, en privé, et pas sous de nombreux regards.

Peu importe quel genre de pièce vous avez choisi comme sanctuaire, mais elle doit comporter de nombreuses cachettes. N'installez pas le chat dans une pièce nue où il se sentira exposé et menacé. S'il n'y a pas de meubles, mettez des cartons avec des serviettes au fond. J'utilise des cartons fermés avec une ouverture découpée dans un côté, pour faire des petites grottes.

Préparez un lit confortable et plaisant pour votre nouveau chat. Vous pouvez acheter un lit tout fait dans une animalerie ou mettre de vieux vêtements dans un carton ; je préfère cette solution, pour que le chat s'habitue à mon odeur.

Si vous amenez un chaton chez vous en hiver, il faut que la pièce soit chaude et exempte de courants d'air.

Si vous avez déjà des chats, mon Dieu ! Une pièce réservée est indispensable, ou la fourrure volera. Vous verrez comment présenter le nouvel arrivant à vos autres animaux dans le chapitre XI.

S'il s'agit d'un chat adulte, vous pouvez l'aider à se sentir à l'aise grâce aux *phéromones faciales*. Les phéromones, ces produits chimiques relâchés par des glandes, donnent des indications sur l'animal, c'est pourquoi il les dépose sur différents objets dans son territoire afin de le marquer et de laisser des informations le concernant à l'attention d'autres chats. Les phéromones produites par la face ont un effet calmant, contrairement à celles de l'urine, liées à l'anxiété et à l'excitation. Il ne faut pas encourager la production de ces phéromones-là, mais celle des phéromones calmantes et réconfortantes qui aideront votre chat à s'adapter et se sentir chez lui.

Pour vous y aider, il existe un produit qui s'appelle Feliway. Il contient des phéromones faciales synthétiques et aura un effet calmant si vous le pulvérisez sur des objets du sanctuaire qui se prêtent naturellement au frottement facial. Un mur plat ne convient pas, mais l'angle d'un bureau, les pieds de table et de chaise, etc., sont parfaits. Quand vous laisserez à votre chat libre accès à la maison entière, utilisez Feliway dans toutes les pièces. (Dans les cliniques vétérinaires, le personnel asperge parfois les cages de Feliway pour diminuer le stress de l'hospitalisation.)

Il convient de pulvériser le produit à dix centimètres de l'objet et à vingt centimètres du sol, hauteur moyenne du nez d'un chat. Une pulvérisation à chaque emplacement une fois ou deux par jour pendant un mois aidera beaucoup votre chat à accepter sa nouvelle maison. Vous n'aurez plus besoin d'employer le produit quand vous verrez le chat frotter son visage à cet endroit. N'appliquez que sur des objets, jamais sur le chat lui-même, et sans excès.

Feliway a été créé pour aider à résoudre les problèmes de marquage à l'urine, l'idée étant que les chats ne recourent pas au marquage urinaire là où ils procèdent à des marquages faciaux. Le produit se montre efficace dans toutes les situations d'angoisse et se trouve chez les vétérinaires. Ne jetez pas la feuille d'instructions contenue dans l'emballage, lisez-la entièrement car le produit doit être utilisé de façon précise. Pour plus d'informations sur Feliway, reportez-vous au chapitre VIII, qui évoque son usage dans les problèmes de marquage urinaire.

Quel type d'interaction devriez-vous avoir au début avec un nouveau chat ? Chaque cas est un peu différent. S'il s'agit d'un chaton, il vous faudra lui consacrer beaucoup de temps et d'attention parce qu'il aura hâte de se lier à vous. Dans le cas d'un adulte, basez-vous sur son état émotionnel. Si l'animal se sent menacé, restez en retrait et laissez-le tranquille quelques temps. Approchez-le en douceur.

Comment saurez-vous que le moment est venu de libérer le nouveau chat de sa prison ? Pour un chaton, il suffit qu'il ait pris ses habitudes : manger, boire et utiliser sa caisse. Cela peut prendre plus longtemps avec un adulte, attendez qu'il reprenne des activités normales et semble à l'aise. Tant que le chat se cache au fond d'un placard, il n'est pas prêt. Si vous avez d'autres chats, le nouvel arrivant devra rester plus longtemps dans son sanctuaire pour que vous puissiez faire une présentation graduelle (voir le chapitre XI).

Le principal souci en ce qui concerne un chaton est qu'il soit en sécurité et qu'il ait la possibilité de manger, dormir et se servir de sa caisse en paix. Tout le monde voudra le caresser et jouer avec lui, mais c'est encore un fragile bébé qui a besoin de votre surveillance.

Lorsque vous déciderez d'ouvrir sa porte, laissez-le explorer la maison peu à peu. Pour aider un chat adulte à se sentir à l'aise, pulvérisez du Feliway sur les objets saillants, l'effet calmant des phéromones rendra son adaptation plus rapide. Il est inutile d'en employer pour un chaton.

Comment présenter un chat adulte au reste de la famille ? L-e-n-t-e-m-e-n-t. Il pourrait aisément se sentir dépassé. Je viens d'une famille peu nombreuse, et quand je repense à ma première rencontre avec la très nombreuse famille de mon mari (quatre sœurs, des tas de nièces et de neveux); je me souviens de m'être sentie dépassée. Rendez un grand service à votre chat, laissez-lui tout l'espace dont il a besoin. Ne vous pressez pas, vous allez après tout passer des années ensemble, alors autant partir du bon pied.

Les enfants ont souvent du mal à comprendre l'importance d'une pièce-sanctuaire pour un chat, ils sont impatients de le faire dormir avec eux. Basez-vous sur l'âge de l'animal, son niveau de confort ou d'inquiétude et sur votre situation particulière. Assurez-vous que le chat sait bien où se trouve son bac à litière et l'utilise à chaque fois avant de lui laisser la liberté du reste de la maison. Un chaton n'est pas encore parfaitement entraîné et peut avoir un accident sur un lit d'enfant parce qu'il a oublié où est sa caisse.

Adopter un chat errant

Adopter un chat dont vous ne connaissez pas l'histoire implique de lui donner un grand espace de confort et de travailler lentement à gagner sa confiance.

Ne vous attendez pas, juste parce que vous avez recueilli un chat maigre, affamé et solitaire, à ce qu'il réalise immédiatement quelle chance il a et à ce qu'il vous soit reconnaissant du nouveau confort que vous lui offrez. L'animal peut ne jamais devenir le chat aimant, sociable et heureux de vos rêves, cela dépend de ses contacts précédents avec les humains, à supposer qu'il en ait eu. Il est possible qu'il reste timide, imprévisible, qu'il ne se laisse pas toucher ou même soit agressif.

Tout d'abord, il faut amener un tel animal chez un vétérinaire, pour lui faire faire tests et vaccins. S'il est en assez bonne santé pour cela, faites-le stériliser en même temps. Il faut vérifier qu'il n'a pas de parasites et, si vous trouvez ne fût-ce qu'une puce sur lui, réglez le problème immédiatement plutôt que de ramener chez vous ces sales bestioles.

De retour chez vous, installez le chat dans une pièce-sanctuaire comme pour tout nouvel arrivant. Prévoyez de nombreuses cachettes dans la pièce, l'animal aura besoin de se sentir en sécurité le temps de s'habituer. S'il n'y a pas assez de cachettes, disposez des cartons (de taille différente) un peu partout, en les posant sur le côté pour que le chat ait un toit au-dessus de la tête. Une autre bonne façon de créer des cachettes tout en permettant à l'animal de se déplacer est d'acheter quelques « tunnels à chat » qu'on trouve dans les animaleries. Vous pouvez aussi en fabriquer avec des cartons. Disposez-les de façon irrégulière, allant par exemple de la caisse à litière à l'arbre à chats. Le chat se sentira ainsi assez en sécurité pour utiliser son bac et peut-être monter sur l'arbre.

Pulvérisez deux fois par jour du Feliway sur les angles des cartons et des meubles pour son effet calmant, mais ne l'employez pas près de la litière. Pour aider le chat à se familiariser avec votre odeur, placez des vêtements que vous avez portés dans certains des cartons.

La nourriture est une des meilleures façons de commencer à établir une relation avec un chat errant. Au début, il se sera sans doute pas assez sûr de lui pour manger en votre présence, mais vous serez pour lui la source de nourriture.

La nuit, laissez une veilleuse allumée, pas une lampe normale car le chat sera plus à l'aise dans la pénombre ; cela vous permettra aussi d'entrer dans la pièce et de voir où il se trouve sans allumer de lumière vive, au cas où il essaierait de s'enfuir.

Au début, passez du temps dans la pièce en restant assis par terre, sans essayer d'approcher l'animal. C'est lui qui doit donner le rythme. Assis sur le sol, parlez-lui doucement pour qu'il s'habitue à votre voix. Votre attitude et votre ton doivent être calmes, tranquilles et exempts de menace.

Après quelques visites, apportez une nourriture inhabituelle que le chat devrait trouver irrésistible. S'il est assez affamé pour se ruer sur n'importe quoi, essayez de lui donner des croquettes à la main. Commencez par les déposer assez loin de vous, puis de plus en plus près. Utilisez le même procédé pour la nourriture en boîte et les friandises, en les rapprochant progressivement de vous. Faites toutefois attention à ne pas inquiéter l'animal, s'il montre des signes de nervosité, il vous faudra reculer un peu. Souvenez-vous que c'est un processus lent, qu'on ne peut pas hâter. Le chat doit donner le rythme. S'il paraît à l'aise et prêt à s'approcher, essayez de lui donner à manger dans votre main. Ne faites jamais de mouvements brusques et n'essayez pas de le caresser.

Entre les repas, agitez sans brusquerie devant lui un jouet interactif, du type canne à pêche. Ne l'approchez pas trop du chat pour ne pas l'effrayer, faites-le bouger doucement pour attirer son attention. Même s'il n'ose pas s'en approcher, vous l'aurez intéressé. S'il veut jouer, faites attention à ne pas trop approcher le jouet de vous, cela prendra du temps. Après quelques séances, vous pourrez rapprocher le jouet et même le poser sur votre corps, mais ne l'y laissez pas ; le chat risque de vous griffer.

Après le repas ou le jeu, allongez-vous sur le sol et restez immobile un moment. C'est alors que le chat trouvera peut-être le courage de vous examiner de près. Quand je faisais cela avec Olive, je m'endormais souvent et, en me réveillant, je la trouvais couchée sur mes jambes ou ma poitrine, plongée dans le sommeil. Nous avions établi un lien. Un jour, je me suis réveillée pour trouver son museau contre mon visage. Le processus de mise en confiance avait été long, mais ce jour-là j'ai vu le bout du tunnel. Après un mois pendant lequel elle se cachait, terrorisée, feulait et grondait, elle commençait à m'accepter. Ce fut malheureusement bref car j'ai fondu en larmes, ce qui l'a effrayée, elle a filé se cacher. J'avais encore beaucoup à apprendre.

Des vacances sûres

Les vacances peuvent être une source de stress pour tout le monde, mais elles sont particulièrement difficiles pour les chats parce que leur monde entier est bouleversé. De nombreux inconnus viennent à la maison, et le maître, trop occupé, peut négliger son chat. En *pensant comme un chat*, essayez de voir les choses de son point de vue. Il peut considérer les invités comme des intrus s'ils essayent de le prendre dans leurs bras pour le caresser. Vous risquez d'oublier vos séances de jeu habituelles, et le chat vous suivra partout sans comprendre. Des enfants inconnus courent dans tous les sens. Il y a bien trop de bruit, et le chat ne trouvant pas d'endroit sûr où dormir va se cacher sous le lit. Cela n'a pas l'air de vacances bien plaisantes. Et puis la nourriture. Pourquoi manger ces vieilles croquettes alors qu'un festin se trouve sur le plan de travail de la cuisine ?

En plus des dangers que présentent toutes les vacances, les jours de fête comportent des risques particuliers.

NOËL

Pour certains chats, les décorations de Noël évoquent une version féline de Disneyland, d'autres y restent indifférents. Pour être tranquille, même si votre chat ne paraît pas intéressé, ne prenez pas de risques : n'utilisez que des décorations sans danger et évitez la tentation.

D'abord le sapin. Je connais beaucoup de maîtres qui ont consacré beaucoup de temps et d'argent à décorer leur sapin, pour le retrouver couché sur le sol un peu plus tard. Méfiez-vous – un chat de deux kilos peut renverser un sapin de deux mètres. Employez une base lourde et massive pour abaisser le centre de gravité de l'arbre, et choisissez-en un qui soit pyramidal plutôt que haut et étroit. Vous pouvez planter un clou dans le mur pour y attacher le sapin avec du fil de pêche. Si vous avez un tableau au mur derrière le sapin, enlevez-le et servez-vous de ce clou, ça vous évitera de faire un trou supplémentaire.

Laissez votre chat s'habituer au sapin avant de le décorer pendant au moins une journée, afin de voir comment il réagit. S'il se met à mâcher les aiguilles, appliquez un répulsif pour plantes vertes. S'il essaie de grimper dans le sapin, envoyez-lui un jet d'eau avec un pulvérisateur.

Si vous avez choisi un arbre en pot, il ne faut pas que votre chat ait accès à l'eau du réservoir. La sève qui coule de l'arbre et se retrouve dans l'eau est toxique pour les chats, tout comme les produits destinés à prolonger la durée de vie du sapin. Placez un filet sur l'ouverture du réservoir pour pouvoir le remplir aisément tout en empêchant le chat d'y boire.

Maintenant, décorons le sapin. Commencez par les guirlandes lumineuses. Enduisez-les de répulsif pour que le chat ne les mâche pas et placez-les près du tronc, pas au bout des branches. Il est préférable d'éviter les guirlandes clignotantes qui peuvent attirer un chaton. Pour protéger le câble électrique, passez-le dans un tube de carton caché derrière le tronc (voir le passage sur les fils électriques plus haut dans ce chapitre).

Les cheveux d'anges sont dangereux – mortels, en fait, si un chat en avale. N'en employez *jamais*, et ne vous imaginez pas que vous pouvez les mettre hors d'atteinte de votre chaton en les plaçant au sommet du sapin. Il en tombe toujours un peu, et la façon dont ils brillent et bougent avec les courants d'air peut pousser un chaton à grimper dans l'arbre pour s'en emparer. Votre sapin sera très beau sans. Je n'ai pas utilisé de cheveux d'ange depuis des années et, à dire vrai, je ne regrette pas de ne plus avoir à ramasser les brins qui se détachent.

Les ornements du sapin doivent bien sûr être à l'épreuve des chats. Si certains d'entre eux sont cassants, le mieux est de les laisser dans leurs boîtes. Cela dit, si vous tenez vraiment à utiliser des ornements fragiles, mettez-les en hauteur, hors de portée de l'animal. Ceux qui se trouvent sur le tiers inférieur du sapin ne doivent pas comporter d'angles aigus, de pièces détachables, de rubans, de ficelle, ni rien de dangereux.

Les crochets servant à fixer les ornements peuvent eux aussi présenter un risque, pour les enfants aussi bien que pour les chats. Je me souviens d'avoir une fois marché sur un de ces crochets caché dans un tapis et, croyez-moi, ça m'a fait mal. Mieux vaut attacher vos décorations de façon plus sûre ; je me sers des fixations utilisées pour les sacs plastiques. Choisissez-les de couleur verte, elles seront invisibles et plus efficaces que des crochets.

Il convient que vos cadeaux amoureusement enveloppés et placés sous le sapin soient eux aussi à l'épreuve des chats. Les rubans sont non seulement dangereux mais extrêmement tentants. Plus les emballages sont simples, mieux ça vaut. Si vous souhaitez emballer un cadeau de façon élaborée, mettez-le de côté jusqu'au moment de l'offrir. Et, à ce propos, c'est lorsqu'on ouvre les cadeaux qu'un chaton aventureux peut avoir des ennuis. Tout le monde déballe des paquets, et personne ne voit que le petit chat s'est emparé d'un ruban qui traînait par terre. Un autre moment potentiellement dangereux est celui où vous ramassez les emballages pour les mettre à la poubelle, un chaton pourrait se trouver au milieu. Si l'animal n'est pas en vue, examinez boîte après boîte avant de les jeter.

Méfiez-vous des végétaux de saison tels notamment que houx et gui, qui sont toxiques ; d'autres peuvent provoquer des troubles gastriques. Gardez-les hors d'atteinte de votre chat. Les bougies représentent elles aussi un danger sérieux et ne doivent jamais être laissées sans surveillance, il est facile pour un chat de se brûler la queue ou de renverser une bougie.

Venons-en maintenant à ce que je préfère dans les fêtes de Noël, manger. En ce qui concerne votre chat, la règle est simple – éloignez-le. La nourriture très riche que nous consommons en une telle occasion lui occasionnerait des problèmes digestifs. Faites aussi très attention aux os de volaille avec lesquels un chat peut s'étrangler, ou pire. Ne laissez pas la dinde de Noël sans surveillance ; quand vous jetez la carcasse, emballez-la soigneusement dans un sac solide et placez celui-ci dehors immédiatement.

Ne laissez jamais à portée du chat bonbons, chocolats, biscuits ou alcool, ni d'ailleurs rien d'autre. Le chocolat notamment est très dangereux pour les chats.

Un autre problème lié aux fêtes de Noël est l'arrivée soudaine d'inconnus qui, sans avertissement, envahissent la maison (c'est ainsi que votre chat verra la chose). Des enfants qu'il n'a jamais vus le pourchassent, il n'a plus accès à des endroits qu'il apprécie (comme la chambre d'amis), et son maître d'ordinaire attentionné l'oublie. Les invités peuvent laisser sortir votre chat, lui marcher dessus ou simplement lui faire peur. Si vos invités ne sont là que pour la journée, prévoyez un sanctuaire pour l'animal, par exemple votre chambre ou une autre pièce où personne n'ira. Placez-y sa caisse et un bol d'eau, ainsi que de la nourriture si vous en laissez à sa disposition en permanence. Quand je le fais pour mes chats, je mets de la musique classique douce et je joue un moment avec eux. Ils dorment alors un peu pendant que je m'occupe de mes invités.

Un bon avis. Malgré toutes les courses à faire, les visites et les paquets, n'oubliez pas votre chat. Ce sont des animaux aux habitudes fixes, qui ont besoin du réconfort de leurs activités quotidiennes. Ne désorganisez pas leur routine de nourriture, jeu, brossage et autres.

HALLOWEEN

Si vous avez des chats, c'est le jour le plus terrible de l'année. Certaines personnes cherchent des chats à blesser, torturer et même tuer. Protégez vos animaux en les enfermant chez vous au moins un ou deux jours avant Halloween. Tous les chats sont en danger, mais particulièrement les chats noirs. De nombreux refuges refusent de se séparer de chats noirs à cette époque de l'année. Si vous souhaitez donner ou vendre chats ou chatons, ne le faites pas à ce moment et, s'ils sont noirs, ne le faites pas du mois entier.

La porte d'entrée sera sans cesse ouverte, il vaut donc mieux garder le chat dans une pièce fermée, loin de l'agitation. Avec sa litière, de l'eau et à manger, il peut passer une soirée tranquille, écoutant de la musique ou en compagnie d'un membre de la famille, surtout si l'animal a peur de la sonnette de la porte.

Ne laissez pas de bonbons à sa portée ; le chocolat, comme vous devez maintenant le savoir, est toxique pour les chats.

Il vous faut aussi veiller à ne pas laisser des enfants costumés effrayer l'animal ; déguisés en monstres ou fantômes, ils sont parfois si excités qu'ils essaient de faire peur même à des animaux familiers. Surveillez votre chat.

LE 14 JUILLET

Même moi, je n'aime pas quand les gosses du quartier font exploser des pétards toute la nuit. Je dois vieillir, car je m'aperçois que je préfère des fêtes plus tranquilles.

Ce n'est ni une bonne journée ni une bonne nuit pour qu'un chat se trouve dehors. Le bruit des pétards est très effrayant et, comme lors de Halloween, certains malades prennent plaisir à effrayer ou blesser des animaux. Même si on ne lui lance pas un pétard dessus, le bruit peut paniquer le chat, qui risque de se précipiter dans la rue – juste devant une voiture.

Gardez votre chat à l'intérieur, écoutez de la musique ou branchez la télévision, jouez avec lui, et tout ira bien.

Ballons, rubans et bougies allumées sont les trois plus grands dangers. En cas de fête d'anniversaire, le chat devra aussi faire face à beaucoup de bruit et de mouvement, à la possibilité d'être pris dans les bras, de se faire marcher dessus ou d'être caressé contre son gré. Mettez-le à l'abri pendant la fête.

Gâteaux d'anniversaire, bonbons et autres doivent rester hors de sa portée. En cas de fête enfantine, il est probable que gâteaux et cire de bougie se retrouveront par terre, mieux vaut donc nettoyer avant de rendre sa liberté au chat.

« Sauvez-le »

Malgré toutes les précautions, des accidents et des situations d'urgences peuvent se produire – peut-être même en votre absence. Une affichette placée en évidence signalant la présence d'un animal (ou plusieurs) chez vous peut vous tranquilliser au cas où un accident, par exemple un incendie, se produisait en votre absence. De nombreux fabricants proposent des autocollants à placer sur les portes ou les fenêtres. Vous pouvez aussi planter une pancarte dans le sol. Mettez-la sur le devant du jardin afin qu'elle soit bien visible pour les services d'urgence et les voisins.

Veillez à préciser l'espèce et le nombre d'animaux.

Et si quelque chose vous arrivait ?

Je sais bien, c'est une chose dont on n'aime pas parler mais qui peut malheureusement se produire. Et si vous deviez être hospitalisé ? Si vous ne pouviez plus vous occuper de votre chat ? Si vous vivez seul, il faut y penser. Dans le chapitre XVII, principalement consacré à la façon de faire face à la perte d'un chat, un passage concerne les dispositions testamentaires que vous pouvez prendre en faveur de votre animal.

CHAPITRE IV

Chez le vétérinaire

Peu importe où vous avez trouvé votre chat, il aura besoin de soins vétérinaires. Que vous l'ayez acheté ou recueilli, il devra être suivi sa vie entière.

Vos relations avec le vétérinaire ne se limitent pas à une vaccination annuelle. Vous êtes tous deux responsables de la santé de votre chat. Le praticien compte sur vous pour lui signaler immédiatement tout changement chez l'animal. Vos observations lui seront précieuses.

Comment trouver le bon vétérinaire

PREMIÈRE ÉTAPE

Prenez le temps de la réflexion. Le vétérinaire est, après vous, la personne la plus importante dans la vie de votre chat. Quelles qualités recherchez-vous chez lui et quel type de prestation attendez-vous ? Préférez-vous un important cabinet, où exercent de nombreux vétérinaires, ou, au contraire, une petite structure avec un seul praticien ? Voulez-vous un vétérinaire qui ne s'occupe que des chats ? Cela existe. Renseignez-vous pour savoir s'il y en a un près de chez vous.

LES SERVICES QU'UN VÉTÉRINAIRE PEUT VOUS OFFRIR	
• Des soins préventifs durant toute la vie de votre chat. • Des conseils concernant son alimentation. • Des réponses à vos questions sur les soins de base et le dressage. • Des soins d'urgence (peut-être en clinique). • Des informations sur les dernières techniques vétérinaires. • Des informations sur	d'autres services relatifs aux animaux familiers (garde, etc.). • Des moyens de retrouver un chat perdu ou son propriétaire. • Des services de toilettage (parfois). • Un soutien émotionnel durant un problème de santé de l'animal. • Une surveillance à long terme de la santé du chat.

Vous devez savoir si le cabinet de votre vétérinaire est ouvert en dehors des heures de bureau ou s'il y a près de chez vous une clinique pour les soins d'urgence. Les chats ont le chic pour tomber malade le week-end ou après la fermeture des magasins ; il est donc indispensable de savoir où s'adresser en cas de besoin.

Vous préférerez peut-être un vétérinaire qui possède lui-même des chats. Ce n'est pas une raison d'écarter les autres, mais il est possible que vous vous sentiez plus à l'aise avec ce vétérinaire-là.

Voulez-vous un jeune vétérinaire tout juste diplômé ou quelqu'un de plus âgé ? Les jeunes sont au courant des toutes dernières techniques, les vétérinaires plus âgés ont des années d'expérience. À vous de voir.

Enfin, bien que cela n'ait aucune influence sur ses

capacités, vous pouvez préférer que ce soit un homme, ou une femme.

DEUXIÈME ÉTAPE

Interrogez les voisins ou amis qui, selon vous, s'occupent particulièrement bien de leurs animaux. Ne vous contentez pas noms, demandez-leur aussi ce qui leur plaît ou déplaît chez leur vétérinaire.

Si vous êtes nouveau dans le quartier, vérifiez dans les pages jaunes de l'annuaire ou, le cas échéant, renseignez-vous auprès de l'association locale des vétérinaires.

TROISIÈME ÉTAPE

Après avoir recueilli quelques noms et adresses, réduisez la liste à deux ou trois candidats. Si on vous a indiqué un excellent vétérinaire, mais qu'il est installé à l'autre bout de la ville, cela peut le faire sortir de votre liste.

Il vous faudra ensuite vous rendre à son cabinet pour le rencontrer et voir les moyens dont il dispose. Je vous recommande de téléphoner d'abord, pour qu'on soit prêt à vous recevoir. Commencez votre estimation dès que vous franchissez la porte. Quelle odeur règne dans le cabinet ? Est-ce propre ? Le ou la réceptionniste doit se montrer amical(e) et compétent(e). En inspectant les lieux, prêtez attention aux relations entre membres du personnel. Les gens heureux sont d'habitude plus aimables. J'ai visité des cliniques où j'ai surpris des disputes et même entendu insulter les animaux. Gardez les yeux et les oreilles ouverts. En passant devant les cages, vérifiez leur propreté. Les saletés sont-elles enlevées dès que possible ? Je regarde toujours si les animaux qui ont été opérés sont couverts de serviettes ou couvertures, ou bien s'ils frissonnent sur quelques feuilles de journal.

Quand vous rencontrez le vétérinaire, dites-vous

qu'il peut être très occupé (c'est une autre raison pour laquelle prendre rendez-vous) et n'aura pas le temps de vous parler longtemps. Vous devriez en quelques minutes vous faire une idée de ses capacités de communication et savoir si vous êtes à l'aise avec ce praticien.

Si vous ne vous sentez pas l'aise après vos premières visites, changez de vétérinaire. Demandez une copie du dossier de votre chat et allez voir ailleurs plutôt que de rester avec un vétérinaire qui ne vous convient pas. Néanmoins, avant de prendre cette décision, demandez-vous si vos exigences sont réalistes. Par exemple, certains clients téléphonent au vétérinaire plusieurs fois par jour et s'attendent à lui parler immédiatement, sans tenir compte du fait qu'il peut être occupé ou même se trouver en salle d'opération. Si toutefois vous estimez que vos exigences sont réalistes, après avoir discuté avec le vétérinaire et donné au personnel une chance de régler le problème, alors partez.

Emmener un chaton chez le vétérinaire

Même si ce n'est qu'une toute petite chose facile à garder dans vos bras (bien qu'il soit presque impossible de retenir certains chatons quand ils ne le veulent pas), il se sentira plus à l'aise dans un panier, ce qui l'empêchera aussi de s'enfuir s'il est effrayé et le protégera dans la salle d'attente d'autres animaux peut-être moins aimables que lui. Habituez-le au panier très tôt, ce sera plus facile qu'à un âge plus avancé. Pour savoir quel panier choisir, consultez le chapitre XIV.

Qu'attendre de la première visite ?

Où que vous ayez trouvé votre chaton, et quoi qu'on vous ait affirmé concernant sa santé, vous devez l'amener chez le vétérinaire et, si vous avez d'autres chats, il est impératif de le faire *avant* de les mettre en présence.

Lors de la première visite, il est bon d'emporter quelques excréments du chaton pour analyse, en cas de parasites intestinaux. Essayez de les prendre aussi frais que possible. Si votre chaton défèque le matin alors que vous avez rendez-vous l'après-midi, enveloppez l'échantillon dans un sac plastique et mettez-le au réfrigérateur. Scotchez un pense-bête sur la porte d'entrée pour ne pas l'oublier en partant. Si le chaton ne vous fournit pas le nécessaire, ne vous inquiétez pas – le vétérinaire peut obtenir un spécimen (mais il est moins traumatisant pour l'animal d'avoir déféqué tranquillement à la maison dans sa caisse).

Si le chaton n'a pas subi les tests pour les virus de la leucémie féline (FeLV) et de l'immunodéficience féline (FIV), ou si vous doutez des tests déjà pratiqués, il faut y procéder. Cela n'implique qu'un petit prélèvement de sang (pour plus d'informations sur ces maladies, reportez-vous à l'appendice médical). Ce prélèvement est d'habitude effectué par un technicien avant que le vétérinaire n'examine le chaton.

Pendant que les examens de sang et d'excréments auront lieu en laboratoire, le vétérinaire examinera le chaton, dont le poids et la température auront été relevés. Il commencera par la tête de l'animal et progressera vers la queue. Il vérifiera l'intérieur des oreilles avec un otoscope (lampe conique) et, s'il craint la présence de gale auriculaire, il effectuera un prélèvement pour examen au microscope. Il examinera ensuite les yeux et le nez du chaton, ainsi que l'intérieur de sa bouche.

Le praticien palpera alors tout le corps du chaton pour s'assurer que tout va bien avant d'écouter cœur et poumons au stéthoscope. Il préparera aussi un calendrier de vaccinations et vous indiquera que faire au sujet de la nutrition du chaton, de la lutte contre les parasites, du toilettage et du dressage. C'est le moment de lui poser des questions, et assurez-vous de bien comprendre les instructions du vétérinaire.

L'animal recevra alors ses premiers vaccins ; il faudra procéder à une deuxième série d'injections trois à quatre semaines plus tard. On vous dira combien de visites seront nécessaires et quels vaccins devront être administrés, selon l'âge du chat et son état de santé.

Certains vaccins peuvent être multiples, cela dépend du fabriquant, et sont parfois administrés sous forme de gouttes nasales plutôt que par injection. Le vétérinaire vous expliquera leurs caractéristiques au fur et à mesure, et vous indiquera les éventuels effets secondaires, les symptômes à surveiller (par exemple des difficultés respiratoires) et les réactions probables du chaton dans les vingt-quatre heures suivantes.

Si des parasites ont été détectés dans l'échantillon de fèces, le chaton recevra un vermifuge ; selon le type de produit employé, une seconde prise pourra être nécessaire. En cas de gale auriculaire, on vous donnera un traitement à lui administrer. Reportez-vous à l'appendice médical à ce sujet.

La première visite chez le vétérinaire est une bonne occasion d'apprendre à tailler les griffes de votre chaton. Si vous avez des questions – comment lui administrer des médicaments et vous occuper de son pelage, quelle quantité de nourriture lui donner –, posez-les maintenant. N'hésitez pas à interroger en détail le vétérinaire : son principal souci est que vous partiez du bon pied.

AGENDA DES VACCINATIONS POUR UN CHATON

Le praticien choisira les vaccins devant être administrés selon le cas particulier, mais voici des indications générales :

De six à huit semaines :
• vaccin contre rhinotrachéite-calicivirus-panleucopénie (première injection) ;
• vaccin contre la chlamydiose (première injection), facultatif, parfois combiné aux vaccins précédents ;
• examen des fèces pour détecter des parasites internes (vermifugation si nécessaire).

À douze semaines :
• vaccin contre rhinotrachéite-calicivirus-panleucopénie (deuxième injection) ;
• vaccin contre la chlamydiose (deuxième injection) ;
• vaccin contre la leucémie féline (première injection) ;
• deuxième vermifugation (si nécessaire).

À seize semaines :
• vaccin contre la leucémie féline (deuxième injection) ;
• vaccin antirabique ;
• vaccin contre la péritonite infectieuse féline (première injection), ce vaccin controversé n'est d'habitude recommandé que dans le cas de chats vivant en communauté.

À vingt semaines :
• vaccin contre la péritonite infectieuse féline (deuxième injection).

Chaque année :
• rappel de tous les vaccins ;
• examen des fèces pour les chats d'intérieur (à faire tous les six mois pour ceux qui ont accès à l'extérieur). Il suffit de déposer un échantillon chez le vétérinaire.

Certains propriétaires de chats hésitent aujourd'hui à les faire vacciner parce qu'on entend parler depuis quelque temps de tumeurs malignes apparues à l'endroit du vaccin. Cette maladie, le sarcome félin associé à une vaccination, a malheureusement causé des décès. De nombreux vétérinaires pratiquent maintenant les injections en des points spécifiques notés sur le carnet de santé de l'animal, afin qu'on puisse déterminer quels vaccins jouent un rôle dans la maladie.

Est-il nécessaire de vacciner votre chat ? J'estime que le risque de cancer est faible comparé à celui de *ne pas* vacciner un chat. Pour en savoir plus sur les maladies que votre chat pourrait contracter s'il n'est pas vacciné, reportez-vous à l'appendice médical.

Si le sarcome félin associé à une vaccination vous inquiète, parlez-en à votre vétérinaire.

Quelques procédures courantes de diagnostic

RADIOGRAPHIES

Les radios (rayons X) prises dans le cas d'un chat sont les mêmes que celles d'un humain et servent aux mêmes diagnostics : fractures, obstructions, tumeurs, malformations, etc. Les chats les supportent bien d'ordinaire, mais un animal qui souffre, à cause d'une fracture ou d'une blessure, devra recevoir auparavant un sédatif.

EXAMENS SANGUINS

Les examens sanguins permettent de diagnostiquer de nombreuses maladies, de déterminer le fonctionnement de tel ou tel organe, d'obtenir une numération globulaire, etc. Certaines analyses peuvent être effectuées chez le vétérinaire, mais la plupart sont faites dans des laboratoires extérieurs.

Dans le cas où seule une faible quantité de sang est nécessaire, le prélèvement peut être fait sur une veine de la patte avant et, pour une quantité plus importante, sur la jugulaire.

ULTRASONS

Les ultrasons permettent d'obtenir des images des organes internes d'un chat. C'est une technique indolore, non intrusive et qui donne au vétérinaire de précieuses informations sur la forme, la taille et l'état des organes.

ÉLECTROCARDIOGRAMME

Des contacts sont fixés à la peau du chat pour que l'appareil puisse enregistrer les champs électriques du cœur afin de découvrir toute anomalie. C'est indolore, et les chats le supportent en général très bien.

ANALYSES D'URINE

Ces analyses servent à déceler des troubles du système urinaire ou des reins, et le diabète.

Le vétérinaire peut obtenir un échantillon d'urine grâce à une seringue et une aiguille plongée dans la vessie (cystocentèse). On peut aussi recueillir l'urine à travers un cathéter, par pression manuelle (sous sédation), ou dans un récipient lorsque le chat utilise sa caisse. Une litière non absorbante peut servir dans ce cas.

BIOPSIES

Un échantillon de tissu est prélevé et envoyé dans un laboratoire pour analyse. Les biopsies servent à identifier des grosseurs, déterminer si une tumeur est bénigne (non cancéreuse) ou maligne (cancéreuse) et aussi vérifier qu'un cancer a été enlevé en totalité (grâce à l'examen des bords de la tumeur).

EXAMEN DES FÈCES

La couleur, la consistance et l'odeur des excréments d'un chat en apprennent beaucoup au vétérinaire. Il cherchera des traces de sang ou de mucosités.

À titre d'examen de routine, on mélange un peu d'excrément à une solution spéciale ensuite examinée au microscope pour rechercher des parasites (cela n'est d'ordinaire utilisé que pour les chats qu'on laisse aller dehors).

Les urgences

S'il y a près de chez vous une clinique vétérinaire d'urgence, il est sage de repérer où elle se trouve avant d'en avoir besoin. Ainsi, vous n'aurez pas à emprunter des rues inconnues au milieu de la nuit avec un chat malade ou blessé en vous trompant et en demandant votre chemin.

Quand faut-il faire stériliser votre chaton ?

Certains refuges stérilisent des chatons âgés de seulement huit semaines. La question de savoir si la stérilisation précoce présente des aspects négatifs est très discutée.

On stérilise d'habitude une femelle avant ses premières chaleurs – vers six mois – et les mâles entre six et huit mois.

Si vous hésitez à faire stériliser votre chat, laissez-moi vous dire que l'avantage n'est pas seulement de limiter la surpopulation féline. Les chats non stérilisés présentent beaucoup plus de problèmes de comportement, sont plus attachés à leur territoire, ont tendance à fuguer et à se battre ; de plus, si vous n'avez jamais senti l'odeur de l'urine d'un matou, préparez-vous, car ils marquent leur domaine. Du point de vue médical, les chats non stérilisés sont plus menacés par certains cancers. Si vous avez des questions, parlez-en à votre vétérinaire.

Une assurance-maladie pour chats

L'argent peut faire la différence entre la vie et la mort d'un animal familier. Quand vous prenez un chaton, la dernière chose à laquelle vous souhaitiez penser sont les horribles maladies ou blessures dont ce petit chat plein de santé pourrait souffrir plus tard.

La médecine vétérinaire fait sans cesse d'immense progrès. Malheureusement, la technique nouvelle susceptible de sauver votre chat pourrait être trop chère pour vous.

Je vous recommande de contracter une assurance-maladie vétérinaire. Cela vous évitera peut-être non seulement une dépense, mais aussi un profond chagrin. Renseignez-vous auprès de votre vétérinaire.

Comment savoir si un chat est malade ?

Sa santé et son bien-être dépendent de vous. En fait, les chats n'ont pas neuf vies, c'est donc à vous et votre vétérinaire de vous occuper de lui.

Prenez conscience des activités quotidiennes de votre chat. Notez combien d'eau il boit, c'est important car une diminution ou une augmentation de sa consommation peut être le symptôme de certaines maladies. Vous occupez-vous de sa caisse ? Si c'est le cas, vous détecterez rapidement diarrhée, constipation ou infections urinaires, d'après le volume et la couleur de l'urine et des fèces.

Un entretien régulier du pelage vous donne l'occasion d'examiner fréquemment le corps de votre chat et de vous familiariser avec lui, ce qui vous permettra de détecter au tout début grosseurs, inflammations, parasites externes, zones dégarnies, éruptions, etc. Vérifiez fréquemment les oreilles, les yeux et les dents de votre chat, ainsi que l'anus, les parties génitales, l'estomac et les coussinets de ses pattes.

• Changements d'apparence du pelage, qui peut sembler éteint, sec ou gras, moins dense que d'ordinaire ou présenter des zones pelées.

• Changements dans les habitudes de toilette de l'animal.

• Irritations ou inflammations de la peau et tout changement de couleur ou texture de celle-ci.

• Modifications du comportement (le chat ne joue plus, se cache, est léthargique, nerveux, irritable ou agressif).

• Modifications des habitudes alimentaires (augmentation ou diminution de l'appétit, changement de poids, difficulté à manger).

• Augmentation ou diminution de la consommation d'eau.

• Vomissements (notez leur fréquence, s'il s'agit de solides ou de liquides, leur couleur et leur volume).

• Modifications urinaires : le chat peut uriner hors de sa caisse, plus fréquemment, avec difficulté, ce qui peut lui arracher des cris, l'urine peut être teintée de sang ou avoir une odeur inhabituelle ; si l'animal est incapable d'uriner, il s'agit d'une urgence absolue.

• Modifications fécales : élimination hors de la caisse, diarrhée, constipation, fèces couvertes de mucosités ou présentant des traces de sang, couleur ou odeur inhabituelles, volume excessif ou trop faible.

• Faiblesse générale.

• Boiterie ou signes de douleur.

• Vocalisation excessive, cris et plaintes.

• Température trop élevée ou trop basse.

• Toux et éternuements.

• Apparence des yeux : écoulements, opacité, apparition de la membrane nictitante, strabisme, élargissement ou étrécissement d'une ou des deux pupilles, frottements des pattes sur les yeux.

• Écoulements du nez (notez la couleur et la consistance).

• Écoulements des oreilles, secouements de tête.

• Grosseurs à tout endroit du corps.

• Tremblements.

• Lésions ou blessures.

• Modifications du rythme respiratoire : rapide, creux, pénible.

• Modifications des gencives : gonflées, pâles, bleutées, grises ou rouge vif.

• Mauvaise haleine.

• Production de bave.

• Odeur inhabituelle.

• Changements neurologiques : tremblements, mouvements incontrôlés, paralysie, etc.

Les chats sont experts à cacher tout problème de santé, il vous faudra parfois vous baser sur de minuscules changements de comportement. Lors d'un entretien avec le vétérinaire, donnez-lui les informations suivantes : description du problème ; date d'apparition ; fréquence de manifestation.

Ne dites pas simplement, par exemple : « Mon chat vomit. » Le vétérinaire a besoin de savoir la nature de la régurgitation, solide, liquide, de quelle couleur... Le phénomène est-il apparu aujourd'hui ? Hier ? À quel rythme cela se produit-il ? Le chat vomit-il immédiatement après un repas ? A-t-il vomi cinq fois en une heure ? Une description précise donne de précieux indices au praticien.

Comment prendre la température d'un chat

Cela peut paraître presque impossible mais, si vous vous y prenez doucement et calmement, votre chat et vous-même survivrez à l'épreuve. Vous n'aurez peut-être jamais besoin de le faire mais il est utile de savoir comment procéder, au cas où. Si le chat se montre très agité chez le vétérinaire, celui-ci vous suggérera peut-être de prendre la température de l'animal chez vous, au calme.

On prend la température d'un chat par voie rectale, avec un thermomètre idoine. Ne vous servez *pas* d'un thermomètre *oral*, le réflexe naturel du chat est de mordre un objet introduit dans sa bouche, il casserait le thermomètre et se blesserait gravement.

Si possible, faites-vous aider par quelqu'un qui tiendra le chat. Dans le cas d'un animal difficile à maintenir, il vous faudra absolument une paire de mains supplémentaires. Même le chat le plus doux peut réagir très violemment à un thermomètre, aussi ne refusez pas l'aide qu'on vous propose.

Si vous utilisez un thermomètre standard au mercure, secouez-le jusqu'à ce qu'il indique 35° ou moins. Si vous vous servez d'un thermomètre électronique, suivez les instructions du fabriquant. Enduisez l'extrémité de vaseline.

Posez le chat sur une table ou un plan de travail plutôt que de vous accroupir. Soulevez la queue de l'animal d'une main et insérez doucement le thermomètre de deux centimètres et demi dans l'anus. Maintenez-le en place deux minutes. Si vous avez du mal à insérer l'appareil, caressez légèrement la base de la queue du chat, ce qui provoque parfois une relaxation des muscles rectaux. Tourner doucement le thermomètre peut aussi vous aider. Essayez de ne pas angoisser l'animal, ce qui pourrait fausser le résultat.

Après avoir retiré le thermomètre, essuyez-le avec un mouchoir en papier, lisez la température puis nettoyez-le à l'alcool avant de le ranger.

La température normale d'un chat est de 38°5 à 39°, selon les circonstances ; en cas de stress, la température tend à s'élever.

Il existe aussi des thermomètres digitaux instantanés qui s'insèrent dans l'oreille. Ce peut être la façon la moins perturbante de prendre la température de votre chat. Renseignez-vous auprès de votre vétérinaire. Certains de ces thermomètres sont moins précis qu'un thermomètre rectal mais, si votre chat refuse celui-ci, il vous reste une possibilité.

Comment prendre le pouls d'un chat

Cherchez l'*artère fémorale* à l'intérieur de la cuisse de l'animal, près du ventre. Le chat peut être debout sur ses pattes. Appuyez sur l'artère jusqu'à sentir le pouls, comptez le nombre de pulsations pendant quinze secondes et multipliez par quatre. La normale

pour un chat adulte est de 160 à 180 battements/
minute. Le pouls d'un chaton est nettement plus
rapide, environ 200 battements/minute.

Rythme respiratoire

Observez le mouvement de la poitrine ou de
l'abdomen et comptez le nombre d'inspirations par
minute, et ce, alors que le chat n'est pas excité et n'a
pas trop chaud, le chiffre serait alors anormalement
élevé.

La normale pour un animal au repos est de vingt à
trente inspirations par minute. Un rythme respiratoire
trop rapide peut indiquer souffrance, état de choc, déshydratation ou maladie. Il est normal qu'un chat halète
après des efforts intenses, mais un halètement pénible
accompagné d'agitation peut indiquer un coup de chaleur, ce qui est grave.

Soigner un chat

PILULES

Il est vrai que ce n'est pas facile. Certains maîtres
préfèrent encore la roulette du dentiste à l'administration au chat d'un comprimé. Cela peut tourner au
match de catch, le chat se tortillant en tous sens et le
maître se contorsionnant pour essayer de desserrer des
mâchoires d'acier. C'est sur le visage de personnes à
qui on avait dit de donner à leur chat un comprimé
par jour que j'ai vu certaines des expressions les plus
horrifiées de ma vie.

Vous pourriez croire que la manière la plus aisée
de faire absorber une pilule à un chat est de la dissimuler dans sa nourriture, mais plusieurs raisons s'y
opposent. D'abord, certains comprimés sont enrobés

d'une pellicule qui protège leur contenu des acides stomacaux, afin que celui-ci ne soit relâché que dans les intestins. D'autres ont une odeur ou une saveur désagréables, et l'animal peut refuser la nourriture où ils se trouvent. Enfin, les chats sont *très* doués pour détecter les tromperies, et le vôtre risque de vous regarder avec dégoût pour avoir ainsi sous-estimé son intelligence. Si vous croyez vraiment tromper votre chat en dissimulant une pilule dans votre mélange spécial de sardines et de crème de gruyère, demandez d'abord à votre vétérinaire si cela n'affectera pas l'efficacité du médicament.

Certains chats acceptent plus facilement d'avaler un comprimé si celui-ci est recouvert d'une pâte contre les boules de poils ou d'un complément alimentaire habituel.

Pour moi, la meilleure méthode allie subtilité et rapidité – surtout la rapidité. N'en faites pas toute une affaire, car le chat s'inquiéterait encore plus. Organisez-vous et choisissez bien votre moment. Par exemple, si votre chat se laisse plus aisément manipuler quand il est ensommeillé, c'est alors qu'il faut lui faire avaler la pilule.

Comment procéder ? Il peut être préférable de poser le chat sur une table pour ne pas devoir vous baisser. Placez la paume de la main sur sa tête et basculez-la légèrement en arrière. Ouvrez-lui la bouche en appuyant doucement du pouce et du majeur derrière les canines. Tenant le comprimé entre le pouce et l'index de la main libre, abaissez la mâchoire inférieure du majeur et laissez tomber le médicament au fond de la gorge. Enduire la pilule de beurre la rend plus facile à avaler, mais elle peut coller à vos doigts. Relâchez la bouche du chat pour qu'il puisse avaler, mais continuez à le tenir afin qu'il ne s'enfuie pas dans un coin recracher le comprimé. Ne maintenez pas sa bouche fermée, il ne pourrait déglutir, mais massez doucement sa gorge pour l'aider.

Après avoir administré le comprimé, observez votre chat pour vous assurer qu'il l'a bien avalé et ne va pas le recracher. S'il se lèche le nez ou les babines, c'est le signe certain que la pilule a été déglutie. Si l'animal se met à tousser, c'est que le com-

primé s'est logé dans la trachée ; lâchez-le pour qu'il puisse le déloger. Si la pilule ne ressort pas, prenez le chat par les hanches et tenez-le tête en bas.

Une autre position pour administrer un comprimé est de vous mettre à genoux, assis sur les talons, les jambes ouvertes en « V ». Placez le chat entre vos jambes, tête vers l'extérieur ; ainsi il ne pourra reculer.

Si vous ne parvenez pas à administrer une pilule à la main ou si votre chat mord, vous trouverez chez votre vétérinaire ou dans une animalerie des distributeurs de comprimés, sortes de seringues en plastique qui maintiennent la pilule dans des crochets et la relâchent quand on appuie sur le poussoir. Je les trouve plus difficiles d'emploi que mes doigts, mais l'important est de faire avaler le médicament au chat sans se faire mordre ; utilisez donc la méthode qui vous convient le mieux.

Si votre chat se débat et griffe, essayez de l'envelopper dans une serviette. S'il se montre très difficile à manipuler, procurez-vous de l'aide ; il est cependant parfois difficile de trouver des volontaires.

MÉDICAMENTS LIQUIDES

Il vous faut un compte-gouttes ou une seringue, en plastique pour que le chat ne le casse pas en le mordant. Ne vous servez pas d'une cuillère, le produit se répandrait et vous ne pourriez pas doser avec précision la quantité ingérée. De plus, vous risquez de mettre un liquide souvent épais et collant sur la fourrure de l'animal.

La façon la plus commode d'administrer un liquide est de le déposer entre l'intérieur de la joue et les molaires. Posez le chat sur une table ou un plan de travail après avoir préparé la seringue ou le compte-gouttes et placez-le dans la gueule de l'animal. Administrez le produit par petites quantités, en laissant le chat avaler à chaque fois. Si vous essayez d'en donner trop d'un coup, il risque d'en inspirer ou d'en recracher. Évitez d'angoisser l'animal ; si vous pouvez vous faire aider, demandez à la personne en question de tenir doucement le chat en le caressant pendant que vous lui donnez le médicament.

Si votre chat refuse cette méthode d'administration, demandez au vétérinaire s'il est possible de mélanger le médicament à de la nourriture. Si c'est le cas, choisissez un aliment au goût prononcé et n'en employez qu'une petite quantité car l'animal peut ne pas tout consommer, ce qui lui ferait absorber une dose insuffisante de produit.

MÉDICAMENTS EN POUDRE

On peut d'ordinaire les mélanger à de la nourriture non sèche. Si le produit déplaît au chat, mêlez-le à de la nourriture au goût prononcé. Demandez conseil à votre vétérinaire.

INJECTIONS

Certains problèmes de santé (comme le diabète) nécessitent des injections. Si le problème est chronique, il vous faudra sans doute apprendre à les faire vous-même. Le cas échéant, votre vétérinaire vous donnera des instructions et vous montrera comment vous y prendre.

Selon la nature du produit, les injections peuvent être sous-cutanées (en dessous de la peau) ou intramusculaires. Dans la plupart des cas, le maître ne doit effectuer que des sous-cutanées.

ONGUENTS, CRÈMES

La manière la plus pratique de les administrer est de vous asseoir avec le chat sur vos genoux. Commencez par le caresser pour le détendre puis appliquez la crème. Continuez de le caresser (mais ne le forcez pas à rester là) pour que le produit ait le temps de pénétrer et que le chat en absorbe le moins possible en se léchant ensuite. Avec un peu de chance, le chat s'endormira sur place et le médicament pourra faire effet sans interférence féline. Si votre chat n'aime pas rester sur vos genoux, distrayez son attention en jouant avec lui ou en le nourrissant pour que le produit puisse être absorbé.

Si le chat se lèche au point de rendre le médicament inopérant, demandez à votre vétérinaire une collerette. Cet objet, qui ressemble à un abat-jour, se fixe autour du cou et empêche l'animal de se lécher.

SOINS DES YEUX

Placez le chat sur une table, sur vos genoux ou adoptez la position en « V » décrite plus haut, après vous être soigneusement lavé et rincé les mains.

Pommades

Tournez légèrement d'une main la tête du chat vers le haut. Placez la main tenant le tube contre la joue de l'animal pour ne pas lui blesser l'œil en cas de mouvement brusque. Abaissez doucement la paupière inférieure et déposez un filet de produit au bord de celle-ci. Prenez soin de ne pas toucher l'œil lui-même. Inutile de frotter la paupière, ce qui pourrait provoquer une irritation, la pommade se répartira grâce aux clignements d'yeux du chat.

Gouttes

Tournez la tête du chat vers le haut. La main tenant le compte-gouttes doit être posée contre la joue de l'animal pour éviter une blessure en cas de mouvement brusque. Déposez le nombre voulu de gouttes dans l'œil en prenant garde à ne pas le toucher. Lâchez le chat pour qu'il ferme les yeux.

N'administrez jamais à votre chat de gouttes qui n'aient été prescrites par un vétérinaire.

SOINS DES OREILLES

Les médicaments sont plus efficaces si les oreilles sont propres, nettoyez-les doucement avec un coton-tige ou un mouchoir en papier. Votre vétérinaire vous dira s'il convient d'utiliser une lotion nettoyante.

Les mains propres, placez le chat sur une table, sur vos genoux ou dans la position en « V ». Tenez l'oreille par la base, pas par la pointe, sans laisser le chat bouger la tête. Vous pouvez aussi la replier en arrière. Soyez très doux car, si l'oreille nécessite des soins, elle est sans doute enflammée et sensible. Déposez la quantité voulue de produit dans l'oreille et maintenez doucement la tête du chat pour qu'il ne la secoue pas avant que le produit ait pénétré dans le canal. Si il n'y a pas d'irritation, vous pouvez douce-ment masser la base de l'oreille pour bien répartir le médicament. En cas de gale auriculaire, ne massez pas, l'oreille est très enflammée.

Un conseil : ne portez pas de beaux vêtements pour ces soins ; votre chat ne se rendra pas compte qu'en secouant la tête (ce qu'ils font tous après qu'on leur ait mis quelque chose dans les oreilles) il aspergera de produit votre chemise préférée.

Veiller sur un chat malade

S'occuper chez soi d'un chat malade est une lourde responsabilité. Votre chat préférera certainement le confort de son environnement familier à une clinique inconnue, mais assurez-vous de pouvoir faire face et de bien comprendre toutes les instructions du vétérinaire. Si vous avez des questions ou des doutes sur une procédure particulière, demandez qu'on vous fasse une démonstration.

LA PIÈCE

Le chat doit être placé dans une pièce calme et tranquille. C'est particulièrement important s'il y a des enfants ou d'autres animaux.

Il faut que la pièce soit assez chaude, sans courants d'air, pour que l'animal ne prenne pas froid. Si vous avez un purificateur d'air, c'est le moment de l'utiliser.

Mettez une caisse à litière, aux bords bas, près du chat pour qu'il n'aie pas besoin de trop se déplacer. S'il est incapable de se lever, vous devrez l'aider en le déposant dans la caisse et en le soutenant.

LA COUCHE

Fournissez-lui une couche confortable, recouverte de serviettes que vous pourrez changer en cas d'accident, et remplacez-les souvent. On trouve dans les animaleries des couches orthopédiques qui laissent circuler l'air et sont très confortables pour un chat. Si vous n'en trouvez pas, vous pouvez vous procurer des emballages à œufs de grande taille et les recouvrir de serviettes.

Si votre chat paraît avoir froid, vous pouvez envelopper une bouilloire dans une serviette et la placer près de lui, ou utiliser un chauffe-plats réglé au minimum. Méfiez-vous de ces appareils, ils peuvent facilement occasionner des brûlures. Recouvrez-les toujours d'une serviette, réglez le thermostat au minimum et surveillez souvent votre chat.

LA NOURRITURE

L'animal peut manquer d'appétit ou préférer plusieurs repas réduits. Veillez simplement à ce qu'il ait assez à manger. S'il n'est pas soumis à un régime particulier, des aliments à l'odeur forte auront peut-être du succès, ou vous pouvez essayer de les réchauffer un peu. S'il est incapable de garder la nourriture, le vétérinaire peut prescrire un aliment médical ou des petits pots pour bébés. Si le chat refuse de manger, il peut être nécessaire de le nourrir de force. La meilleure façon de s'y prendre est d'utiliser une seringue en plastique et un aliment quasi liquide, à donner par petites quantités pour éviter que le chat ne s'étrangle ou vomisse. Demandez au vétérinaire quelles quantités donner à l'animal et à quel rythme, suivant le cas particulier.

Si votre chat ne boit pas assez d'eau, il faudra peut-être lui en donner par voie orale avec une seringue. Comme un chat peut facilement aspirer de l'eau dans ses poumons, mélangez-y un peu de nourriture pour lui donner du goût, que l'animal perçoive une saveur. Cela peut être très dangereux, aussi n'administrez d'eau à la seringue que par petites quantités, en laissant au chat le temps d'avaler et de se reposer, et ne le faites que sur les instructions du vétérinaire. Tant que le chat peut manger de la nourriture en boîtes, le fort taux d'humidité de celle-ci lui suffira.

LE TOILETTAGE

Il est fréquent qu'un chat malade ne parvienne pas à maintenir son hygiène habituelle. S'il vomit, doit être nourri de force, a la diarrhée ou urine sur sa couche, son pelage et sa peau nécessiteront des soins particuliers.

Si vous le nourrissez de force, il est probable qu'une quantité non négligeable de nourriture se répande sur son menton et son cou. Pour limiter les dégâts, mettez-lui sur la poitrine un bavoir ou une serviette, et nettoyez-lui la face avec un linge imbibé d'eau tiède immédiatement après. Ne laissez jamais nourriture ou médicaments sécher sur sa fourrure.

Si votre chat urine sous lui ou a la diarrhée, nettoyez-le immédiatement pour empêcher les irritations de la peau. Si le problème est chronique, il faudra peut-être couper très court les poils autour de l'anus et des parties génitales pour faciliter le nettoyage.

Brossez régulièrement, avec douceur, un chat malade pour entretenir sa fourrure. Dans le cas d'un chat à poil long, il faudra le faire quotidiennement pour empêcher la formation de nœuds. Si le chat ne peut pas bouger, veillez à le retourner de temps en temps pour éviter problèmes circulatoires et escarres.

SOLITUDE ET DÉPRESSION

Gardez le petit malade de bonne humeur en passant du temps avec lui. S'il n'aime pas être caressé ou touché, vous pouvez lui tenir compagnie, votre seule présence sera un réconfort. Passez une heure à lire le journal ou un livre dans la pièce.

Quand je travaillais dans une clinique vétérinaire, une des thérapies de convalescence les plus importantes consistait à réconforter et caresser les animaux souffrants et effrayés dans leurs cages. Je caressais des têtes, grattais des mentons et embrassais des truffes. Je prenais dans mes bras ceux qui le désiraient, et j'essayais de rassurer d'une voix douce ceux qui se méfiaient de moi.

Si la présence d'autres animaux ou de membres de la famille fait du bien au chat, laissez-les approcher, en veillant à ce qu'ils restent calmes. S'il y a des tensions entre vos animaux familiers ou si l'un d'eux se montre nerveux et agressif en présence du malade, isolez celui-ci jusqu'à la guérison. Le patient n'a pas besoin d'un stress supplémentaire.

Hospitalisation et chirurgie : à quoi faut-il vous attendre ?

Les descriptions que voici de l'anesthésie et des procédures chirurgicales sont très générales. Les vétérinaires utilisent des protocoles différents, suivant l'âge du patient, le type et la durée de l'intervention, et même leurs préférences personnelles.

Dans la plupart des cas, on procédera à une évaluation préopératoire, comportant des tests destinés à vérifier qu'aucun problème non encore détecté ne ferait courir de risque au chat lors de l'anesthésie. Ces examens comprennent en général une auscultation, un électrocardiogramme, des tests sanguins et des radiographies. Le travail de laboratoire permet d'évaluer le fonctionnement des reins et du foie. Cela ne garantit pas la sécurité de l'anesthésie, mais permet de déceler des problèmes susceptibles d'avoir une influence sur l'anesthésie ou la convalescence.

LA NUIT PRÉCÉDENTE

Le chat devra être à jeun le matin de l'intervention, aussi on vous dira de ne pas le laisser manger après minuit. En général, il n'est pas nécessaire de l'empêcher de boire. Renseignez-vous auprès de votre vétérinaire, en particulier si l'animal est très jeune ou très âgé.

Si votre chat suit un traitement, vous lui donnerez dans la plupart des cas ses médicaments la veille, mais vérifiez auprès du vétérinaire et demandez-lui s'il faut traiter l'animal le matin.

L'ADMISSION EN CLINIQUE

Vous amènerez votre chat à la clinique tôt le matin. On vous donnera des formulaires à lire et signer, qui établissent votre consentement à l'anesthésie et à l'intervention.

Certaines cliniques utilisent des formulaires qui comportent une section concernant l'ajout d'analgésiques. Comme il s'agirait d'une dépense supplémentaire, votre permission est nécessaire. Donnez-la, car les chats (comme les humains) ont une réceptivité variable à la douleur, et vous voulez que le vôtre souffre le moins possible.

LES PRÉPARATIFS

Une fois votre chat admis en clinique, il sera examiné par un vétérinaire et recevra une première injection contenant un ou plusieurs sédatifs légers qui l'aideront à se décontracter. Ces médicaments non seulement diminuent l'angoisse de l'animal mais permettent de limiter la dose de produit anesthésiant nécessaire.

L'ANESTHÉSIE

La première injection ayant fait effet, on amènera votre chat en salle d'opération. On rasera une petite zone de poils sur la patte avant et on la désinfectera avant d'injecter un anesthésiant dans la veine. Le chat perdra presque immédiatement conscience.

Un tube sera alors placé dans la trachée du chat et branché sur l'appareil à anesthésie. Le produit anesthésique, accompagné d'oxygène, permet de maintenir le degré d'inconscience voulu. Durant toute l'intervention, la quantité de produit employée est surveillée, ainsi que les signes vitaux de l'animal.

PRÉPARATION À L'INTERVENTION

La partie du corps du chat concernée par l'intervention sera préparée, les poils rasés et la peau désinfectée avec un produit antibactérien. Le vétérinaire et ses assistants se désinfectent et enfilent des tenues protectrices.

L'INTERVENTION CHIRURGICALE

Une trousse chirurgicale stérile contenant les instruments requis est ouverte ; s'il est besoin d'instruments supplémentaires, ils viendront eux aussi d'emballages stériles. Avant de commencer l'intervention, l'animal sera recouvert d'un champ opératoire, un drap stérilisé comportant une ouverture placée sur la partie du corps concernée.

LA FIN DE L'INTERVENTION

Après avoir débranché l'appareil à anesthésie, on emmène le chat en salle de réveil, où il est surveillé. Comme la température du corps baisse sous anesthésie, on place l'animal sur une serviette ou un élément chauffant, et on le recouvre souvent d'une autre serviette pour le garder au chaud.

Si nécessaire, on administre des analgésiques.

LA SORTIE DE CLINIQUE

Suivant l'intervention pratiquée, vous pourrez aller chercher votre chat en fin de journée ou le lendemain matin. Ne vous pressez pas trop de ramener l'animal chez vous si le vétérinaire recommande une hospitalisation pour la nuit. Ce sont pendant les premières vingt-quatre heures après une opération que des problèmes peuvent surgir. Suivez les suggestions de votre vétérinaire. Si vous voulez rendre visite au patient, demandez son avis au praticien.

On vous donnera des instructions pour les soins à domicile, et on vous dira aussi quand revenir pour un examen complémentaire et faire enlever les points de suture.

Suivez ces instructions à la lettre et rappelez-vous que, même si votre chat veut reprendre ses activités ordinaires, *vous* devez vous assurer qu'il a eu le temps de se reposer et guérir. S'il a des points de suture, vérifiez régulièrement qu'il ne les ronge pas. Surveillez tout signe de suintements, de gonflement ou d'infection. Appelez immédiatement le vétérinaire si quelque chose vous semble anormal.

Après une opération, un chat a besoin de beaucoup de repos et ne devrait pas sortir. S'il est sous traitement (en particulier des analgésiques), ses réflexes peuvent ne pas être normaux, empêchez-le de sauter à un emplacement dont il pourrait tomber, risquant de se blesser. Gardez-le dans un endroit sûr et veillez à lui donner tous les médicaments prescrits.

Avant de quitter la clinique, assurez-vous que vous savez comment administrer tous les médicaments nécessaires. Si vous n'êtes pas sûr de vous, le chat ressentira votre tension. Si vous ne vous sentez pas capable d'administrer certains soins ou de vous occuper de l'animal chez vous, renseignez-vous sur la possibilité de visites à domicile par le personnel de la clinique. Le plus important est la guérison de votre chat, aussi n'hésitez pas à demander de l'aide si vous pensez ne pas pouvoir vous en sortir seul.

CHAPITRE V

Le dressage de base

Le dressage... Pour de nombreux maîtres, ce mot évoque un combat de catch comportemental entre le chat et son maître. Je voudrais que vous révisiez votre définition du terme « dressage » pour y inclure la responsabilité qui vous incombe de comprendre ce que votre chat vous indique au sujet de ses besoins. Dresser un chat signifie aussi communiquer avec lui dans un langage qu'il puisse comprendre. Cessez de le voir comme un animal familier qu'il faut dresser et mettez-vous dans sa tête. Comment pouvez-vous combiner vos attentes en tant que maître et ses besoins quotidiens de chat ? Mettez-vous à son niveau physiquement, émotionnellement et mentalement afin de préparer un programme de dressage efficace.

Dresser convenablement un chat le rend agréable à fréquenter et vous permettra *bel et bien* d'avoir de beaux meubles sans crainte qu'ils soient endommagés. Vous n'aurez pas besoin de vous battre constamment pour que le chat ne monte pas sur les plans de travail, et il viendra quand vous l'appellerez.

Certaines personnes s'imaginent que les chats sont livrés tout dressés, c'est-à-dire sachant déjà utiliser le bac à litière, ne pas se faire les griffes sur les meubles, et sortir dans le jardin sans s'éloigner. Je me sens triste pour ces maîtres-là, mais surtout pour leurs chats ; ce sont généralement ceux qui finissent en refuge, abandonnés ou morts.

Pour dresser un chat, il vous faut comprendre son mode de communication, ainsi que la différence entre le comportement normal et *anormal* d'un chat. C'est là où il est indispensable de se mettre à son niveau et de voir les choses comme lui. Par exemple, si votre chat se fait les griffes sur vos meubles, cela peut vous fâcher, mais il s'agit d'un comportement tout à fait normal. Se faire les griffes est dans sa nature, vous pouvez passer vos journées à lui crier après et à le poursuivre dans la maison, il ne comprendra pas pourquoi on le punit. Vous ne parviendrez qu'à le rendre craintif. La meilleure façon de le dresser est de comprendre que se faire les griffes est *naturel* et de lui fournir une surface adaptée, c'est-à-dire un bon poteau ou griffoir.

On confond trop souvent dressage et discipline, punition ou domination. Ainsi, après avoir tenté d'apprendre à nos chats qui est le patron, nous concluons qu'ils sont impossibles à dresser. C'est le cas si on essaie d'employer les méthodes utilisées pour dresser les chiens. Comme je l'ai expliqué plus haut, un chien est un animal de meute programmé pour devenir le chef du groupe ou suivre celui-ci (vous, avec un peu de chance). Le chat est un chasseur solitaire, qui ne comprend pas la *mentalité de meute*. Pendant que votre chien est couché à vos pieds, attendant anxieusement un signal, votre chat est assis à côté de vous, surveillant son territoire et guettant une éventuelle proie. Utiliser les mêmes méthodes pour dresser les deux espèces ne peut vous apporter qu'insuccès et frustration. Si vous voulez dresser un chat, il vous faut *penser comme un chat*. Apprenez son langage au lieu d'essayer de lui enseigner le vôtre.

Afin de dresser votre chat, il vous faudra employer trois techniques de base : le renforcement positif ; le contrôle à distance ; la redirection.

Le *renforcement positif* consiste à féliciter le chat ou lui donner des friandises quand il se conduit bien. C'est la partie amusante du dressage tant pour l'animal que pour son maître.

Le *contrôle à distance* consiste à employer la dissuasion ou des objets tels qu'un pistolet à eau pour dresser votre chat à éviter certains comportements (comme sauter sur le plan de travail de la cuisine). Le contrôle à distance est le seul type de dressage « négatif » qu'il convienne d'utiliser. N'essayez jamais la punition, non seulement c'est inhumain mais c'est une méthode parfaitement inefficace. Le contrôle à distance pour quelque chose comme sauter sur une surface interdite amène simplement le chat à ne pas aimer s'y trouver – un bref jet d'eau sur l'arrière-train, venu de nulle part pour autant qu'il le sache ; il ne le relie pas à vous, qui êtes un peu plus loin. Une punition, comme une fessée, l'amènera seulement à vous craindre.

La *redirection* doit être employée chaque fois que vous refusez à votre chat ce qu'il veut faire. Par exemple, si vous ne voulez pas que l'animal se fasse les griffes sur les meubles et que vous avez appliqué du scotch double-face à l'arrière du divan, il vous faut *rediriger* son instinct tout à fait normal vers un objet acceptable, comme un poteau-griffoir.

Si vos idées en matière de dressage comprenaient des fessées, frotter le nez du chat dans ses excréments, ne pas le nourrir ou lui crier après, débarrassez-vous-en. Je ne veux pas que vous soyez un de ces propriétaires de chat qui crient toujours après un animal qui s'enfuit, terrorisé. Je voudrais que vous et votre chat viviez heureux ensemble, et que les besoins de tous les membres de la famille soient satisfaits. Il est beaucoup plus facile de commencer par des méthodes de dressage correctes que d'essayer de corriger des comportements nuisibles bien établis.

Le bac à litière

L'utilisation ou non du bac à litière peut faire ou défaire la relation entre le chat et son maître. Trop de propriétaires supposent que le chat se servira du bac par instinct – même s'il n'est jamais nettoyé, se trouve au mauvais endroit, ou contient un type de litière qui lui déplaît.

Pour éviter les problèmes liés à la caisse, il vous faut comprendre ce qui compte pour le chat à ce sujet. Reportez-vous pour cela au chapitre VIII.

Le dilemme des griffes

Non, il n'est pas nécessaire de faire procéder à l'ablation des griffes de votre chat. Non, votre mobilier ne sera pas forcément déchiqueté – mais, oui, il vous *faut* un poteau-griffoir. Tous les poteaux ne se valent pas, cependant. Une fois de plus, on en revient à ce que *nous pensons* qu'il faut au chat, opposé à ce dont *il sait* avoir besoin. Au chapitre IX, je vous montrerai comment sauver vos meubles et créer un poteau dont il se servira vraiment.

Apprendre au chat à reconnaître son nom

Un parfait début. J'ai toutefois trois règles à ce sujet.

Règle nº 1 : choisissez pour votre chaton un nom facilement reconnaissable (pour lui). Des noms à rallonge comme « le Prince charmant de Cendrillon » ou

« Frédéric le Fabuleux » ne sont pas une bonne idée. Je n'ai pas inventé ce nom, je connais un chat qui le porte, et qui ne répondait pas quand sa maîtresse l'appelait. Ce n'est que lorsque j'ai suggéré qu'elle l'appelle simplement « Fred » qu'il a commencé à réagir.

Règle nº 2 : n'employez pas dix surnoms différents pour votre chaton en espérant qu'il y répondra. Contentez-vous d'un seul nom pour qu'il puisse faire l'association.

Règle nº 3 : n'appelez jamais votre chat quand vous êtes en colère. Si vous criez son nom puis le punissez, il refusera de s'approcher de vous à l'avenir.

Commencez par apprendre au chat à associer des choses positives à son nom. Pendant que vous le caressez, répétez encore et encore son nom d'une voix douce et affectueuse. Quand vous lui préparez à manger, appelez-le. Avant de remplir son bol, donnez-lui un peu de nourriture à la main en répétant son nom. Après quelques minutes, remplissez son bol et laissez-le manger. N'en faites pas trop, les séances doivent être courtes et positives.

Entre les repas, prenez quelques friandises et appelez-le par son nom (de votre voix la plus douce et aimante), plusieurs fois par jour. Quand il vient, donnez-lui une friandise. Appelez-le progressivement de plus en plus loin. À nouveau, n'en faites pas trop. Il vaut mieux trois courtes séances dans la journée qu'une seule longue. En peu de temps, il répondra à son nom parce qu'il saura qu'une récompense l'attend. Ensuite, appelez-le d'une autre pièce. Quand il aura appris son nom, vous pourrez réduire les friandises. Quand l'animal répond à votre appel, félicitez-le, caressez-le ou jouez avec lui. Continuez de le récompenser de temps en temps avec de la nourriture jusqu'à ce que vous soyez certain qu'il a compris. Même sans nourriture, le message doit être qu'une bonne chose l'attend.

Apprendre à votre chat à venir quand on l'appelle est important pour sa sécurité si vous le laissez sortir, ou si vous voulez vous assurer qu'il n'est pas enfermé quelque part. Comme mes chats répondent à leur nom, je dispose d'une façon supplémentaire de rediriger leur comportement. Ils associent leur nom à des choses positives. Si je vois qu'ils s'énervent l'un contre l'autre et que je n'ai pas le temps de prendre mes jouets interactifs, je les appelle d'une voix tendre. La tension diminue immédiatement, leur esprit passant de l'agitation à l'anticipation. Je leur donne alors des friandises (d'ordinaire en les jetant dans des directions opposées pour qu'ils s'éloignent l'un de l'autre), et ils oublient complètement leur querelle. Rappelez-vous toutefois que cela marche pour des tensions mineures, pas forcément pour une agression déclarée ; un chat ne change pas si vite d'état d'esprit. La façon de réagir à l'agression est abordée au chapitre VII.

Quand votre chat aura appris à répondre à son nom, n'oubliez pas la règle n° 3 : ne l'appelez jamais quand vous êtes en colère. Ne le trompez pas non plus en l'appelant pour le mettre dans son panier, surtout si cela l'angoisse encore.

Comment saisir et manipuler un chat

Quand votre chat sera adulte, vous serez heureux d'avoir pris le temps de l'habituer à être soulevé et manipulé alors qu'il était petit. Tout le monde préfère un chat qu'on peut attraper, tenir, caresser, soigner et brosser sans paraître avoir été attaqué à coups de rasoir. La clef est de commencer tôt. Tenez le chaton à deux mains, même s'il est tout petit, pour lui donner un sentiment de sécurité. Ça ne lui plairait pas d'être trimballé par le milieu, les pattes pendant dans le vide.

Habituez petit à petit le chaton à être manipulé

quand vous le caressez. Mettez-le sur vos genoux et manipulez doucement chaque patte. Faites courir votre main le long du membre, faites sortir avec douceur ses griffes et touchez-en le bout. Cela vous permettra plus tard de lui tailler les griffes. Touchez délicatement ses oreilles et regardez à l'intérieur. Caressez-le en même temps et parlez-lui. Cet exercice le prépare aux futurs nettoyages d'oreilles et aux soins divers.

Caressez-le le long de la bouche (ça lui plaira) et sous le menton (ça lui plaira beaucoup). Puis glissez doucement un doigt dans sa bouche et massez-lui les gencives. Cela le prépare au brossage de dents. Revenez au menton et au dos, puis à la bouche que vous ouvrirez délicatement, une main sur la tête de l'animal, soutenant la mâchoire supérieure, pendant que vous abaissez la mâchoire inférieure d'un doigt. C'est tout, laissez-le fermer la bouche, continuez à le caresser puis jouez avec lui. Si vous accomplissez régulièrement ces exercices, votre chat une fois adulte sera habitué aux manipulations.

Si vous avez un chat adulte qui n'y est pas accoutumé, il vous faudra progresser très lentement pour qu'il ne se sente jamais immobilisé ou pris au piège. Vous devrez peut-être l'habituer d'abord à de brèves caresses avant de ralentir peu à peu le mouvement pour que votre main reste plus longtemps en contact avec son corps.

Quand vous prenez votre chat, servez-vous toujours de vos deux mains. Ne le saisissez pas par la peau du cou, les pattes arrière pendantes et ne le soulevez jamais d'une main sous le ventre, ce qui lui écrase la poitrine.

La façon correcte de soulever un chat est de mettre une main sous sa poitrine, juste en arrière des pattes avant et d'utiliser l'autre main pour soutenir son arrière-train. Tenez-le contre vous pour qu'il s'appuie contre votre torse. Ses pattes avant peuvent reposer sur votre avant-bras. De cette façon, il se sent soutenu mais non prisonnier.

Quand vous le reposez, faites-le *en douceur*. Ne le laissez pas bondir de vos bras. Il ne faut pas lui laisser croire que la seule façon de vous échapper est de se débattre et de faire un saut de la mort. Relâchez-le *avant* qu'il commence à se débattre, et il n'aura pas l'impression d'être prisonnier quand vous le prenez. Votre responsabilité en tant que maître est de guetter le moment où il en a assez – et de le reposer immédiatement à terre. Au début, vous pourrez peut-être ne le garder dans vos bras que quelques secondes, mais il réalisera peu à peu que ce n'est pas si terrible et se détendra.

N'essayez pas de tenir le chat sur son dos dans vos bras, comme un bébé. Il se sentira pris au piège, parce que ce n'est pas une position naturelle pour lui.

Assurez-vous que l'animal vous a vu avant de le saisir. Si vous lui faites peur en l'attrapant par-derrière, non seulement le contact d'un humain le rendra plus nerveux mais vous risquez de vous faire griffer.

Déterminer des limites

Vous n'aurez jamais un chat bien dressé si vous n'êtes pas cohérent à propos de ce qu'il a le droit de faire, et où. Vous n'obtiendrez que confusion et frustration si un membre de la famille lui permet de monter sur le lit et pas un autre. Aura-t-il le droit de monter sur le plan de travail de la cuisine ? Sur la table de la salle à manger ? Seulement quand il n'y a pas de nourriture dessus ? Comment comprendrait-il la différence ?

Réunissez toute la famille et discutez des limites à imposer au chat. Ce n'est pas honnête envers lui de manquer de cohérence, il aura des ennuis par *votre* faute.

Qui a couché dans mon lit ?

Aimeriez-vous avoir un chat au pied de votre lit ? Attendez-vous avec impatience de partager votre oreiller avec lui, sans vous soucier des poils qu'il perd ? Ou voulez-vous que votre chambre soit strictement interdite la nuit ? Soyez cohérent dès le début au sujet de l'endroit où dormira l'animal, car il sera difficile de changer les règles par la suite.

Si vous voulez partager votre lit avec un chaton, pas de problème. Je vous promets qu'il n'aimera rien mieux que de se coller contre vous pour profiter de votre chaleur et de votre tendresse. C'est une des façons les plus délicieuses de former un lien entre maître et chaton. Si vous avez adopté un adulte, il peut ou non choisir de dormir sur votre lit. Suivant sa personnalité et son niveau de confiance, il peut choisir de rester dans une autre pièce ou se trouver une cachette pour dormir. Certains maîtres, pour essayer d'amener leur chat à dormir sur leur lit, l'enferment dans leur chambre (avec un bac à litière), dans l'espoir qu'il s'y plaira. Si l'animal n'a pas envie de dormir sur le lit, il se peut qu'il ne trouve pas dans la pièce d'endroit lui convenant. Je préfère laisser le chat choisir de lui-même.

Si vous achetez une couche pour votre chat, souvenez-vous qu'en général ils préfèrent des endroits élevés pour dormir et paresser. Si vous placez une couche par terre dans un coin, il est possible qu'elle ne soit jamais utilisée (ou alors par votre chien). Observez les endroits où se met votre chat, les tissus et les hauteurs qu'il préfère, cela vous aidera à lui préparer une couche aussi confortable que possible.

Une fois de plus, comprendre la différence entre les processus mentaux des chats et des chiens vous apportera le succès. Un chien acceptera volontiers de dormir sur le petit lit que vous lui avez préparé dans un coin, et qui devient sa tanière. Un chat n'acceptera pas le même arrangement parce qu'il ne s'y sentira pas en sécurité. Regardez par les yeux de votre chat pour trouver une solution.

Si vous préférez ne pas avoir le chat au lit avec vous, vous avez deux possibilités : fermer la porte de votre chambre ou enfermer le chat dans une autre pièce pour la nuit. Si vous le mettez dans une autre pièce, il faut que celle-ci lui plaise et comporte de nombreux endroits où dormir. S'il y a assez de place, installez-y un arbre à chats pour qu'il puisse s'occuper pendant la longue nuit, et des perchoirs spéciaux pour chat (qu'on trouve en animalerie) devant les fenêtres. C'est, après tout, un animal nocturne. Examinez soigneusement la pièce pour vous assurer qu'elle ne lui fera pas l'effet d'une prison. Faites-lui une couche douillette avec un sweat-shirt que vous avez porté. Enveloppez une bouillotte dans une serviette pour qu'il puisse se coucher contre quelque chose de chaud. C'est une situation où il est bon d'adopter *deux* chatons. Si vous n'en voulez pas dans votre lit, ils pourront jouer et dormir ensemble plutôt que de rester seuls.

Si le chat griffe la porte dans l'espoir de s'évader, jouez avec lui avant de vous coucher, donnez-lui à manger (en diminuant sa ration de la journée pour ne pas trop le nourrir) et laissez à sa portée un jouet (voir chapitre VI).

Pensez à voir par les yeux de votre chat en préparant l'endroit où il dormira. Respectez sa nature d'animal nocturne, vous n'entendrez pas de cris de frustration et passerez tous deux une bonne nuit.

Ne pas le laisser inactif

Nombre de ce qu'on appelle des comportements « indésirables » sont dus au fait que le chat a besoin de faire quelque chose, et il faut plus d'activité à certains individus qu'à d'autres.

Commencez du bon pied en vous assurant que l'environnement du chat contient de quoi l'intéresser. Un chaton sera fasciné par une poussière tombée de vos vêtements, mais il vous faudra faire plus d'efforts pour un adulte. Installez une ou deux perches aux fenêtres, ou un arbre à chats. Une fenêtre de laquelle on voit des oiseaux est particulièrement intéressante. Jouez régulièrement avec l'animal et changez souvent de jouets pour qu'il ne s'en lasse pas. Envisagez de prendre un deuxième chat si votre travail ou votre vie sociale vous font laisser le premier seul trop longtemps.

Un endroit à soi

Vous aurez remarqué que je parle souvent d'arbres à chats. Cela consiste en deux ou trois perchoirs, parfois plus, montés sur des poteaux de hauteurs variées. Les poteaux peuvent être en bois nu ou non écorcé, ou couvert d'une corde. Cela a de nombreux usages. Les arbres à chats leur permettent de voir confortablement par les fenêtres, servent de robustes griffoirs et leur hauteur permet au chat de se sentir en sécurité. Les arbres comportant plusieurs plateaux permettent à deux chats ou plus de regarder les oiseaux sans être les uns sur les autres. L'une des fonctions les plus importantes d'un arbre à chats est cependant que ce meuble lui est personnel et ne porte que son odeur, contrairement aux chaises et divans marqués par l'odeur inconnue d'invités.

Mes chats utilisent leurs arbres dans la journée pour jouer, se faire les griffes, regarder les oiseaux et dormir. Comme ils montent moins sur les meubles, cela réduit la quantité de poils qu'ils y laissent. Un arbre à chats dans le coin du salon peut suffir à rassurer un chat timide suffisamment pour qu'il reste dans la pièce avec vous au lieu de s'en aller.

Éviter que le chat se montre peureux

C'est dès sa jeunesse qu'il faut désensibiliser votre chat en l'exposant progressivement à toutes sortes d'objets et de situations potentiellement effrayants. Cela l'aidera en grandissant à ne pas avoir peur d'objets ordinaires tels qu'un aspirateur, ni d'inconnus.

Accoutumez le chaton aux bruits qui peuvent l'effrayer (aspirateur, sèche-cheveux), en faisant fonctionner l'appareil dans une autre pièce pendant que vous jouez avec lui ou lui offrez des friandises. Si le son lointain ne le trouble pas, rapprochez un peu l'appareil. Vous pouvez ensuite essayer de faire fonctionner un sèche-cheveux réglé au minimum dans la même pièce que l'animal, en continuant à jouer avec lui. Quand vous vous séchez les cheveux, que le chaton soit près de vous, avec un jouet ou de la nourriture pour l'occuper. S'il vous faut l'accoutumer au sèche-cheveux, c'est que vous devrez peut-être le baigner et le sécher ; pour de nombreux chats, le pire est le bruit.

C'était celui de l'aspirateur qui envoyait mes chats se cacher sous les lits, dans les placards, ou les faisait monter aux rideaux. J'ai donc commencé à les désensibiliser en faisant fonctionner l'aspirateur dans une pièce éloignée, porte fermée. Le bruit était assez lointain pour ne pas trop les inquiéter. J'ai alors employé des méthodes de *redirection* en jouant avec eux ou en les nourrissant pendant que l'appareil était en marche. Je rapprochais tous les jours l'aspirateur, le laissant toujours derrière une porte fermée, et occupant mes chats de façon positive. Quand j'ai finalement amené l'aspirateur dans la plus grande pièce de la maison, j'ai posé dessus une couverture et plusieurs coussins pour étouffer le son. Bien que d'abord effrayés quand je le mettais en marche, mes chats s'y habituèrent vite. Albie considère toujours l'aspirateur comme un objet un peu inquiétant et préfère rester perché sur son arbre ou une chaise pendant que je m'en sers, mais au moins il ne s'enfuit plus comme si sa vie en dépendait.

Vous pouvez amener un chaton à ne même pas remarquer les choses les plus terrifiantes de la vie quotidienne grâce à la désensibilisation et l'introduction graduelle. Emmenez-le régulièrement faire de courts trajets en voiture (dans son panier), et ainsi son premier voyage d'adulte ne sera pas traumatisant. En rentrant, récompensez-le par une friandise, un repas ou des jeux pour qu'il associe cette aventure à des éléments positifs.

Mon ami Steve emmenait son chaton partout. Ricky venait souvent travailler avec Steve, allait même à la banque et au pressing. Il était emmené chez les voisins pour s'habituer à voir des gens dans un environnement inconnu. Steve ne cessait de récompenser Ricky et procédait graduellement pour que le chaton se sente à l'aise. Ricky est maintenant un des chats adultes les plus sociables et bien adaptés que je connaisse.

Familiarisez votre chat avec le toilettage dès son enfance. Bien qu'à cet âge il n'ait guère à se soucier de nœuds dans sa fourrure, il peut même ne guère avoir de poils, l'accoutumer dès lors à la brosse, au coupe-ongles et à être manipulé rendra votre vie à tous deux bien plus facile par la suite.

Un problème de comportement courant dans le cas où le maître vit seul est que le chat s'habitue à tel point aux sons, au contact et aux mouvements d'une personne unique que même en présence d'un seul invité, le chat panique. Imaginez la terreur de l'animal si son maître se marie (en particulier si des enfants et d'autres animaux arrivent en même temps). Exposer doucement et très tôt dans sa vie votre chaton à des situations variées lui permettra d'être bien adapté et non un chat invisible ou, pire, ce que vos amis appelleront un « chat d'attaque ».

Un mot de prudence, cependant : l'objet de ces exercices est de désensibiliser graduellement le chaton. S'il montre des signes de peur, vous êtes allé trop vite. Adoptez toujours un rythme plus lent que ce que vous croyez bon. Les deux outils les plus importants pour éduquer un chat bien adapté sont *l'amour* et *la patience*. L'amour est en général présent d'emblée, c'est sur la *patience* requise d'un maître qu'il nous faut souvent travailler.

L'apprentissage de la laisse

Je ne pense pas que l'extérieur soit un bon endroit où laisser un petit chat vagabonder à sa guise. Si vous voulez que votre chat puisse jouir des bonnes choses de le vie en extérieur, assurez sa sécurité en lui apprenant à porter une laisse. Même si vous n'avez pas l'intention de l'emmener dehors, la laisse a son utilité. Ainsi, lors d'un déplacement, vous disposez d'un moyen de contrôle supplémentaire quand vous le sortez du panier.

Tous les chats ne se font pas à la laisse. Un animal timide et nerveux trouvera plus de sécurité dans votre intérieur immuable. Les bruits, odeurs et spectacles imprévisibles de l'extérieur peuvent renforcer sa nervosité. Un animal que la simple vue par la fenêtre d'un autre chat dans le jardin perturbe sera encore plus agité dehors, confronté aux odeurs de chats inconnus.

Vous pouvez aussi vous trouver face à un chat qui exige de sortir ou décide qu'il n'attendra pas votre permission et essaye de s'échapper. Un autre élément négatif est qu'à l'extérieur votre chat courra le risque d'attraper puces, tiques et maladies contagieuses.

Maintenant que je vous ai prévenu des aspects négatifs, il n'est que juste de vous parler des aspects positifs de la laisse. Se promener dehors en sécurité peut être l'aventure rêvée pour un chat qui a besoin de stimulation. Quand il fait beau, ce peut aussi être une bonne façon de passer du temps à l'extérieur avec votre chat.

Sortir un chat en laisse ne signifie pas marcher à grands pas et ne ressemble en rien à une promenade avec un chien. D'abord, il vaut mieux rester dans votre propre jardin, c'est beaucoup plus sûr car vous avez moins de chances de rencontrer d'autres animaux. Si votre chat s'agite ou si vous lâchez la laisse, il sera dans un territoire plus familier, il risque moins de paniquer et dans ce cas vous n'aurez pas à aller loin pour le ramener chez vous. Une autre raison pour cela est qu'il vaut mieux ne pas lui laisser croire que vous acceptez de le laisser vagabonder hors de son territoire. Ainsi, au cas où il s'échapperait de chez vous, il aura plus tendance à rester à proximité.

COMMENT L'HABITUER À LA LAISSE

D'abord, il vous faut un équipement convenable, c'est-à-dire une laisse légère. Ne prenez pas une chaîne ou une lourde laisse de cuir – il ne s'agit pas de promener un rottweiler. Plus la laisse est légère, mieux ça vaut : ce sera plus facile pour vous et le chat s'y habituera plus vite. Il vous faudra un harnais plutôt qu'un simple collier dont le chat pourrait se dégager. Choisissez un harnais qui se ferme au cou et à la poitrine, ce sera plus agréable pour le chat s'il tire sur la laisse parce que ça ne lui serrera pas le cou. Ces harnais sont dits « en H ». Je les préfère aux harnais « en 8 » car ceux-ci serrent le cou quand la laisse se tend. Une fois fixés sur le chat, ces harnais évoquent un « H » couché et, quand la laisse se tend, l'animal ne sent qu'une pression sur le torse, qui ne le gênera pas. Les harnais « en 8 » présentent deux boucles, l'une se fixe autour du cou et l'autre autour du torse, juste en arrière des pattes avant. Quand on tire sur la laisse, la tension devient inégale et la partie collier se resserre.

Assurez-vous que les vaccins de votre chat sont à jour avant de le sortir. Il lui faut aussi une médaille d'identification au cas où il vous échapperait. Si c'est la saison des puces, utilisez un traitement préventif (voir chapitre XIII).

Commencez à habituer l'animal au harnais et à la laisse chez vous pendant quelques semaines. La première fois que vous lui passez le harnais, comportez-vous comme d'habitude et donnez-lui une friandise, un repas, ou bien jouez avec lui. Laissez-lui le harnais de quinze à trente minutes. Recommencez avant le repas suivant. Si votre chat a toujours de la nourriture à sa disposition, servez-vous de friandises ou de jeux pour détourner son attention. Quand je dressais Olive à la laisse, j'utilisais sa nourriture favorite – du yaourt. Dès qu'elle paraissait gênée par cette étrange chose autour de son corps, je lui mettais un peu de yaourt sur les lèvres, et elle acceptait l'expérience de bien meilleur cœur. Si votre chat se débat trop quand vous essayez de lui passer le harnais, ne le bouclez pas, laissez-le posé sur lui et détournez son attention.

Quand le chat se sentira plus à l'aise, laissez-lui le harnais pour de plus longues périodes dans la journée et, en cas de résistance, offrez-lui une diversion positive. Ne laissez pas le harnais sur l'animal hors de votre présence, il pourrait s'empêtrer dedans s'il s'impatientait.

La deuxième semaine, faites-lui faire connaissance avec la laisse. Fixez-la au harnais mais ne tirez pas dessus. Il faut d'abord que le chat s'habitue à l'idée d'être relié à quelque chose. Si la laisse est assez légère, permettez au chat de la traîner derrière lui pendant que vous lui offrez une diversion positive. Veillez à ce que la laisse ne s'accroche pas quelque part. Une fois l'animal accoutumé à ce nouvel accessoire, vous pourrez passer à la suite du dressage.

Avertissement très important : n'essayez pas dès ce moment de tirer sur la laisse ou votre chat bien élevé se transformera en hurlante tronçonneuse à fourrure. La meilleure façon de lui apprendre à marcher en laisse est, comme toujours, la corruption. Ayez des friandises sur vous et, tenant la laisse lâche, faites un pas devant l'animal en lui montrant une friandise. Quand il s'avance, dites : « Allons nous promener. » Donnez-lui la friandise et faites un pas de plus en lui en montrant une autre. Lorsqu'il bouge, répétez : « Allons nous promener. » Recommencez assez souvent pour que le chat s'habitue à marcher à vos côtés, puis essayez de tirer très doucement sur la laisse en avançant, sans à-coup. La traction doit être à peine sensible. Veillez à lui donner la friandise quand il avance pour lui faire comprendre que c'est le fait de *marcher* que vous récompensez. Il lui faudra toutefois s'arrêter pour manger ce que vous lui avez donné, ne vous attendez pas à ce qu'il marche sans cesse.

Lorsque votre chat accomplira facilement cet exercice, commencez à le promener en laisse chez vous. N'essayez pas de sortir avec lui avant qu'il soit parfaitement à l'aise. Il ne faut pas qu'il se débatte quand vous exercez une traction sur la laisse. Cette phase durera de deux à trois semaines.

Quand vous sortirez avec le chat, restez près de la maison et pour peu de temps. Cette expérience nouvelle sera difficile pour l'animal. Emmenez une serviette de toilette pour y envelopper le chat s'il s'agite trop ; vous éviterez ainsi d'être griffé.

Les chats sont des prédateurs pleins de curiosité et au sens du territoire développé, et en mener un en laisse sera une nouveauté pour vous aussi. L'animal s'arrêtera sans cesse pour renifler une odeur intéressante, observer un papillon, suivre un insecte ou simplement s'allonger au soleil. Si vous essayez de le faire avancer, il prendra peur et vous aurez échoué. Laissez-le explorer à loisir mais ayez toujours quelques friandises en poche et continuez de temps en temps à répéter le mot promenade. En marchant, méfiez-vous des dangers potentiels comme les chiens ou même les enfants en vélo. Lors de vos premières promenades, vous ne saurez pas comment le chat va réagir à des bruits soudains ou à l'apparition d'autres animaux (même un écureuil peut le terrifier). Si vous voyez approcher un chien ou un autre chat, prenez sans hâte le vôtre dans vos bras et rentrez chez vous. N'essayez pas de présenter votre chat au caniche des voisins.

Quand vous sortez en promenade et en revenez, *prenez le chat dans vos bras* pour franchir le seuil au lieu de le laisser marcher, il ne faut pas que l'animal croie avoir le droit de sortir dès qu'une porte est ouverte. Sortez-le dans vos bras et posez-le à terre dehors ; à la fin de la promenade, portez-le dans la maison et déposez-le loin de la porte pour enlever son harnais. Souvenez-vous que rien ne doit se passer près de la porte d'entrée.

Quand je promène mes chats, je ne me sers pas de la porte d'entrée, mais d'une porte de service reliant la buanderie au garage. Mes chats ne font pas de rapport entre la porte principale et l'extérieur, aussi n'essaient-ils jamais de s'enfuir par là. Si l'un d'eux essayait de filer par la porte de la buanderie, il n'arriverait que dans le garage et pas dehors. Si vous en avez la possibilité, procédez à un tel arrangement, même si c'est moins pratique pour vous. Il ne faut pas que votre chat guette près de la porte d'entrée une occasion de s'enfuir.

Comment étonner vos amis

Vous n'allez peut-être pas y croire, mais vous pouvez apprendre des tours à votre chat. Si de nombreux maîtres ne parviennent à leur en enseigner, c'est parce qu'ils récompensent l'animal par des compliments, comme pour un chien, mais les chats réagissent moins bien aux compliments que ceux-ci. Pour un chat, la nourriture est une motivation bien plus importante, ayez donc toujours des friandises à portée de main. Les séances de dressage doivent rester brèves, quelques minutes par jour.

Il convient que le dressage soit amusant pour l'animal, rappelez-vous-en toujours.

Le plus facile est de lui apprendre à s'asseoir. Faites face au chat en lui tendant une friandise. En disant : « Assis », passez la friandise au-dessus de son nez. Sa tête suivant le mouvement, l'arrière-train s'abaissera naturellement. Dès que ses fesses touchent le sol, donnez-lui la nourriture pour qu'il fasse l'association. Si l'animal recule ou essaie de se dresser sur les pattes arrière, c'est que vous tenez la friandise trop haut. Si vous la tenez à la bonne hauteur, juste au-dessus de son nez et un peu en arrière, et que le chat ne s'assied pas, poussez doucement son arrière-train vers le sol de l'autre main. Ne forcez pas et, si le chat s'empare de la friandise avec ses pattes, recommencez l'exercice.

« Couché » est facile à apprendre aussi. Mettez le chat sur une table (une table où l'animal a le droit d'aller, faute de quoi le message serait incompréhensible). Faites-le s'asseoir puis, une friandise entre les doigts, baissez la main jusqu'à toucher la table et reculez-la lentement, tout en disant : « Couché. » Dès que le chat se met dans la position voulue, récompensez-le. S'il ne s'allonge pas mais se penche en avant ou veut se lever, placez doucement une main sur son arrière-train alors qu'il est en position assise, pendant que vous éloignez la friandise. Si vous allez trop vite, le chat se lèvera quoi que vous fassiez, il faut des mouvements lents.

N'appuyez pas sur les épaules de l'animal et ne tirez pas sur ses pattes avant pour le forcer à prendre la position. C'est ce qu'on fait avec un chien, mais ça ne marche pas avec un chat, qui reculera et pourra même paniquer. Récompensez-le chaque fois qu'il s'allonge, si brièvement que ce soit et même si vous l'avez aidé. Si vous prenez votre temps, l'animal finira par se coucher quand il comprendra qu'une récompense l'attend. S'il ne comprend pas tout de suite, arrêtez l'exercice et recommencez le lendemain. Si vous l'énervez ou l'impatientez, le dressage restera inefficace.

CHAPITRE VI

L'apprentissage du jeu

Pourquoi un chat aurait-il besoin d'apprendre à jouer ? En fait, il n'en a aucun besoin, mais *vous* oui.

Commettez-vous une des erreurs suivantes en jouant avec votre chat ?

– Lutter avec lui comme avec un chien, par exemple. (Ce n'est pas bon même dans le cas d'un chien, mais beaucoup de gens le font.)

– Supposer que, si vous lui fournissez des jouets, le chat s'amusera tout seul quand il en aura envie.

– Jouer avec lui à l'occasion, quand vous en avez le temps.

En *pensant comme un chat*, vous considérerez les séances de jeu comme autre chose qu'un amusement – ce sont d'efficaces outils de modification du comportement, qui permettent d'éduquer un chaton de façon à se le rendre confiant, sociable et bien élevé. Dans le cas d'un chat adulte, le jeu peut lui corriger des problèmes de comportement, diminuer le stress ou la dépression, l'aider à perdre du poids et améliorer son état de santé général. D'ordinaire, un chat dort de seize à dix-huit heures par jour. Si le vôtre dort vingt-quatre heures sur vingt-quatre, des séances de jeu régulières l'aideront à retrouver un rythme de sommeil plus normal. Cela permet aussi de faciliter l'acceptation d'un nouveau chat, si vous en avez déjà d'autres. Si vous souhaitez renforcer votre relation avec l'animal, le jeu est presque magique.

Jeu social et jeu d'objet

Les chats connaissent deux formes de jeu : le jeu *social* et le jeu *d'objet* (ou individuel). Le jeu social implique un autre animal de compagnie ou un humain. Un chaton apprend le jeu social avec ses compagnons de portée. Ce type de comportement aide le chaton à développer sa coordination motrice et lui donne l'occasion de nouer des liens avec les autres. Ils jouent tour à tour le rôle de l'assaillant, découvrant ainsi leurs capacités et celles d'autrui.

Le jeu d'objet renforce aussi la coordination motrice du chaton tout en lui faisant découvrir son environnement. Ce qui peut vous sembler simplement amusant, un chaton poursuivant un jouet, est en réalité un processus éducatif de première importance. Il permet à l'animal de découvrir des surfaces différentes (plancher, moquette, pelouse, gravier, glissantes ou non, etc.), leur texture et la façon dont elles affectent ses mouvements. Il apprend à grimper et sur quels objets il peut sauter. Au grand déplaisir de tout le monde, il découvrira aussi sur quels objets un chaton ne peut pas sauter.

Les membres d'une même portée se livrent à des jeux sociaux surtout jusqu'à l'âge de douze semaines, moment où leur sens du territoire commence à se développer. Ensuite, les séances de jeu social deviennent plus brèves et se terminent parfois par une réelle agression. Le jeu d'objet prend le dessus quand les chatons grandissent.

144

Des séances de jeu fréquentes et bien conduites aident l'animal à avoir confiance en lui-même. Un chat, avoir besoin de *confiance en soi* ? C'est tout à fait raisonnable si vous y réfléchissez. Étant des prédateurs, les chats sont attirés par le mouvement, en particulier si celui-ci évoque une proie. Si un chat d'extérieur devait chasser pour se nourrir mais était effrayé et distrait par chaque feuille tombant d'un arbre ou par le bruit d'un lointain klaxon, il mourrait bientôt de faim. Le chat qui guette sa proie, vérifie rapidement qu'*il* n'est pas menacé puis se concentre sur sa chasse, mange. L'animal doit développer ses capacités de chasse *aérienne* (pour les oiseaux) et *terrestre* (pour les rongeurs, les insectes et autres). Chaque succès lui donne confiance et lui apprend comment modifier sa technique, selon qu'il chasse un oiseau, une souris, un serpent ou un papillon. Plus il s'entraîne, plus sa musculature et ses réflexes se développent.

Lorsque je me rends en consultation, une des premières choses dont je m'informe est la façon dont joue le chat. De nombreux maîtres me montrent un panier rempli de jouets mais sont incapables de dire quand ils ont vu pour la dernière fois le chat s'en servir. Quand un maître m'affirme qu'il joue réellement avec l'animal, je demande une démonstration. Après des années de consultations et de travail avec maîtres et animaux, j'ai compris que beaucoup de gens ne savaient pas *comment* jouer avec un chat. Le pire est que beaucoup de chats – à cause du stress, de l'ennui, de l'obésité ou d'un autre problème – finissent par cesser de jouer.

Les jeux interactifs

Votre nouveau chaton peut sembler être passé maître dans l'art du jeu, capable de courir à deux cents à l'heure derrière une boule de poussière, mais il a quand même besoin de *votre* participation. C'est là qu'intervient l'idée de jeu *interactif*.

Ce type de jeu a une extrême importance durant toute la vie de votre chat, du jour où vous amenez un chaton chez vous jusqu'au moment où, noble vieillard, il règne sur la maisonnée. Dans le cas d'un chaton, établir un horaire de jeux vous aidera à nouer des liens avec l'animal, lui apprendra ce qu'il a et n'a *pas* le droit de mordre, et permettra d'éviter de nombreux problèmes de comportement potentiels. Si votre chat est déjà adulte, et en particulier dans le cas d'un chat difficile, les jeux interactifs peuvent rediriger son comportement négatif de façon positive et vous aider à corriger de nombreux problèmes.

Un jeu interactif implique *votre* participation, grâce à un jouet de type « canne à pêche ». Vous avez peut-être déjà l'impression de beaucoup jouer avec votre chat, mais de quels jouets vous servez-vous ? De vos mains ? De petites souris en peluche ? Malheureusement, de nombreux maîtres emploient les jouets les plus aisément disponibles – leurs *doigts* – pour jouer avec un chaton. Ce n'est pas gênant à cet âge-là, mais la morsure d'un adulte fait *mal*. Vous transmettez aussi un très mauvais message à l'animal en le faisant jouer avec vos doigts – vous lui dites qu'il a le droit de mordre la peau humaine. N'encouragez jamais un tel comportement, même lors d'un jeu. Si vous élevez convenablement un chaton dès le départ, vous n'aurez pas à modifier son comportement quand il sera grand.

D'accord, vous n'avez jamais laissé le chat vous mordre les doigts, vous utilisez des souris en peluche ou des balles molles. Où est le problème ? D'abord, vos doigts sont trop proches du jouet, vous risquez d'être accidentellement mordu ou griffé par un animal excité. De plus, vous ne pouvez pas bien contrôler les mouvements du jouet. Une « canne à pêche » vous permet de simuler plus aisément les mouvements d'une proie.

La conception d'un jouet interactif est simple : une baguette, de la ficelle et au bout un jouet servant de cible. Ce qui me plaît dans ce genre de jouet, c'est qu'on peut faire bouger la cible comme une proie réelle. Si vous voulez penser comme un chat, il vous faut comprendre comment il réagit à une proie. L'inconvénient de tous les charmants petits jouets qui parsèment votre maison, c'est qu'ils représentent des proies mortes. Pour s'en servir, le chat doit jouer le rôle à la fois de la proie et du prédateur. Il lui faut mettre le jouet en mouvement d'un coup de patte mais, après avoir glissé un peu sur le sol, celui-ci meurt de nouveau et reste inerte. Un jouet interactif vous permet de créer le mouvement, le chat peut ainsi se contenter du rôle de prédateur.

Il y a beaucoup de ces jouets dans le commerce. Certains sont très simples et d'autres plus compliqués. En faisant vos courses, continuez de penser comme un chat. Examinez le jouet, demandez-vous quel genre de proie il évoque et comment votre chat y réagirait. Comme les chats sont des chasseurs opportunistes, c'est-à-dire qu'ils attaquent toute proie disponible, procurez-vous différents types de jouets. Essayez de couvrir tous les genres de proies, oiseaux, souris, insectes et serpents. Le chat sera plus intéressé si vous variez les jouets, car il ne saura pas à quoi s'attendre au juste.

Un certain nombre de jouets interactifs sont munis de plumes à l'extrémité pour les faire ressembler à des oiseaux. Mon favori, et de loin, s'appelle Da Bird. Il comporte un émerillon où sont attachées les plumes. Quand vous l'agitez en l'air, les plumes tournoient, si bien que le jouet a l'apparence et produit le son d'un oiseau en vol. Les chats en sont fous, et même l'animal le plus indolent se sentira une âme de chasseur.

Pour simuler les mouvements d'un criquet ou d'une mouche, rien ne vaut le Cat Dancer. Ce jouet consiste en un fil semi-rigide au bout duquel se trouve une petite cible en carton (c'est très solide, ne vous laissez pas décourager pour si peu). Si vous le déplacez habilement, le Cat Dancer bouge de façon aussi imprévisible qu'une mouche. Il pousse le chat à se concentrer et à employer ses réflexes les plus vifs.

Le Cat Charmer, produit par le même fabriquant que le Cat Dancer, est mon préféré parmi les jouets imitant des serpents. Il est fait d'un tissu solide fermement attaché à la baguette et peut résister aux assauts les plus déterminés.

Le Kitty Tease est un jouet interactif fait d'un morceau de toile relié par une ficelle à une baguette. Je l'apprécie parce que la toile en fait un jouet silencieux. Pour des chatons ou des chats timides, il n'est pas trop impressionnant, et facile à saisir entre les pattes. Même s'il ne ressemble pas vraiment à une souris, je m'en sers de cette façon lors des séances de jeu.

Un jouet particulièrement réussi, appelé Quickdraw McPaw, est merveilleux pour les chats qui ne peuvent pas se déplacer à cause d'arthrite ou d'autres problèmes liés à l'âge. Il consiste en un long tube plastique contenant un câble muni à l'extrémité d'une plume qu'on peut faire apparaître et disparaître. Si l'animal est caché sous un lit, trop anxieux pour sortir jouer, vous pouvez utiliser ce jouet sans qu'il quitte sa cachette. Je pense que tout chat en cage devrait disposer d'un de ces jouets. Si vous avez de jeunes enfants qui souhaitent s'amuser avec le chat mais qui sont trop maladroits pour utiliser un jouet-canne à pêche, Quickdraw McPaw est parfaitement sûr.

Ce ne sont que quelques-uns des jouets vendus dans le commerce. Vous en trouverez peut-être qui conviendront mieux à la personnalité et aux aptitudes de votre chat. Avant d'en acheter un, cependant, demandez-vous s'il convient aux capacités, à l'état émotionnel et à la taille de l'animal. Un chat timide et craintif sera apeuré par un gros jouet bruyant, et un chat qui ne rêve que d'oiseaux risque de ne pas trouver les mouvements sinueux du Cat Charmer assez intéressants.

Bulles de savon et pointeurs laser

Un jeu apprécié consiste à souffler des bulles de savon pour que le chat coure après. Certains adorent ça. Le seul problème, à mon avis, est que l'animal en fait ne capture rien. Les bulles crèvent, et voilà. Si votre chat apprécie ce jeu, veillez à lui donner une friandise ensuite, ou faites-en le préalable à un jeu interactif, il ne faut pas que ce soit sa seule distraction. Si vos enfants aiment envoyer des bulles au chat, dites-leur de ne pas les diriger vers lui, et en particulier pas vers sa face.

POURQUOI VOTRE CHATON A BESOIN DE JEUX INTERACTIFS

• Cela aide l'animal à nouer des liens affectifs avec sa nouvelle famille.
• Cela développe sa coordination et sa musculature.
• Cela le met à l'aise dans son nouvel environnement.
• Cela limite la peur liée au déracinement.
• Cela lui apprend ce qu'il est permis ou non de mordre et de griffer.
• Cela évite qu'il endommage votre mobilier.
• Cela réduit les tensions dues à son arrivée dans une maison où il y a plusieurs chats.
• Cela le réconforte après un épisode traumatique (par exemple un bruit violent).

Les pointeurs laser sont très utilisés aussi. Je pense que leur succès est dû au fait qu'ils demandent un minimum d'effort au maître. Vous pouvez rester assis dans un fauteuil en regardant la télévision et diriger le pont lumineux partout dans la pièce. Comme avec les bulles de savon, le problème est que le chat en fait n'attrape jamais rien. Si vous vous servez d'un pointeur laser, que ce soit comme jouet d'appoint et récompensez le chat ensuite.

Comment utiliser les jouets interactifs

Imaginez d'abord que votre salon ou votre bureau s'est transformé en terrain de chasse. Le canapé, les chaises et les tables sont devenus des arbres, des buissons, des rochers derrière lesquels le chat peut se cacher. Si vous disposez d'un grand espace dégagé, placez par terre quelques coussins ou même des sacs en papier ouverts pour que votre petit prédateur puisse se *dissimuler*.

Une erreur courante est de jouer avec le chat en balançant le jouet sous son nez. L'animal donne des coups de patte répétés puis s'assied et semble *boxer* le jouet. Bien que cette méthode paraisse amusante et que le chat semble y prendre plaisir, ce n'est pas une forme naturelle de chasse ou de jeu pour lui. Rappelez-vous que le jeu est une chasse simulée. Quelle proie digne de ce nom resterait devant le chat pour recevoir des coups de patte ? L'animal finit par n'employer que ses réflexes au lieu de son meilleur outil, son cerveau. Contrairement aux chiens, les chats ne poursuivent pas une proie jusqu'à l'épuisement, ils chassent à l'approche et attaquent quand ils sont assez près. À l'état sauvage, un chat utilise tout rocher, arbre ou buisson pour se dissimuler et se rapprocher de la proie (c'est là où vos canapés, tables et fauteuils jouent un rôle). L'efficacité de sa technique de chasse dépend donc en grande partie de sa *patience*, de sa *prévoyance* et de sa *précision*. Jouez avec votre chat d'une façon qui soit naturelle et satisfaisante pour lui. Simulez avec le jouet le comportement lors d'une véritable chasse de la proie, qui ferait de son mieux pour s'enfuir. Éloignez le jouet du chat plutôt que de le diriger vers lui, approchez-le d'une cachette et laissez-le dépasser un peu. Le but du jeu étant d'amuser le chat et non de le frustrer, ne bougez pas le jouet à toute

vitesse et hors de sa portée. Laissez-le remporter de nombreux succès. S'il saisit l'objet entre ses pattes, permettez-lui de savourer sa victoire avant de le reprendre doucement.

Pensez aux variations normales d'intensité d'une véritable chasse. Quand vous faites du sport, vous vous *échauffez*, vous passez aux *exercices intenses*, puis vous *ralentissez*. Vos séances de jeu doivent être conçues sur le même mode. Ne jouez pas comme un fou avec votre chat pour, découvrant qu'il est l'heure de partir travailler, arrêter soudain. S'il n'a pas eu assez d'occasions de capturer et tuer sa proie, il sera frustré. Un ralentissement en fin de séance le calmera. Pour cela, bougez la proie comme si elle était blessée et laissez le chat la capturer. C'est ainsi que vous lui donnerez confiance en lui, en lui permettant d'être un Puissant Chasseur. Quand donc vous penser qu'il est temps de finir, ralentissez la proie que vous contrôlez.

Lorsque votre chat a réussi sa dernière capture, récompensez-le en lui donnant une friandise ou un repas – la *chasse* puis le *festin*. Voilà un chat heureux !

Quand jouer ?

Pour que les séances de jeu soient aussi efficaces que possible et aient des effets positifs durables, elles doivent faire partie de votre horaire quotidien. Je recommande un minimum de deux sessions d'un quart d'heure par jour pour un chat adulte, mais trois sont préférables. Si vous ne pouvez pas trouver une demi-heure par jour pour votre chat, vous feriez peut-être mieux de ne pas en avoir. L'univers entier de cette petite créature tourne autour de vous, vous pouvez sûrement lui consacrer un peu de temps. C'est étonnant de voir comment, avec un peu d'effort, on parvient à faire deux choses en même temps. Vous pouvez à la fois regarder la télévision le soir et jouer avec le chat, ou employer les quinze minutes pendant lesquelles le dîner chauffe dans le four.

À moins que vous n'utilisiez les séances de jeu pour résoudre des problèmes de comportement spécifiques (voir plus loin dans ce chapitre), je vous recommande une première session le matin avant votre départ ; pendant la majeure partie de la journée, le chat sommeillera. La deuxième séance aura lieu à votre retour, et une troisième avant le coucher vous permettra de fatiguer un chat dont les activités vous réveillent la nuit.

Un chaton peut avoir besoin de séances de jeu plus nombreuses mais moins longues dans la journée, s'amusant comme un petit fou pendant cinq minutes avant de s'endormir. Les chatons ont besoin de jouer, mais aussi de faire de fréquentes siestes. Ne les épuisez pas.

Prévoyez vos séances quotidiennes pour qu'elles correspondent aux moments d'éveil de l'animal. Ne le réveillez pas pour jouer (surtout dans le cas d'un chaton), sauf s'il s'agit d'un chat déprimé ou trop sédentaire, qui dort vingt-quatre heures par jour.

SUGGESTIONS POUR LES JEUX INTERACTIFS

• Si vous utilisez un jouet ressemblant à un oiseau, n'oubliez pas de le faire souvent atterrir. Les oiseaux ne volent pas en permanence, ils marchent aussi, ce qui donne au chat le temps d'établir un plan d'approche.

• Des immobilisations soudaines, la proie restant immobile, comme terrorisée, sont très excitantes. C'est alors que le chat prépare son prochain mouvement.

• N'oubliez pas les effets sonores. Je ne parle pas de gazouillements d'oiseau ou de cris de souris, mais des bruits légers du Cat Dancer sur le plancher ou du Cat Charmer glissant sur un tapis.

• Changez le rythme de vos mouvements, ils ne doivent pas tous être rapides. Faire juste trembler le jouet excitera beaucoup le chat !

• Il ne s'agit pas d'un marathon, inutile d'épuiser le chat, qui ne doit jamais être hors d'haleine. S'il est trop énervé, il n'aura pas la possibilité de tirer des plans d'approche. L'exercice doit être mental autant que physique.

• Quand le chat a saisi la proie entre ses crocs ou ses griffes, laissez-lui savourer sa victoire quelques secondes.

• Récompensez-le par une friandise (ou donnez-lui son dîner) après le jeu.

Les jeux interactifs dans une maison où se trouvent plusieurs chats

Un chat doit se concentrer sur sa proie et préparer son attaque. Deux chats ou plus guettant le même jouet se distrairont mutuellement, et l'individu dominant prendra le commandement des opérations, laissant de côté le ou les autres.

Les jeux interactifs doivent procurer au chat plaisir et confiance, assurez-vous donc que chaque animal ait son propre jouet. Ce n'est pas une réussite si deux chats bondissent en même temps sur le même jouet et se cognent l'un dans l'autre. Le résultat en sera des feulements, des gifles et la fuite d'un des deux, terrorisé. Mais vous pouvez éviter ça ; ou bien emmenez les chats l'un après l'autre dans une pièce ou bien tenez un jouet dans chaque main. C'est difficile au début mais on s'y habitue. Le secret est de maintenir les jouets à distance suffisante pour que les chats ne se heurtent pas. Vous ne pourrez bien sûr pas imiter aussi bien les mouvements des proies avec deux jouets, mais cela vaut mieux que rien. Vous pouvez aussi embaucher un autre membre de la famille. Contrairement aux fois où il faut administrer des médicaments, vous trouverez en général des volontaires.

Si vous avez plus de deux chats, il vous faudra organiser des séances individuelles pour que chacun aie son tour. Vous pouvez toujours essayer des sessions de groupe avec deux jouets (plusieurs sessions seront nécessaires), mais vous devrez vérifier qu'un des animaux ne reste pas en retrait. Assurez-vous que chacun a le temps de jouer et ne mettez pas en contact deux chats qui s'entendent mal. Si vous procédez à des séances individuelles, laissez la radio ou la télévision branchée pour produire un fond sonore destiné aux autres chats, qui couvrira les bruits du jeu interactif.

Après une séance de groupe, récompensez chaque participant, puis allez vous allonger avec un peu de glace sur le front.

*Jeux interactifs et modification
du comportement*

Un chat étant avant tout un chasseur, vous pouvez utiliser un jouet interactif pour le détourner d'un comportement négatif. Voici un exemple courant : votre chat se cache quand il entend un bruit étrange et, en regardant sous le lit, vous apercevez deux yeux emplis de terreur. En prenant un de vos jouets interactifs et en le manipulant *tranquillement*, vous attirerez l'attention de l'animal. Il peut ne pas quitter immédiatement l'abri du lit, mais il pensera à autre chose. Votre attitude tranquille lui indique que tout va bien. L'erreur à ne pas commettre dans ce cas est d'attraper le chat pour le serrer dans vos bras, c'est la dernière chose dont il ait besoin. Il se sentirait prisonnier (les chats ont horreur de ça) et vous lui transmettriez le message que ce bruit, quel qu'il fût, représentait bien un danger. Au contraire, un jeu tranquille lui laisse la possibilité de rester à l'abri mais l'aide à comprendre que ce n'est pas nécessaire.

Comme les enfants, les chats requièrent de nous deux éléments émotionnels particuliers pour se sentir à l'aise. L'affection en est un. Humains et animaux se trouvent bien de recevoir des cajoleries et un contact physique rassurant. Quel parent n'aime-t-il pas serrer son enfant contre lui, et quel possesseur de chat ne le caresse-t-il pas à la première occasion ? Le revers de la médaille est que les parents (et aussi les propriétaires de chats) doivent laisser leurs enfants prendre confiance en leur laissant faire des choses par eux-mêmes. Si vous avez un enfant, vous l'avez sûrement vu essayer de faire quelque chose de nouveau et peut-être d'effrayant, comme d'utiliser un toboggan pour la première fois. Plutôt que de confirmer ses craintes en serrant l'enfant dans vos bras et en lui disant que c'est en effet un gros engin terrifiant, vous lui expliquez à quel point c'est amusant. Vous lui assurez que vous le rattraperez en bas et qu'il va adorer ça. Votre réconfort, votre voix sereine et votre air détendu (vous pouvez même faire une glissade vous aussi) calmeront l'enfant. Lorsqu'il arrive en bas du toboggan, où vous l'attendez, il oublie immédiatement sa peur et n'a qu'une envie, recommencer. Une séance tranquille de jeu interactif avec votre chat a le même effet. Vous pouvez avoir le réflexe de serrer l'animal sur votre cœur quand il est effrayé, mais cela aura pour effet de le convaincre qu'il avait raison d'avoir peur. (Vous risquez aussi d'être griffé si le chat se débat.) En réveillant ses instincts de prédateur grâce à un jouet, vous lui rendrez confiance en lui.

Servez-vous de jouets pour contrebalancer toute situation négative. Dans le cas de deux chats qui s'entendent mal, les séances de jeu peuvent vous aider à les empêcher de fixer trop intensément leur attention l'un sur l'autre. Dès que vous voyez des signes de tension, sortez une paire de jouets, ils penseront à autre chose. Ils se mettront à associer le fait d'être ensemble au plaisir du jeu (souvenez-vous d'utiliser *deux* jouets pour qu'ils n'aient pas à partager), et s'habitueront à se trouver dans la même pièce sans qu'il y ait de tension.

Les jeux interactifs servent aussi à compenser divers problèmes émotionnels ou de comportement et peuvent par exemple redonner le goût de vivre à un chat déprimé, ou aider l'animal à se sentir à l'aise dans une nouvelle maison. Ce type de jeu est bénéfique pour les chats qui ont tendance à se montrer agressifs, parce qu'ils passent leur agressivité sur le jouet et non sur leur maître ou les autres animaux familiers.

Si votre chat déteste votre nouveau conjoint, demandez à celui ou celle-ci de pratiquer des jeux interactifs avec l'animal, ce qui le mettra en confiance en conservant une certaine distance ; ainsi le chat (et l'humain) se sentiront en sécurité. Grâce au jeu, le chat associera progressivement le conjoint à des choses positives.

Si un chat mâle procède à des marquages urinaires dans une pièce particulière, jouez avec lui à cet endroit pour que celui-ci change d'image à ses yeux. Il urine là parce qu'il considère la pièce comme la limite de son territoire. En le faisant jouer dans la pièce, elle devient son nid, et les chats n'excrètent pas là où ils mangent, dorment ou élèvent leurs petits. Pour en savoir plus sur le marquage urinaire, reportez-vous au chapitre VIII.

Si vous attendez l'arrivée d'un bébé, le jeu interactif aidera le chat à s'adapter à ces effrayants changements. Essayez de passer une cassette de pleurs de bébé pendant les séances pour aider l'animal à ne pas en avoir peur.

POURQUOI UN CHAT ADULTE A BESOIN DE JEUX INTERACTIFS

- Cela renforce le lien entre lui et vous.
- Cela fait prendre de l'exercice à des chats trop gros ou sédentaires.
- Cela limite les tensions entre chats.
- Cela stimule les chats déprimés.
- Cela donne confiance en eux aux chats timides ou nerveux.
- Cela stimule leur appétit.
- Cela réduit la peur.
- Cela aide à corriger griffures et morsures inacceptables.
- Cela rend plus rapide l'acceptation de nouveaux membres de la famille.
- Cela facilite la réaction à un traumatisme.
- Cela limite l'inconfort d'un nouvel environnement.
- Cela renforce la confiance de l'animal en vous et en lui.
- Cela vous permet de nouer des liens avec un chat imprévisible sans risque.

Si le chat est timide, fournissez-lui de nombreuses cachettes. Si par exemple vous jouez dans une grande pièce où tous les meubles sont contre les murs, un chat timide peut ne pas oser s'aventurer à découvert. En plaçant des cartons, des sacs et des coussins au milieu de la pièce, vous créerez des cachettes qui le rassureront. Quand il commencera à jouer, il se sentira plus à l'aise. Si vous le préférez, vous pouvez acheter des tunnels à chat en plastique mou que l'on peut relier les uns aux autres. Quelques-uns de ces tunnels placés dans la pièce peuvent permettre à un chat timide de se sentir assez protégé pour chasser.

Les jeux interactifs, faisant appel aux instincts naturels du chat, peuvent modifier son point de vue et son comportement. Vous verrez que j'indique dans ce livre de nombreuses situations où des séances de jeu sont bénéfiques.

L'herbe à chats

Trop peu de maîtres comprennent la valeur de l'herbe à chats (cataire) et son usage.

Il s'agit d'une herbe aromatique contenant une substance appelée *népalactone*, qui stimule la zone de plaisir du cerveau et provoque un sentiment d'extase chez les chats. Ils se frottent dedans, s'y roulent, sautent, la mâchent, la lèchent, et en général se comportent comme s'ils étaient retombés en enfance. Ils mangent très souvent cette herbe (c'est sans danger), mais l'effet est uniquement produit par l'olfaction. Cet effet, qui dure environ un quart d'heure, est totalement inoffensif, ne provoque pas d'accoutumance et, après ce quart d'heure d'extase et de jeux loufoques, le chat est détendu et prêt à faire la sieste.

L'herbe à chats peut servir à surmonter une situation difficile, peut déclencher une séance de jeu ou enflammer (au figuré) un chat trop sédentaire. C'est un des avantages d'être un chat – pouvoir profiter d'une substance qui produit tant de joie sans effets secondaires, répercussions ou risques.

Voici une chose que beaucoup de gens ignorent au sujet de la cataire : si vous en laissez en permanence à la disposition de votre chat (ou des jouets contenant de l'herbe à chats séchée), l'animal peut devenir insensible à ses effets. C'est ce que j'explique à mes clients

158

quand je vois en arrivant chez eux des dizaines de jouets parfumés à l'herbe à chats. Je me dis qu'il est bien triste pour les chats que leurs maîtres, sans le savoir, leur retirent ce plaisir félin. Limitez à une fois par semaine l'herbe à chats. Vous pouvez toujours rajouter une séance exceptionnelle si nécessaire, par exemple après une visite chez le vétérinaire ou une autre cause de stress.

Achetez de la cataire de bonne qualité. Je préfère l'herbe séchée vendue en vrac aux jouets qui en contiennent parce qu'à moins de bien connaître le fabriquant, je ne peux être sûre de la qualité du produit. Certains fabriquants ne se servent même pas de véritable herbe à chats. Vérifiez l'étiquette pour vous assurer que seules *feuilles* et *fleurs* sont utilisées. L'herbe à chats de mauvaise qualité contient des *tiges* qui ne servent à rien qu'à gonfler le paquet. Ces tiges séchées sont très dures, souvent pointues et, si votre chat aime manger l'herbe, il peut se blesser. Évitez les marques qu'on trouve dans les supermarchés. Les animaleries (notamment celles qui sont spécialisées dans les chats) ont de la cataire de première qualité.

La meilleure façon selon moi d'utiliser l'herbe à chats est d'en mettre au fond d'une chaussette, d'en nouer le bout et de laisser les chats sauter dessus, s'y frotter et lui distribuer des coups de patte. Vous pouvez aussi leur donner de l'herbe en vrac, il suffit d'en répandre sur le sol ou dans une assiette en carton et de regarder le chat faire des sauts périlleux. Pour libérer les huiles essentielles de l'herbe, frottez-la entre vos mains avant de la répandre par terre. Si vous l'avez mise dans une chaussette, roulez celle-ci entre vos mains.

Conservez la cataire inutilisée dans un récipient imperméable à l'air, hors de portée du chat. Plutôt que d'acheter des jouets bourrés d'herbe à chats, je vous recommande de placer quelques petites peluches dans le récipient. Après avoir « mariné » quelque temps, elles auront pris l'odeur et les principes actifs de la cataire.

PLANTER SOI-MÊME

Vous pouvez faire pousser de l'herbe à chats mais, si vous la plantez en extérieur, le mot se répandra vite dans la communauté féline et tous les chats du quartier vous rendront visite. De plus, la plante est envahissante, aussi il vous faudra la tailler pour éviter qu'elle n'étouffe les autres. Trouvez un endroit sûr pour la planter en extérieur, ou faites-en pousser en intérieur, devant une fenêtre ensoleillée. Vous trouverez des graines en jardinerie, avec des instructions de plantation sur le paquet. Pour obtenir le meilleur résultat, ne laissez pas la plante fleurir, ou les branches perdront leurs feuilles. Coupez donc les bourgeons floraux. Pour récolter, coupez les branches, liez-les ensemble et faites-les sécher tête en bas dans un endroit sec, à l'abri de la lumière. Une fois l'herbe sèche (les feuilles se seront recroquevillées), retirez les tiges et placez les feuilles dans un récipient hermétique. Ne les écrasez pas, vous libéreriez le principe actif.

RÉACTIONS INATTENDUES

Tous les chats ne réagissent pas de la même façon à cette plante. Il existe un gène de réaction à la cataire dont certains chats sont dépourvus (on estime que c'est le cas d'un chat sur trois). Si donc le vôtre ne réagit pas, ne vous inquiétez pas, tout va bien. Les chatons ne sont pas affectés, il est inutile d'essayer avant qu'ils aient six mois. De toute façon, ils n'ont pas besoin de stimulants pour jouer, leur énergie naturelle suffit.

Si vous avez un mâle parmi d'autres chats, la première fois que vous lui donnerez de l'herbe à chats, faites-le à l'écart. Sous l'influence de la cataire, certains mâles se montrent agressifs. Il ne faut pas non plus en donner à un animal qui montre des signes d'agressivité, mâle ou femelle, car cela diminue les inhibitions et risque de renforcer ce comportement.

Les jouets d'activité

Une des raisons qui font que les chats deviennent obèses est qu'ils n'ont pas d'autre activité que manger. Ils dorment, font quelques pas vers leur bol, mangent et se rendorment jusqu'au prochain repas. Ils n'ont pas besoin de chasser pour se nourrir – en fait, ils n'ont besoin de *rien* faire pour se nourrir.

Le manque d'activité lié à une stimulation insuffisante provoque aussi ennui et dépression. Un chat dont le maître travaille de longues heures chaque jour et a peu de temps à lui consacrer peut perdre son enthousiasme. Les jouets interactifs sont la meilleure façon de stimuler l'animal, mais que faire si vous n'êtes jamais là ? Ou si vous voudriez compléter vos séances de jeu ?

Les jouets d'*activité* peuvent vous venir en aide dans ces situations et beaucoup d'autres. L'idée est de permettre au chat de gagner sa nourriture – comme il le ferait dans la nature. Je ne parle pas de lui faire gagner ses repas, vous les lui donnerez comme d'habitude ; je fais référence à des friandises. Les jouets d'activité sont aussi très efficaces pour modifier le comportement de chiens qui souffrent d'une angoisse de séparation. On place plusieurs jouets contenant chacun un biscuit dans la maison, le chien les découvre au fil de la journée et doit faire un effort pour accéder aux biscuits. Cela marche bien pour les chats aussi. Placez quelques friandises dans une balle creuse avec un trou. Quand le chat fait rouler la balle, une friandise s'en échappe, et il apprend vite comment s'y prendre pour obtenir sa récompense. Cela occupe un chat trop gros qui prend ses repas à heure fixe et lui offre une friandise, cela stimule un chat qui s'ennuie, le forçant à réfléchir pour obtenir ce qu'il souhaite. J'adore les jouets qui forcent les chats à *penser*. Ce genre d'activité peut prévenir des problèmes de comportement.

Les jouets que je préfère sont Play-n-Squeak, Play-n-Treat, Zig-n-Zag, Push-n-Roll et Kitty-Kong. Le meilleur, Play-n-Treat, est une balle qu'on remplit de friandises de petite taille. Quand le chat fait rouler le jouet, des friandises en sortent. C'est un jouet merveilleux. Un autre, Kitty-Kong, n'est pas censé être un jouet d'activité, mais je préfère l'employer à cette fin. Il s'agit d'un jouet de plastique en forme de souris avec une ouverture à l'arrière, accompagné d'un papier spécial qui ne se déchire pas, imprégné de cataire, qu'on glisse à l'intérieur. Vous pouvez l'utiliser avec ce papier, mais j'aime mieux m'en servir comme jouet d'activité en mettant au bord de l'ouverture un peu de crème de gruyère (n'employez pas en même temps fromage et papier parfumé). Cela peut amener un chat trop sédentaire à faire un effort pour accéder à la nourriture. Quand l'animal a compris, vous pouvez passer à Play-n-Treat. Un jouet d'activité laissé à la disposition du chat en votre absence l'amusera et lui donnera quelque chose à faire pendant la journée.

Des jouets d'activité sans lien à la nourriture, comme Play-n-Squeak, Zig-n-Zag et Push-n-Roll sont merveilleux eux aussi. Play-n-Squeak est une souris en peluche remplie de cataire qui émet d'irrésistibles couinements (grâce à une batterie de longue durée) dès qu'on la touche. Encore maintenant, mes chats sont fascinés. La balle Zig-n-Zag comporte un mécanisme intérieur qui lui imprime des mouvements imprévisibles quand un chat la pousse. Push-n-Roll est un jouet en forme de Y, contenant deux balles. Je l'apprécie parce qu'il est si léger qui suffit au chat de l'effleurer du bout de la patte. Vous pouvez faire un

jouet d'activité simplement en mettant des balles de ping-pong dans une boîte en carton vide. Laissez-en une ou deux chez vous pour que le chat les découvre dans la journée.

D'autres jouets pour usage en solitaire

En plus des jouets interactifs et d'activité au but bien défini, votre chat appréciera d'autres amusements. Comme je l'ai dit plus haut, ne lui offrez pas un panier plein de jouets qui ne feront que prendre la poussière. Changez de jouets tous les deux jours pour soutenir l'intérêt de l'animal. La souris en peluche qui réapparaît après quelques jours et vous terrifie quand vous marchez dessus en pleine nuit semblera flambant neuve au chat.

Ainsi que je l'ai dit auparavant, les jouets « solitaires » sont par essence des proies mortes que le chat doit animer lui-même, choisissez-les donc légers et petits, pour qu'un simple coup de patte les mette en mouvement.

L'équipement de base devrait comprendre une paire de souris en peluche, légères et de petite taille. Un jouet trop grand peut décourager un chat, qui préfère être sûr de la victoire.

Les balles de ping-pong sont très bien, surtout si vous avez de grandes surfaces dégagées. Si vous avez un très grand chat qui essaie de prendre les balles dans sa bouche, ne les laissez pas à sa portée hors de votre surveillance. Il y a un risque – très faible – qu'il crève une balle avec ses canines et soit incapable de s'en débarrasser.

Le Kitty Hooks Crackler est un jouet mou, parfumé à la cataire, qui produit un bruit de papier froissé quand on le touche. Ces froissements attirent les chats, et c'est une façon sans risque de leur offrir ce plaisir. Les emballages en cellophane sont extrêmement dangereux. Un morceau de cellophane avalé devient tranchant au cours du processus digestif, provoquant les mêmes dommages que du verre. Ce jouet permet à votre chat de jouer en toute sécurité avec quelque chose qui émet des bruits de froissement ; il existe en différentes formes, insectes et grenouilles.

Vous trouverez dans les animaleries des paquets de petites balles molles. Certaines émettent des bruits de froissement, d'autres sont juste très légères. Je les apprécie pour leur mollesse et parce que le chat peut les déplacer facilement. Si le vôtre a tendance à avaler des choses qui ne lui conviennent pas, choisissez des jouets de plus grande taille que ces balles.

Des jouets artisanaux

Voici quelques objets que vous pouvez trouver chez vous et qui font d'excellents jouets.

L'anneau en plastique des bouteilles de lait ou de jus de fruits est sans doute le meilleur jouet pour chats du monde. La prochaine fois que vous achetez une de ces bouteilles, au lieu de jeter l'anneau à la poubelle, lancez-le sur le sol. Je connais de nombreux chats qui préfèrent ces anneaux aux jouets les plus chers.

Les sacs en papier ouverts offrent des possibilités multiples. N'utilisez jamais de sacs plastique, à cause du risque de suffocation. Si le sac a des poignées, coupez-les pour éviter que le chat se prenne dedans ou même s'étrangle. Repliez le sommet du sac sur lui-même en ourlet pour qu'il soit plus rigide, couchez le sac sur le côté, jetez-y une balle de ping-pong et reculez !

Les pailles en plastique pour boissons sont légères, un chat peut les déplacer facilement. Essayez d'en mettre une dans un sac.

Gardez les cartons d'emballage. Enlevez les rembourrages, les agrafes et tout ce qui peut être dangereux, puis laissez le chat s'amuser. Il s'en emparera dans les secondes qui suivent. Si l'animal mâche le carton, n'en laissez pas à sa portée.

Maman vous a dit qu'il ne fallait pas jouer avec la nourriture, mais je suis certaine que même elle prendrait plaisir à voir un chaton jouer avec un haricot ou un grain de raisin.

Un bouchon de liège aussi constitue un bon jouet, tant que le chat n'essaie pas d'en avaler des morceaux. Surveillez-le.

La prochaine fois que vous mettrez de la pellicule dans votre appareil pour prendre des photos de votre délicieux chat ou chaton, ne jetez pas la boîte plastique – donnez-la au chat.

Un autre avantage de ces jouets est que, si le chat les envoie sous le réfrigérateur, il est facile de les remplacer. Le sac de mon aspirateur contient toujours un certain nombre de haricots, de grains de raisin et de pailles.

Jouets dangereux

Rubans, ficelles, élastiques et fil dentaire peuvent sembler être de bons jouets pour chats, mais ils sont extrêmement dangereux en cas d'ingestion. Les jouets sûrs ne manquent pas, évitez de prendre des risques.

Tout jouet comportant une ficelle, y compris les jouets interactifs, ne doit être utilisé qu'en votre présence. Mettez-les hors de portée à la fin du jeu.

Ne laissez pas traîner de sacs plastique à cause du risque de suffocation.

N'attachez jamais de jouet à une poignée de porte avec une ficelle, le chat pourrait s'emmêler dedans.

Le papier aluminium est dangereux s'il est avalé. Évitez de faire des balles avec ce matériau, surtout s'il a servi à emballer de la nourriture et a donc une odeur irrésistible.

Comment savoir si vos chats jouent ou se battent

Il est parfois difficile de faire la différence, mais voici quelques indications générales :

– quand des chats *jouent*, ils peuvent feuler une fois ou deux, mais s'ils feulent souvent, ils sont sans doute en train de *se battre* ;

– des chats qui *jouent* ensemble échangent d'habitude les rôles d'attaquant et d'attaqué. Quand ils *se battent*, il n'y a pas d'inversion – un des deux reste agressif et l'autre est sur la défensive ;

– il ne doit pas y avoir de hurlements ou de grondements lors d'un *jeu* ;

– aucun chat n'est blessé lors d'un *jeu* – sauf par accident. Des chats qui *se battent* peuvent recevoir griffures ou morsures ;

– à la fin du *jeu*, le comportement des chats doit être normal, ils ne doivent pas s'éviter. Après un *combat,* au moins un des chats reste hors de portée de l'autre et semble effrayé ;

– si deux chats qui ne sont pas normalement en bons termes paraissent *jouer*, méfiez-vous, il y a de bonnes chances qu'ils soient en train de *se battre*. Si vous avez des doutes, distrayez-les avec un bruit positif, ouvrez par exemple une boîte de nourriture ou secouez le récipient où vous gardez les friandises. Veillez à ce que ce soit positif ; s'ils *jouaient* bel et bien, il ne faut pas décourager ce début d'amitié.

Malentendus

Dans une maison où il y a plusieurs chats, un animal peut ne pas comprendre les offres de jeu d'un autre parce qu'ils ont été socialisés différemment. Un chaton retiré trop tôt de la portée et n'ayant pas connu le jeu social sera plus à l'aise avec des jeux d'objets. Quand un autre chat, qui a l'habitude de jeux sociaux, s'approche du chaton pour l'inviter à jouer, celui-ci peut croire à une menace. À ce moment, il vous faut intervenir au moyen d'une séance de jeux interactifs de groupe pour les aider l'un et l'autre.

Si vous avez une portée, vérifiez que les mâles ne jouent pas trop agressivement. Cela pourrait amener les femelles à repousser toute invitation au jeu.

Gardez votre appareil photo prêt

J'ai toujours un appareil photo chargé à portée de main parce que, même au bout de presque seize ans, Albie prend des poses que je veux immortaliser.

Vous n'avez pas besoin d'un équipement coûteux, ni d'être un professionnel, pour prendre de bonnes photos de votre chat. Quelques éléments de base et de la patience vous permettront d'obtenir des images posées ou prises sur le vif.

Si vous êtes novice, vous pouvez acheter un appareil autofocus bon marché. Si vous voulez vraiment

167

vous faciliter les choses, prenez un appareil jetable ; vous n'aurez pas à vous soucier d'avoir des piles ou de la pellicule.

Si vous hésitez quant à la pellicule nécessaire, on peut considérer que du 400 ASA pour les photos d'intérieur et du 100 ASA pour des photos d'extérieur par un jour ensoleillé conviennent.

PHOTOS PRISES SUR LE VIF

Votre chaton sera heureux de vous en offrir de nombreuses occasions. Attention toutefois au déclenchement. Pour éviter d'avoir une photo floue d'une boule de fourrure, ne vous pressez pas trop. Suivez l'animal dans le viseur et ne prenez le cliché que lorsqu'il est bien cadré.

Tenez compte de ce qui se trouve au second plan pour éviter que la photo ne paraisse encombrée, faisant disparaître le chaton. Si par exemple vous prenez en photo un chaton écaille-de-tortue s'amusant avec un jouet sur un tapis multicolore, le dessin du tapis étouffera le pelage de l'animal et le jouet a de bonnes chances de disparaître sur ce fond trop chargé.

Essayez de placer un jouet dans un panier et attendez patiemment à côté avec votre appareil. Le chaton bondissant dans le panier pour attraper le jouet vous donnera une bonne photo.

PHOTOS POSÉES

Il vaut mieux que le chaton soit détendu, aussi ne décidez pas que vous voulez un tel cliché quand il est prêt à jouer.

Si vous voulez une photo étudiée avec un fond choisi, vous pouvez utiliser un drap ou acheter de grandes feuilles de papier dans un magasin de fournitures artistiques. Choisissez une couleur qui rehaussera celle du pelage de votre chat. Si vous voulez souligner ses yeux, choisissez une couleur proche de celle du pelage.

L'animal n'acceptera sans doute pas de rester assis devant votre fond. Placer un panier ou un coussin près de lui le rassurera. Pour un chaton, mettez vos accessoires devant le fond. Si vous utilisez un panier contenant un jouet, faites un bruit attirant quand il se met à jouer, et c'est lors de cette milliseconde où il sortira la tête du panier pour regarder vers vous qu'il faut prendre le cliché. Ne faites pas un bruit trop fort – vous ne cherchez pas à obtenir un air terrifié.

Pour photographier un chat adulte, évitez de le prendre de face ; tenez-vous un peu de côté pour qu'on voie son corps et pas seulement une tête avec des pattes. Attirez son attention avec un jouet ou un bruit, il tournera les oreilles vers l'avant et aura l'air intéressé. Si vous voulez qu'il regarde de côté, agitez une plume de paon dans la direction choisie, pas trop énergiquement ou le chat se précipitera vers vous pour jouer. Vous pouvez avoir intérêt à utiliser un trépied pour avoir une main libre. Si vous demandez l'aide d'un assistant, que ce soit une personne dont le chat a l'habitude.

Pour éviter les reflets extraterrestres qui apparaissent souvent dans les yeux, ne prenez pas le cliché à ce niveau-là mais d'un peu plus haut.

Ne recherchez pas trop des angles d'avant-garde, ou vous aurez des photos d'un chat aux proportions très bizarres.

SOYEZ PATIENT

Ne forcez jamais votre chat à rester immobile pendant que vous essayez de lui faire prendre la pose. Vos meilleures photos seront sans doute les moins travaillées, de toute façon. Si vous souhaitez une pose particulière, choisissez un moment où l'animal n'est pas d'humeur à jouer. Le meilleur moment est après un repas, quand l'animal est détendu. Si ça ne marche pas, ne l'empêchez pas de partir. Laissez le décor en place, ainsi que votre appareil, et tout d'un coup vous trouverez votre chat dans la position que vous souhaitiez.

CHAPITRE VII

Comment résoudre les problèmes de comportement de votre chat

Comment débutent les problèmes de comportement ?

Nous en demandons beaucoup à nos chats. Nous les laissons seuls toute la journée sans rien à faire, nous leur imposons des compagnons dont ils ne veulent pas, nous édictons des règles changeantes et les forçons à oublier leur nature d'animal nocturne pour s'adapter à nos horaires diurnes. Nous apprécions de ne pas avoir à sortir un chat, mais nous insistons pour qu'ils utilisent une caisse à la propreté souvent insuffisante de leur point de vue. Nous sommes certains que c'est par pur vandalisme qu'ils se font les griffes sur les meubles, puisqu'il y a un griffoir quelque part dans la maison – ah oui, dans la buanderie (et qu'importe si c'est là que dort le chien). Nous donnons des fessées à nos chats et ne comprenons pas pourquoi ils deviennent méfiants. Nous leur crions après et nous étonnons qu'ils nous évitent. Nous leur frottons le nez dans leurs excréments parce qu'on nous a dit que c'est ce qu'il fallait faire. Quand nous rentrons à la maison après une journée de travail, nous punissons nos chats pour quelque chose qu'ils ont fait plus tôt dans la journée – peu importe si le chat dort paisiblement dans son coin, il *saura* pourquoi on s'en prend à lui. Nous jouons avec eux quand ça nous convient mais nous les repoussons s'ils donnent des tapes au journal que nous voulons lire. Nous traitons nos chats comme des enfants, des adultes, des amis, des ennemis, des confidents et même des chiens – mais pas assez souvent comme des *chats*. Enfin, nous pensons que nos chats devraient *comprendre*, alors que c'est *nous* qui le devrions.

Vous avez certainement déjà compris qu'à mon avis la plupart des problèmes de comportement rencontrés chez les chats sont imputables aux maîtres. Il y a certainement d'autres facteurs qui y contribuent, médicaux par exemple, ou un manque de socialisation si l'animal n'a pas eu de contacts avec les humains au début de sa vie. Mais, dans l'ensemble, c'est le maître qui crée les problèmes.

Votre relation avec votre chat est une *relation*. Comme dans toute relation, il vous faut communiquer et comprendre vos besoins respectifs. Les gens prennent trop souvent la responsabilité d'acquérir un chat en pensant que celui-ci fera tous les efforts, supprimera ses comportements innés et comprendra ce qu'on lui dit dans un langage qui pour lui n'a aucun sens.

Vous savez maintenant que je crois sincèrement qu'il est de votre responsabilité en tant que maître d'apprendre à connaître cette superbe créature avec laquelle vous avez décidé de passer votre vie. Apprenez à interpréter ce que votre chat vous communique, apprenez quels sont ses besoins et enfin, si vous voulez résoudre un problème de comportement, apprenez à comprendre ses raisons. Nombre de comportements que nous estimons « mauvais » sont en fait normaux dans le monde félin. Comment donc corriger

172

un comportement « mauvais » ? Il faut comprendre la motivation sous-jacente et agir sur elle. Ce n'est qu'en examinant ce comportement du point de vue de l'animal que vous pourrez trouver des solutions, puisqu'alors vous parlerez la même langue. Si vous ne voyez la situation que de votre propre point de vue, vous ne parviendrez pas à comprendre le problème et ne ferez que frustrer le chat et vous-même. L'incapacité à comprendre les motivations d'un chat et ce qu'il communique sont les raisons qui lui valent le plus souvent un aller simple pour le refuge local. Les problèmes de comportement tuent plus de chats qu'aucune maladie ne le fera jamais.

Qu'est-ce qui déclenche un problème de comportement ? Pour certains chats, la cause peut être aussi mineure en apparence qu'un changement dans la routine quotidienne. Les chats sont des créatures d'habitudes et, quand on modifie celles-ci, on peut leur infliger du stress. L'ennui aussi peut causer des problèmes, l'animal cherchant quelque chose à faire, quoi que ce soit. Si le chat a l'impression que son territoire est menacé, cela peut amener un changement de comportement. De nombreux problèmes médicaux sont aussi susceptibles de provoquer des troubles. Une socialisation inadéquate, des cris, des punitions – la liste pourrait continuer longtemps. C'est à vous d'identifier la cause et la motivation du comportement que vous souhaitez modifier.

Il se produit une chose merveilleuse quand vous cessez de voir le monde par vos yeux pour adopter le point de vue de votre chat – non seulement vous avez de bonnes chances de résoudre le problème de comportement qui vous ennuie, mais vous pourrez probablement en prévenir d'autres.

Voici quelques erreurs de dressage courantes :
– mauvaise compréhension des motivations ;
– inconstance ;
– changements injustes (par exemple, maintenant

que vous avez acheté un nouveau canapé, vous punissez le chat s'il essaie de s'installer à sa place habituelle) ;

– punitions ;

– renforcement d'un comportement indésirable (par exemple, votre chat miaule à cinq heures du matin et, pour le faire taire, vous lui donnez à manger).

Modification d'un comportement indésirable

Les problèmes de comportement se répartissent en deux grandes catégories : les problèmes de dressage normaux (se faire les griffes sur les meubles, sauter sur les plans de travail, agresser un nouveau chat, etc.), et ceux pour lesquels il vaut mieux demander conseil au vétérinaire.

Si vous essayez de modifier un problème apparu de longue date, arrêtez ce que vous faisiez auparavant, il est évident que ça ne marche pas. N'essayez pas de forcer l'animal à faire ou ne *pas* faire quelque chose, ne vous lancez pas dans une épreuve de force.

En lisant ce chapitre, gardez à l'esprit les perspectives suivantes pour penser comme un chat : déterminez la motivation ou la cause ; apportez à l'environnement les modifications nécessaires ; redirigez le comportement de façon positive.

Les problèmes de bac à litière

C'est un sujet si complexe qu'il mérite un chapitre entier. Référez-vous au chapitre VIII. De même le problème des griffages destructeurs est traité au chapitre IX.

Les morsures destructrices

LES CHATS MANGEURS DE LAINE

Si vous ne connaissez pas ce comportement, c'est exactement ce dont il s'agit. Il est difficile de comprendre en quoi un chandail ou une couverture peuvent paraître appétissants, mais un chat mangeur de laine peut transformer en gruyère une paire de chaussettes en quelques minutes.

Une théorie est que certains chats adorent les fibres, et certaines races semblent en avoir plus besoin que d'autres. Les siamois par exemple sont souvent des mangeurs de laine.

Pour résoudre ce problème, commencez par éliminer la tentation. Plus question de laisser vos chaussettes par terre ou le lit défait. Si vous mettez une couverture sur celui-ci, veillez à la recouvrir d'un dessus-de-lit. Gardez fermés les tiroirs à chandails et ne les rangez pas sur des étagères où le chat pourrait sauter.

Si vous donnez à votre chat de la nourriture en boîte, passez aux croquettes. Vous devrez peut-être en laisser en permanence à sa disposition. Si vous le nourrissez déjà avec des croquettes, demandez à votre vétérinaire une formule plus riche en fibres. Si l'animal refuse absolument les croquettes, augmentez le contenu en fibres de ses boîtes en y ajoutant ou bien une demi-cuillère à café de potiron en conserve ou bien la même quantité de son. Commencez doucement, toutefois, n'en ajoutez au départ que très peu et augmentez progressivement la quantité.

Faites pousser quelques plantes pour la consommation de votre chat (voir plus loin la section consacrée aux « attaques contre les plantes »). Assurez-vous d'en avoir toujours, pour que le chat ne s'offre pas de collation sous la forme du chandail neuf de votre fille.

Il ne s'agit pas de la même chose que les mangeurs de laine, les *suceurs* de laine se conduisent sans doute ainsi à cause d'un sevrage abrupt ou trop précoce. Le chaton continue à téter des vêtements, des lacets, les doigts ou les oreilles de son maître ou même des boutons. Certains chatons sucent leurs propres flancs, le bout de leur queue ou leurs pattes.

Ce comportement finit par disparaître de lui-même dans la plupart des cas. La meilleure façon de le prévenir est de distraire l'animal. Quand il commence à téter, interrompez-le doucement et caressez-le ou jouez avec lui. Un de mes chats me suçait les oreilles quand il était petit. Alors que je m'endormais, j'entendais ce bruit déconcertant à mon oreille. J'ai placé une plume sous mon oreiller et, lorsque le chaton s'approchait de ma tête, je détournais son attention en jouant avec lui, puis il s'endormait. Avec le temps, il a cessé de téter mes oreilles.

LES ATTAQUES CONTRE LES PLANTES

Si vous n'avez pas encore mis hors de portée les plantes dangereuses (voir la liste au chapitre XVIII) et pulvérisé un répulsif amer sur les autres, vous devriez vous dépêcher.

De nombreux chats aiment manger des végétaux, et vous pouvez leur proposer une alternative sans danger en achetant des graines prêtes à l'emploi en animalerie ou par correspondance. Gardez les plantes dans un endroit accessible, et votre chat préférera ces tendres pousses à vos amères fougères. Suivez les instructions, arrosez comme indiqué et, en peu de temps, vous aurez de la verdure que l'animal pourra grignoter. La seule chose qui me déplaise au sujet de ces plantes est que les pots sont très légers. Si le chat tire avec ses dents au lieu de simplement mâcher, le pot bouge. Je transfère d'habitude le contenu dans un pot plus lourd, en terre cuite par exemple. Vous pouvez aussi semer vous-même des graines dans un pot. Achetez des graines non traitées et utilisez du terreau stérile. Recouvrez les graines d'un centimètre de terre, mouillez bien et laissez égoutter. Arrosez quotidiennement avec un pulvérisateur pour ne pas déplacer les minuscules graines. Mettez le pot dans un endroit sombre et chaud jusqu'à ce que les pousses sortent, puis installez-le au soleil. Dès que les herbes sont assez hautes, offrez-le au chat.

Toilettage et mordillements de la peau

Certains chats procèdent à des toilettages excessifs, au point d'éclaircir leur pelage et même d'enlever tous les poils de certaines zones. Il arrive que l'animal non seulement se toilette mais se mordille au point de causer des blessures.

Adressez-vous à votre vétérinaire pour vous assurer que le problème n'est pas d'ordre médical. Même de simples puces peuvent provoquer ce type de comportement.

Si le problème se révèle comportemental, il vous faut trouver ce qui le déclenche. Le mordillement n'est pas le problème mais un symptôme. C'est ce qui provoque un tel stress chez l'animal qui constitue le problème. Ce peut être n'importe quoi, un changement de vos horaires de travail, l'arrivée d'un nouvel animal de compagnie, la mort d'un compagnon – ce comportement peut être causé par *n'importe quoi*. Le stress et la tension nerveuse atteignent un tel niveau que le chat doit faire *quelque chose* pour soulager son angoisse. Le terme médical pour ce comportement est *alopécie psychogène*.

Offrez à votre chat autant de stabilité, de tranquillité et de distractions que vous le pouvez. Assurez-vous que son environnement est aussi peu stressant que possible. Si le chien lui aboie après ou insiste pour jouer avec lui, il a besoin d'un endroit où se réfugier. Veillez à lui donner ses repas à l'heure – jamais en retard – pour qu'il ne s'inquiète pas, et dans un lieu où il ne subira pas de stress. S'il regarde partout autour de lui quand vous posez son bol sur le sol et s'arrête fréquemment de manger pour vérifier que rien ne le menace, il faut le nourrir à un endroit plus sûr de son point de vue. Essayez de mettre son bol au sommet d'un arbre à chats, ou dans une pièce tranquille.

Même si vous avez envie de le serrer sur votre cœur, il a besoin de sentir qu'il contrôle ce qui se passe. Deux ou trois séances quotidiennes de jeux interactifs dissiperont la tension et lui rendront confiance. Laissez des jouets d'activité à sa portée en votre absence, et veillez à ce qu'il ait assez de distractions. Un arbre à chats devant une fenêtre d'où il verra des oiseaux l'aidera à passer le temps.

Que vos horaires soient aussi réguliers que possible. Il a besoin de stabilité et du réconfort apporté par son maître aimant.

Si vous n'êtes pas certain de la qualité de son régime, parlez-en à votre vétérinaire. Il lui faut une nourriture de premier ordre pour résister au stress.

Ne vous pressez pas trop de donner des anxiolytiques à votre chat. Essayez d'identifier la source de son problème et d'intervenir. Si le chat ne réagit pas ou si la situation empire, demandez à votre vétérinaire de vous indiquer un spécialiste du comportement.

Les pilleurs de poubelles

Peu importe ce qu'on met dans leur gamelle, certains chats insistent pour fréquenter le buffet self-service installé dans la poubelle de la cuisine. Le vôtre peut manger la nourriture la plus chère et, plus tard dans la soirée, fouiller parmi les peaux de banane et les filtres à café pour lécher le papier aluminium qui emballait le rôti.

Je pourrais vous suggérer des pièges et des méthodes de dissuasion élaborées, mais pourquoi ne pas rendre les choses plus faciles pour tout le monde en achetant une poubelle munie d'un couvercle ? Mieux encore, enfermez la poubelle dans un placard. Plus vous protégez le récipient par des pièges, plus vous est difficile d'y jeter quelque chose. J'ai une petite poubelle sous l'évier, et ça marche bien mieux que la grande qui était autrefois près du réfrigérateur – non seulement parce qu'elle est inaccessible pour les chats, mais aussi parce qu'étant plus petite elle est vidée plus souvent, et la cuisine est plus propre.

Vocalisation excessive

Si vous avez un siamois ou un chat d'une autre race orientale connue pour sa tendance au bavardage, vous pouvez aussi bien sauter ce passage, vous n'y changerez rien. Les siamois adorent vous raconter leur journée et n'hésitent pas à donner leur opinion. Sachez-le et acceptez-le.

D'autres chats peuvent devenir bavards pour de multiples raisons. La principale est qu'il s'agit d'une façon certaine d'attirer votre attention. Quand des méthodes plus subtiles comme vous fixer des yeux, marcher sur le journal que vous lisez ou se coucher sur votre poitrine échouent, des miaulements incessants réussissent d'ordinaire. Le chat étant patient, déterminé et opiniâtre, vous finirez vraisemblablement pas céder et lui donner ce qu'il veut. Cela lui aura pris cinq minutes de miaulements, mais il sait maintenant que vous céderez s'il n'abandonne pas. Qu'il veuille sortir, être nourri ou caressé, *il* sait que *vous* savez que la seule façon de le faire taire est de le satisfaire. Bien sûr, en cédant vous lui montrez simplement que ses miaulements vous ont efficacement dressé. Comment modifier un tel comportement ? Ignorez ses exigences. Ne récompensez pas un comportement négatif. Même si vous tenez le coup vingt minutes avant de vous lever pour remplir son bol, il se souviendra que des miaulements incessants marchent. Il y a fallu un temps inhabituel, mais ça a marché.

Donc, ne cédez pas. Écoutez de la musique au casque ou lisez à voix haute mais ne vous laissez pas faire. Plutôt que de récompenser un comportement négatif, quand vous voyez que le chat va se lancer dans une série de miaulements, redirigez-le grâce à un jouet interactif *avant* qu'il commence. S'il vous est impossible de procéder à une séance de jeu interactif, ayez à portée de main un jouet d'activité comme Play-n-Treat. La clé de la modification du comportement est de le rediriger *avant* qu'il commence à miauler, faute de quoi vous vous retrouvez à la case départ. Je préfère les séances de jeu interactif parce je peux être sûre que l'animal s'est assez dépensé, physiquement et mentalement. À la fin de la séance, je peux le nourrir ou lui laisser faire une sieste bien gagnée.

Si votre chat miaule, cela peut être parce qu'il n'est pas assez stimulé. N'oubliez pas les séances quotidiennes de jeu interactif.

Un chat âgé peut miauler la nuit après que tout le monde soit couché. Dans une maison obscure, ses sens déclinants peuvent provoquer un sentiment de désorientation. Consultez un vétérinaire pour vous assurer que l'animal ne souffre pas. Quand vous entendez un chat âgé miauler la nuit, appelez-le pour qu'il sache où vous êtes. Si cela se produit régulièrement ou s'il paraît de plus en plus désorienté, enfermez-le dans votre chambre la nuit.

Le chat peureux

Les chats détestent le changement et préfèrent la sécurité d'un territoire familier. Il est donc naturel que de nouvelles personnes et de nouveaux lieux ou objets leur fassent peur. Une situation courante qui effraie les chats est l'arrivée d'inconnus à la maison. Dès que la sonnette retentit, l'animal se réfugie dans le placard le plus éloigné. Voici un exercice auquel vous pouvez procéder : demandez à un ami de venir (choisissez quelqu'un que votre chat ne déteste pas déjà) et faites-le s'asseoir dans le salon pendant que vous allez dans la pièce où se cache l'animal. Asseyez vous par terre avec nonchalance et décontraction et procédez à une séance de jeu (le mot clé est « décontraction »). N'essayez pas de faire sortir le chat de sa cachette, agitez doucement le jouet à proximité. Parlez d'une voix douce et réconfortante. Vous transmettrez au chat le signal qu'il n'y a pas de quoi en faire toute une histoire. Il y a un invité à la maison – et alors ? Vous, vous avez envie de jouer avec lui. Si vous vous montrez détendu et n'essayez pas de faire sortir l'animal de l'endroit où il se sent en sécurité, il se détendra lui aussi. Les premières fois, il se peut qu'il ne veuille pas jouer ni même sortir de sa cachette, mais il commencera à se détendre.

Au bout de quelques minutes, laissez le chat seul mais, au lieu de retourner auprès de votre invité, asseyez-vous par terre à distance. Faites tranquillement la conversation, tout en agitant le jouet pour attirer l'attention du chat. Vous pouvez aussi lui offrir des friandises. Même s'il n'ose pas sortir de la pièce, il peut quitter sa cachette et même s'approcher de vous. S'il veut jouer, procédez à une séance mais n'essayez pas de le faire entrer dans le salon. Après le départ de l'invité, récompensez le chat. Recommencez l'exercice quotidiennement et rapprochez-vous peu à peu du salon. À la fin, votre chat devrait être assez tranquillisé pour faire une apparition (même brève) quand vous serez dans le salon avec un inconnu. S'il accepte de jouer, demandez à l'invité de participer tout en restant assis pour ne pas effrayer l'animal. Récompensez l'invité aussi pour sa collaboration, en lui offrant un déjeuner par exemple.

COMMENT AIDER UN CHAT PEUREUX

- Ne le forcez pas à venir dans la pièce avec vous.
- Assurez-vous qu'il a accès à une cachette.
- Laissez-le décider de la distance où s'approcher.
- Distrayez-le grâce à des jeux calmes ou des friandises.
- Parlez d'une voix réconfortante.
- Prenez quelques profondes inspirations pour vous décontracter.
- N'apportez que graduellement des changements dans la vie d'un chat.

Cette méthode lente et progressive aide un chat à surmonter ses peurs. Jouez doucement avec lui, en le laissant donner le rythme de la séance. S'il refuse de s'approcher du salon, contentez-vous-en pour le moment. Quand il comprendra que rien ne le menace, il viendra plus près. Vous devez rester détendu en permanence. Très souvent, le maître essaie pour le réconforter de prendre dans ses bras un chat agité, et lui parle d'une voix inquiète, ce que l'animal interprète comme la confirmation qu'il y a *bien* quelque chose à craindre. Il faut lui faire comprendre qu'il est en sécurité ailleurs que dans sa cachette.

Votre chat souffre-t-il de stress ?

Un chat placé longtemps dans une situation de stress peut cesser de se montrer sociable et devenir nerveux et peureux.

Pourquoi un chat serait-il stressé ? Ne passent-ils pas leurs journées à dormir, manger et jouer ? J'aimerais qu'une vie de chat se limite au sommeil, à la nourriture et au jeu, mais beaucoup de choses peuvent avoir une influence. On oublie souvent quelle sécurité un chat trouve dans la familiarité avec son environnement. Ainsi, tout changement, pour minime qu'il nous paraisse, peut bouleverser l'animal.

Pensons d'abord à ce qui nous stresse, *nous*. Un décès dans la famille, un divorce, un déménagement, la maladie, une catastrophe naturelle, même un mariage sont des situations de stress. Tout cela affecte aussi votre chat, d'autant plus que c'est pour lui une totale surprise. Un jour il dort à son endroit favori et, le lendemain, tout ce qui l'entoure est mis en cartons. Quelques jours après, on l'emmène ailleurs.

LES GRANDES CAUSES DE STRESS	
• décès dans la famille	• catastrophes naturelles
• mariage	• incendie
• arrivée d'un bébé	• cris
• divorce	• négligence
• déménagement	• solitude
• travaux à la maison	• blessure ou maladie

Vous n'êtes pas surpris que tout cela puisse stresser votre chat. Ce que vous ne réalisez peut-être pas, c'est que des choses apparemment insignifiantes peuvent produire les mêmes effets. Certains chats refusent *tout* changement. Voici quelques situations auxquelles on ne pense pas :
– caisse sale,
– changement de nature de litière,
– changement de nourriture,
– proximité de la litière et de la nourriture,

- caisse placée dans un endroit bruyant,
- enfants,
- vacances,
- voyage,
- changement de vos horaires de travail,
- achat de nouveaux meubles ou changement de disposition,
- arrivée d'un nouvel animal familier,
- apparition d'un chat inconnu dans le jardin,
- manque de cachettes,
- bruits forts et fréquents,
- manipulations malhabiles,
- punitions.

Pour venir en aide à un chat stressé, il vous faut identifier la cause du stress et, si possible, l'éliminer ou la modifier. La meilleure méthode, si vous savez qu'une situation de stress va se présenter, est d'y préparer graduellement votre chat. Que ce soit une petite chose comme un changement de nourriture ou une grande, comme un déménagement, *préparez* le chat à l'avance et graduellement. Par exemple, si vous voulez changer sa nourriture, ajoutez un peu du nouveau produit dans l'ancien, en augmentant la dose pendant une semaine. Avant un déménagement, vous devriez faire les cartons par étapes, rester calme et, quand vous arrivez dans la nouvelle habitation, confiner au début le chat dans une pièce. Laissez-le s'orienter progressivement (voir le chapitre XIV). Plus le changement est important, plus le temps de préparation doit être grand. Dans le cas d'une crise inattendue, comme un décès (humain, félin ou canin), pensez que votre chat éprouve les mêmes émotions que vous. Jouez souvent avec lui, maintenez un horaire aussi normal que possible, et surveillez sa nourriture et la façon dont il utilise sa caisse. Il a besoin dans ces circonstances de toute la normalité que vous pouvez lui apporter.

Parce que les séances de jeu mettent les chats en confiance, je me sers de jouets interactifs pour les distraire et les garder dans un état d'esprit positif, ce qui les aide à surmonter la cause du stress.

Assurez-vous que l'animal ait accès à une cachette (et, de préférence, plusieurs), abritée du bruit, des humains et des autres animaux.

Laissez à sa disposition des jouets d'activité pour les moments où vous ne pouvez pas être là.

Essayez de rendre tout changement dans la vie de l'animal aussi progressif et facile que possible.

Le chat déprimé

Sophia était une grande et très belle chatte de gouttière. Cet animal d'une propreté méticuleuse nettoyait parfaitement son pelage gris et blanc, brillant et fourni. Elle était très affectueuse, toujours sur les genoux de ses maîtres, Patricia et Marc, qui l'aimaient beaucoup, jouaient avec elle et s'en occupaient bien. Ils l'avaient eue chaton et elle n'avait donc jamais connu d'autre vie ; personne ne pensait que les choses changeraient. Mais ce fut le cas. Alors que Sophia avait sept ans, Marc eut une crise cardiaque sur son lieu de travail, et mourut à l'hôpital quelques heures plus tard.

Marc et Patricia étaient mariés depuis vingt ans. Elle rentra chez elle ce soir-là en état de choc. Dans les jours qui suivirent, elle commença le long et douloureux processus du deuil de son époux bien-aimé. Amis et membres de la famille s'occupaient d'elle.

Sophia, qui ne comprenait rien à ce qui se passait, s'enfonça progressivement dans la dépression. De son point de vue, un de ses maîtres avait soudain disparu et l'autre se comportait de manière anormale. Sophia essayait de monter sur les genoux de Patricia, mais quelqu'un la chassait ; il y avait de nombreux inconnus à la maison, mais personne ne s'occupait d'elle. Pour venir en aide à Patricia, une voisine venait nourrir le chat deux fois par jour, mais les efforts que faisait Sophia pour se lier d'amitié avec elle étaient ignorés. Son monde avait totalement changé, et elle ne savait pas *pourquoi*. Elle devint renfermée et s'isola, ne sortant de sous le lit que pour manger et utiliser sa caisse. Elle commença à négliger sa toilette, son pelage était sale et terne. Elle se mit à ne se servir de la caisse qu'occasionnellement, préférant employer des recoins de placards. Elle perdit l'appétit. Sa vie se limitait à dormir. Au fil des mois, la détérioration de l'apparence et du comportement de Sophia inquiéta Patricia qui consulta un vétérinaire, lequel lui recommanda de me contacter. Lorsque je vis Sophia pour la première fois, maigre et sale, elle ne ressemblait en rien au superbe chat sociable qu'elle avait été.

Les chats sont déprimés par les mêmes choses que nous : mort, divorce, maladie, solitude, la liste est longue. Comment reconnaître un état dépressif ? Guettez des changements dans les habitudes de votre chat, particulièrement en cas de crise. Surveillez son caractère, son niveau d'activité, son appétit, la façon dont il se toilette et utilise sa caisse, son rythme de sommeil et son apparence générale.

Après avoir consulté le vétérinaire, essayez de rendre le goût de vivre à votre chat. Livrez-vous à de nombreuses séances de jeux interactifs. Si l'animal reste seul pour de longs moments, demandez à un ami (ou à un garde-chat salarié) de venir quotidiennement jouer avec lui. Placez un arbre à chats devant une fenêtre, ouvrez les rideaux pour laisser entrer le soleil. Nourrissez l'animal à la main pour réveiller son appétit et renouer vos liens. Aidez-le à entretenir son pelage par des brossages quotidiens. Le massage de la brosse lui fera le plus grand bien. N'oubliez pas de lui donner occasionnellement de l'herbe à chats !

Si la dépression est due à un changement de mode de vie de votre part, et que vous êtes souvent absent (par exemple des voyages fréquents), envisagez de lui donner un autre chat à titre de compagnon.

Bruyantes aventures nocturnes

Vous êtes couché, prêt à vous endormir, quand soudain il y a un grand bruit dans la pièce voisine. Vous vous levez d'un bond, persuadé d'avoir aussi entendu un cheval au galop dans l'entrée. Que diable se passet-il donc ? Vous allumez la lumière et allez voir. Votre chat est assis dans un coin, l'air parfaitement innocent. À côté de lui se trouvent les douze roses qu'on vous a offertes aujourd'hui, et aussi le vase qui les contenait. Bien sûr, le vase est en miettes au milieu d'une flaque d'eau. Le chat cligne des yeux, bat de la queue et s'en va. Ce qui vous a fait l'effet d'un cheval emballé n'était qu'un chat de quatre kilos commençant une nuit de fête.

Les chats sont des animaux nocturnes. Si on a parfois la chance que l'animal ait la bonté de s'adapter à nos horaires diurnes, ce n'est pas toujours le cas. Afin de pouvoir dormir tranquille, il vous faudra procéder à quelques préparatifs.

Si vous nourrissez votre chat à heure fixe, divisez la quantité de nourriture par trois et donnez-lui deux portions aux moments usuels. Avant de vous coucher, *juste* avant, procédez à une séance de jeu interactif d'un quart d'heure puis donnez-lui la troisième portion. L'exercice lui fera dépenser son énergie et le repas l'ensommeillera sans doute. Attendez, ne vous couchez pas encore – il vous reste des choses à faire. Sortez un jouet d'activité que le chat découvrira plus tard, et mettez-le loin de votre chambre pour que le bruit ne vous dérange pas. Il convient de changer régulièrement de jouets pour que l'animal ne s'en lasse pas.

Si possible, laissez les rideaux d'une fenêtre ouverts et placez devant un arbre à chats pour qu'il puisse observer ce qui se passe. Je laisse les volets ouverts dans la chambre d'amis parce qu'elle donne sur une cour très tranquille. Mes chats adorent s'installer sur le lit pour surveiller les insectes et autres petites créatures nocturnes vaquant à leurs affaires.

Traces de pattes sur le plan de travail

La maison est tranquille et il ne semble rien se passer d'intéressant, aussi le chat va dans la cuisine. Rien ne l'attire au niveau du sol ; il atterrit donc d'un bond gracieux sur le plan de travail. Son maître jaillit soudain de nulle part en hurlant et lui envoie de l'eau au visage. Paniqué et trempé, l'animal s'enfuit et va se cacher sous un lit où il reste une heure. Le maître repose le pulvérisateur sur l'étagère et retourne regarder la télévision en pensant : « Je finirai par dresser ce chat ! » Quant à lui, l'animal se dit : « Mon maître est un fou furieux !!! » En résumé, cette méthode de dressage ne vaut rien.

La meilleure façon d'empêcher un chat de monter sur les plans de travail, les tables ou tout meuble que vous décidez de lui interdire est d'en revenir à deux des techniques mentionnées au début de ce chapitre : le *contrôle à distance* et la *redirection*. Veillez à la constance en ce qui concerne les endroits interdits. Ne troublez pas l'animal en lui permettant de monter sur la table hors des repas et en le lui interdisant quand de la nourriture s'y trouve. Il ne pourra pas comprendre, et c'est injuste de le lui demander.

Je préfère employer une dissuasion non stressante et silencieuse. Je pose sur le plan de travail plusieurs napperons en plastique bon marché sur lesquels j'ai collé du scotch double-face. Il faut recouvrir toute la surface interdite au chat. Cela rendra l'endroit désagréable pour lui, et il sautera par terre immédiatement. Laissez les napperons en permanence sur la surface interdite, sauf quand vous voulez l'utiliser, et remettez-les tout de suite après. Le chat finira par se dire que le plan de travail n'est pas un endroit aussi agréable que ça. Ne vous pressez pas trop de retirer les protections, quelques jours d'inconfort en valent la peine pour avoir un chat bien dressé. Quand vous les enlevez, faites-le un par un, en étalant sur plusieurs jours.

Une autre façon d'empêcher un chat de sauter sur une table est de mettre quelques pièces dans des canettes métalliques (en bouchant l'ouverture avec du scotch), puis de les aligner au bord de la table. Quand l'animal saute dessus, il renverse les canettes et est effrayé par le bruit. Je préfère utiliser du scotch double-face pour deux raisons : une fois que les canettes sont tombées par terre, la table redevient attirante, alors que les napperons couverts de scotch restent en place. La seconde raison est que, si vous avez plusieurs chats, le bruit fait peur non seulement au coupable mais aussi à l'innocent. Que se passera-t-il si un des chats se sert de sa caisse ou de son griffoir lorsqu'il entend un fracas de boîtes métalliques ? Il faut ne dresser que le chat pour lequel c'est nécessaire. Je n'aime pas non plus utiliser des ballons de baudruche, pour la même raison. Un ballon qui éclate m'effraie *moi,* j'en imagine l'effet sur un petit chat.

Supposons maintenant que vous vous trouviez dans la cuisine en train de préparer le dîner, si bien que les napperons ne sont pas en place. Vous voyez le chat s'apprêter à sauter sur le plan de travail, que faites-vous ? C'est le moment où un bref jet d'eau est utile. Servez-vous d'un pulvérisateur réglé pour produire un filet d'eau et non une brume, vous pourrez ainsi viser le chat plutôt que d'asperger les environs. Un jet d'eau sera de toute façon plus efficace car un animal au pelage épais pourrait ne même pas sentir une brume. Il vous faudra être rapide, vous avez donc intérêt à garder le pulvérisateur plein sur le plan de travail. Le secret est de ne pas laisser l'animal comprendre que le jet d'eau venait de vous. Soyez aussi furtif que possible. Si vous ne pouvez pas vous cacher, montrez-vous aussi discret que possible. Un bref jet sur les fesses du chat suffit. Si vous visez son visage, il risque de vous voir, et ce n'est pas une bonne idée d'envoyer de l'eau vers les yeux ou le nez d'un chat.

Un pulvérisateur ne convient pas à proximité de beaux meubles ou dans un endroit qu'il ne faut pas mouiller. Vous pouvez alors vous servir d'une bombe à air comprimé. Il est *très* important de ne viser que le derrière du chat, jamais sa face ni ses oreilles.

Si vous découvrez le chat sur une surface dépourvue de protections et n'avez pas votre pulvérisateur à portée de main, contentez-vous de le soulever, de dire « non » (sans crier, un « non » ferme suffit) et de le poser par terre. Ne le faites pas tomber d'un revers de main et ne le prenez pas non plus dans vos bras pour l'embrasser et le caresser avant de le reposer au sol. Jugez de la situation par vous-même.

Maintenant, la partie *redirection* du dressage. Les chats aiment les endroits élevés, fournissez-lui donc un arbre à chats. Les miens n'ont pas le droit de sauter sur les plans de travail, mais il y a un arbre à leur disposition près de la fenêtre de la cuisine. Ils sont en hauteur et je n'ai pas besoin d'expliquer à mes invités pourquoi il y a des poils de chat dans le fromage.

Griffures et morsures pendant le jeu

Je peux d'habitude reconnaître le propriétaire d'un nouveau chat en regardant ses mains. Vos dix doigts sont des jouets si commodes pour l'attirer ! Toutefois, cela transmet au chaton le message suivant : il est permis de mordre. Une fois l'animal adulte, vous trouverez ça moins drôle.

Dès le début, servez-vous de jouets interactifs pour éviter les confusions. Comme pour tous les aspects du dressage, il faut être constant. Si un membre de la famille laisse un chaton le mordre, celui-ci ne pourra jamais être dressé.

Que faire si un chaton vous mord par accident en jouant ? S'il tient encore votre main entre ses dents, n'essayez pas de la retirer. C'est important parce que, dans ce cas, il refermera instinctivement ses mâchoires en réponse au mouvement de la proie. Restez immobile et faites un geste de l'autre main pour détourner son attention, par exemple une tape sur une table ou sur le sol. Surpris, il relâchera sa prise sans associer le bruit effrayant avec vous. S'il refuse de desserrer les dents, poussez la main *vers lui* avec douceur, ce qui lui fera automatiquement ouvrir la bouche et l'étonnera quelques instants. Une proie ne s'approche jamais volontairement d'un prédateur, il desserrera donc les dents. Une fois votre main libérée, prenez un jouet interactif pour rediriger ses morsures vers une cible plus appropriée.

Utilisez la même technique pour des griffures accidentelles.

Ne punissez, frappez ou grondez jamais un chaton pour des coups de dents lors d'un jeu. Le meilleure façon de le dresser est de rediriger son comportement vers un jouet. N'admettez jamais d'exception à la règle interdisant les morsures. Si, dans votre lit, vous agitez les doigts sous le drap et que le chaton vous mord, vous aurez sérieusement fait reculer son dressage.

Que vous laissiez ou non votre chat sortir, vous ne voulez certainement pas qu'il essaie de forcer le passage.

Il ne faut jamais appeler ou accueillir l'animal à la porte d'entrée. Si vous le hélez dès votre arrivée, il risque de se mettre à vous attendre près de la porte. Le bruit de la clef dans la serrure attirera son attention, et il aura le temps de se faufiler par l'entrebâillement. Au lieu de saluer votre chat à la porte, déplacez-vous de quelques mètres et faites de cet endroit la zone d'accueil officielle. Ignorez-le avant de vous y trouver. Si vous agissez ainsi de façon répétée, il commencera à vous attendre plus près de la zone d'accueil que de la porte.

Pour empêcher l'animal de filer quand vous *sortez* de chez vous, dites-lui au revoir à un endroit précis, comme son arbre à chats. Vous pouvez laisser à proximité un jouet d'activité contenant des friandises, pour l'occuper. Si la nourriture ne l'intéresse pas assez, lancez un jouet loin de la porte. Quand je dressais Albie, j'envoyais une balle de ping-pong rouler dans la cuisine. Il était incapable de résister à ce bruit et je l'entendais encore faire rouler la balle alors que j'attendais l'ascenseur au bout du couloir. Mes voisins ne se sont jamais plaints, mais je suppose que mon départ ne les a pas trop chagrinés.

Si toutes les méthodes de redirection échouent et que votre chat essaie toujours de forcer le passage, demandez à un ami de se tenir à l'extérieur et d'ouvrir un peu la porte, pas assez pour que l'animal puisse passer. Si le chat s'approche, cette personne doit lui envoyer un jet d'eau ou utiliser une bombe d'air comprimé pour le surprendre (souvenez-vous, *jamais* en direction du visage – comme dans ce cas le chat fera face au jet, il faut viser le poitrail ou les pattes avant).

Il est important que le chat ne voie pas l'humain et croie que la porte elle-même est la cause de cette affreuse expérience.

De la mendicité

Je suis de caractère plutôt facile, mais il y a à la maison quelques règles inviolables. Aucun animal ne reçoit de nourriture à table – jamais. Quand je suis invitée à dîner chez des amis, je trouve très désagréable de manger pendant que leur chien me fixe en bavant par terre. Je n'aime pas non plus que leur chat saute sur la table ou me griffe la jambe.

Nourrir un chat à table est mauvais pour son équilibre nutritionnel, le rend difficile, lui fait courir un risque d'obésité et de problèmes de santé parce que nombre de nos aliments sont trop riches et épicés pour des chats.

Si le vôtre se met à mendier, donnez-lui un jouet d'activité, ou prévoyez de lui donner son repas à l'heure où vous mangez.

Si tout le reste échoue, gardez un pulvérisateur sur la table ; une fois de plus, souvenez-vous qu'il faut être discret pour qu'il ne l'associe pas à vous.

Agression

C'est un sujet effrayant. On n'a pas envie d'envisager la possibilité qu'un gentil petit chat se transforme en une bête féroce qui gronde, mord et griffe, mais ignorer les signes avant-coureurs peut se révéler désastreux pour vous et pour l'animal.

Un chat agressif n'agit pas par méchanceté, pour vous défier ou parce qu'il prend plaisir à votre peur. Il se comporte ainsi parce qu'il a l'impression de ne pas avoir le choix. En comprenant mieux ce qui provoque l'agression, et les différents types d'agression, vous pouvez dans beaucoup de cas prévenir un tel comportement.

À l'état sauvage, l'agressivité joue un rôle crucial dans la survie d'un chat. Elle lui permet de capturer des proies, de défendre son territoire, de s'accoupler, de protéger ses petits et de survivre.

Un chat domestique donne en général des signes avertisseurs d'une attaque imminente, comme des grondements sourds, des frémissements de la peau, des battements de queue et des coups de patte sur le sol, griffes rentrées. Certains chats donnent plusieurs avertissements, d'autres un seul, et il existe des chats qui ne préviennent nullement qu'ils vont attaquer. Si votre chat se montre soudain et de façon inexplicable agressif, le mieux est de le laisser tranquille. Toute tentative de le toucher, de le caresser et de le réconforter ne fera qu'augmenter sa panique, et vous risquez d'être blessé. L'agressivité étant un comportement dont les conséquences peuvent être graves, consultez votre vétérinaire pour vous assurer que le problème n'est pas d'ordre médical. Il vous conseillera peut-être de vous adresser à un spécialiste du comportement animal.

Voici quelques formes d'agression rencontrées chez les chats.

AGRESSION DURANT LE JEU

Vos innocentes chevilles en sont généralement les victimes. Vous passez à côté du lit, et soudain vos pieds sont attaqués par des dents aiguës et des griffes acérées. C'est toutefois une attaque brève, le chat s'enfuyant immédiatement.

Ce type d'agression vient d'un chat qui ne joue pas assez et doit donc se contenter des cibles mouvantes qu'il trouve ; vos pieds sont souvent ce qu'il y a de plus tentant.

Pour corriger ce comportement, employez des jouets interactifs au moins deux ou trois fois par jour, pendant un quart d'heure au minimum. Cela lui permettra de dépenser son énergie et lui apprendra ce qu'il est permis de mordre (les jouets) ou non (vos pieds). Changez régulièrement de jouets pour éviter que le chat ne s'ennuie.

Rappelez-vous de ne jamais laisser l'animal vous mordre les doigts pendant le jeu. Si vous laissez vos doigts être considérés comme des jouets, il supposera qu'il en va de même pour vos orteils.

AGRESSION DUE À LA PEUR

Dans ce cas, il faut laisser l'animal tranquille. Un chat terrifié ne pense pas clairement et verra toute tentative de réconfort comme une menace.

Un chat prêt à attaquer par peur se tient ramassé sur le sol, les pupilles dilatées et les oreilles aplaties ; en général, il gronde et feule. Il présente d'habitude le flanc, avec la tête et les pattes avant tournées vers son assaillant. Dans cette position, le corps et l'arrière-train sont prêts à la fuite, mais la tête et les pattes avant disponibles pour la défense. L'agressivité due à la peur est une émotion conflictuelle pour un chat, il ne veut pas se trouver là mais est prêt à se battre si nécessaire.

C'est une attitude que voient beaucoup de vétérinaires quand on leur amène des chats. Cela peut être la seule occasion où le maître verra son animal se conduire de façon aussi effrayante.

Si votre chat se comporte ainsi, laissez-le tranquille. Si vous êtes chez vous, sortez de la pièce et donnez-lui le temps de se calmer. Si vous comprenez la cause de son effroi et pouvez l'éliminer, faites-le vite, avec calme, puis laissez l'animal seul et n'essayez pas

195

d'avoir de contact avec lui tant qu'il n'a pas repris d'activités normales comme manger, utiliser sa caisse ou réclamer votre attention. Si l'animal est blessé et montre ce type d'agressivité, transportez-le de façon sûre chez le vétérinaire (voir chapitre XVIII).

AGRESSION LIÉE À DES CARESSES OU À UNE SURSTIMULATION

C'est tout à fait inattendu. Votre chat est couché sur vos genoux, appréciant les tendres caresses de votre main sur son dos. Soudain, apparemment sans avertissement, il tourne la tête et vous plante ses crocs dans le poignet ou vous saisit la main de ses pattes, griffes sorties. Voyons ce qui s'est passé. Le chat était détendu sur vos genoux et vous le caressiez. Cela paraît bien innocent. De votre point de vue, il a attaqué sans prévenir. C'est là qu'il y a un problème de communication, parce qu'il vous a presque certainement averti qu'il en avait assez. Les signes que le maître souvent ne remarque pas comprennent des battements de queue, des tressaillements de la peau et des changements de position. Parfois, le chat vous regarde à plusieurs reprises, essayant de comprendre pourquoi le message ne vous parvient pas. Quand il se retourne pour mordre, c'est que la surstimulation est allée trop loin. Rappelez-vous qu'à l'état sauvage les chats ne sont pas des animaux de contact. Certains ne supportent pas d'être touchés longtemps avant que le plaisir devienne inconfort.

Prêtez plus attention au langage corporel de votre chat pour savoir s'il approche de la surstimulation. S'il bat de la queue, cessez de le caresser *immédiatement*. Même chose pour les autres signes d'avertissement. Laissez-le où il se trouve le temps qu'il se calme.

La meilleure chose à faire est de ne jamais plus atteindre la phase d'avertissement. Si vous savez que votre chat se sent mal à l'aise après cinq minutes de caresses, cessez au bout de trois. En arrêtant avant que cela lui déplaise, vous apprécierez tous deux plus les caresses, et il n'associera pas vos mains à de l'inconfort. Il ne faut pas que l'animal croie que la seule façon d'interrompre vos caresses est de vous blesser.

Si votre chat ne tolère même pas une petite caresse sur le dos, contentez-vous de le laisser s'asseoir sur vos genoux ou sur le canapé à vos côtés. Mettez-le en confiance en n'essayant pas de le toucher. Avec le temps, vous pourrez tendre la main et le gratter sous le menton ou sur le dessus de la tête, ce sont les deux endroits qu'un chat préfère. Certains chats n'aiment pas les caresses sur le dos. Prêtez attention aux indices que le vôtre vous donne. J'ai un chat qui adore les caresses sur la tête et les épaules, ainsi que sous le menton. Il n'aime pas les caresses sur le dos, aussi je les évite. Il m'a fait savoir ce qu'il préfère et j'y ai prêté attention. En conséquence, il n'a pas à craindre que j'enfreigne les règles.

Une autre erreur courante est de caresser le ventre d'un chat. Un contact sur cette zone extrêmement vulnérable provoque une réponse défensive ; le chat se met sur le dos, sortant toutes ses griffes. Un chat n'expose pas son ventre en signe de soumission. Si vous mettez cette théorie à l'épreuve, vous perdrez à chaque fois.

AGRESSIVITÉ REDIRIGÉE

Le chat regarde paisiblement par la fenêtre quand soudain un chat inconnu apparaît dans le jardin. Vous vous approchez pour comprendre son agitation et il vous envoie un coup de griffes. Vous n'étiez pas la cible voulue, mais il est dans un tel état qu'il s'attaque à la victime la plus proche faute de pouvoir s'en prendre à la cause réelle de son excitation.

Laissez-le tranquille le temps qu'il se calme. Empêchez-le d'avoir accès à cette fenêtre un moment (même si cela signifie fixer un carton sur la partie basse). Faites de votre mieux pour empêcher d'autres chats d'aller dans votre jardin.

Si vous avez plusieurs chats, un d'eux peut être victime de l'agressivité redirigée d'un autre animal. Au lieu que ce soit vous qui vous approchiez du chat agité, c'est son compagnon. *Bang !* Le malheureux est attaqué sans avertissement. Les deux amis se battent puis s'évitent pour le reste de la journée, n'entrant dans la même pièce qu'aux heures de repas, et même alors ils grondent et feulent.

Malheureusement, l'agression redirigée peut mettre en danger la relation entre les deux animaux longtemps après le départ de l'intrus. La victime innocente se montre inquiète, sur la défensive, en présence du chat qui l'a attaquée, ce qui entretient l'agitation de l'agresseur. Ils ne se font plus confiance. Le mieux est de séparer les deux chats dès que possible après un tel incident. Enfermez-les dans des pièces différentes pour la journée. S'ils ne se voient pas, il y a moins de chances qu'ils restent agités et qu'ils associent l'incident avec leur compagnon. Une fois calmés, donnez-leur des friandises et procédez à une séance de jeu individuelle, calmement et sans excitation, avec chacun d'eux. Dans la plupart des cas, quand vous les remettrez en présence le lendemain, l'incident aura été oublié.

Si une agression redirigée a causé une querelle ouverte entre vos chats, séparez-les et repartez de zéro. Isolez-les pendant plusieurs jours et procédez avec lenteur à une nouvelle présentation, presque comme pour deux chats qui ne se connaissent pas (voir chapitre XI).

AGRESSION TERRITORIALE

Les chats n'étant pas des animaux de meute, l'agression territoriale est cruciale à l'état sauvage. Un chat d'intérieur peut manifester le même comportement s'il croit que son territoire est menacé.

De telles guerres peuvent se produire chez vous entre chats qui se connaissent bien. Elles peuvent concerner une partie importante de la maison ou se fragmenter, de nombreuses petites zones étant concernées. Par exemple, les chats peuvent se battre pour le territoire représenté par le lit du maître. Des endroits de choix comme une fenêtre ensoleillée, un siège confortable, ainsi que l'accès à la nourriture ou à la caisse peuvent être sans cesse remis en cause.

Si un conflit territorial se déroule chez vous, essayez de détendre l'atmosphère dans les zones en question. Avoir plusieurs caisses permet aux chats de ne pas devoir se rencontrer lors de ces moments où ils se sentent vulnérables. Il convient que chaque animal dispose de son propre bol de nourriture et, en cas d'agression lors des repas, placez les bols dans des pièces différentes.

Servez-vous de jeux interactifs pour dissiper la tension et pulvérisez du Feliway dans la maison. Soyez attentif au langage corporel de vos chats et notez à quelles heures et quels endroits se produisent des heurts. Quand vous vous apercevez que des ennuis se préparent, détournez l'attention de l'agresseur. Vous voyez un chat endormi sur un fauteuil, et l'autre s'approche pour l'en chasser ? Redirigez l'assaillant grâce à un jouet interactif. Si vous agissez avant qu'il attaque le chat endormi, vous pouvez l'éloigner. Si vous vous y prenez bien, cette relation guerrière entre les deux animaux disparaîtra assez vite.

Quand les deux chats se trouvent dans la même pièce et se menacent des yeux, détournez leur attention de manière positive. Lancez quelques friandises dans différentes directions, pour qu'ils ne se cognent pas l'un dans l'autre en courant après, ou servez-vous de jouets interactifs. Grâce à des actions positives plutôt

que des réprimandes, chaque chat établira des associations favorables avec l'autre.

AGRESSION LORS DES REPAS

Dans une maison où vivent plusieurs chats, il est
possible qu'un individu domine agressivement la zone
où est distribuée la nourriture, et en chasse parfois les
autres. Si vous distribuez les repas à heure fixe, chaque
animal doit avoir son propre bol. N'utilisez pas de bols
doubles, ils obligent les chats à une inconfortable proximité. Si nécessaire, nourrissez-les aux deux extrémités
de la cuisine, ou même dans des pièces différentes. Il
faut que chacun puisse manger sans se sentir menacé.

Si le problème perdure, envisagez de laisser de la
nourriture sèche disponible en permanence, à plusieurs
endroits.

AGRESSION PROVOQUÉE PAR LA DOULEUR

Si vous infligez de la souffrance à un animal, le
simple bon sens vous dira que la bête va se défendre.
C'est une autre raison pour laquelle les punitions ne
font qu'empirer la situation que vous voulez améliorer.

Cette agression peut aussi se produire quand vous
brossez le chat et lui faites mal, par exemple en tirant
sur un nœud de poils. Les chats ont le corps très
sensible et réagissent vivement à la douleur. Pour
savoir comment toiletter un chat, référez-vous au chapitre XII.

Une autre cause fréquente d'agression due à la souffrance est l'apparition d'un abcès consécutif à une
bagarre, sans que le maître en ait conscience. Quand
vous caressez l'animal et touchez cet endroit extrêmement sensible, il peut vous griffer. Si un chat qui
d'habitude aime être caressé réagit soudain avec vio-
lence, courez – ne marchez pas, courez – chez le vétérinaire, car il est probable qu'il souffre d'un abcès ou
d'une autre blessure.

AGRESSION PRÉDATRICE

Ce n'est *pas* un comportement négatif, malgré la sensiblerie du maître ou son amour de la nature. Les chats sont des prédateurs. S'il y a des proies à proximité, tout prédateur digne de ce nom les chassera. La seule façon d'empêcher votre chat de ramener chez vous souris, oiseaux ou écureuils morts est de ne pas le laisser sortir.

AGRESSION DUE À DES MANIPULATIONS
MALADROITES OU À DES MAUVAIS TRAITEMENTS

Guère besoin d'y réfléchir. Un chat qu'on a battu ou manipulé brutalement a tout à fait le droit de se protéger. Le seul problème est de savoir comment convaincre un tel animal de vous faire confiance lorsque vous l'adoptez. La réponse est : très lentement. Il faut qu'il ait l'impression de contrôler sa vie de nouveau. Laissez le chat décider de la distance qu'il veut maintenir entre vous. Donnez-lui à manger dans votre main, pratiquez des jeux interactifs et, quand il s'approchera, ne trahissez pas sa confiance. Si fort que vous ayez envie de le prendre dans vos bras, de le câliner et de lui montrer combien vous l'aimez, il n'y est pas encore prêt. La confiance vient lentement. Une fois qu'il vous aura accordé la sienne, ne lui donnez jamais l'occasion de le regretter.

AGRESSION NON PROVOQUÉE

Si votre chat se montre agressif sans que vous puissiez en déterminer la raison, montrez-le à un vétérinaire, la cause peut être de nature médicale.

Si le vétérinaire ne trouve rien, examinez de nouveau l'environnement de l'animal pour vérifier. Cela pourrait être un cas d'agression redirigée.

Il y a toute chance que vous n'ayez jamais affaire à un chat se montrant démesurément agressif pour des raisons inconnues mais, si cela se produit, adressez-vous à un professionnel. Si vous essayez de régler un tel problème vous-même, à moins de savoir ce que vous faites, vous courez un risque sérieux.

Ne vous battez pas avec votre chat, ne le rudoyez pas et ne vous résignez pas à avoir peur de lui. Commencez par consulter votre vétérinaire. Une fois toutes les causes médicales possibles éliminées, il pourra vous conseiller un spécialiste du comportement animal avec lequel il a déjà travaillé. S'il n'en connaît pas, adressez-vous à une école vétérinaire.

Presque tous les cas d'agression pour lesquels j'ai été consultée avaient une cause que j'ai pu identifier. Le maître peut ne pas y parvenir mais, connaissant l'environnement du chat, son histoire et les circonstances des attaques, j'arrive très souvent à en comprendre la raison. Si vous vous adressez à un spécialiste du comportement, il pourra vraisemblablement diagnostiquer la cause du problème et préparer un programme convenant à votre chat.

THÉRAPIE CHIMIQUE

On dispose heureusement aujourd'hui de plusieurs médicaments efficaces pour la modification du comportement. Bien supérieurs aux produits utilisés il y a des années, ces médicaments présentent moins d'effets secondaires et nombre d'entre eux peuvent être utilisés sur de longues périodes. Si vous croyez qu'un chat sous traitement dort toute la journée ou a l'air d'un zombie, vous n'êtes pas au courant des progrès de la médecine vétérinaire.

Cela dit, la thérapie chimique n'est pas de la magie et ne fera pas disparaître instantanément les problèmes. Il convient de l'employer en même temps que des techniques de modification du comportement et sous surveillance vétérinaire.

En tant que spécialiste du comportement, je suis souvent le dernier recours avant que l'animal se retrouve dans le Couloir de la Mort. Beaucoup de chats sont euthanasiés pour des problèmes de comportement qui auraient pu être résolus. Ne renoncez pas trop vite. Le chat fait partie de la famille, il a le droit d'avoir sa chance. De nombreux maîtres avec lesquels j'ai travaillé ont maintenant une relation heureuse avec leur chat – des chats que seul un coup de téléphone séparait de la mort.

Depuis des années que je fais ce travail, j'ai rencontré deux chats qui ont dû être euthanasiés pour des problèmes d'agressions graves (dans les deux cas, la cause en était de nature médicale). Ce n'est pas une décision à prendre à la légère. La vie de votre chat dépend de votre jugement. Prenez rendez-vous avec le vétérinaire, asseyez-vous et discutez des possibilités.

Transformer un chat d'extérieur en chat d'intérieur

Que ce soit à cause d'un déménagement, de l'âge de l'animal, du mauvais temps, ou parce que vous ne voulez pas le laisser exposé aux dangers du monde extérieur, il vous faudra aider votre chat à surmonter ce changement de mode de vie. Vous hochez peut-être la tête en vous disant que ce sera difficile, mais ça l'est moins que vous ne le croyez – si vous pouvez penser comme un chat.

La première chose à faire est de regarder autour de vous pour évaluer de nouveau l'environnement. Faites le tour de votre maison et essayez de la voir du point de vue du chat. Puisqu'il n'aura plus la possibilité d'attraper des proies, d'observer les insectes, de se faire les griffes sur les arbres et de somnoler au soleil, qu'aura-t-il en retour ? L'environnement intérieur sera-t-il aussi stimulant que l'extérieur ? Grâce à vous, cela peut être le cas.

Dehors, il avait des endroits parfaits où se faire les griffes, grâce à la générosité de la Nature. Que trouvera-t-il à la maison ? Fournissez-lui un grand poteau robuste à la surface rugueuse qui lui permettra à la fois de se faire les griffes et de s'étirer (voir chapitre IX). Si vous avez remarqué quel type de surfaces il grattait à l'extérieur, vous pouvez l'utiliser pour son poteau. Par exemple, préférait-il l'écorce des arbres ou le bois nu d'une clôture ?

Offrez-lui la version intérieure d'un arbre grâce à un arbre à chats comportant plusieurs niveaux. Si, contrairement à moi, vous êtes bricoleur, vous pouvez le faire vous-même. Selon la place et le budget dont vous disposez, il vous est possible de créer une salle de gymnastique et une jungle à la fois. Mais vous n'êtes pas obligé d'aller jusqu'à ces extrémités, deux poteaux surmontés chacun d'une plate-forme suffiront. Il faut que les plates-formes soient à des hauteurs différentes pour qu'un chat peu agile puisse y monter. Chez moi, les poteaux des arbres à chats sont en bois nu ou recouverts de corde pour tenir compte des préférences de chaque animal. Placez l'arbre près d'une fenêtre ensoleillée et le chat pourra non seulement regarder les oiseaux mais faire la sieste.

Les proies en quantité illimitée (ou du moins les proies potentielles pour un chasseur moins que parfait) et les autres tentations du monde extérieur peuvent donner à votre chat maintenant d'intérieur l'impression qu'on l'a envoyé à Alcatraz. Des séances régulières de jeux interactifs l'amuseront et lui feront prendre de l'exercice, et surtout éviteront des comportements indésirables et destructeurs. Un chat actif toute la journée ne s'habituera pas immédiatement à rester sagement heure après heure devant la fenêtre.

Si votre chat avait l'habitude de sortir à des heures précises, il ne comprendra pas pourquoi vous ne respectez plus les règles du jeu. Il risque de rester près de la porte en fixant la poignée comme dans l'espoir qu'elle s'ouvre. Si ces signaux subtils n'ont aucun effet, il vous suivra sans doute partout en miaulant régulièrement pour vous ramener à la réalité. Il peut à la fin décider de ne plus compter sur vous et de s'évader seul. Les plans d'évasion les plus courants consistent à essayer de creuser le sol et de griffer la porte. Un animal particulièrement intelligent peut agir comme s'il avait abandonné la lutte et s'était résigné à sa condition de chat d'intérieur, mais il prévoit en fait de se précipiter vers la porte dès qu'elle s'ouvrira. Pour éviter des dégâts domestiques, et vous empêcher de devenir fou, vous devrez utiliser des techniques de redirection pour l'éloigner de la porte. Reportez-vous à la section consacrée aux tentatives de fuite.

Occupez votre chat grâce à des jouets d'activité en votre absence ou si vous ne pouvez procéder à des jeux interactifs. Un chat habitué aux changements inattendus du monde extérieur appréciera de trouver un jouet nouveau contenant des friandises, un carton ou un sac en papier ouvert.

Si l'animal ne connaissait pas l'usage de la caisse à chat parce qu'il faisait ses besoins dehors, confinez-le dans une pièce jusqu'à ce qu'il ait appris ses leçons. Servez-vous d'une caisse sans couvercle et d'une litière non parfumée. Une litière présentée sous forme de fins granulés sera sans doute mieux acceptée que de l'argile, car sa texture ressemblera plus au sol et au sable dont il a l'habitude.

CHAPITRE VIII

Le bac à litière : ce qu'il faut savoir pour éviter les problèmes

C'est la plus grande source de malentendus. Si le chat utilise normalement le bac à litière, tout est paisible à la maison. Mais s'il se met à rejeter sa caisse, la vie devient insupportable. Les tensions sont fortes, des punitions sont souvent infligées et, dans de nombreux cas, le chat est confié à un refuge et/ou euthanasié. Une relation d'amour entre le maître et l'animal se transforme en pénible bataille quotidienne que personne ne gagne.

Vous ne « gagnerez » jamais si vous considérez ça comme une bataille. Vous devez au contraire voir le bac à litière du point de vue du chat et comprendre le rôle qu'il joue dans sa vie. Si vous avez parfois pensé qu'il refusait délibérément de l'utiliser pour vous contrarier, c'est que vous ne regardiez pas la caisse avec ses yeux. Cessez de penser comme le maître de l'animal. Si pour vous le bac n'est qu'un récipient de plastique rempli de litière qu'on fourre dans un coin de la buanderie, vous sous-estimez son pouvoir sur les émotions de votre chat.

En sachant choisir la meilleure caisse, l'endroit où la mettre et la façon de vous en occuper, en comprenant les signaux que le chat vous transmet à ce sujet, vous aurez de bonnes chances d'éviter tout un tas de problèmes.

Il n'y a pas de truc magique. Les maîtres essaient sans cesse de trouver un moyen d'empêcher l'odeur du bac de se répandre dans l'appartement et, malheureusement, ils se rabattent sur des solutions temporaires et improvisées. Erreur ! La meilleure – et la seule – façon de réduire l'odeur de la caisse, c'est... de la maintenir propre.

Une des choses qui nous attirent chez les chats est qu'ils utilisent un bac à litière, mais beaucoup de maîtres ne comprennent pas l'origine de ce comportement. L'instinct qui amène le chat à enterrer ses excréments provient d'une nécessité bien plus importante que le confort du maître. C'est la *survie* qui pousse le chat à ce rituel. L'urine d'un chat est très concentrée et dégage une puissante odeur que dans la nature un prédateur peut détecter. À l'état sauvage, les chats urinent et défèquent loin de leur nid, et enterrent le résultat pour ne pas attirer de prédateurs vers leurs petits. Pour des raisons de sécurité, ils n'éliminent pas là où ils mangent, dorment, jouent ou élèvent leur progéniture. Un chat domestique a les mêmes instincts.

Quel type de bac ?

Je trouve étonnant de voir à quel point certains bacs à litière sont devenus compliqués et élaborés. On trouve aujourd'hui des bacs qu'on nettoie simplement en les retournant ou, mieux encore, qui se nettoient eux-mêmes électroniquement. Les fabricants continuent de se démener pour obtenir une caisse demandant si peu d'entretien que le maître aura à peine conscience de sa présence. Cela pose deux sortes de problèmes : 1) Si le maître n'a pas besoin de nettoyer régulièrement le bac, il ne pourra pas *surveiller* l'usage qu'en fait le chat. Par exemple, si vous ne nettoyez pas la caisse quotidiennement, vous pouvez ne pas vous apercevoir que l'animal souffre d'une diarrhée. 2) D'après mon expérience, plus la caisse est compliquée, moins le chat est susceptible de l'utiliser régulièrement.

Tout ce dont vous avez besoin, c'est d'un bac tout simple. Dans le magasin, pendant que vous regardez des dizaines de bacs, pensez à l'âge, à la taille et à l'état de santé de votre chat. Si vous avez un petit chaton, ne commencez pas par un immense récipient dont les bords seraient trop hauts pour lui. Il vaut mieux acheter d'abord une petite caisse en attendant qu'il ait grandi. D'un autre côté, si le chat est de grande taille, il faut que la caisse soit suffisamment vaste pour qu'il y bouge sans difficulté.

Le bac à litière de base est un récipient rectangulaire en plastique. Sa taille varie, depuis les modèles assez petits pour rentrer dans une cage, jusqu'à ceux qui peuvent accueillir plusieurs chats. Les maîtres font souvent l'erreur d'acheter une caisse trop petite, afin de pouvoir la fourrer dans un recoin. Tenez compte de la taille de l'animal et choisissez une caisse qui lui permette de faire ses besoins à deux ou trois endroits tout en conservant assez de litière propre pour s'y tenir. D'une manière générale, la longueur du bac doit être égale à deux fois celle du chat, et sa largeur à une fois environ. Si vous avez plusieurs chats de tailles très différentes, prenez pour repère l'animal le plus grand. C'est une partie importante de la vie de votre chat, alors ne réduisez pas les dimensions de la caisse pour la faire entrer sous la coiffeuse. Gardez présents à l'esprit les besoins de votre chat en faisant vos courses. Si vous ne trouvez pas le modèle qui lui convient dans les animaleries, si par exemple il projette de l'urine par-dessus les bords d'un bac ordinaire, regardez dans un grand magasin les boîtes de rangement en plastique. Il y en a de toutes tailles, et vous en trouverez sans doute une qui conviendra parfaitement grâce à ses côtés plus hauts.

Pourquoi ne pas prendre une caisse avec couvercle ?, me direz-vous. Bonne question.

LES BACS À COUVERCLE

Ce type de caisse a deux fonctions : contenir l'odeur et empêcher litière et urine d'être répandues dans la pièce. En théorie, cela paraît très plaisant et pratique. Le problème est que cela vous plaît à vous, pas au chat. Un bac couvert contient *bel et bien* l'odeur – et la garde à l'intérieur, si bien que le chat doit affronter cette odeur concentrée chaque fois qu'il veut l'utiliser. Le couvercle limite aussi la circulation de l'air, il faut donc plus longtemps à la litière pour sécher, ce qui renforce l'odeur.

Une caisse couverte peut aussi gêner le chat quand il veut y entrer. Un chat haut sur pattes peut se sentir à l'étroit en essayant de trouver une position confortable. Un chat qui s'accroupit à peine pour déféquer n'aimera pas être obligé de baisser la tête pour éviter de toucher le couvercle. Si vous voulez simplement réduire la dispersion de litière et les projections d'urine, vous feriez mieux de prendre une caisse ouverte aux bords plus hauts. L'effet sera le même, et votre chat se sentira plus à l'aise.

LA LITIÈRE

Si vous vous disiez qu'il existe beaucoup de sortes de caisses, attendez de voir les litières ! Le choix peut être écrasant pour un maître débutant. Il est délicat même pour un propriétaire chevronné. Imaginez donc à quel point cela peut être difficile pour un chat.

Tous les fabricants de litière prétendent avoir la

solution à l'exigence majeure des maîtres : *le contrôle de l'odeur*. On trouve des litières à base d'argile, des litières agglomérantes, etc. Il existe même de la litière plastique réutilisable, et des produits faits de blé, de sciure, de papier journal et d'épis de maïs. Tout est possible. Le choix dépend de ce qui compte le plus pour vous.

Certaines litières se vantent de ne pratiquement pas dégager de poussière. D'autres insistent sur leurs qualités agglomérantes. Que devriez-vous choisir ? Que doit faire un propriétaire de chat ? Voici les éléments de base. La première décision est de choisir entre litière agglomérante et litière normale. La litière à base d'argile est la plus simple. Ce fut la première litière commercialisée, par Edward Lowe, à une époque où les maîtres se servaient de sable. Ce produit est absorbant et économique. La litière agglomérante ressemble à du sable grossier. En présence de liquide, elle forme une boule qu'il est facile d'enlever ; le reste de la litière est propre et sans odeur.

Quand vous choisissez une litière, évitez les produits parfumés. Ces odeurs qui nous semblent agréables sont souvent trop fortes pour le nez d'un chat. Il lui faut pouvoir identifier sa propre odeur dans la litière, et un parfum trop prononcé peut le faire fuir. Si vous nettoyez régulièrement la caisse, vous éviterez les odeurs désagréables sans recourir à un excès de parfum.

De façon générale, du point de vue du chat, une litière doit répondre à trois critères : 1) le contact du substrat (matériau de base) ne doit pas être déplaisant ; 2) il doit être assez meuble pour que le chat y fasse un trou et le rebouche ensuite ; et 3) il ne doit pas avoir d'odeur.

Si vous venez d'adopter ou d'acheter un chaton (ou un adulte), le mieux est au début d'utiliser le produit employé par le précédent maître. Si vous décidez d'en changer, faites-le progressivement pour éviter que le chat ne le rejette.

Je pense pour ma part qu'il faut s'en tenir à ce qu'un chat rechercherait naturellement à l'état sauvage (avec bien sûr quelques modifications). La litière ordinaire à base d'argile, produit de référence pendant de nombreuses années, est absorbante. Certaines marques dégagent beaucoup de poussière et un véritable nuage peut s'élever quand le chat gratte. Vous pouvez même l'entendre éternuer à chaque fois. Choisissez une marque produisant aussi peu de poussière que possible. Les litières agglomérantes évoquent le sable par leur consistance et il est facile au chat d'y creuser un trou. Beaucoup d'entre eux semblent préférer ce type de litière et, dans le cas d'un animal sans griffes, ce substrat doux est plus agréable. Le contrôle de l'odeur est facilité parce qu'il vous suffit de tamiser la litière pour retirer les boules d'urine et les solides.

Il y a toujours eu une controverse au sujet des litières agglomérantes. Certaines personnes craignent qu'en cas d'ingestion, le produit acquière dans les intestins une texture de ciment. Les vétérinaires n'ont jamais signalé de problèmes intestinaux dus à l'ingestion de litière. Si vous avez des inquiétudes, parlez-en à votre vétérinaire.

Vous trouverez différentes sortes de litières agglomérantes, des formules qui ne collent pas aux pattes, des formules sans odeur ou très parfumées, des formules pour usage intensif qui vous garantissent des boules dures comme le roc et ne se brisant pas. Si plusieurs chats utilisent la même caisse, vous pouvez envisager une de ces dernières litières.

Il existe de nombreuses autres possibilités. S'il vous faut un produit ne dégageant pas du tout de poussière, les boulettes à base de papier journal vous conviendront peut-être mieux. Cette substance propre et sans poussière contient un ingrédient qui limite l'odeur. Ne vous servez pas de papier journal déchiré, ce n'est pas très propre et peut sentir très fort une fois imbibé d'urine.

Chaque félin a ses préférences et nécessités individuelles, tout comme chaque maître ; si donc vous êtes face à une situation où les litières les plus courantes ne conviennent pas, examinez les nombreuses alternatives.

LES DÉSODORISANTS

Je n'emploie pas de produits désodorisants pour la litière. Ils ont en général une odeur très forte qui peut faire fuir les chats (ce qui n'est pas vraiment le but recherché).

QUELLE QUANTITÉ DE LITIÈRE UTILISER ?

La quantité de litière se trouvant dans la caisse est importante pour le contrôle de l'odeur. Lors de mes consultations à domicile, je me suis aperçue que beaucoup de maîtres adoptaient des positions extrêmes, utilisant beaucoup trop de litière ou pas du tout assez. Si vous mettez trop de litière agglomérante dans la caisse, c'est du gaspillage, elle passe par-dessus les bords. Trop de litière à base d'argile amène l'urine à s'étendre et à souiller plus de granulés que nécessaire. À l'inverse, une quantité insuffisante de litière provoque de fortes odeurs parce que l'urine se rassemble au fond du récipient sans être absorbée.

Une bonne façon de s'y prendre est de mettre environ cinq centimètres de litière au fond de la caisse. Cela permet au chat de creuser et de reboucher un trou. Si vous avez plusieurs chats, il ne faut pas augmenter la quantité de litière mais le nombre de bacs.

Où installer le bac à litière ?

L'*endroit* où vous placez le bac est bien plus important qu'on le croit généralement. Si vous avez une caisse parfaite, remplie de la meilleure litière au monde, mais installée à un emplacement que le chat trouve inadmissible, il risque de la rejeter.

Il y a une règle à ne jamais enfreindre, quelles que soient les circonstances : ne surtout pas mettre la caisse près de la nourriture et de l'eau du chat. Nombre de gens croient que cette proximité rappellera à l'animal d'utiliser la caisse. Malheureusement, ce plan ne peut qu'échouer et pousser le chat à rejeter sa caisse. Souvenez-vous que les chats éliminent *loin* de leur nid. Installer côte à côte litière et nourriture lui envoie un message incompréhensible. Il sera forcé de choisir cet endroit comme zone d'élimination ou bien zone de repas. Comme c'est le seul emplacement où trouver de la nourriture, il lui faudra trouver une autre zone pour l'excrétion. Si vous êtes forcé de mettre nourriture et caisse dans la même pièce, du moins éloignez-les autant que possible.

Un des endroits où on place le plus souvent la caisse est la salle de bains. C'est un très bon choix, si la taille de la pièce le permet. Cela rend le nettoyage plus facile et vous avez souvent l'occasion de vérifier l'état de la litière.

Une autre pièce souvent choisie est la buanderie. Comme la salle de bains, le sol en est d'ordinaire carrelé, facilitant le nettoyage. L'ennui est que le bruit de la machine à laver commençant soudain un essorage alors que le chat utilise sa caisse peut le terrifier et l'empêcher de revenir.

Choisissez un endroit peu passant pour que l'animal se sente tranquille et en sécurité, mais pas trop isolé, car sinon vous oublieriez de vérifier quotidiennement. J'ai connu une personne qui avait placé la caisse dans un débarras à l'étage. Personne n'y entrait régulièrement, aussi la caisse fut-elle oubliée jusqu'à ce que le chat se mette à uriner sur le tapis du bureau. La caisse était tellement sale qu'il ne pouvait plus le supporter. Où que vous l'installiez, nettoyez-la deux fois par jour.

Une maison à plusieurs étages devrait comporter une caisse par étage. Si un chat qui sort à l'extérieur préfère éliminer dehors plutôt que dans une caisse, laissez-en quand même une à sa disposition dans la maison, en cas de mauvais temps ou de maladie.

Si vous avez plusieurs chats, il vous faudra plusieurs bacs, et pas seulement parce qu'une caisse unique se salit trop vite (encore que ce soit vrai), mais aussi parce que certains chats n'aiment pas partager.

La présence de plusieurs chats peut créer des problèmes d'emplacement. S'il y a des conflits de territoire en cours ou si les animaux ne sont pas en très bons termes, les caisses doivent être assez éloignées ; si un chat monte la garde devant l'une, l'autre restera ainsi accessible.

Il faut tenir compte d'un autre problème potentiel dans le cas de plusieurs chats s'entendant mal. Une caisse placée dans un coin peut faire l'effet d'un piège. Si l'animal pense qu'il ne pourra pas s'enfuir en cas d'attaque, il peut refuser d'utiliser la caisse. Ce problème est examiné en détail plus loin dans ce chapitre.

Le nettoyage du bac à litière

Il vous faudra une pelle comportant des fentes pour sortir de la litière agglomérante matières solides et boules d'urine.

Si vous vous servez de litière absorbante, cette pelle vous permettra d'enlever les matières solides. Une pelle à long manche, sans fentes, est utile pour enlever la litière humide qui, laissée dans la caisse, créerait une odeur forte. Ne remuez pas trop la litière souillée, vous ne feriez que la répandre dans tout le bac.

Gardez vos ustensiles dans un récipient près de la caisse, ce sera plus commode. Il faut procéder au nettoyage au moins deux fois par jour. Cela ne prend qu'une minute et fera une nette différence en ce qui concerne l'odeur. Une litière agglomérante ne servira à rien si l'animal doit marcher sur des saletés vieilles de plusieurs jours pour trouver un coin propre.

Certaines litières agglomérantes, comme les formules pour usage intensif, ne peuvent être jetées dans les toilettes ; il ne faut jamais y jeter de litière à base d'argile. La méthode la plus pratique que je connaisse pour se débarrasser de la litière sale est de garder près de la caisse un récipient contenant un sac plastique. Je nettoie la caisse le matin, je referme le couvercle hermétique du récipient jusqu'au soir. Après le nettoyage du soir, je ferme le sac et je le jette à la poubelle. Peu importe quelle méthode vous employez, il faut simplement qu'elle soit assez pratique pour qu'aucun membre de la famille ne puisse trouver d'excuses pour ne pas s'occuper de la caisse. Rappelez-vous de toujours vous laver les mains après.

Nettoyer la caisse deux fois par jour vous permettra non seulement de la garder propre, mais aussi de vous apercevoir d'éventuels problèmes de santé. Cela vous familiarisera avec les habitudes de votre chat. Je sais que cela ne paraît pas très amusant, mais ça peut faire la différence entre un chat heureux et en bonne santé, et un animal obligé de supporter des souffrances dues à une maladie que le maître n'a pas remarquée. Vous connaîtrez bientôt les habitudes de l'animal, le nombre de fois où il utilise le bac, la quantité d'urine émise, le volume et la consistance de ses excréments. En cas de modification, vous vous en apercevrez immédiatement et pourrez le faire soigner.

En plus de l'enlèvement quotidien des déchets, le récipient lui-même nécessite un nettoyage régulier. Si vous utilisez une litière à base d'argile, ou une autre litière absorbante, il vous faut procéder à un nettoyage complet au moins une fois par semaine. Cela signifie jeter la litière puis nettoyer à fond le récipient et les ustensiles. Si vous vous servez de litière agglomérante, vous pouvez attendre plus de temps entre deux nettoyages. Ne vous laissez pas tromper par les publicités qui prétendent que les litières agglomérantes vous éviteront cette corvée : c'est faux ; de l'urine arrivera quand même au contact des parois.

Lors du nettoyage, ne vous servez pas de produits puissants qui laissent une odeur. J'utilise de la lessive diluée dans de l'eau, puis je rince le récipient jusqu'à ce qu'il n'y ait plus aucune trace du produit. Je fais de même pour les ustensiles et le récipient qui les contient, et je sèche bien le tout avant de remettre de la litière dans la caisse.

Les feuilles de plastique au fond de la caisse sont-elles une bonne chose ?

L'idée de placer une feuille de plastique au fond de la caisse semble excellente, mais en fait les animaux qui utilisent la caisse ont des griffes, si bien que ces feuilles sont plus gênantes qu'utiles. Quand vous soulevez la feuille pour la jeter, de la litière s'échappe par les trous faits par le chat. Cela peut aussi aggraver les problèmes d'odeur parce que l'urine stagne dans les plis ou peut traverser le plastique par les déchirures produites par l'animal.

Votre but est de rendre la caisse aussi agréable et attirante que possible pour le chat, il ne faut donc pas qu'il doive se débattre contre une feuille plastique où ses griffes se prennent.

Accoutumer le chat à sa caisse

Le premier pas est de vous assurer qu'il sait où elle se trouve. Enfermez le chaton dans une pièce jusqu'à ce qu'il utilise le bac comme il convient et se sente à l'aise. S'il ne comprend pas immédiatement, posez-le dans la caisse après son repas et grattez la litière du doigt. Ne le forcez pas à rester dans la caisse.

Si vous avez l'intention d'utiliser une caisse couverte, ne laissez pas le couvercle en place au début. L'apprentissage doit être aussi facile que possible. Pendant que le chat s'habitue à sa caisse, relisez le passage sur les caisses couvertes pour bien comprendre leurs désavantages.

Si l'animal ne semble pas saisir ce qu'on attend de lui et urine ou défèque sur le sol, ramassez les excréments aussi bien que vous le pourrez et déposez-les dans la caisse. Leur odeur devrait l'y attirer la fois suivante.

BAC À LITIÈRE : CE QU'IL NE FAUT PAS OUBLIER	
• taille convenable • emplacement acceptable (loin de la nourriture) • litière non parfumée • pelle à litière à fentes, solide • pelle ou grosse cuillère (pour les utilisateurs de litière à base d'argile) • récipient lavable pour les ustensiles • récipient lavable, avec	couvercle, pour recueillir les résidus • sacs plastique • balayette et petite pelle ou aspirateur miniature (pour la litière répandue) • lessive et récipient approprié pour la diluer • brosse ou grattoir prévu pour le nettoyage de la caisse • purificateur d'air pour absorber la poussière de la litière (facultatif)

Quand le chat rejette sa caisse

Il est midi, la maison est déserte. Quelques boules de poils roulent paresseusement ici et là. Vous entrez dans la pièce et tout paraît tranquille, mais vous savez que *cette chose* attend dans un coin. Soudain vous la voyez, couverte de poussière et de toiles d'araignée qui brillent au soleil. C'est la *caisse* que votre chat refuse d'utiliser.

« Il fait ça parce qu'il m'en veut ! » « Il sait qu'il se conduit mal ! » « Il est trop paresseux pour aller jusqu'à la caisse ! » « Mon chat est si stupide qu'il pisse sur le tapis ! » Tels sont quelques-uns des messages que je trouve sur mon répondeur. Je peux bien sûr comprendre l'exaspération du maître, mais rien de tout cela n'est vrai. C'est seulement quand vous cesserez de penser que l'animal se montre méchant, stupide, malveillant ou paresseux que vous aurez une chance de résoudre le problème.

Il est crucial de comprendre de quel type de comportement il s'agit. L'*émission d'urine intempestive* a d'ordinaire lieu sur une surface horizontale tel que le

219

parquet, un tapis, ou l'intérieur d'une baignoire. La *projection d'urine* se fait contre une surface verticale, murs, meubles ou rideaux. Toutefois, certains chats envoient des jets d'urine sur des surfaces horizontales, par exemple des vêtements ou des chaussures laissés sur le sol. Il vous faut avant tout déterminer si l'animal urine de façon intempestive ou envoie des jets. Il est possible aussi qu'il défèque hors de la caisse, ce que nous examinerons plus loin.

Si le chat mâle qui émet des jets d'urine n'a pas encore été stérilisé, il est temps de prendre rendez-vous chez le vétérinaire. Les mâles atteignent la maturité sexuelle vers sept mois, et les jets d'urine commencent à ce moment. La stérilisation mettra fin à ce comportement dans presque tous les cas.

MARQUER SON TERRITOIRE

Si l'animal a déjà été stérilisé et émet cependant des jets d'urine, il est probable qu'il croit son territoire menacé. Beaucoup de choses peuvent le pousser à ce comportement, comme l'apparition dans le jardin d'un chat inconnu ou l'arrivée à la maison d'un nouvel animal. Si un conflit territorial est en cours chez vous, il convient de séparer les animaux et de commencer à modifier individuellement leur comportement. Les chats pourront alors être de nouveau présentés l'un à l'autre, de la même façon que vous le feriez pour des chats ne se connaissant pas. J'y reviendrai en détail au chapitre XI.

Pour mettre fin au marquage urinaire par jets, il faut découvrir la *cause* de la peur ressentie par le chat et, soit l'éliminer, soit la modifier.

La première chose à faire, si votre chat cesse d'utiliser sa caisse, est d'appeler le vétérinaire. L'émission d'urine intempestive est un symptôme courant d'une maladie connue sous le nom de *syndrome urologique félin (FUS)*. Il n'est pas inhabituel qu'un chat souffrant de ce syndrome aille fréquemment dans sa caisse sans pouvoir évacuer plus que de petites quantités d'urine.

La maladie progressant, l'irritation de la vessie pous-
sera le chat à uriner où il se trouve pour soulager la
douleur. Parfois, l'animal associe la souffrance qu'il
ressent en urinant et la caisse elle-même. Le syndrome
urologique félin est une maladie très grave qui peut
se révéler fatale si des cristaux se forment, bloquant
l'urètre. Si votre chat cesse d'utiliser son bac, faites-le
examiner immédiatement. Pour en savoir plus sur ce
syndrome, référez-vous à l'appendice médical.

LES RAISONS POUR LESQUELLES UN CHAT ÉMET DES JETS D'URINE	
• maturité sexuelle • tempérament de l'animal • apparition d'un chat inconnu dans le jardin • arrivée à la maison d'un nouvel animal ou humain • odeur d'un chat inconnu sur les vêtements du maître	• tension ou agressivité entre animaux de compagnie • nombre de chats à la maison • travaux • déménagement • visiteurs inconnus • changement des horaires du maître

LES RAISONS POUR LESQUELLES UN CHAT PEUT NE PAS UTILISER SON BAC À LITIÈRE	
• problèmes médicaux • caisse sale • caisse couverte ou trop petite • litière inacceptable • changement brutal de litière ou d'emplacement de la caisse • aversion à l'odeur du produit employé pour nettoyer la caisse • angoisse/peur	• associations négatives avec la caisse • punition infligée par le maître • augmentation du temps que l'animal passe seul • tension ou agression entre animaux • nombre insuffisant de caisses dans une maison comptant plusieurs chats • problèmes liés à l'âge

QUELQUES SIGNES DU SYNDROME UROLOGIQUE FÉLIN	
• se rend fréquemment à la caisse • évacue peu d'urine ou pas du tout • présence de sang dans l'urine • l'animal urine hors de la caisse	• l'animal crie quand il est dans la caisse • il se lèche fréquemment les parties génitales • il n'a pas ou peu d'appétit • il paraît déprimé ou irritable

D'autres problèmes médicaux comme le diabète ou une maladie rénale peuvent provoquer des changements du comportement du chat vis-à-vis du bac. Toute modification de cet ordre, ainsi que dans la consommation d'eau et de nourriture, doivent être signalés au vétérinaire.

Si vous avez plusieurs chats, il vous sera peut-être difficile d'identifier le responsable. En cas d'émissions intempestives d'urine, dont le syndrome urologique félin pourrait être la cause, n'attendez pas de prendre le responsable sur le fait. Si vous remarquez des signes inquiétants (voir plus haut), emmenez chez le vétérinaire le suspect le plus probable. Si vous ne soupçonnez aucun chat en particulier, faites tester l'urine de tous les chats.

Si toutes les analyses sont bonnes, il vous faudra peut-être séparer les animaux pour déterminer lequel n'utilise pas la caisse. Vous pouvez aussi demander au vétérinaire de la *fluorescéine*, un produit ophtalmique qui peut aussi être administré oralement. Ce produit inoffensif rend l'urine fluorescente, et on peut la détecter avec une lampe spéciale. Après avoir donné de la fluorescéine à un des chats, vérifiez à l'aide de la lampe pendant les vingt-quatre heures suivantes. Si vous ne trouvez rien, procédez de même avec le deuxième chat deux jours plus tard, et ainsi de suite jusqu'à l'identification du responsable.

COMMENCER PAR LE DÉBUT : LE BAC LUI-MÊME

Regardez tout de suite votre caisse à chat d'un œil critique. À quoi ressemble-t-elle ? Est-elle propre ? La nettoyez-vous sans faute deux fois par jour ? Si ce n'est pas le cas, il y a des chances que l'état déplorable du bac pousse l'animal à chercher des endroits plus propres et moins odorants. Même si vous le nettoyez deux fois par jour, il se peut que cela ne suffise pas à ce chat-là. Des nettoyages plus fréquents peuvent être nécessaires pour qu'il se sente à l'aise.

S'il y a beaucoup d'humidité dans l'air, il vous faudra peut-être vous occuper plus souvent de la caisse. De même, si elle se trouve dans une salle de bains où on prend souvent des douches, la litière séchera moins vite. Si vous vous servez d'un bac couvert dans une salle de bains, enlevez le couvercle. Si la pièce comporte un système d'aération, faites-le fonctionner pendant les douches pour réduire le taux d'humidité.

Vérifiez la quantité de litière qui se trouve dans la caisse. Assurez-vous qu'il y en ait au moins cinq centimètres pour permettre au chat de creuser et reboucher un trou. Si vous employez de la litière agglomérante, rajoutez-en périodiquement pour compenser le volume retiré.

Un changement brutal de nature de litière peut pousser le chat à cesser d'utiliser la caisse. L'animal s'attend, quand il entre dans la caisse, à ce que la texture sous ses pattes et l'odeur (ou l'absence d'odeur) du matériau soient les mêmes que la fois précédente. Un changement de texture, d'intensité ou de nature de parfum peut le troubler. Si vous souhaitez changer de marque de litière, faites-le progressivement pour donner à l'animal le temps de s'adapter. Com-

223

mencez par mélanger un peu du nouveau produit à l'ancien, puis augmentez la proportion sur le cours d'une semaine.

Si vous avez l'impression que la litière dont vous vous servez déplaît au chat, peut-être à cause de sa texture (si par exemple l'animal pose les pattes avant sur le rebord de la caisse, reste tout au bord ou gratte le sol à l'extérieur pour recouvrir), vous pouvez faire un essai en plaçant près de la première une autre caisse contenant une litière différente. En faisant de telles expériences, je me suis aperçue que, lorsqu'on leur donnait le choix entre une litière à base d'argile et un produit agglomérant, les chats semblaient préférer la texture meuble de ce dernier.

Vous pouvez guetter certains indices pour voir si la litière que vous utilisez convient au chat. Les signes avertisseurs sont par exemple : ne placer que deux pattes dans la caisse, les deux autres reposant sur le bord ; ne pas creuser de trou ni recouvrir les excréments (quoique certains chats ne le fassent pas) ; gratter le sol juste à côté du bac et non la litière ; éliminer à côté de la caisse et non dedans. Si vous réagissez suffisamment tôt à l'un de ces signes, vous pouvez effectuer les modifications nécessaires avant que le chat n'en arrive au stade du rejet pur et simple.

Ce n'est pas une bonne idée de placer le bac sur de la moquette : certains chats la confondent avec la litière et, si la caisse n'est pas assez propre à leur goût, la moquette deviendra particulièrement attirante. Si tous les sols sont couverts de moquette, vous pouvez placer un grand morceau de plastique épais ou de linoléum sous la caisse.

Certains chats refusent absolument d'utiliser une même caisse deux fois de suite. Dans ce cas, mettez-en deux dans la pièce pour que l'une soit propre si vous n'avez pas eu le temps de nettoyer la première avant son retour. Vous pouvez aussi avoir le bonheur de posséder un chat qui refuse de déféquer et d'uriner dans la même caisse. Allez comprendre... C'est cependant facile à résoudre, placez deux bacs dans la pièce, mais pas trop près l'un de l'autre, sans quoi ils lui sembleront n'en faire qu'un. Sa Majesté choisira une caisse pour uriner et l'autre pour ses princières défécations. Il peut sembler désagréable de devoir nettoyer deux caisses, mais je préfère en nettoyer une de plus et non la moquette.

LA CAISSE QUI DISPARAÎT

Il arrive que, dans vos efforts pour trouver à la caisse un emplacement convenant à tous les membres de la famille, celle-ci soit trop souvent déplacée. C'est alors qu'il convient d'anticiper. Réfléchissez aux avantages et inconvénients de l'endroit choisi avant de vous mettre à jouer aux caisses musicales. Plus vous rendrez difficile au chat de trouver son bac, plus votre tapis d'Orient lui paraîtra tentant quand il aura la vessie pleine.

SURVEILLER UNE CAISSE RÉCEMMENT DÉPLACÉE

On m'a appelée en consultation parce que Sparkles, une chatte de quatre ans, refusait soudain d'utiliser sa caisse. Ses propriétaires avaient aussi des chiens. Ils me dirent que Sparkles était très affectueuse et amicale, aimait beaucoup les chiens et s'était montrée une chatte idéale jusqu'au moment, deux mois plus tôt, où elle avait cessé d'utiliser sa caisse.

En poursuivant mon enquête, j'appris que la caisse avait récemment été déplacée. Elle se trouvait précédemment dans une pièce inutilisée, mais était maintenant dans la salle de bains parce que les maîtres pensaient transformer la première pièce en bureau. Pendant six mois après ce changement, Sparkles s'était bien comportée. Puis, deux mois auparavant, elle avait commencé à faire ses besoins là où se trouvait auparavant sa caisse. Pourquoi cette modification du comportement au bout de six mois ? Je finis par apprendre que pendant ces six mois de printemps et d'été, les chiens restaient à l'extérieur. Mais, le froid venant, ils dormaient maintenant dans la maison.

Les chiens n'avaient jamais eu accès à la partie de la maison où se trouvait la pièce inutilisée : une barrière pour enfants les en empêchait. Sparkles allait partout, et sautait la barrière pour accéder à sa caisse. Mais les chiens pouvaient rentrer dans la salle de bains où se trouvait maintenant le bac, et ils avaient découvert un nouveau jeu, suivre la chatte jusque-là et se tenir autour d'elle pendant qu'elle essayait de vaquer à ses affaires. Apparemment, depuis leur retour dans la maison, les chiens attendaient avec impatience que Sparkles défèque pour se régaler de ses excréments. Aucun maître n'accepte de croire que son chien puisse se comporter ainsi, mais c'est cependant assez courant chez les canidés.

Je compris ce qui se passait quand les propriétaires me dirent qu'ils voyaient souvent les chiens à la porte de la salle de bains. Comme Sparkles s'entendait bien avec eux, ils n'avaient pas pensé qu'il pût y avoir un problème. Quand je les interrogeai, aucun des deux maîtres ne put se souvenir d'avoir enlevé des excréments solides de la caisse depuis deux mois. Chacun supposait que l'autre venait de le faire.

On peut comprendre que Sparkles ait été troublée par ces intrusions ; elle était donc revenue éliminer à l'ancien emplacement, beaucoup plus sûr. Parfaitement logique.

La solution du problème était de replacer le bac à un endroit auquel les chiens n'avaient pas accès.

Si vous pensez à déplacer la caisse de votre chat, réfléchissez auparavant aux problèmes et obstacles qui pourraient surgir. Après l'avoir changée de place, surveillez les réactions et le comportement de l'animal pour déceler tout signal avertisseur (dans le cas de

Sparkles, la présence des chiens à la porte de la salle de bains).

SI VOTRE CHAT A SUBI L'ABLATION DES GRIFFES

Le chat souffre pendant les dix jours qui suivent l'opération. Les pattes restent parfois sensibles long-temps après la période normale de guérison. L'animal aura besoin d'une litière spéciale pendant la cicatrisa-tion pour que les plaies restent propres. Le vétérinaire vous recommandera sans doute d'utiliser du papier journal déchiré ou des granulés fabriqués à partir de papier journal. Ceux-ci sont beaucoup plus absorbants que le papier déchiré, et les chats les acceptent mieux.

Non seulement la douleur peut pousser l'animal à refuser la caisse, mais le choc soudain d'un nouveau substrat peut troubler n'importe quel chat. Ce sont deux motifs possibles de rejet.

Si vous êtes décidé à faire pratiquer l'ablation des griffes (lisez le chapitre IX avant de prendre cette décision), prenez-vous-y à l'avance et mêlez un peu de granulés à la litière habituelle. Après les dix jours de cicatrisation, vous pouvez revenir à la litière pré-cédente. Si vous utilisiez un produit à base d'argile qui semble maintenant gêner le chat, prenez une litière agglomérante dont la douceur et la texture sableuses le blesseront moins.

UNE NOUVELLE MAISON

La première fois que je me suis installée dans une nouvelle maison, ce fut une expérience traumatisante. Je comprends parfaitement ce qu'un chat doit ressentir dans ces circonstances. Tout ce qui m'était familier avait disparu et j'étais obligée de m'habituer à un nouveau territoire. Comme je me souvenais de ce que j'avais éprouvé, je m'y pris bien à l'avance la fois suivante, pour rendre la transition plus facile pour mes chats.

Si vous avez récemment déménagé et que votre chat a cessé d'utiliser sa caisse, c'est sans doute à cause de l'environnement inconnu. Rappelez-vous, c'est une créature d'habitudes et il vient de perdre son territoire familier et rassurant. Au départ, la meilleure façon d'éviter qu'il panique est de l'isoler dans un espace restreint le temps qu'il retrouve des repères.

TRAVAUX DE DÉCORATION, NOUVEAU MOBILIER, MOQUETTE

Les bruits effrayants des travaux et les visages inconnus des ouvriers peuvent être considérés par le chat comme une menace pour son territoire et l'amener à des marquages urinaires. Il peut aussi se soulager loin de la caisse si celle-ci est trop proche des travaux.

Une nouvelle moquette ou même l'ajout d'un meuble peuvent être une menace pour certains chats qui auront l'impression que l'élément nouveau n'appartient pas à leur territoire avant qu'ils l'aient imprégné de leur odeur.

Il est impératif de maintenir les chats aussi loin que possible des bruits des travaux. S'il y a une pièce tranquille chez vous (de préférence sans aucun élément nouveau), installez-y l'animal avec sa caisse. Passez de la musique douce pour couvrir les sons.

Quand un nouveau meuble arrive, essuyez-le avec une serviette que vous aurez frottée sur le chat. Si vous craignez qu'il procède à des marquages, laissez le meuble recouvert d'un drap quelques jours. Utiliser un drap dans lequel vous avez dormi et qui porte votre odeur réconfortante accélérera le processus. Faites tout ce que vous pouvez pour qu'un élément nouveau acquière les odeurs familières de la maison.

Que ce soit de nouveaux coussins ou un nouveau conjoint, un changement est un changement et les chats détestent ça ! Même si par la suite ce sera merveilleux, tout changement domestique peut provoquer un rejet de la caisse.

Les maîtres s'inquiètent souvent de savoir comment leur chat réagira à un bébé. La réponse est que, si vous ne l'avez pas préparé à ce changement, il peut se mettre à procéder à des marquages urinaires.

Un nouveau mariage peut être la cause d'un relâchement dans l'usage de la caisse, en particulier si la nouvelle famille comprend un chat ou même un chien.

Rappelez-vous de rendre plus faciles à votre chat les changements très troublants que représentent toute addition à la famille. La préparation peut faire la différence entre une transition aisée, sans incident, et une crise majeure.

Pour des informations spécifiques sur les chats et leur relation aux membres de la famille, reportez-vous au chapitre XI.

LES VOYEURS (VERSION FÉLINE)

Le spectacle paisible de votre chat en train de regarder les oiseaux par la fenêtre peut changer de nature s'il aperçoit un autre chat dans le jardin. Au mieux, il dressera les oreilles et battra de la queue, et feulera peut-être une ou deux fois. Si vous avez moins de chance, il peut considérer la présence de l'intrus comme une menace pour son territoire et décider de marquer celui-ci. Si vous laissez sortir votre chat et qu'il se contente de marquer arbres, arbustes et palissades, tout va bien. Si un chat *d'intérieur* se sent assez menacé pour procéder à des marquages, vous avez un problème. Vous verrez peut-être des traînées d'urine sur les murs en dessous des fenêtres. Une autre zone fréquemment choisie est la porte d'entrée. Si votre chat a vu l'intrus sur le patio ou la terrasse, il y a de bonnes chances qu'il ait marqué les baies vitrées ou les rideaux.

Un chat qui a un problème de marquage peut continuer ou non à utiliser sa caisse, ou s'en servir seulement pour déféquer.

Si l'intrus vient souvent, essayez d'apprendre s'il a un maître. Si c'est un chat errant, faites de votre mieux pour l'attraper ; il n'est sans doute ni stérilisé ni vacciné et présente un sérieux danger pour les autres chats.

Vérifiez à l'extérieur portes et fenêtres pour vous assurer que l'intrus n'a pas émis de jet d'urine. Votre chat d'intérieur pourrait en percevoir l'odeur, il faut donc nettoyer tout marquage proche de la maison.

En attendant, empêchez votre chat de regarder par les fenêtres qui pourraient lui permettre d'apercevoir l'intrus. Vous pouvez utiliser du carton ou tout matériau opaque, et il suffit de recouvrir la moitié inférieure de la fenêtre. Cela aura l'air bizarre, mais je préfère du carton aux fenêtres plutôt que de l'urine sur les murs.

Suivez les instructions de la section intitulée « Programme de rééducation en quatre phases », plus loin dans ce chapitre.

OPA HOSTILES

Dans le cas d'une maison où se trouvent déjà plusieurs chats, les problèmes liés au bac seront diminués si vous isolez un nouveau venu avant de l'intégrer à la communauté. Reportez-vous au chapitre XI pour en savoir plus sur la façon de présenter les chats les uns aux autres. Maintenant, que faire si vous avez suivi toutes les procédures et qu'un chat continue de ne pas utiliser la caisse ? Cela peut se produire même s'il n'y a pas de nouveau venu à la maison. Un de vos compagnons de longue date peut soudain se mettre à éliminer ailleurs.

Vous savez maintenant qu'il est essentiel, si vous avez plusieurs chats, de prévoir un nombre de bacs suffisant. Ils doivent 1) être régulièrement nettoyés, 2) se trouver dans des endroits tranquilles et 3) offrir des possibilités de fuite. Quoi ? Des *possibilités de fuite* pour une *caisse à chat* ? Tout à fait. Réfléchissez-y du point de vue de l'animal. Il entre dans la caisse, qui se trouve sans doute dans un coin de la salle de bains. C'est peut-être même une caisse couverte. Disons que l'ouverture fait face au côté de la baignoire ou à une porte de placard et ne permet pas de surveiller l'entrée de la pièce. Si un autre chat arrive et s'approche de la caisse (qu'il veuille l'utiliser ou qu'il cherche la bagarre), celui qui occupe le bac est pris par surprise. Il est piégé, car il n'y a qu'une issue, bloquée par son ennemi. Si les deux animaux sont en mauvais termes, celui qui est coincé dans la caisse se sent encore plus menacé. Même un bac ouvert, placé dans un coin, n'offre qu'une seule voie d'évasion.

Il est indispensable de vous assurer que le chat a le sentiment de pouvoir s'enfuir de la caisse lorsque vous essayez de corriger des problèmes de marquage ou de miction intempestive.

Examinez la caisse du point de vue du chat et effectuez les modifications nécessaires pour qu'il ne se sente pas coincé. Dans le cas d'une caisse couverte, enlevez le dessus. Si elle est dans un coin, déplacez-la un peu. S'il y a un endroit plus dégagé dans la pièce, il est préférable de l'y mettre.

Une autre façon de créer une possibilité de fuite est de donner plus de temps au chat pour se préparer. Assurez-vous que l'emplacement de la caisse lui permet de voir l'entrée de la pièce. Si l'occupant des lieux peut voir venir un autre chat, cela lui donnera quelques secondes de plus – assez de temps pour se mettre à l'abri. Il est également indispensable d'avoir plusieurs caisses à des endroits différents pour réduire le niveau d'angoisse. Ainsi, le chat aura une alternative si l'ennemi surveille une caisse. Vous pouvez apprécier le fait que la caisse soit bien cachée et hors du passage, mais un chat peut considérer que c'est un piège.

Si vous avez un problème d'élimination intempestive, examinez les lieux choisis ; vous découvrirez peut-être qu'ils offrent au chat ce qui manque à la caisse, une possibilité de *fuite*. L'animal fait peut-être ses besoins derrière le fauteuil du salon. Il est dissimulé, mais l'espace ouvert qui l'entoure lui permet de surveiller les environs et lui donne plusieurs itinéraires de fuite s'il se sent menacé. Je me suis aperçue que, très souvent, l'endroit choisi était aussi loin de la porte que possible, pour que le chat puisse la surveiller.

Faites attention au chemin que doit suivre l'animal pour se rendre à la caisse. Le trajet peut être angoissant dans une maison où se déroule un conflit territorial. Si un chat dominant s'installe dans le long couloir étroit qui mène à la caisse, un animal dominé essaiera d'éviter la rencontre.

En cas d'hostilité entre chats, il peut se produire à la fois des marquages et des mictions intempestives. Les marquages peuvent être le fait d'un nouvel arrivant qui cherche à établir un territoire, ou celui du chat dominant qui veut défendre le sien. Un animal dominé peut uriner de façon intempestive parce qu'il a peur de s'approcher de la caisse. Il est essentiel pour résoudre le problème de découvrir quel chat se comporte ainsi (il peut y en avoir plusieurs), et de quel type de comportement il s'agit exactement.

Programme de rééducation en quatre phases

Commençons par ce qu'il ne faut *pas* faire. Ne punissez pas l'animal pour avoir éliminé en dehors de la caisse. N'employez pas la vieille technique qui consiste à lui frotter le nez dans ses excréments. Cette méthode n'a *jamais* réussi, est cruelle et ne fera qu'empirer les choses. En agissant ainsi, vous lui dites que le fait même d'uriner et de déféquer est mauvais, et qu'il sera puni à chaque fois. Il ne comprendra pas que c'est le lieu choisi qui vous déplaît. Cela ne fera que renforcer son anxiété. Pour une raison quelconque, sa caisse ne lui convient pas et il trouvera bientôt des endroits plus discrets pour éviter la punition. Il est possible aussi qu'il se mette à vous craindre.

Le grand *ne pas* suivant sur la liste est : ne frappez pas votre chat. Une fois encore, il associera excrétion et punition, et vous craindra. Une autre méthode couramment employée, mais aux effets négatifs, est de saisir le chat pendant qu'il urine et de l'emmener dans la caisse. Si vous vous imaginez que ça va marcher, vous vous trompez. Croyez-moi, il n'a pas oublié où se trouve sa caisse.

Alors, que faut-il faire ? D'abord, il convient de réduire l'attraction de la moquette ou des meubles en tant qu'alternatives au bac. Commencez par les nettoyer, par neutraliser l'odeur et installez des dissuasions. Nettoyer et neutraliser des endroits souillés est un plus gros travail qu'il n'y paraît. Les produits ménagers ordinaires peuvent enlever les taches, mais ils ne font que masquer l'odeur. La senteur de l'urine sur la moquette ou la plinthe peut amener le chat à souiller le même endroit de façon répétée. Il est indispensable de *neutraliser* l'odeur pour que le nez sensible de l'animal ne le ramène pas toujours au même emplacement.

J'ai esquissé ci-après un programme de base en quatre points pour faire revenir votre chat à sa caisse. Même si le vétérinaire découvre que l'animal urinait de façon intempestive parce qu'il souffrait d'un syndrome urologique félin, vous aurez peut-être besoin de ce programme. Il vous faudra à coup sûr nettoyer et neutraliser les zones souillées. L'animal peut même avoir établi une association négative vis-à-vis de la caisse à cause de la douleur qu'il ressentait en urinant, et il vous faudra procéder à une modification du comportement.

PREMIÈRE PHASE : LE NETTOYAGE

Commencez par absorber doucement l'urine grâce à des serviettes en papier. Faites attention à ne pas faire pénétrer le liquide plus profondément dans la moquette ou le tissu recouvrant un meuble. Après en avoir enlevé autant que possible, vous pouvez appuyer pour absorber l'humidité. Remplacez sans cesse les serviettes humides par des propres. Appliquez ensuite un *détachant neutralisateur d'odeur* (on en trouve dans les animaleries). Choisissez un produit contenant des enzymes : ce sont eux qui neutraliseront l'odeur. Faites toujours un essai sur une petite surface pour vérifier que le produit ne laisse pas de marque.

Si vous nettoyez de la moquette, laissez agir le produit assez longtemps pour qu'il atteigne toutes les zones touchées. Suivez les instructions du fabricant. Épongez ensuite avec des serviettes jusqu'à ne plus retirer de liquide ; vous pouvez alors utiliser un petit ventilateur pour accélérer le séchage.

Si vous employez un tel produit sur une zone de moquette où le chat a régulièrement uriné, il vous faudra d'abord dissoudre les résidus, qui peuvent être trop importants pour que le produit se montre efficace. Mouillez la tache à l'eau pure et épongez, puis traitez comme une tache fraîche.

Si vous n'êtes pas certain de l'endroit où l'animal a uriné, vous pouvez utiliser une lampe spéciale. Par exemple, le Localisateur de sources d'odeurs d'urine (fabriqué par Nature's Miracle) est une lumière ultra-violette qui rendra l'urine fluorescente à une dizaine de centimètres de distance. Si vous croyez que votre chat a choisi de nombreux emplacements différents, ce sera un investissement utile.

Pour nettoyer des excréments sur une moquette, enfilez sur votre main un sac plastique et saisissez délicatement l'étron. S'il est de consistance solide, vous devriez pouvoir l'enlever facilement. Je vous déconseille d'utiliser du papier journal parce que vous risquez d'enfoncer l'excrément dans la moquette. Si vous employez une serviette en papier, soyez prudent. Une fois l'excrément enlevé, nettoyez l'emplacement avec un produit à base d'enzymes, en suivant les instructions du fabricant.

Si l'excrément est très liquide, vous pouvez éviter d'agrandir la tache en enlevant autant que possible de matière avec une cuillère ou une spatule métallique. Une diarrhée entièrement liquide doit être traitée comme une tache d'urine ; absorbez avec des serviettes en papier, puis nettoyez comme décrit précédemment. Souvenez-vous de ne jamais faire pénétrer.

Si vous découvrez une tache d'urine alors que vous n'avez pas de produit à base d'enzymes, nettoyez-la avec un mélange à parts égales de vinaigre blanc et d'eau. N'employez jamais de produits ammoniaqués, car l'urine contient de l'ammoniaque ; l'odeur du produit pourrait de nouveau attirer le chat.

DEUXIÈME PHASE : ATTIRER VOTRE CHAT AILLEURS

Quand un chat procède à des marquages urinaires, émettant ainsi des phéromones, cela signifie qu'il est agité, excité ou angoissé. C'est d'ordinaire parce qu'il pense que son territoire est menacé. Même si l'animal ne marque pas, mais urine à côté de sa caisse, cela peut indiquer le même état émotionnel. Faites une comparaison avec son comportement quand il frotte sa tête contre vous ou un objet. À ce moment-là aussi il secrète des phéromones *faciales*, mais il se sent alors calme, confiant et en sécurité.

Si vous faites le tour de la maison ou de l'appartement, vous vous apercevrez que le chat n'urine pas là où vous l'avez vu déposer des phéromones faciales. Il convient donc d'en placer partout où il a uriné.

Feliway, quand on projette le produit sur les endroits choisis, permet au chat de détecter ces phéromones familières et calmantes. Si vous suivez ce programme, qui inclut l'usage de Feliway et des modifications du comportement, le chat devrait diminuer ses marquages, et vous le verrez peut-être même déposer ses propres phéromones faciales à ces emplacements.

Si vous utilisez Feliway, il est important de ne pas nettoyer les taches avec un détachant chloré tel que l'eau de Javel, cela pourrait rendre le produit inefficace. Le fabricant conseille de laver les taches à l'eau claire. Celle-ci ne suffira pas à enlever les taches sur une moquette, aussi je vous conseille d'utiliser un nettoyant à base d'enzymes, non sur la moquette puisque vous y projetterez du Feliway, mais sur les angles de murs ou de portes et sur les pieds de meubles. Servez-vous d'eau pure pour laver les murs juste au-dessus des taches sur la moquette.

Avant d'employer Feliway, assurez-vous que le récipient est à température ambiante et secouez-le bien. Effectuez une pulvérisation sur chaque zone concernée, à environ dix centimètres de distance, une à deux fois par jour pendant un mois. Il faut d'habitude une semaine avant que se manifestent les premiers résultats. Si le chat recommence à uriner hors de sa caisse au bout d'un mois, pulvérisez du Feliway tous les deux jours. Mais d'ordinaire, une fois que le chat commence à appliquer ses propres phéromones faciales à un endroit, vous pouvez cesser d'utiliser le produit.

Les objets saillants, cibles potentielles de jets d'urine, notamment les pieds de meubles et les chambranles de portes, doivent eux aussi être traités une ou deux fois par jour pendant un mois.

S'il y a des tensions entre les chats de la maison, Feliway a un effet positif certain. Pulvérisé dans des endroits communs à tous les animaux, tels qu'arbres à chats, meubles favoris et appuis de fenêtre, il aide à ramener le calme. Il convient d'utiliser Feliway en même temps que des techniques de modification du comportement.

TROISIÈME PHASE : LA DISSUASION

Si vous *pensez comme un chat*, le but de la dissuasion n'est pas de punir ou d'effrayer l'animal. Votre objectif est de renforcer un comportement naturel, de le pousser doucement dans la bonne direction. Souvenez-vous que les chats ne répondent pas à la force, mais plutôt à la suggestion.

Vous pouvez essayer un certain nombre de choses, certaines plus subtiles que d'autres. Selon le degré de détermination de votre chat, les techniques de base peuvent suffire, ou il vous faudra employer les grands moyens.

Puisque, dans des circonstances normales, un chat n'élimine pas dans son nid, vous pouvez essayer de ramener son territoire à ses frontières d'origine. Pour le moment, l'animal considère la moquette derrière le canapé ou le mur sous la fenêtre comme le périmètre de son nid. Pour ramener ces emplacements à l'intérieur du nid, essayez d'y déposer un petit bol de nourriture (ne le faites que si vous avez entièrement neutralisé l'odeur d'urine). S'il n'utilisait qu'un seul endroit pour uriner, vous pouvez le nourrir là jusqu'à ce qu'il soit complètement rééduqué. S'il urinait à plusieurs endroits, mettez-y un petit bol contenant des croquettes. Il ne faut pas le rendre obèse, veillez à ne pas lui donner trop à manger. Vous pouvez continuer de le nourrir à l'emplacement habituel, donnez-lui simplement moins de nourriture et divisez le reste entre les autres bols. L'odeur de nourriture à ces endroits (ainsi que les phéromones faciales que vous y avez placées) commencera à lui faire réévaluer la situation. Employez cette méthode pendant plusieurs semaines au moins. Puis, à condition que le chat n'ait pas de nouveau uriné hors de la caisse, enlevez *un* des bols pour une journée. Le lendemain, remettez ce bol en place, enlevez-en un autre, et ainsi de suite. Si l'animal n'a pas uriné dans les endroits où il n'y avait pas de nourriture, enlevez définitivement un bol, puis un autre deux jours après, jusqu'à ce qu'il n'en reste plus.

Si vous ne voulez pas ou ne pouvez pas laisser de nourriture à demeure (à cause de la présence d'un chien, par exemple), ou si le chat continue d'uriner malgré les bols, ne paniquez pas. La manœuvre de dissuasion suivante est de rendre les endroits choisis par le chat moins confortables. Si l'animal n'aime pas le contact de certaines surfaces, il n'aura sans doute pas envie de marcher dessus pour s'approcher de l'endroit où il urine. Procurez-vous de ces grilles de plastique munies sur une face de petites pointes, qui servent à protéger les moquettes dans les maisons de démonstration. On met d'habitude les pointes vers le bas pour que la grille ne glisse pas, mais vous les placerez vers le *haut*. Le chat n'appréciera sans doute pas de marcher dessus. Veillez à utiliser un morceau de taille suffisante pour que le chat ne puisse pas arroser le mur sans passer sur la grille.

Si votre chat n'a pas les pattes fragiles et n'hésite pas à passer sur la grille, essayez d'y placer quelques bandes de scotch double-face. Certains chats trouvent que cela ne vaut pas la peine de marcher sur une telle combinaison de surfaces.

Vous pensez peut-être qu'un pulvérisateur à eau serait un bon outil de dissuasion dans ces circonstances, mais cela pose des problèmes. Cela implique de prendre l'animal en flagrant délit, ce qui est plus facile à dire qu'à faire. Si vous y parvenez et l'aspergez de près, il comprendra que le jet d'eau vient de vous. Sa conclusion ? *Je ferais mieux de rester loin de mon maître*. Il trouvera des endroits plus abrités où uriner. La seule façon d'utiliser un pulvérisateur efficacement est d'être hors de vue pour que le chat ne fasse pas de relation avec vous. Réservez cet outil pour lui apprendre à ne pas sauter sur la table de la salle à manger ou sur la cuisinière.

Nous allons maintenant voir comment détourner l'attention de votre chat grâce à des méthodes *positives*.

QUATRIÈME PHASE : MODIFIER SON COMPORTEMENT

On peut considérer comme certain qu'un chat qui élimine hors de sa caisse est déjà victime de stress, aussi ma méthode de modification du comportement implique de le réconforter de façon calme et positive.

Vous avez nettoyé et neutralisé les emplacements où il urinait, et vous y avez pulvérisé du Feliway. Que vous y laissiez de la nourriture ou que vous utilisiez des grilles plastique, la partie suivante du programme est d'aider l'animal à changer son association avec ces endroits. Vous transformerez ces zones *périphériques* en zones appartenant au *nid* grâce à des jeux thérapeutiques. En suivant les instructions du chapitre VI, procédez à des séances de jeu près des emplacements en question. Ne laissez pas le chat trop s'approcher des grilles ; s'il sautait dessus pour attraper le jouet, l'inconfort ressenti créerait une association négative avec le jeu.

Si votre chat a connu des expériences négatives à un endroit, procédez lentement et laissez-le donner le rythme. Disons par exemple que le couloir étroit menant au bac l'effrayait parce qu'un chat dominant s'y embusquait. Enfermez le dominant dans une pièce et commencez à jouer doucement avec l'autre. Laissez-le rester dans la zone où il se sent en sécurité, le pas de la porte par exemple. Il finira par s'aventurer dans le couloir.

Parfois, si un chat urine de façon intempestive (sans procéder à un marquage), il peut le faire tout près de la caisse, par exemple si celle-ci est trop sale ou si la litière ne lui convient pas. Si c'est l'emplacement de la caisse (dans une buanderie, par exemple) qu'il n'aime pas et qu'il choisit d'autres pièces, vous vous apercevrez peut-être que celles-ci sont rarement utilisées. Quand je me rends en consultation chez les maîtres, découvrant que le chat rejette sa caisse à cause de son emplacement, je m'aperçois en général que les endroits choisis sont la salle à manger, le salon d'apparat (où personne ne va jamais), ou une chambre d'amis inoccupée. C'est comme s'il considérait les endroits où les humains se rendent peu comme le périmètre du nid. Des séances de jeu dans ces pièces vous permettront de les ramener au centre du nid.

Lorsque vous essayez d'accoutumer de nouveau un chat à sa caisse, il y a un autre élément très important de la modification du comportement, un élément dont nous manquons parfois quand les choses sont difficiles : la *patience*. La plupart des problèmes d'élimination ou de marquage ne se sont pas installés en un jour, et ils ne seront pas non plus résolus en un jour. Certains de mes clients vivaient depuis des années avec un chat qui procédait à des marquages urinaires avant de me contacter, espérant que je résoudrais le problème en quarante-huit heures. Les choses ne se font pas si vite.

Contacter un spécialiste du comportement

En lisant ce chapitre, vous avez vu à quel point les problèmes liés à l'utilisation du bac à litière peuvent être compliqués, stressants et tristes. Si vous n'arrivez pas à résoudre un tel problème, il vous reste certaines possibilités. Un spécialiste du comportement animal pourra vous aider à définir avec précision le problème et préparer un programme de rééducation adapté à votre chat.

Votre vétérinaire pourra vous indiquer un tel spécialiste. Beaucoup d'entre eux se déplacent à domicile pour voir le chat dans son territoire et pouvoir juger de son environnement. Si vous n'avez pas l'habitude de ce genre de conseil, parlez-en à votre vétérinaire.

Quand les tentatives de modification du comportement échouent

ENFERMER LE CHAT

Si l'animal continue d'uriner à des endroits divers, la méthode du confinement, basée sur le besoin instinctif du chat d'éliminer loin de son nid, peut aider à le rééduquer. Enfermez-le dans une petite pièce assez grande pour contenir sa caisse, une couche et ses bols d'eau et de nourriture (qui doivent être aussi éloignés de la caisse que possible). Il faut que l'espace soit restreint pour que le chat comprenne qu'il ne peut éliminer que dans la caisse. S'il décide de faire ses besoins ailleurs, il finira par marcher et dormir dedans, ce dont il ne veut à aucun prix (bien sûr, il vous faut nettoyer immédiatement en cas d'accident).

Vous pouvez l'enfermer dans une petite salle de bains ou une grande cage. Dans le cas d'une salle de bains, la moquette est à proscrire.

Souvenez-vous que le but du confinement est de *rééduquer* et non pas de *punir*. Ne l'enfermez pas dans la salle de bains comme dans une prison. Passez du temps avec lui en jouant, le caressant et le toilettant. Que les choses soient aussi positives que possible.

241

Gardez-le enfermé trois ou quatre jours, même s'il utilise la caisse dès le premier. Vous pourrez alors le laisser sortir pour de brèves périodes, sous votre surveillance. Profitez de ces sorties pour des séances de jeu.

Pendant que le chat est enfermé, nettoyez à fond la maison et neutralisez les odeurs. Débarrassez-vous de tout meuble ou tapis trop souillé.

Quand l'animal se remet à utiliser sa caisse sans faute, vous pouvez le réintroduire dans la maison.

LES MÉDICAMENTS INFLUANT SUR LE COMPORTEMENT

Il arrive que les méthodes de modification du comportement ne suffisent pas à agir sur les problèmes d'un chat. Il est possible que ce soit dû à la gravité du problème, au temps depuis lequel il dure, ou il se peut que le chat soit si effrayé et stressé qu'il ne peut répondre à ces techniques.

Des médicaments utilisés convenablement peuvent dans certains cas, sinon complètement éliminer, du moins réduire le problème.

Jusqu'à une époque récente, les médicaments influant sur le comportement étaient à base d'hormones, comme Ovaban. L'ennui de ce produit est que son usage à long terme est dangereux, il risque de provoquer le diabète et de plus n'est pas très efficace dans le traitement des problèmes d'élimination. Mais les vétérinaires n'avaient rien d'autre.

Le Valium était et est toujours souvent prescrit dans ces cas. Là aussi, les effets secondaires, notamment au niveau du foie, peuvent être très dangereux.

Il existe actuellement des médicaments utilisés pour la modification du comportement très efficaces et induisant peu d'effets secondaires. Le Buspirone, qui est un anxiolytique servant aux humains, a dans de nombreux cas limité le désir de marquage des chats.

L'Amitriptyline, un antidépresseur (lui aussi destiné à l'origine aux humains) sert maintenant à soigner l'élimination intempestive et certains cas d'agressivité.

Ce ne sont que deux des nouveaux médicaments que vétérinaires et spécialistes du comportement utilisent en même temps que des programmes de rééducation. Un diagnostic exact et le médicament adapté peuvent sauver la vie d'un chat qui autrement aurait été euthanasié.

Un conseil de prudence, cependant : ne donnez jamais, en aucun cas, à votre chat les médicaments que vous prenez vous-même. La plupart de ceux-ci ne conviennent pas à l'usage vétérinaire. Avant que le praticien et vous ne décidiez d'un traitement médicamenteux, il vous faudra discuter de tous les aspects de ce traitement, de son influence sur la santé de l'animal, de son coût et du type de surveillance médicale nécessaire. Un tel traitement ne doit pas commencer avant un examen poussé du chat. Renseignez-vous sur la durée prévue du traitement et les méthodes de sevrage en fin de thérapie.

Ce type de médication doit toujours s'accompagner de techniques de modification du comportement, ou vous risquez de voir le problème réapparaître après l'arrêt du traitement.

C'est une *partie* d'un programme complet de rééducation, pas juste une méthode facile.

Si vous pensez que seul un traitement médicamenteux vous aidera, prenez rendez-vous avec votre vétérinaire et peut-être un spécialiste du comportement pour en parler. Informez-vous – la vie de votre chat en dépend peut-être.

ÉLÉMENTS À CONSIDÉRER AVANT DE COMMENCER UNE THÉRAPIE	
• l'état de santé du chat • le diagnostic exact du problème • l'efficacité ou l'inefficacité des méthodes de modification du comportement jusqu'alors • l'efficacité ou l'inefficacité des changements apportés à son environnement jusqu'alors • la réponse possible de l'in-	dividu à ce type de médicament • les effets secondaires possibles • le coût • votre capacité d'administrer des médicaments à l'animal

Préférences inhabituelles en matière d'élimination

Les chats préfèrent en général un substrat meuble qui leur permet de gratter, de creuser un trou et de le recouvrir. On trouve pourtant des chats qui choisissent d'éliminer sur des surfaces dures et méprisent les litières de tous types. Comme le fait d'uriner dans les baignoires, les éviers ou sur le sol est un symptôme de FUS, faites examiner le chat par un vétérinaire. Une fois certain qu'il s'agit d'un problème de comportement, rééduquez l'animal en l'enfermant dans un espace restreint. Recouvrez toutes les surfaces plates de vieux draps ou serviettes. Placez dans la pièce un bac *vide*. La seule surface dure disponible sera *l'intérieur* de la caisse. Les jours suivants, mettez un peu de litière agglomérante dans la caisse, de plus en plus chaque jour, jusqu'à ce que le chat se soit habitué à utiliser un bac plein de litière.

Une autre préférence courante concerne les tissus, tapis, serviettes ou vêtements. Si vous avez déjà employé en vain un grand nombre de litières et de techniques de modification du comportement, essayez d'enfermer votre chat dans une petite pièce sans tapis, en lui donnant une caisse contenant, au lieu de litière, un morceau de moquette ou une serviette. S'il se met à utiliser la caisse, remplacez le morceau de moquette par un morceau plus petit et ajoutez un peu de litière. Si vous agissez assez progressivement, vous devriez pouvoir réhabituer l'animal à la litière.

LES AMOUREUX DES PLANTES

Il est plus fréquent qu'un chat élimine dans les pots des plantes vertes s'il a longtemps vécu dehors. Cela peut aussi se produire si l'animal découvre qu'il préfère la texture de la terre à celle d'une litière à base d'argile. Si c'est le produit que vous utilisez, ajoutez une deuxième caisse contenant une litière agglomérante, qui pourrait mieux convenir au chat.

Placez dans les pots des éléments dissuasifs tels que du scotch double-face. Vous pouvez aussi mettre de grosses pierres dans les conteneurs de grande taille. Il faut des pierres lourdes pour que le chat ne puisse pas les écarter. Une autre possibilité est de placer sur le sol un filet de jardinage qui empêchera l'animal de gratter. Toutes ces méthodes vous permettent d'arroser facilement les plantes et ne sont pas esthétiquement insupportables.

Si votre chat refuse d'utiliser autre chose que de la terre, remplissez-en d'abord sa caisse puis ajoutez au fil des jours de plus en plus de litière. Il finira par faire la transition. Attention : la terre est très salissante, veillez à recouvrir la moquette ou les tapis près de la caisse.

LES PROBLÈMES DE LITIÈRE D'ORDRE GÉRIATRIQUE

Avec l'âge, la détérioration mentale et/ou physique de votre chat peut l'amener à souiller la maison. L'arthrite peut lui rendre difficile l'accès à la caisse, ou de monter et descendre un escalier. Certains chats souffrent en vieillissant de troubles d'orientation et ne se rappellent plus l'emplacement de la caisse. Le diabète, les maladies rénales et d'autres problèmes de santé provoquant une plus grande consommation d'eau et expulsion d'urine peuvent faire que l'animal n'atteigne pas la caisse à temps.

Mettez en place plusieurs caisses aux bords bas, dans lesquelles le chat entre aisément. Si les bords restent trop hauts, servez-vous de plateaux en plastique.

Si votre chat souffre de désorientation, restreignez-le à un secteur de la maison qu'il est facile de nettoyer et gardez à portée de main une bonne quantité de neutralisateur d'odeur à base d'enzymes.

CHAPITRE IX

Poteaux-griffoirs, canapés et fauteuils anciens

En rendant visite à des amis possesseurs de chats, vous avez vu les restes déchiquetés de ce qui fut des rideaux. Vous avez fait de votre mieux pour ne pas remarquer le canapé qui semblait avoir été victime d'une tronçonneuse miniature. Vous avez maintenant chez vous un délicieux chaton. Est-il capable de causer autant de dégâts ? Est-ce la fin de votre mobilier ? Devez-vous lui faire enlever les griffes ?

Avant de prendre une telle décision, retournez chez vos amis et regardez-y de plus près. Voyez-vous quelque part un poteau-griffoir ? Si oui, est-il court et instable ? Quelles techniques ont employé vos amis pour rediriger le chat vers cet objet plus approprié ? Pensent-ils ne pouvoir éduquer leur chat que par des punitions ? Si vous avez déjà lu les chapitres précédents, pensez-vous que cette méthode ait des chances de succès ? D'après ce que vous avez déjà lu, ne vous semble-t-il pas que, si le chat se fait les griffes sur le mobilier, cela signifie peut-être que le griffoir ne lui convient pas ou, pire, qu'il n'y en a pas ?

Il vous est possible de vous informer et d'utiliser des méthodes de dressage efficaces.

L'ablation des griffes est une chose très grave et irrémédiable ; veuillez donc lire ce chapitre en entier pour bien comprendre pourquoi les chats se font les griffes, pourquoi ils choisissent certaines surfaces plutôt que d'autres et comment fonctionnent les méthodes de dressage que j'emploie avec succès depuis des années.

Le besoin de se faire les griffes

C'est un comportement inné qui remplit de nombreuses fonctions dans la vie d'un chat. La plus évidente est l'entretien des griffes. Le chat se débarrasse de l'étui extérieur des griffes des pattes avant en griffant une surface rugueuse. Quand il retire la patte, l'étui mort reste prisonnier du matériau, libérant le nouvel étui.

Se faire les griffes lui sert aussi à marquer son territoire, comme il est dit au chapitre II.

Si vous avez déjà vu un chat se précipiter vers son poteau lorsque son maître arrive, vous avez vu comment ce comportement sert d'exutoire émotionnel. Un chat se fait aussi les griffes pour déplacer la frustration qu'il ressent après une réprimande, ou parce qu'il ne peut pas faire ce qu'il voudrait (par exemple capturer l'oiseau qu'il voit par la fenêtre).

Cela lui permet aussi d'exercer les muscles des épaules et du dos. Le chat apprécie souvent de s'étirer après avoir dormi roulé en boule, ou après un repas.

Les conséquences de l'ablation des griffes

Beaucoup de maîtres décident précipitamment de recourir à cette opération sans en comprendre les conséquences. Heureusement, la plupart des vétérinaires leur expliquent que cela ne doit se faire qu'en dernier recours.

L'ablation des griffes équivaut à l'amputation des dernières phalanges d'un humain. Après cette amputation, un pansement compressif est posé sur le bout des pattes pour une nuit. Le chat souffre lorsqu'il se réveille et souffrira plusieurs jours encore. Si on ne lui donne pas d'analgésiques, la guérison est encore plus difficile.

La cicatrisation prend environ une semaine, et le chat ne peut utiliser de litière ordinaire pendant la convalescence ; cela lui ferait mal, et pourrait infecter les blessures en voie de cicatrisation.

Un chat dépourvu de griffes est presque sans défense face à un ennemi. Il ne peut donc jamais sortir ; il aurait les plus grandes difficultés à grimper dans un arbre pour échapper à une attaque.

L'ablation des griffes peut perturber le sens de l'équilibre du chat et, si l'opération n'a pas été bien pratiquée, une ou plusieurs griffes peuvent repousser de façon douloureuse pour l'animal.

Une controverse dure depuis des années : un chat privé de ses griffes a-t-il plus tendance à mordre ? De nombreux experts affirment que rien ne le prouve. J'ai vu de tels animaux se mettre à mordre et/ou subir des changements de caractère. Pour être honnête, je dois dire que j'ai vu des chats rester parfaitement aimables après l'opération. L'ennui est que ces chats au caractère facile auraient aisément pu être dressés à se servir d'un griffoir si les méthodes idoines avaient été employées. Mon objection principale à l'ablation des griffes est basée sur l'extrême douleur infligée à l'animal, et sur le fait que se faire les griffes est indispensable à son bien-être physique et mental. À mon avis, il s'agit tout simplement d'une mutilation.

Si vous avez un chaton, attendez de l'avoir habitué à se servir d'un griffoir avant d'envisager l'ablation des griffes. Je sais, on dirait que ses griffes sont sorties en permanence mais, avec le temps, il apprendra à les rentrer.

Habituer votre chaton à l'entretien régulier de ses griffes limitera les dégâts infligés au mobilier et l'accoutumera à ce que vous lui manipuliez les pattes.

Le poteau-griffoir ordinaire

Le maître essaie de faire son devoir en achetant un poteau à l'animalerie du coin. Celui-ci est d'habitude recouvert d'une moquette de couleur vive, avec peut-être même un petit jouet accroché au sommet. Le maître rentre chez lui, heureux d'avoir veillé aux besoins de son chaton, et place le poteau dans un coin du salon. L'animal, toujours curieux de toute nouveauté, s'approche, renifle le poteau, donne un coup de patte au jouet. Le maître sourit. S'étant assuré que ce nouvel objet est inoffensif, le chat se dirige vers le canapé et y plante ses griffes. Le maître fronce les sourcils.

Le chat se montre-t-il têtu et volontairement destructeur ? Désobéissant ? Pas du tout. Il sait simplement que le poteau ne correspond pas à ses besoins.

Quels problèmes posent les poteaux ordinaires ? Commençons par le matériau qui les recouvre. Le plus souvent, c'est une moquette trop douce et trop épaisse. Il faut au chat une matière où il puisse planter ses griffes pour arracher les vieux étuis. Si votre chat se fait les griffes sur les meubles plutôt que sur le poteau, comparez les textures des deux surfaces, passez la main dessus. Le tissu d'ameublement est bien plus agréable.

Le problème suivant d'un poteau ordinaire est qu'il n'est en général pas assez stable. La base est souvent trop petite, et le poteau tombe quand le chat fait porter tout son poids dessus. Certains, de construction médiocre, ne sont pas assez solidement fixés à la base et oscillent. Les meubles étant lourds, le chat a une raison de plus d'utiliser le canapé, qui lui ne bouge pas.

Beaucoup de poteaux sont trop courts. Se faire les griffes permet aussi au chat de s'étirer. Voyez à quel point le corps de l'animal s'allonge alors. Il aime tant s'étirer qu'il continuera à se faire les griffes sur vos meubles.

Choisir un poteau approprié

En faisant vos achats, gardez trois choses présentes à l'esprit. Un poteau doit être : recouvert d'un matériau convenable ; stable et robuste ; assez haut pour que le chat puisse s'étirer de toute sa longueur.

Le sisal est un excellent matériau de couverture. La corde est une autre bonne idée, sa texture rugueuse attire les chats. Plus le matériau est rugueux, mieux cela vaut. Pensez à une lime à ongles. Vous n'utiliseriez pas une lime émoussée, votre chat non plus.

Certains poteaux recouverts de moquette sont acceptables si le matériau est suffisamment rugueux.

Fabriquer votre propre poteau

Il vous faut un poteau de bois de dix centimètres de côté et de soixante-quinze centimètres de long. Pour la base, un carré de contre-plaqué de quarante centimètres de côté, épais de deux centimètres, suffira. Choisissez pour le poteau du cèdre, du peuplier, du sapin ou du pin. Le chêne est plus dur et vous aurez du mal à fixer les vis.

Le marchand vous proposera sans doute du bois *traité* ou *non traité*. Ne prenez pas de bois traité, ni le chat ni vous n'en aimeriez l'odeur.

Si vous avez l'intention de ne pas recouvrir la base, passez-la au papier de verre pour éviter les échardes que vous pourriez vous planter dans le pied au milieu de la nuit.

Pour fixer le poteau sur la base, il vous faut des vis à bois de six centimètres. Marquez sur la base l'emplacement du poteau, et tirez des diagonales d'un angle à l'autre de ce carré. Faites un trou au centre et un autre à deux centimètres et demi de chaque coin, sur la diagonale. Graissez les vis pour qu'elles pénètrent plus facilement. Retournez la base et vissez la vis centrale. Vérifiez que le poteau est bien en place par rapport au carré que vous avez dessiné avant de fixer les autres vis.

Voici une erreur couramment commise par les maîtres au sujet du matériau de couverture : ils vont chercher un vieux bout de moquette. Comme dans le cas des poteaux du commerce, la moquette est en général trop souple et molle. Si vous tenez cependant à vous servir de ce que vous avez sous la main, placez-la *à l'envers*, le dessous vers l'extérieur. Le substrat d'une moquette peut se révéler plaisant à griffer. Fixez la moquette au poteau avec des clous.

À mon avis, le meilleur matériau de couverture pour un poteau est la corde. Achetez-en une bonne longueur, il faut bien la serrer autour du poteau. Vous pouvez aussi recouvrir de corde un poteau qui ne plaît pas à votre chat. Fixez-la en haut et en bas avec de grosses agrafes. Portez des gants de chantier pour protéger vos mains pendant ce travail.

Certains chats préfèrent se faire les griffes sur du

bois brut, par exemple sur les bûches entassées près de la cheminée. Dans ce cas, le plus simple est d'utiliser un rondin naturellement recouvert d'écorce, un matériau parfait. Si l'animal préfère le bois nu, écorcez un rondin ou ne recouvrez pas le bois que vous aurez acheté.

Les chats ont des préférences individuelles marquées en la matière, et il vous faudra peut-être faire preuve d'imagination pour fabriquer le poteau idéal.

Où placer le poteau ?

Ne commettez pas l'erreur d'essayer de le cacher. Ce n'est peut-être pas un objet très décoratif, mais le chat a besoin de savoir qu'il est là. Bien placé, le poteau sert de rappel visuel.

De nombreux chats aiment se faire les griffes après une sieste ou un repas. Comme cette activité a aussi une fonction émotionnelle, ils veulent souvent se servir du poteau quand leur maître rentre, ou alors qu'ils attendent avec impatience le repas.

Si vous avez un chaton, laissez le poteau bien en évidence dans son espace pour qu'il le trouve aisément. Si vous le laissez aller dans toute la maison, prévoyez plusieurs poteaux, vous ne pouvez pas espérer qu'il contienne son désir de se faire les griffes pendant qu'il va de pièce en pièce, à la recherche du griffoir. Ne rendez pas les choses difficiles au jeunot.

Apprendre au chat l'usage du poteau

Pour un chaton, le mouvement de se faire les griffes sert d'habitude à grimper. Un propriétaire novice peut s'imaginer que l'animal a des pattes garnies de velcro en le voyant escalader meubles, rideaux, lits et vêtements sur cintres. Respirez profondément et prenez patience, ça passera. Même si pour l'instant le chaton se contente d'escalader le poteau, il découvrira bientôt qu'il lui faut se faire les griffes. Soyez prêt.

La méthode de dressage est la même pour un chaton ou un adulte : faites-en un jeu. Agitez une plume de paon ou un autre jouet près du poteau. Quand le chat essaiera de s'emparer du jouet, il sentira la texture irrésistible du poteau. Grattez celui-ci doucement, de bas en haut, avec vos ongles. Le bruit l'amènera souvent à vous imiter.

Si l'animal ne comprend pas ce qu'il devrait faire, couchez le poteau sur le côté et agitez le jouet tout autour. En essayant d'attraper celui-ci, il découvrira la texture du poteau et se mettra peut-être alors à gratter le poteau pour de bon. Une fois cette découverte faite, vous pouvez remettre debout le griffoir.

N'essayez jamais de forcer le chat à se faire les griffes en lui saisissant les pattes et en les passant sur le poteau. Si délicat que vous soyez, il n'appréciera pas l'expérience et ne comprendra pas ce que vous voulez. Son seul désir sera d'échapper à votre prise, et vous n'aurez rien obtenu qu'une association négative avec le poteau.

Si vous avez un chaton, jouez régulièrement avec lui près du poteau, et toujours de la même façon pour ne pas le perturber. N'approchez pas le jouet de meubles, de coussins, de vêtements ou de rideaux, ce qui pourrait l'encourager à les griffer ou les escalader. Ne lui envoyez jamais de messages incompréhensibles.

Rééduquer le chat à l'usage du poteau après qu'il ait découvert le mobilier

C'est possible, mais il vous faut d'abord un poteau convenable. Suivez mes instructions pour en acheter ou en construire un. Si vous avez chez vous un vieux poteau qui accumule la poussière depuis des années, n'essayez même pas de vous en servir. Puisque le chat ne l'a pas utilisé, c'est qu'il ne lui plaît pas, jetez donc cette vieillerie (toutefois, si le poteau est assez haut et robuste, vous pouvez le recouvrir d'un autre matériau).

Maintenant, regardez les endroits où l'animal se fait d'habitude les griffes. S'il s'agit d'un canapé ou d'un fauteuil, il vous faudra rendre le meuble moins attirant. Vous pouvez placer du scotch double-face transparent aux emplacements que griffe le chat. Si le meuble entier est griffé, recouvrez-le d'un drap que vous rabattrez soigneusement en dessous pour que l'animal ne puisse s'y glisser et placez du scotch double-face à plusieurs endroits. Vous avez ainsi transformé un excellent griffoir en une surface inacceptable. Placez ensuite le poteau près du meuble recouvert. Quand le chat s'approchera du meuble pour se faire les griffes et verra que celui-ci a disparu, il trouvera à proximité un objet encore préférable. Vous pouvez l'attirer encore plus grâce à des jouets que vous agitez près du poteau et aussi frotter celui-ci d'herbe à chats.

Si vous surprenez l'animal en train de se faire les griffes sur les meubles pendant la phase de rééducation, ne le punissez pas, ne le grondez pas. C'est un comportement normal et naturel, il est impossible de réprimander le chat. Vous pouvez rendre un meuble moins attirant en plaçant quelque chose sous un pied pour qu'il soit moins stable (avertissez les membres de votre famille avant qu'ils essaient de s'asseoir). Un canapé ou fauteuil instable ne formera pas un grattoir aussi séduisant.

Certaines personnes ont essayé par exemple de fixer des ballons de baudruche aux meubles, mais j'y suis vivement opposée parce que c'est trop effrayant. L'explosion des ballons peut rendre encore plus craintif un chat peureux, qui risque même de ne plus vouloir se servir d'un poteau. Si vous avez plusieurs animaux, les autres aussi peuvent être terrifiés par le bruit.

Gardez le meuble recouvert jusqu'à ce que le chat se serve quotidiennement du poteau et cesse de s'en prendre au mobilier, puis déplacez progressivement le griffoir jusqu'à l'endroit où vous souhaitez l'installer. Je vous recommande de ne pas trop l'éloigner cependant, pour que le chat s'en souvienne. Lorsque l'animal vous semble rééduqué et va se faire les griffes sur le poteau sans jeter un œil au meuble, enlevez le drap.

Si le chat gratte les alentours des portes, il cherche peut-être plus à marquer son territoire qu'à se faire les griffes. Mettez un griffoir près de la porte et recouvrez les parties attaquées par du scotch double-face. Dans un couloir étroit ou un autre endroit où vous ne pouvez installer un poteau, accrochez aux poignées de porte des coussinets recouverts de sisal. Il est possible aussi de fixer au mur un bout de moquette retourné.

Si l'animal est sensible aux récompenses sous forme de nourriture, donnez-lui une friandise chaque fois qu'il pose la patte sur le poteau.

Si vous avez plusieurs chats, il vous faut plusieurs poteaux, au cas où un animal déciderait de se réserver l'usage exclusif d'un griffoir particulier.

Une fois le ou les poteaux en place, vous pouvez vérifier quel succès il(s) remporte(nt) en cherchant à la base de petits étuis de griffe en forme de croissant.

Pendant la période de rééducation, appliquez de l'herbe à chats sur le poteau une fois par semaine. Mettez-en par la suite de temps en temps, à titre de friandise.

Et si vous baissez les bras ?

C'est une des choses que me disent souvent les maîtres. Désespérés, ils décident d'abandonner la lutte et de laisser le chat détruire un fauteuil, se disant qu'ils en achèteront ensuite un autre. Le problème de ce raisonnement est que le chat ne comprendra pas pourquoi on lui interdit de se faire les griffes sur le nouveau meuble. N'envoyez pas à l'animal de messages incompréhensibles, achetez un bon poteau.

Griffage horizontal

Tous les chats ne se font pas les griffes verticalement, certains préfèrent des surfaces horizontales. Vous verrez peut-être votre chat gratter la moquette, un paillasson, le revêtement du patio ou le dessus d'un meuble. De nombreux chats apprécient les surfaces horizontales et verticales mais, si toutes les surfaces griffées sont horizontales, c'est peut-être la raison pour laquelle l'animal refuse un poteau vertical.

Il y a dans le commerce beaucoup de griffoirs destinés aux chats qui préfèrent les surfaces horizontales. La Felix Company en fabrique un, recouvert du même matériau à base de sisal que leurs poteaux. On trouve aussi de nombreux griffoirs en carton ondulé, très bon marché. Ils sont très appréciés et existent en de nombreuses dimensions ; on peut donc les installer où on veut. Il existe même un griffoir en carton ondulé incliné, pour les chats qui se font les griffes horizontalement et verticalement. Les chatons semblent particulièrement apprécier le carton ondulé. Ces griffoirs sont très pratiques en voyage.

La pose de fausses griffes en plastique

De fausses griffes en plastique, commercialisées sous le nom de Soft Paws, peuvent être placées sur celles du chat. On met de la colle dans les capsules et on les met en place. Elles durent d'un à deux mois. Les griffes de l'animal poussent, aussi une capsule qui ne s'est pas détachée ou que le chat n'a pas rongée devra être enlevée.

L'animal essaiera toujours de griffer, mais ses griffes ne pénétreront bien sûr pas. C'est une possibilité pour les maîtres dont le chat refuse absolument de se servir d'un poteau et qui ne veulent pas procéder à l'ablation des griffes.

Je n'apprécie pas énormément ce produit (mais c'est préférable à l'ablation) parce qu'une fois les capsules posées, le chat ne peut rétracter complètement ses griffes. Je ne sais pas si c'est agréable à long terme. De plus, les capsules l'empêchent de se livrer à un comportement naturel.

La première application de ces capsules doit être faite par un vétérinaire, au cas où le chat réagirait mal à la colle.

On trouve des kits pour l'application à domicile, avec des capsules de tailles variées. N'essayez pas de le faire vous-même si votre chat est agressif. Même si ce n'est pas le cas, vous aurez besoin d'un aide pour tenir le chat pendant que vous posez les capsules.

Je me suis aperçue que beaucoup de chats parvenaient à ronger une ou deux des fausses griffes peu après leur application, si bien que vous ne pouvez pas vous contenter de les poser puis de les oublier. Vérifiez régulièrement qu'elles sont toutes en place, car deux ou trois griffes dégagées suffiront à endommager le mobilier.

Si ce produit vous intéresse, parlez-en à votre vétérinaire.

Les arbres à chats

Il devrait y en avoir au moins un dans chaque maison où se trouvent des chats. Ils offrent non seulement un poteau élevé et solide où se faire les griffes mais permettent à l'animal de s'installer sur un meuble à lui. On en trouve de nombreux modèles, certains avec plusieurs plateaux, de forme et de hauteur variées.

Les poteaux peuvent être recouverts de corde, d'écorce, de sisal ou laissés en bois brut. Un modèle avec plusieurs plateaux peut avoir plusieurs matériaux de couverture. C'est un vrai paradis pour un chat !

Devriez-vous remplacer ce vieux poteau usé ?

Votre chat se sert fidèlement de son poteau depuis des années, à tel point que ce n'est plus qu'une corde déchiquetée pendant d'un morceau de bois lacéré. Vous remplacez amoureusement la corde ou jetez le tout et faites à l'animal la surprise d'un poteau flambant neuf. Devinez ce qui va se passer ? Il y a de bonnes chances qu'il n'apprécie pas. L'état du vieux poteau lui convenait parfaitement, avec toutes ses marques visuelles et olfactives. C'était le sien ! et soudain, horreur, son poteau a disparu...

Ne vous débarrassez pas d'un poteau auquel votre chat est attaché. Placez-en un second à proximité pour lui donner le choix. Souvenez-vous que griffer ne sert pas seulement à l'entretien des griffes mais aussi à marquer et à exprimer des émotions. Si l'animal abandonne entièrement l'ancien poteau en faveur du nouveau, vous pouvez alors vous en débarrasser.

Chez moi, il y a deux gros poteaux et trois arbres à chats. Tous les cinq sont régulièrement utilisés, je sais donc qu'ils plaisent à mes chats. Le poteau qui rencontre le plus grand succès est vieux de dix ans.

CHAPITRE X

Quelle alimentation ?

En tant que nouveau possesseur de chat, vous êtes sans nul doute soucieux d'assurer la meilleure nutrition possible à un animal en pleine croissance. Ce *dans quoi* vous mettez la nourriture et *où* peuvent avoir un effet surprenant et déterminer si l'animal accourt avec enthousiasme à l'heure des repas ou s'assied pour regarder son bol (et vous) d'un air dégoûté. Cela dépend de la présentation.

Vous avez plusieurs possibilités pour choisir les bols à eau et à nourriture de l'animal. Avant de dépenser une fortune pour un bol incrusté de joyaux ou au contraire d'aller au grenier chercher cette vieille gamelle qui servait au berger allemand mort il y a huit ans, évaluez les besoins de votre chat.

Quel bol choisir ?

Un bol est un bol, dites-vous ? C'est vrai, mais vous voulez le *meilleur* bol pour *votre* chat. Ils sont en général faits de plastique, de verre, de porcelaine ou d'acier inoxydable. Voici quelques éléments à considérer quand vous faites votre choix.

LE PLASTIQUE

C'est sans doute le matériau le plus couramment employé, bon marché, léger et incassable. Pourtant, je ne l'apprécie pas. Certains chats peuvent développer des allergies en mangeant dans des récipients en plastique. Ces allergies se manifestent sous forme de chute de poils ou d'acné sur le menton, et les lésions peuvent devenir graves. Si bien que vous nettoyiez le bol, il retient malgré tout des odeurs. De plus, le plastique peut facilement se rayer ; des résidus de nourriture et des bactéries s'installent dans les éraflures. Une surface plastique rayée peut aussi blesser la langue sensible d'un chat. Il faut remplacer un bol éraflé et, même si au début le plastique semble bon marché, le coût répété du remplacement des récipients n'en fait pas une si bonne affaire.

Enfin, je n'aime pas les bols en plastique parce qu'ils sont *très* légers. Mes chats n'apprécient pas de devoir suivre leur bol dans toute la cuisine parce qu'il glisse sur le sol. Vous trouvez peut-être ça drôle et mignon mais, dans une maison comptant plusieurs chats, la *distance* durant les repas est d'importance majeure. Un bol de nourriture qui glisse vers un ennemi peut causer de graves ennuis.

VERRE ET CÉRAMIQUE

Un bon choix, parce qu'ils sont plus lourds que le plastique et ne se déplaceront pas dans la cuisine. Mais ils sont cassants, il vous faut donc prendre garde en les lavant à ne pas les ébrécher, ce qui pourrait blesser la langue du chat. De plus, certains bols de céramique comportent des imperfections qui leur donnent une surface rugueuse risquant d'irriter la langue. Si vous choisissez de la céramique, vérifiez que le produit ne contient pas de plomb. L'émaillage de certaines céramiques fabriquées hors des États-Unis contient du plomb.

L'ACIER INOXYDABLE

Virtuellement indestructible. C'est un excellent choix. Toutefois, ces bols peuvent être assez légers, mais certains modèles comportent un rond de caoutchouc qui les empêche de glisser. Pour des raisons d'hygiène, si le caoutchouc peut être retiré, n'oubliez pas de laver dessous, là où des bactéries peuvent se dissimuler.

LA TAILLE ET LA FORME

Choisissez une taille appropriée à votre chat. À votre avis, que se passera-t-il si vous donnez un grand bol à un tout petit chaton ? Il finira par marcher dedans. Gardez le grand bol pour quand il sera plus vieux.

Les bols étroits et profonds qui resserrent les vibrisses de l'animal ne sont pas une bonne idée. Dans le cas de chats à poil long, de tels bols peuvent souiller la fourrure. Ils ne sont pas non plus recommandés pour les races à nez court comme les persans et les chats de l'Himalaya, qui ont besoin de bols larges et peu profonds.

LES BOLS DOUBLES

Si vous avez deux chats et achetez un bol double, vous risquez de créer un problème de comportement. Certains individus ont besoin d'espace quand ils mangent (souvenez-vous qu'à l'état sauvage les chats s'isolent souvent pour leurs repas). Faire manger deux chats aussi près l'un de l'autre peut encourager le dominant à ne pas laisser se nourrir l'autre. Le dominé peut ne pas oser s'approcher avant que le dominant ait terminé (et celui-ci peut alors avoir fini la nourriture). Laissez au moins un mètre entre les bols.

On met parfois dans un bol double nourriture et eau. Je n'y suis pas favorable, pour deux raisons. Certains chats n'aiment pas que leur nourriture soit aussi proche de l'eau. Le résultat peut être un chat difficile, ou bien il peut aller chercher de l'eau ailleurs, par exemple dans les toilettes. La deuxième raison est que des fragments de nourriture finissent par tomber dans l'eau, la rendant moins attirante. Si vous laissez un double bol sorti en permanence pour que le chat mange quand il le souhaite, l'eau peut devenir impropre à la consommation.

LES DISTRIBUTEURS AUTOMATIQUES D'EAU ET DE NOURRITURE

Je pense que ces distributeurs sont utiles si vous laissez le chat seul pour un ou deux jours. Je déconseille leur emploi quotidien. L'eau qui stagne longtemps perd de son contenu en oxygène et prend mauvais goût. L'animal risque de ne pas boire suffisamment. La même chose se produit pour la nourriture – si elle a mauvais goût, le chat aura moins d'appétit.

Dans une maison où se trouvent plusieurs chats, si l'un boit beaucoup (par exemple à cause d'un problème médical) et que vous n'êtes pas là pour remplir le bol, un distributeur automatique est une bonne idée. Veillez à le laver souvent et à remplacer l'eau.

LE LAVAGE DES BOLS

Quel que soit le type de bols choisi, il est essentiel de les laver quotidiennement. Selon les instructions du fabriquant, nettoyez-les à la main avec du savon liquide ou au lave-vaisselle. Si vous les lavez à la main, assurez-vous qu'il ne reste pas de trace de produit, tout résidu peut irriter la langue et l'intérieur de la bouche de l'animal. Quand vous êtes sûr d'avoir assez rincé le bol, recommencez.

L'EMPLACEMENT DES BOLS

Je l'ai dit et je le répète : l'endroit où vous ne devez *jamais* placer la nourriture, c'est près de la caisse. Pourquoi est-ce si mauvais ? Pour le comprendre, revenons aux instincts du chat. À l'état sauvage, un chat élimine loin de son nid pour éviter d'attirer des prédateurs. En plaçant la nourriture près de la caisse, vous transmettez un message confus à l'animal. *Ceci est-il mon nid ou le périmètre du territoire ?* Le problème est que le chat décide de manger là (puisque c'est le seul endroit où trouver de la nourriture) et va donc éliminer ailleurs. Et, je vous le promets, l'endroit qu'il choisira ne vous plaira guère.

Ne conviennent pas non plus au bol de nourriture des endroits bruyants, effrayants pour l'animal ou susceptibles de lui réserver des surprises. Si vous avez un chat timide et nerveux et que vous placez son bol dans la buanderie, devinez ce qui se passera lorsque la machine à laver commencera son cycle d'essorage ? Le chat, terrorisé, s'enfuira. Si vous avez un chien qui apprécie la nourriture du chat, poser son bol sur le sol signifie qu'il risque d'en être chassé.

L'emplacement le plus évident pour la nourriture et l'eau du chat est la cuisine, mais cela n'est pas toujours possible. Si l'animal est timide et qu'il y a beaucoup d'activité dans la cuisine, mieux vaut le nourrir dans une pièce plus tranquille. Les maîtres peuvent se montrer pleins d'imagination pour veiller aux besoins de leur chat. Souvenez-vous simplement qu'il lui faut du calme et de la sécurité.

Une fois que vous avez choisi un endroit, n'en changez pas si vous pouvez l'éviter. Les chats étant des créatures d'habitude, ils n'aiment pas découvrir soudain que leur assiette a disparu.

Il peut être nécessaire de modifier les horaires de repas ou l'emplacement du bol d'un chat âgé. Si vous le nourrissiez dans un endroit élevé, assurez-vous que l'animal puisse toujours y monter et en descendre. Il vous faudra peut-être le nourrir sur le sol ou lui ménager un accès plus facile.

DES DESSOUS DE PLAT POUR CHATS

Pour des chats qui mangent très salement ou qui aiment renverser leur bol d'eau, on trouve des dessous de plat aux bords relevés qui retiennent l'eau et évitent que parquet ou moquette soient endommagés. Vous en trouverez dans les animaleries.

Le monde compliqué des aliments pour animaux

Si vous êtes entré dans un supermarché durant cette décennie, vous avez sans doute remarqué la place occupée par la nourriture pour animaux. La variété est stupéfiante, et il y a aussi des marques qui ne sont vendues qu'en animalerie, par correspondance, ou chez les vétérinaires.

L'industrie de la nourriture pour animaux de compagnie est très, très importante. Les publicités sont souvent trompeuses et *nous* sommes leur cible. Certains fabriquants produisent des aliments que d'après leur apparence nous pourrions manger nous-mêmes – des tranches de bœuf en sauce, des petits pois, des carottes nouvelles, etc. Croyez-vous vraiment qu'un chat s'en soucie ? Si le chat faisait la cuisine chez vous, vous auriez dans votre assiette une souris accompagnée de papillons et de sauterelles. Le repas du lendemain consisterait sans doute en un Oiseau à la Félix, parfaitement assaisonné d'un peu d'herbe à chats. Cela vous tente ? Moi non plus, mais les chats feraient la queue pour un tel repas.

Ce chapitre vous indiquera les besoins nutritionnels de votre chat et le moyen de les satisfaire. Inutile de payer plus cher que nécessaire pour de la nourriture gadget simplement parce la publicité en est bien faite, mais il ne faut pas non plus remplir le coffre de votre voiture d'une marque bas de gamme qui ne conviendra pas à l'animal. Une alimentation équilibrée assurera à votre chat une bonne santé, un superbe pelage et beaucoup d'énergie. Il résistera mieux aux maladies, sera moins sujet aux troubles du comportement, et aura plus de chances de vivre jusqu'à un âge avancé.

Les protéines

Les chats ont besoin de protéines pour leur croissance, leurs dépenses énergétiques et pour que les tissus de leur corps fonctionnent normalement. Les chats ont besoin d'une proportion plus importante de protéines que les chiens, et un chaton encore plus qu'un adulte.

Les protéines sont composées d'*acides aminés*. Ils sont de deux sortes, *essentiels* et *non essentiels*. Les acides aminés non essentiels peuvent être synthétisés par le corps. Sur vingt-deux acides aminés environ, onze sont appelés *essentiels* parce que le chat ne peut les produire ; ils *doivent* venir de la nourriture.

L'un des acides aminés, la *taurine*, est particulièrement important pour les chats. Il y a peu de temps encore, la nourriture du commerce n'en comportait pas en quantité suffisante, ce qui provoquait des problèmes de santé chez les chats. Cécité et troubles cardiaques, deux maladies très graves, peuvent être causées par une insuffisance de taurine dans l'alimentation. Heureusement, les fabriquants ont augmenté la quantité de taurine dans leurs produits, plus dans la nourriture en boîte que dans la nourriture sèche à cause des changements qui se produisent lors de la mise en conserve. Depuis, on constate moins de ces déficiences. Mais les chats auxquels on donne de la nourriture pour chiens sont toujours en danger, parce que les chiens n'ont pas les mêmes besoins en taurine ; un chat qui mange de la nourriture destinée à un chien souffrira de déficiences.

Pourquoi les chats ne peuvent pas être végétariens

Les chats sont des carnivores, point à la ligne. Ils doivent obtenir la vitamine A, ainsi que d'autres éléments *essentiels,* à partir de la viande. Contrairement au nôtre, l'organisme d'un chat est incapable de convertir la bêta-carotène en vitamine A utilisable.

Il se peut que vous soyez exclusivement végétarien et même fermement opposé à la consommation de viande quelques soient les circonstances. Avec tout le respect dû à vos convictions, votre chat doit manger de la viande ou sa santé périclitera rapidement.

Les graisses

Le mot même de *graisse* fait peur à notre époque. Nous faisons tant d'efforts pour l'éliminer de notre régime alimentaire ! Mais les chats ont besoin de plus de graisses que les humains. Voici un autre cas, après leur besoin de viande, où il nous faut comprendre la différence entre nos besoins nutritionnels et ceux des chats.

Les graisses sont une source d'énergie concentrée, et les graisses d'origine animale procurent à l'organisme d'indispensables acides gras. Ceux-ci se regroupent pour former des graisses. Les vitamines solubles dans les graisses (A, D, E et K) ne peuvent être absorbées et réparties dans l'organisme que par des graisses.

Même si le régime des chats doit comprendre plus de graisses que le nôtre, n'importe quelle graisse ne convient pas. Les graisses *polyinsaturées* (d'origine végétale) ne peuvent être assimilées par un chat, si bien que l'acide gras essentiel, l'*acide arachidonique*, doit provenir de sources animales.

Les graisses améliorent aussi le goût de la nourriture. Nous avons au moins ça en commun avec les chats – eux et nous apprécions le goût des graisses dans la nourriture.

Les hydrates de carbone

Ce sont les sucres, les amidons et la cellulose. Les hydrates de carbone sont une source d'énergie et de fibres, et aident à la digestion des graisses. La cellulose n'est pas digérée et agit comme les fibres, permettant l'élimination normale des selles en absorbant l'eau dans l'intestin.

Les vitamines

Les vitamines sont ou bien *solubles dans l'eau* (vitamine B, niacine, acides folique et pantothénique, biotine, choline, vitamine C) ou *solubles dans les graisses* (A, D, E et K).

Tant que vous donnez à votre chat une nourriture de bonne qualité, équilibrée et convenant à son âge, il n'y a pas besoin d'y ajouter un complément de vitamines. Le faire sans l'avis de votre vétérinaire pourrait se révéler néfaste. Les vitamines solubles dans l'eau inutilisées par l'organisme sont éliminées dans l'urine, mais les vitamines solubles dans les graisses s'accumulent dans le corps jusqu'à un niveau dangereux. Cependant, à cause de l'âge ou d'une maladie, certains chats ont besoin d'un complément de vitamines – mais seul un praticien peut en décider.

Ainsi que je l'ai dit plus haut, les chats sont incapables de convertir le bêta-carotène en vitamine A utilisable, et il leur faut en trouver dans la viande – gardez donc les carottes pour votre propre repas.

Les produits préventifs contre l'ingestion de boules de poils à base d'huiles minérales ou de gelée de pétrole peuvent gêner l'absorption de vitamines solubles dans les graisses. Si votre chat est sujet aux boules de poils, faites attention à ne pas abuser des produits préventifs. Pour en savoir plus, référez-vous au chapitre XII.

Les minéraux

Comme pour les vitamines, les chats ont besoin d'une quantité convenable de minéraux pour rester en bonne santé. Le *calcium* et le *phosphore* doivent conserver un certain rapport, faute de quoi des problèmes médicaux sérieux peuvent se produire. Un chat nourri uniquement de viande, manquant de calcium, peut avoir des problèmes osseux, et un régime trop chargé en calcium peut bouleverser le fonctionnement normal de la thyroïde.

La meilleure façon de vous assurer que l'animal reçoit tous les minéraux dont il a besoin en quantité appropriée est de lui donner une nourriture de bonne qualité, équilibrée et convenant à son âge.

L'eau, nutriment oublié

La vie entière dépend de l'eau. Un chat peut se passer de nourriture plus longtemps que d'eau. Son corps est composé de presque soixante-dix pour cent d'eau. Quand vous réfléchissez à la façon de nourrir au mieux votre chat, n'oubliez pas cet élément essentiel.

Il faut que l'animal ait accès en permanence à de l'eau propre et fraîche. Mais votre responsabilité ne se limite pas à remplir son bol quand il est vide. Il vous faut surveiller *combien* il boit, et noter tout changement de consommation, qui peut indiquer un problème médical (diabète ou troubles rénaux).

L'eau de son bol doit être changée quotidiennement, et le bol lavé pour éviter de contaminer l'eau fraîche. Ne prenez pas un grand bol en pensant qu'il vous suffira de le remplir une fois par semaine. L'eau s'évente, et les chats n'aiment pas ça. Si vous remarquez des miettes de nourriture ou de la saleté dans l'eau, nettoyez le bol et remplissez-le à nouveau. Que l'eau de votre chat soit aussi attirante que possible.

Certains chats ont des préférences particulières en ce qui concerne la forme et la taille de leur bol. Le vôtre préférera peut-être un bol large et peu profond ; dans ce cas, il vous faudra le remplir plus souvent.

S'il y a dans votre vie non seulement un chat mais aussi un chien (en particulier un gros chien), il se peut que le chat refuse de boire dans un grand bol commun. Pour un petit chat, un tel bol ressemble plutôt à une piscine. Placez alors un bol plus petit dans un endroit inaccessible au chien, pour l'usage exclusif du chat.

Un certain nombre de chats préfèrent combiner deux activités, boire et jouer. Ils aiment boire l'eau qui goutte d'un robinet, et parfois refusent de boire autrement. Cela peut vous paraître charmant au début mais, croyez-moi, vous changerez bientôt d'avis. Vous

vous apercevrez vite que votre chat essaie de vous dresser à ouvrir les robinets à sa demande. Au pire, vous baisserez les bras et en laisserez goutter un en permanence. Si vous avez un chaton, ne le laissez pas se mettre dans sa petite tête l'idée qu'un robinet qui goutte est un bon jouet. Si l'animal a déjà une fixation sur les robinets, certains appareils du commerce lui fourniront de l'eau courante tout en l'éloignant de l'évier. Celui qui à mon avis fonctionne le mieux est la Drinkwell Fountain, où l'eau circule continuellement grâce à une pompe et un filtre d'aquarium. Rappelez-vous toutefois que, malgré le filtre, l'appareil doit être nettoyé, ce qui est plus difficile que de laver un bol. À moins que votre chat ne soit déjà porté sur les robinets, ne lui en donnez pas l'idée – ça vous fait simplement plus de travail.

Pour empêcher l'animal de boire dans la cuvette des toilettes, gardez toujours le couvercle baissé. Les détergents utilisés pour nettoyer les toilettes peuvent être mortels pour lui.

Si votre chat sort à l'extérieur, assurez-vous qu'il dispose d'eau fraîche. C'est particulièrement important quand il fait chaud.

Y a-t-il vraiment de la cendre dans la nourriture pour chats ?

On appelle *cendre* ce qui reste des composants minéraux de la nourriture après qu'elle ait été brûlée.

On accusait autrefois la cendre de causer des cristaux et des calculs dans le système urinaire des chats, mais cela provient en fait de niveaux élevés de magnésium. Le fait qu'un fabriquant affirme sur l'emballage que son produit contient *peu de cendre* ne signifie pas qu'il contient *peu de magnésium*.

Votre chat n'est pas un chien

Cela semble évident. Pourtant, de nombreux maîtres croient que les aliments pour chats et pour chiens sont interchangeables. Combien de fois avez-vous vu le chat manger dans le bol du chien, ou celui-ci pousser le chat pour lui voler quelques bons morceaux ? Malheureusement, cela peut causer de graves problèmes de santé aux deux animaux.

Si vous laissez le chat manger la nourriture du chien, il risque des déficiences. Au contraire, un chien qui consomme des aliments pour chats absorbera beaucoup plus de protéines qu'il ne lui en faut, ce qui peut être grave. De plus, la quantité plus importante de graisses lui fait courir un risque d'obésité. Je sais qu'il est difficile de jouer les arbitres pour vérifier que chacun garde le nez dans son propre bol, mais les conséquences sont trop graves pour ne pas le faire. Malheureusement pour les chiens, la quantité de graisses contenues dans les aliments pour chats les attirent et, une fois que le chien aura goûté le repas de son compagnon, il essaiera encore plus de changer de bol dans votre dos.

Les aliments qui conviennent à votre chat

Le choix est effrayant. Tous les fabriquants, depuis les petites entreprises familiales jusqu'aux grandes compagnies bien connues, prétendent répondre aux besoins de votre chat. Comment décider ? Il y a de quoi avoir la migraine.

Mon avis – qui repose sur des années de recherches, de consultations avec des vétérinaires, des maîtres, et souvent des chats particulièrement têtus – est de vous en tenir à ces règles de base :

– Apprenez à lire les informations portées sur les

emballages. Vous ne pourrez pas identifier tous les ingrédients, mais au moins il vous sera possible de comparer les diverses marques. Nous étudierons ceci en détail plus loin dans ce chapitre.

– Limitez-vous aux aliments fabriqués par de grandes compagnies. Elles ont investi beaucoup de temps et d'argent dans leurs recherches afin que leurs aliments répondent aux besoins nutritionnels des chats. Il est risqué de choisir des produits alternatifs, venant de petites entreprises ou à prix discount, parce qu'ils ne bénéficient pas des mêmes années de recherche, de contrôle de la qualité et d'expérience. La nourriture « innovante » que vous achetez aujourd'hui peut ne plus être fabriquée demain. Certains de ces aliments sont peut-être très bien, mais n'en faites pas faire l'expérience à votre chat – attendez que le produit ait fait ses preuves. En ce qui me concerne, je m'adresse à des fabriquants qui, je le sais, ont passé des années à maintenir la qualité de leurs produits et à faire des recherches sur la nutrition des félins.

– Donnez à votre chat une alimentation convenant à son âge et sa santé. Les chatons en pleine croissance ont besoin d'une formule adaptée. Un chat moins actif, ayant tendance à l'embonpoint, nécessite une formule plus *légère*. Une chatte pleine ou allaitante doit généralement recevoir des aliments *de croissance*, parce que ses besoins nutritifs sont plus importants. L'animal doit changer de régime au cours de sa vie. Consultez votre vétérinaire pour savoir si un chat vieillissant doit recevoir une alimentation spécifique.

– Ne vous limitez pas à une seule marque. Un régime varié vous évitera d'avoir un chat difficile. Changez souvent de saveur (bœuf, volaille, etc.), et choisissez plusieurs fabriquants, en alternance. Si vous variez le régime dès le départ, votre chat ne sera pas *dépendant* d'un seul type de nourriture (ça arrive). Si l'animal a l'estomac sensible ou si vous lui avez toujours donné jusqu'à maintenant la même nourriture, mélangez une petite quantité du nouvel aliment à l'ancien pour que le changement soit progressif. Vous éviterez ainsi qu'il refuse la nourriture.

En utilisant plusieurs marques et plusieurs goûts, vous ne risquerez pas de vous trouver démuni si votre magasin habituel est en rupture de stock.

– Suivez les instructions du vétérinaire en cas de régime particulier. Dans ce cas, assurez-vous de comprendre *pour quelle raison* et *pour combien de temps* ce régime doit être adopté. J'ai rencontré de nombreux maîtres qui ne savaient pas vraiment pourquoi le vétérinaire avait prescrit tel ou tel régime et ne comprenaient donc pas le *danger* de ne pas le respecter. Dans le cas de problèmes rénaux, il serait grave de donner au chat des restes de bacon et de jambon. Ne quittez pas le cabinet du vétérinaire avec les aliments prescrits sans bien comprendre ses instructions.

Les trois sortes d'aliments pour chats

EN BOÎTE

Le grand avantage des boîtes est qu'elles se conservent longtemps. Le goût plaît en général aux chats et, selon le fabriquant, la variété des saveurs est presque infinie.

La nourriture en boîte contient moins d'hydrates de carbone que les croquettes et beaucoup plus d'humidité (en moyenne, soixante-dix pour cent d'eau).

Ce type d'aliment est plus cher que la nourriture sèche. Si vous avez plusieurs chats, vous pouvez acheter de grandes boîtes, plus économiques, à condition que tous les animaux apprécient la même saveur. Si vous n'avez qu'un chat et essayez de faire des économies de cette façon, je peux vous assurer avec une quasi-certitude que l'animal ne voudra plus de ce goût-là au moment où la boîte sera à moitié vide.

Acheter de petites boîtes ne contenant qu'un repas plaira sans doute plus à votre chat, mais c'est nettement plus cher.

Si vous décidez de laisser la nourriture disponible en permanence, les aliments en boîte ne conviennent pas, car ils sèchent et deviennent très peu appétissants en vingt minutes environ. Je suis certaine que vous n'aurez aucune envie en rentrant du travail d'essayer de nettoyer un bol rempli de pâtée dure comme un caillou.

Comme elle est facile à mâcher et a bon goût, la nourriture en boîte est souvent la meilleure pour un chat convalescent. De même, elle conviendra mieux à un animal âgé qui a du mal à manger.

Laissez revenir à température ambiante la nourriture conservée au réfrigérateur. L'aliment glacé pourrait causer des problèmes stomacaux, et un morceau froid de nourriture vieille d'une journée peut être refusé. Gardez toujours la boîte bien fermée. Beaucoup de fabriquants fournissent des couvercles en plastique. Une fois la boîte ouverte, il convient de l'utiliser en deux jours.

Certains maîtres ont l'impression de ne pas donner à leur chat ce qu'il y a de mieux s'ils n'achètent pas ces minuscules boîtes dites « cuisinées ». Ces aliments ont sans doute beaucoup de goût, mais ne sont pas plus nutritifs pour autant. Le *goût* est leur seul avantage. Souhaitant nourrir convenablement mes chats, je préfère acheter les produits de fabriquants dont le souci principal est d'assurer une alimentation équilibrée. Que penser de ces boîtes à titre de friandise ? Je ne trouve pas que ce soit utile. Le goût relevé de ces aliments peut détourner votre chat de ses boîtes habituelles. À mon avis, les « cuisinés » servent surtout à attirer les chats errants pour les capturer, et aussi à réveiller l'appétit d'un animal qui a cessé de manger.

Je sers à mes chats plusieurs repas de conserves (pas des « cuisinés ») par semaine, la plus grande partie de leur régime étant composée de nourriture sèche.

LES CROQUETTES

Celles-ci comprennent plus d'hydrates de carbure que les aliments en conserves. Le taux d'humidité est d'environ dix pour cent.

La nourriture sèche offre beaucoup de variété. Si vous laissez les aliments à la disposition du chat, vous pouvez remplir son bol le matin, et le contenu sera toujours appétissant le soir. Cela vous permet aussi de passer une nuit dehors tout en lui laissant assez de nourriture.

Un autre avantage des croquettes est qu'elles réduisent l'accumulation de tartre sur les dents.

Moins chère que les conserves, la nourriture sèche est vendue en sacs de tailles diverses. Pourvu qu'il soit placé dans un récipient hermétique, un sac se conserve plusieurs mois. Une chose que j'apprécie particulièrement avec les croquettes est qu'elles forcent Béatrice à manger plus lentement. Quand je lui donne des conserves, le bol est vide avant même que je le pose par terre. Béatrice *mâche* les croquettes avant de les avaler.

LA NOURRITURE SEMI-HUMIDE

C'est une sorte de compromis entre les croquettes et les conserves. Ces aliments ont la forme des croquettes mais une consistance molle, et contiennent plus de sucre que les autres types de nourriture. Je pense qu'ils ont été créés pour *nous* séduire plus que les chats. Ils se présentent sous des formes variées, sont souvent multicolores (encore que je n'aie jamais vu de chat se baser sur la couleur pour choisir sa nourriture), et sentent moins fort que les boîtes. À nouveau, les fabriquants s'adressent aux maîtres.

Quant au prix, la nourriture semi-humide est plus chère que les croquettes.

Si votre chat, pour une raison ou une autre, n'aime pas les boîtes et est incapable de manger des croquettes, il vous reste cette possibilité, mais en réalité je ne vois aucune raison d'intégrer ce type d'aliments au régime d'un chat.

Lisez les étiquettes

LE NOM DU PRODUIT

Un ingrédient peut être utilisé dans le nom du produit. Par exemple, pour qu'un aliment soit appelé « ABC de poulet pour chats », le poulet doit représenter au moins 95 % du poids total des ingrédients, moins celui de l'eau utilisée pour la fabrication. Si le poulet n'atteint pas 95 % du produit, le mot « poulet » peut toujours être employé à condition qu'il compose au moins 25 % du produit, mais sous la forme de « dîner au poulet » ou « repas au poulet » par exemple. Le nom de l'aliment peut être quelque chose comme « Dîner ABC pour chats au poulet ». Si l'appellation comprend plus d'un nom d'ingrédient, ils doivent se succéder par pourcentage décroissant, et chaque ingrédient cité doit constituer au moins 3 % du poids total (moins celui de l'eau utilisée). Le nom est maintenant « Dîner ABC pour chats au poulet et aux crevettes ». Vous savez qu'à eux deux poulet et crevettes représentent au moins 25 % du produit, qu'il y a plus de poulet que de crevettes, mais que celles-ci composent au moins 3 % du poids total, déduction faite de l'eau utilisée pour la fabrication.

Les ingrédients sont cités par ordre de proportion. En tête de liste se trouvent les sources principales de protéines. Dans le cas de la nourriture en conserves, bien sûr, le premier ingrédient est l'eau.

En regardant une liste d'ingrédients, vous pouvez voir le terme « produit accessoire ». L'emploi de certains ingrédients en tant que produits accessoires, comme les plumes, les pieds, les têtes, les poils, les sabots, les cornes, le contenu de l'estomac ou des intestins, est proscrit. Certains maîtres s'inquiètent en voyant « produit accessoire » sur la liste des ingrédients, mais les organes internes font techniquement partie des produits accessoires et sont une excellente source de protéines. Souvenez-vous qu'un chat qui mange une souris ingère tous les *produits accessoires* de sa proie.

La liste comprend aussi des ajouts de vitamines, de minéraux et de conservateurs.

ADÉQUATION NUTRITIONNELLE

Cela vous indique pour quelle période de la vie du chat l'aliment est conseillé.

Le fabriquant doit indiquer comment il garantit sa déclaration, en expliquant s'il se base sur des tests *in vivo* ou des analyses nutritionnelles. Souvenez-vous que les tests *in vivo* sont préférables.

INSTRUCTIONS D'EMPLOI

Il s'agit le plus souvent de la quantité à donner par kilo de poids de l'animal. Ce ne sont que des instructions *générales*.

Elles indiquent des quantités maximum ou minimum. Une garantie minimum vous certifie que l'aliment ne contient pas moins de cet élément, sans limite supérieure.

NOM ET ADRESSE DU FABRICANT

L'emballage doit comporter cette information pour permettre d'identifier l'entreprise. Certains fabricants indiquent un numéro d'appel gratuit pour répondre aux questions et commentaires des clients. Si vous avez des questions, des commentaires ou des sujets de plainte, n'hésitez pas à les appeler. Les fabricants cherchent à vous plaire, c'est pour cela qu'ils ont des services clientèle.

Les aliments pour chats : haut de gamme, ordinaires, bio et génériques

LES ALIMENTS HAUT DE GAMME

Ce type d'aliments, vendus dans les animaleries et parfois chez les vétérinaires, est le plus cher. En général, ils contiennent plus de protéines et de graisses, de qualité constante. Ils sont plus *nutritifs*, ce qui signifie que l'animal n'aura pas besoin d'en consommer autant que d'aliments normaux ou génériques. Il existe différentes formules, sous forme sèche ou en conserve, pour différentes périodes de la vie du chat. La plupart de ceux-ci en apprécient le goût.

LES ALIMENTS ORDINAIRES

C'est le type d'aliments qu'on trouve dans les animaleries et les supermarchés. Fabriqués par les grandes compagnies spécialisées qui font beaucoup de publicité, ils se déclinent en plusieurs formules selon l'âge de l'animal et en saveurs apparemment infinies. En ce qui concerne les conserves, on a souvent le choix entre de nombreuses textures et consistances, haché, en sauce, ragoût ou en morceaux.

Moins chers que le haut de gamme, ces aliments sont assez nutritifs pour permettre à votre chat de vivre vieux et en bonne santé, mais comportent souvent une densité nutritive inférieure, si bien que l'animal devra en consommer une plus grande quantité.

Si vous utilisez ce type de nourriture, variez marques et saveurs pour éviter que le chat ne se montre difficile.

Vous trouverez dans les supermarchés ce qu'on appelle des aliments cuisinés. Comme je l'ai dit plus haut, ils ont beaucoup de goût mais ne sont pas forcément bien équilibrés. Ne les utilisez pas quotidiennement.

Lisez et comparez les fiches techniques figurant sur les emballages.

LA NOURRITURE BIO

Vendus dans les magasins spécialisés et certaines animaleries, ou par correspondance, ces produits sont fabriqués sans aucun ingrédient artificiel et ne comportent que des conservateurs naturels.

Cela peut sembler très attirant, mais vérifiez ce qui vous est offert. Un produit naturel ne convient pas forcément aux besoins de votre chat. Lisez la fiche technique et comparez-la à celle des produits haut de gamme.

LES ALIMENTS GÉNÉRIQUES

On les trouve dans les supermarchés et les boutiques discount. Je me montre *très* prudente en ce qui les concerne. Leur qualité nutritionnelle peut grandement varier, y compris dans la même marque. Souvenez-vous que l'alimentation de votre chat joue un grand rôle dans son état de santé et son espérance de vie.

Les aliments génériques sont souvent trompeurs parce que, si vous payez moins cher la nourriture, vous vous apercevez souvent qu'il faut enlever plus de saletés de la caisse. Cela signifie que le chat absorbe une quantité moindre de la nourriture ingérée, dont une plus grande partie est excrétée. Ainsi, vous avez *payé* moins mais aussi *reçu* moins. Ce n'est pas une si bonne affaire.

Même si, en examinant la fiche technique, les chiffres peuvent sembler comparables à ceux des aliments haut de gamme ou ordinaires, rappelez-vous que la *qualité* peut être différente. J'ai souvent trouvé de grandes différences entre deux boîtes de la même marque d'aliments génériques, ce qui ne me donne pas envie d'en nourrir mes chats.

Stocker la nourriture (hors de portée de l'animal)

Un chat qu'on force à suivre un régime particulier peut se montrer très déterminé, il vous faut donc ranger les aliments hors de son atteinte.

Il convient de placer les croquettes dans des récipients hermétiques en plastique, dans lesquels je mets une tasse pour mesurer les quantités voulues.

Après avoir ouvert un sac de croquettes, ne vous contentez pas de rouler le dessus de l'emballage avant de le mettre dans un placard, c'est la meilleure façon 1) de le faire se gâter plus vite, 2) de donner des envies de vol à votre chat (ou chien) et 3) d'attirer fourmis et rongeurs.

La nourriture en conserve peut, une fois ouverte, être placée au réfrigérateur. Je préfère la sortir de la boîte pour la mettre dans un récipient hermétique. Si vous laissez l'aliment dans sa boîte d'origine, fermez celle-ci avec un couvercle plastique. Ne vous contentez pas de la recouvrir de cellophane, le contenu se gâterait plus vite et l'odeur envahirait le réfrigérateur.

Quelle quantité de nourriture donner au chat ?

Les maîtres me demandent souvent combien ils devraient donner à manger à leur animal, mais ce ne sont pas en général ceux qui devraient poser la question, ceux qui gavent leur chat comme une oie. Je vois une grosse boule de fourrure entrer dans la pièce et je suis étonnée que le possesseur considère cela comme normal. Quand je pose des questions, le maître me répond souvent qu'il se contente de suivre les instructions portées sur l'emballage des aliments. Ce n'est pas parce que la notice dit qu'il convient de donner à un chat tant de nourriture par kilo de poids que cela conviendra au *vôtre*. Il faut tenir compte des besoins individuels. En ce qui concerne mes chats, si je suivais les recommandations des fabricants, j'aurais une maison pleine d'animaux obèses.

Il y a plusieurs éléments à prendre en compte pour décider de quelle quantité de nourriture votre chat a besoin :

– l'âge de l'animal,
– son état de santé,
– sa taille et d'éventuelles particularités liées à sa race,
– son niveau d'activité,
– le type de nourriture qui lui est donné,
– dans le cas d'une chatte, si elle est pleine ou allaitante.

Les instructions figurant sur l'emballage des aliments sont des *indications générales*. Votre chat aura peut-être besoin de manger plus ou moins qu'indiqué, suivant les facteurs cités plus haut. Par exemple, il faudra sans doute à un chat d'extérieur très actif plus de nourriture qu'à un animal d'intérieur (ne comptez pas sur les proies attrapées comme source alimentaire). Votre vétérinaire pourra vous dire s'il est nécessaire de modifier le régime de l'animal. Vous devriez pouvoir dire, en examinant le chat, si son alimentation lui convient. Vous devez connaître le poids idéal de votre chat et le peser régulièrement. Pour cela, pesez-vous d'abord puis répétez l'opération avec le chat dans les bras et faites une soustraction. Si vous avez des questions au sujet de son alimentation, le mieux est de vous adresser à votre vétérinaire. Si vous croyez encore à cette vieille légende selon laquelle un chat ne mange jamais plus qu'il n'en a besoin, regardez autour de vous – les chats trop gros ne manquent pas.

Le dîner est servi

LA NOURRITURE DISPONIBLE EN PERMANENCE

La méthode la plus courante consiste à laisser la nourriture à portée du chat, qui mange quand il le souhaite. Cela implique de le nourrir de croquettes, et est judicieux si vous travaillez beaucoup ou vous absentez pour la nuit. Il vaut mieux ne pas utiliser d'aliments en conserve, qui sèchent vite et ne sont plus attirants.

Si vous avez plusieurs chats et que leurs relations sont difficiles, placer de la nourriture à des endroits différents vous aidera à réduire les tensions ; ainsi, l'animal dominant ne pourra pas monter la garde près des bols.

Laisser les aliments disponibles en permanence est particulièrement efficace si les divers animaux ont faim à des moments différents.

Des études récentes ont montré que cette méthode semble *prévenir* le syndrome urologique félin. Plusieurs petits repas dans la journée réduisent le taux d'alcali, si bien que le pH de l'urine s'élève moins. En particulier si votre chat est susceptible de contracter le FUS, il peut être bénéfique de laisser à sa disposition des aliments contenant peu de magnésium. Pour en savoir plus, consultez votre vétérinaire.

LES REPAS À HEURE FIXE

Cette méthode est préférable si vous utilisez des conserves et, si vous avez plusieurs chats, dans le cas où l'un d'eux doit suivre un régime particulier.

Si vous essayez d'apprivoiser un animal timide ou craintif, les repas à heure fixe vous permettent d'apparaître comme la *source* de la nourriture, ce qui peut accélérer le processus d'acceptation.

Sauf dans le cas de chatons, ou si votre vétérinaire a prévu des horaires spéciaux, il vous faudra distribuer deux ou trois repas par jour. Un repas unique est déconseillé, parce que l'animal, trop affamé, aura tendance à ne pas mâcher ses aliments.

Ne nourrissez pas le chat à l'instant où vous rentrez le soir, ou il supportera mal un retour tardif. Cela vaut aussi pour le repas du matin, ne lui donnez pas à manger au saut du lit – à moins bien sûr que vous ne *vouliez* que l'animal s'installe sur votre poitrine à cinq heures du matin en réclamant son déjeuner.

Les repas cuisinés par vous

Même si cela ne vous dérangeait pas de passer du temps à faire la cuisine pour le chat et étiez prêt à découper en petits morceaux légumes et viande, le résultat ne serait sans doute pas bon d'un point de vue nutritionnel.

Les aliments pour chats de bonne qualité du commerce sont si bien équilibrés qu'il n'y a aucune raison de courir le risque de ne pas donner à l'animal tous les éléments nécessaires en quantité voulue.

Friandises : le pour et le contre

En ce qui concerne le dressage, les chats réagissent mieux aux friandises qu'aux compliments. Les dresseurs professionnels, si vous en avez vu travailler, se servent souvent de nourriture en boîte et de longues cuillères pour guider leurs animaux.

Je me sers de friandises pour récompenser mes chats en cas de comportement positif, particulièrement quand ils auraient facilement pu opter pour un comportement négatif. Par exemple, Olive regardait un jour par la fenêtre quand un chat apparut dans le jardin, un chat qu'elle déteste. La nourriture étant le grand amour d'Olive, je lui ai lancé une friandise, retenant ainsi son attention. Elle a avalé la nourriture en un temps record, et ne pensait plus qu'à moi, distributrice de friandises, et non à l'intrus félin du jardin.

Même si les friandises peuvent aider à modifier le comportement d'un chat, souvenez-vous qu'il s'agit de *friandises* et non de *repas*. L'animal n'a pas besoin pour se sentir récompensé d'une pleine bouchée, même s'il essaie de vous convaincre du contraire. Il ne rendra pas compte qu'il a seulement reçu la moitié ou le quart d'un biscuit, il se dit seulement : « Friandise, on m'a donné une friandise ! »

Ne prenez pas l'habitude de distribuer des friandises au chat avec la régularité d'une horloge, il comprendrait vite qu'il n'a pas besoin de *faire* quelque chose pour les recevoir ; vous perdriez ainsi un puissant outil de modification du comportement. L'animal pourrait même s'installer près de l'endroit ou sont rangées les friandises pour exiger que vous lui en donniez.

Les aliments à éviter

LE LAIT

Une fois sevrés, les chats ne produisent plus en quantité suffisante l'enzyme appelée *lactase*, nécessaire pour digérer la *lactose* contenue dans le lait. Ironiquement (à cause de la légende qui veut que les chats adorent le lait), ils ne supportent pas la lactose. Donner du lait à un chat risque de provoquer des diarrhées. Si vous offrez parfois un peu de lait à votre chat à titre de friandise, vérifiez qu'il n'a pas de problèmes digestifs.

Le lait d'une chatte est différent du lait de vache que nous buvons, plus riche en protéines et en acide arachidonique (nécessaire aux chatons). Si vous nourrissez vous-même un chaton, consultez votre vétérinaire pour savoir quel lait de substitution lui donner.

LE THON

Les chats adorent ça. Mais, hélas, le thon destiné aux humains ne convient pas bien aux chats. Il contient beaucoup de graisses polyinsaturées, que les chats métabolisent mal. Un régime à base de thon provoque à terme une déficience en vitamine E, provoquant une maladie très douloureuse appelée *stéatose*. Les aliments pour chats parfumés au thon reçoivent un complément de vitamine E pour éviter ce risque, mais ce n'est pas le cas du thon ordinaire.

Les chats peuvent rapidement devenir dépendants du fort goût du thon. Quelque nourriture que vous lui proposiez, l'animal ne voudra que du thon. Pour venir à bout de cette dépendance, mélangez-y progressivement d'autres aliments. Il n'est pas facile de rééduquer un drogué du thon, évitez donc que votre chat ne prenne cette habitude.

LES ŒUFS CRUS

Le blanc d'œuf cru contient une enzyme appelée *avidine*, qui détruit la biotine dans le corps des chats.

LE CHOCOLAT

Extrêmement toxique. Une centaine de grammes suffit à tuer un chat.

LES RESTES DE VOS REPAS

Donner vos restes à un chat peut gravement déséquilibrer sa nutrition. La nourriture pour chats que vous lui servez contient les quantités voulues de protéines, de graisses, de vitamines et de minéraux. Ajouter des restes de volaille, un hamburger que vous n'avez pas fini ou un morceau de bacon modifie cet équilibre. Votre estomac blindé apprécie peut-être tous ces plats épicés et ces riches desserts, mais ils ne sont certainement pas bons pour un chat. En permettant à celui-ci de grignoter votre sandwich ou de goûter à la sauce des spaghetti, vous risquez de provoquer chez lui des troubles intestinaux et peut-être une sévère diarrhée.

Du point de vue du comportement, je désapprouve à tel point qu'on fasse goûter à table nos repas à un chat que, lorsque je suis invitée chez des gens qui le font, je suis obligée de me mordre la langue pour ne pas réprimander mes hôtes que je vois lancer des morceaux à leur animal.

Nourrir un chat à table l'encourage à mendier, ce qui n'est mignon que lorsque vous êtes d'humeur à le supporter – le charme d'un chat vous griffant la jambe pendant que vous essayez de manger s'évanouit très vite. Cette mendicité peut amener le chat à sauter sur la table (vos convives ne trouveront pas ça drôle, en particulier ceux qui n'aiment pas les chats). Si vous permettez à l'animal de manger vos restes, il deviendra plus difficile aussi de l'empêcher de monter sur le plan de travail de la cuisine quand des aliments s'y trouvent. Cela peut aussi l'encourager à s'en prendre à la poubelle. Il finit par se croire tout permis et décide qu'il n'a pas besoin d'attendre que vous lui donniez quelque chose – il lui suffit de se servir.

Cette règle peut être plus difficile à imposer si vous avez des enfants. S'ils sont en âge de comprendre, expliquez-leur le danger que cela représente pour l'animal. Dans le cas contraire, il vous faudra vous servir des yeux que vous avez derrière la tête – comme tous les parents.

Si vous ne pouvez absolument pas résister à l'envie de donner parfois à votre chat un petit morceau de poulet ou de fromage (je m'en sers à des fins éducatives), faites-le *loin* de la table pour que l'animal ne croie pas que le fait que vous vous disposiez à manger signifie qu'il va recevoir une gâterie. Et ne donnez jamais rien au chat s'il mendie, vous lui indiqueriez tout simplement comment *vous* dresser. Les spécialistes en nutrition vétérinaire disent que les reliefs de table ne doivent pas représenter plus de dix pour cent de l'alimentation quotidienne du chat. En tant que spécialiste du comportement, j'estime que cela devrait être beaucoup moins, ou l'animal risque de devenir difficile à nourrir.

Les chats difficiles

En fait, nous créons nous-mêmes ce problème. Quand le chat montre une prédilection pour tel ou tel aliment, nous en achetons de grandes quantités. Si cette marque ou saveur cesse d'être disponible alors que l'animal en a mangé pendant des années, il risque de refuser de même goûter autre chose. On rend aussi un chat difficile en rajoutant à sa nourriture des restes de nos repas ou des aliments au goût très fort. La fois suivante, quand son assiette ne contient que de la nourriture pour chats ordinaire, il se sent trompé. Il sait qu'en refusant de manger ou en faisant semblant d'essayer de couvrir de terre ce fade repas, il obtiendra mieux. Avec d'humbles excuses, nous fouillons le réfrigérateur pour y trouver de bonnes choses, ou nous nous précipitons à l'épicerie pour acheter quelque chose, *n'importe quoi*, qu'il acceptera de manger. Et voici un chat difficile.

Pour éviter cela, pour ne pas passer votre temps à ouvrir une infinité de récipients pour voir si leur contenu plaira à l'animal, donnez-lui de la nourriture aux goûts variés provenant de plusieurs fabricants, en conserve et sous forme de croquettes, pour l'habituer à des saveurs, des odeurs et des textures différentes.

La *saveur* n'est pas le seul élément que l'animal prend en compte pour accepter ou refuser un aliment. *L'odeur, la consistance et la taille des morceaux,* même leur *forme*, sont importantes. En ce qui concerne les croquettes, certains chats les préfèrent de forme triangulaire, qui convient à leurs mâchoires, et d'autres les veulent rondes. Ne riez pas, c'est vrai. De plus, les fabricants de nourriture pour chats ont dépensé beaucoup d'argent pour juger de ce que ces animaux préfèrent en termes de taille, de forme et de consistance. Pour éviter que mes chats ne se fixent sur des formes ou des consistances précises, je leur donne des croquettes qui diffèrent sous ces aspects. Ayant connu ces changements depuis leur enfance, ils les acceptent facilement.

Un bon équilibre

Je ne sais pas ce qu'il en est pour vous, mais quand je regarde des émissions animalières à la télévision, je ne vois jamais de lions ou autres félins obèses. Je n'aperçois jamais non plus de chats errants ou à l'état sauvage obèses. Cependant, dans de nombreuses maisons américaines, je vois des chats trop gros, certains à tel point que tout mouvement leur est difficile. Nous tuons nos chats par trop de douceurs, l'abondance de nourriture réduit leur espérance de vie. Il nous faut nous inspirer des félins sauvages. Voyons ce qui se passe pour eux.

À l'état sauvage, un chat doit *se donner du mal* pour se procurer sa nourriture. S'il a de la chance, un chat errant peut attraper un certain nombre de souris par jour, mais je vous assure qu'elles ne s'offrent pas à ses crocs. Il lui faut *chasser* avant de pouvoir *manger*. À l'inverse, nos chats d'intérieur sont aimés, choyés et gâtés. Il leur suffit de se *montrer* pour être nourris. Ils n'ont pas besoin de chasser – leur assiette est pleine. Le pire est qu'elle est d'ordinaire bien pleine. Nous donnons trop à manger à nos animaux de compagnie. Sauf si le vôtre a compris comment accéder au placard où est rangée sa nourriture et ouvrir le récipient qui la contient (et certains en sont bien capables), alors il *vous* faut y veiller.

En domestiquant un chat, on retranche de sa vie une partie essentielle de celle-ci, la plus active. C'est très simple : trop de calories, pas assez d'exercice, égalent un chat obèse.

Une autre erreur courante est de ne pas modifier la diète de l'animal quand il vieillit, quand par exemple un chaton plein d'énergie se transforme en adulte plus tranquille. Souvent, les maîtres nourrissent trop abondamment des animaux qui viennent d'être stérilisés, et considèrent que l'opération est cause de l'embonpoint du chat ; en réalité, cette prise de poids est due au fait que, les besoins métaboliques de l'animal étant réduits, il est maintenant trop nourri.

De nombreux maîtres se contentent de suivre les instructions figurant sur l'emballage des aliments, sans tenir compte des particularités de leur chat. L'animal risque alors de grossir exagérément, puisque son possesseur lui donne la même quantité de nourriture bien que le chat prenne du poids.

Un animal trop gros est plus susceptible de contracter des maladies cardiaques, le diabète et l'arthrite. Si un animal âgé souffre d'arthrite, le poids supplémentaire pesant sur les articulations aggravera ses souffrances. Un animal obèse court aussi plus de risques dans le cas d'une intervention chirurgicale.

Donner au chat les reliefs de votre table et trop de friandises contribue à l'obésité. Vous ne réalisez peut-être pas la quantité de calories consommées par l'animal dans la journée – vous lui donnez un morceau de bacon au petit déjeuner, quelques friandises dans la matinée, vous remplissez son bol vide, vous lui laissez finir votre sandwich à midi, il mange un biscuit qu'un enfant a laissé sur le sol et quelques bas morceaux du dîner, puis vous remplissez à nouveau son bol et pour dessert il lèche des assiettes ayant contenu de la glace. Et vous vous demandez pourquoi il ne perd pas de poids, alors que vous lui achetez des aliments faibles en calories.

COMMENT DÉTERMINER SI UN CHAT EST TROP GROS

La première chose à faire est d'aller voir le vétérinaire, qui auscultera l'animal et procédera peut-être à des examens.

Certaines races à pedigree ont un type physique particulier. Le corps trapu et ramassé d'un persan ne correspond en rien à celui d'un siamois longiligne. Si vous avez un chat de race pure et ne savez pas quel est son poids idéal, consultez votre vétérinaire.

Debout devant lui, regardez votre chat. Ses flancs font-ils saillie ? Pouvez-vous discerner un retrait à la taille ? Un chat au juste poids a un peu de graisse sur les côtes (juste un peu, attention), et montre une légère échancrure au niveau des hanches. Si l'animal a plus l'air d'un ballon velu que d'un chat, il est trop gros.

Placez vos mains sur ses flancs. En frottant ferme-ment, vous devez pouvoir sentir ses côtes (si vous pouvez les voir, c'est qu'il est trop maigre). Si vous ne sentez pas les côtes sans appuyer fort, l'animal est trop gros.

Si vous ne pouvez pas sentir les côtes, que la poi-trine de l'animal est molle et gonflée de graisse, ou s'il y a des paquets de graisse le long de la colonne vertébrale, le chat n'est pas seulement trop gros, il est *obèse*.

Regardez l'animal de profil. Son ventre pend-il ? Si c'est le cas, il est trop gros.

Relevez la queue du chat et regardez son anus. Celui-ci est-il propre ou négligé ? Certains animaux atteignent un tel embonpoint qu'ils ne peuvent plus nettoyer cette zone.

Votre chat ronfle-t-il ? Un animal obèse ronfle et geint parfois dans son sommeil parce que la graisse pèse sur ses poumons.

METTRE LE CHAT AU RÉGIME

Le vétérinaire pourra vous indiquer quel est le poids idéal de votre chat et comment l'y amener *en toute sécurité*. Si j'insiste sur la *sécurité*, c'est qu'imposer un régime choc à l'animal ou trop limiter ses calories peut causer de graves problèmes de santé. Pour cette raison, une surveillance vétérinaire est indispensable. Le foie d'un chat ne peut supporter d'importantes restrictions caloriques sans courir le risque d'une *lipidose hépatique*. Si le chat ne mange pas assez, des graisses se déposent dans le foie et celui-ci cesse de fonctionner.

Votre vétérinaire vous indiquera la quantité et le type d'aliments qu'il convient de donner à l'animal, selon sa surcharge pondérale et la quantité de nourriture qu'il consommait habituellement. Il peut suffire de diminuer ses portions, sans changer d'aliment. Une réduction d'un quart ne lui fait pas courir de risque médical et ne le stressera pas trop. Dans certains cas, il vous faudra recourir à des aliments faibles en calories, si l'animal est obèse par exemple. Quoi que décide le vétérinaire, ses prescriptions ne seront efficaces que si *vous* les suivez. Il ne faut pas donner de friandises au chat parce que vous vous sentez coupable. Soyez fort. Mettre un chat au régime n'est pas drôle, et ce sera, sachez-le, une des choses les plus difficiles que vous ayez jamais faites. Je vous préviens, l'animal ne reculera devant rien. Il s'installera sur vos genoux et vous fixera d'un air pitoyable, se couchera à côté de son bol vide comme s'il portait le deuil de tous ses bons repas d'antan. Il pleurera, miaulera et mendiera, vous suivra de pièce en pièce, convaincu que vous avez perdu la tête et oublié où se trouve la cuisine.

Une autre erreur serait d'essayer de rendre la nourriture de régime plus appétissante. Parfois, lorsque le vétérinaire a prescrit des aliments faibles en calories et que le chat ne les apprécie guère, le maître y ajoute de bonnes choses. Ne sabotez pas son régime par amour pour lui.

C'est vrai pour les humains et pour les chats. Le sport et l'activité sont essentiels pour réussir à perdre du poids. Si l'idée de mettre votre chat dans une cage à écureuil ou de l'inscrire à un club d'aérobic vous inquiète, détendez-vous. Le meilleur exercice pour lui consiste à faire ce qu'il aime – *chasser*. Bien sûr, dans certains cas, c'est ce qu'il *aimait* faire avant de devenir aussi gros. Servez-vous des instincts naturels de prédateur de l'animal et procédez à des séances de jeu interactif quotidiennes. Pour plus de détails, reportez-vous au chapitre VI.

LES JOUETS D'ACTIVITÉ

Essayez de placer quelques croquettes dans des jouets *d'activité* que vous laisserez à portée de l'animal (prélevez-les sur sa ration quotidienne pour ne pas augmenter celle-ci). Le chat sera obligé de faire un effort pour se nourrir, ce qui l'occupera, et il sera récompensé par l'aliment. Reportez-vous au chapitre VI pour savoir comment utiliser les jouets d'activité.

Des repas plus nombreux et moins copieux

Laisser la nourriture à la disposition de l'animal n'est pas une bonne idée si celui-ci est obèse et incapable de se limiter à quelques collations au fil de la journée. Il risque de dévorer le contenu de son bol dès que vous l'avez rempli, et il aura ensuite faim toute la journée. Il vaut mieux contrôler son alimentation en lui donnant plusieurs repas à heures fixes, sans excéder la quantité prévue pour la journée. Il sera moins affamé et vous lui ferez perdre l'habitude de s'empiffrer.

Un de mes chats avait coutume de manger plus qu'il ne fallait à chaque repas et grossissait trop. Divisant sa portion quotidienne en repas plus nombreux, je l'ai convaincu qu'il recevait *plus* de nourriture.

Allergies alimentaires

Les réactions allergiques à la nourriture prennent des formes diverses, y compris diarrhées, vomissements et autres problèmes digestifs. Elles peuvent aussi se manifester de façon cutanée, où que ce soit sur le corps, et provoquer des modifications du comportement telles qu'anxiété, agitation ou agressivité.

Ce qui est curieux au sujet des allergies alimentaires est qu'elles peuvent être causées soudain par un aliment que le chat consommait depuis des années.

Si le vétérinaire envisage une allergie alimentaire, il peut prescrire un régime *hypoallergénique*, contenant des aliments qui ne figurent pas d'ordinaire dans la nourriture des chats (de l'agneau par exemple) et dépourvu des aliments habituels (tels que bœuf et poulet). Si les manifestations allergiques cessent, on peut revenir à la nourriture précédemment utilisée pour confirmer le diagnostic. Au cas où les manifestations reprennent, vous pouvez être quasiment certain que la cause en est un ou plusieurs ingrédients de la nourriture. Il est difficile et souvent coûteux d'identifier l'ingrédient en question, cela implique des tests de sensibilité cutanée. Le plus simple est de maintenir le régime hypoallergénique.

Un meilleur programme de nutrition

Si, en lisant ce chapitre, vous avez réalisé que vous mettiez en danger la santé de votre chat en lui donnant des aliments de mauvaise qualité ou inadaptés à son âge, ne procédez pas à un changement brusque. La transition doit être progressive pour deux raisons : 1) pour éviter des troubles digestifs et 2) pour éviter un rejet. Si vous donniez à l'animal des aliments bas de gamme et voulez maintenant lui servir de la nourriture de première qualité, il faut laisser à son organisme le temps de s'ajuster. Mélangez des quantités croissantes du nouvel aliment à l'ancien pendant sept à dix jours. Si le chat montre des signes de refus, ralentissez le processus. Certains animaux ont besoin de trois semaines pour un tel changement. Soyez patient, cela en vaut la peine ; vous verrez la différence dans l'état de santé, l'apparence physique et l'humeur de votre chat.

Nourrir des chatons

Une alimentation de bonne qualité joue un rôle majeur dans la croissance d'un chaton, dont le corps va se transformer, doublant plusieurs fois de taille en quelques mois à peine.

Après le sevrage, un chaton devrait manger quatre repas par jour jusqu'à l'âge de quatre ou cinq mois. Vous pouvez ensuite passer à trois repas par jour (mais il n'est pas mauvais de rester à quatre). À six mois, dans le cas où vous nourrissez l'animal à heures fixes, passez à deux ou trois repas par jour. Si vous laissez la nourriture à portée de l'animal en permanence, veillez à ce que celle-ci (une formule pour chatons) soit disponible en permanence jusqu'à ce que le chaton ait un an, et donnez-lui alors des aliments pour adultes. Si vous avez plusieurs chatons, veillez à ce que chacun d'eux mange bien et surveillez leur prise de poids. Remplacez souvent la nourriture et lavez le bol à chaque fois, pour que les aliments soient frais et attirants. Il sera peut-être nécessaire d'installer plusieurs bols de nourriture et d'eau à des endroits différents.

CHAPITRE XI

Les relations avec autrui
(autres chats, chiens, enfants, etc.)

Beaucoup de gens croient que les chats sont des animaux asociaux, mais en réalité ils apprécient la compagnie. Pour les possesseurs de chiens, l'idée d'acquérir un deuxième animal évoque les jeux par lesquels les deux bêtes feront connaissance. Pour les possesseurs de chats, toute idée de jeux est vite dissipée par la réalité des feulements et grondements, la version féline d'une guerre nucléaire. Cela signifie-t-il qu'il ne faut pas envisager d'avoir un deuxième chat ? Absolument pas. Même si les débuts sont difficiles, un chat solitaire finira par apprécier la compagnie d'un de ses semblables. Soyez toutefois préparé aux problèmes initiaux ; savoir comment procéder aux présentations en douceur vous donnera plus de chances. En tenant compte du besoin de sécurité et des impératifs territoriaux de chaque animal, vous pourrez rendre le processus plus facile.

Tous les chats apprécient-ils la compagnie ? Certainement pas. Certains individus ont un sens du territoire si développé qu'ils ne supportent aucune compétition. Malheureusement, quand le maître voit la réaction hostile de son animal à un autre chat, il croit souvent que la cohabitation sera impossible et abandonne. L'inconvénient de forcer des chats à partager leur territoire est qu'ils peuvent passer leurs journées à se terroriser l'un l'autre. Cela peut être un manque d'atomes crochus, un cas d'incompatibilité de personnalité – certains chats ne se supportent pas. Il arrive que le maître ne prête pas assez attention au caractère de son chat et lui impose un compagnon qui sera un rival et non un camarade.

Pour quel genre de chat un compagnon félin sera-t-il bénéfique ? Si l'animal passe de longues journées seul à cause de vos horaires de travail, un autre chat sera une merveilleuse compagnie. Si vous voyagez beaucoup et laissez l'animal chez vous, une personne venant le nourrir en votre absence, deux animaux se réconforteront mutuellement. Un chat très actif qui ne semble jamais se fatiguer appréciera de pouvoir partager ses jeux. L'arrivée d'un nouvel animal peut redonner de l'énergie à un chat inactif ou trop gros. Il y a de nombreuses raisons de donner un compagnon à votre chat.

Dans quels cas ne devriez-vous *pas* envisager de le faire ? Si votre chat traverse une crise. Par exemple, si le compagnon de longue date de l'animal vient de mourir, n'essayez pas de lui changer les idées en le remplaçant par un chaton. La période de deuil n'est pas le moment propice à une telle expérience. Je vous conseille de ne pas ajouter un stress à un autre. Assurez-vous que l'animal est capable de faire face à l'arrivée d'un autre chat.

Si votre chat est malade, l'arrivée d'un nouvel animal pourrait compromettre sa guérison.

De façon générale, tenez compte du caractère de votre chat. Certains n'accepteront pas de rival. Essayez de voir les choses de son point de vue et faites confiance à votre intuition quand vous lui cherchez un compagnon.

La façon dont vous procéderez aux présentations peut déterminer la relation qu'entretiendront les deux animaux. Oui, tout repose sur vos épaules. Quelle responsabilité ! Préparez-vous donc à l'avance pour que tout se passe en douceur (enfin, dans la mesure du possible).

La première chose à garder présente à l'esprit est que vous allez introduire le nouvel animal dans le territoire établi de l'autre. Sortir le nouveau chat de son panier au milieu du salon provoquera à coup sûr hostilité, panique, terreur, agressivité et éventuellement des blessures. Oublions cette méthode. Comment donc procéder aux présentations ? *Un type de perception à la fois.* C'est si important que vous pouvez, pour vous en rappeler, l'écrire sur un bout de papier et le fixer au miroir de la salle de bains. Procéder aux présentations perception par perception permet aux chats de s'accoutumer progressivement, de ne pas réagir trop violemment et vous donne la possibilité de contrôler le processus. Évitez les courts-circuits, une perception à la fois sera bien moins difficile pour les deux animaux. Il faut vous inquiéter non seulement de la réaction de *votre* chat, mais aussi de celle du nouveau venu. Souvenez-vous qu'il se trouve en territoire inconnu.

Commencez par montrer le nouvel animal à votre vétérinaire. N'amenez jamais un chat non vacciné dans une maison où il y en a d'autres. Vérifiez qu'il n'a pas de parasites, vous ne souhaitez pas introduire chez vous de puces, par exemple.

Avant d'amener à la maison le nouveau venu, préparez-lui un sanctuaire. Il doit comporter plusieurs cachettes (par exemple des cartons avec des serviettes au fond), une caisse à chat, quelques jouets et un bol d'eau. Si vous avez l'intention de ne pas lui donner ses repas à heure fixe, ajoutez un bol de nourriture. Gardez la porte de la pièce fermée.

Amenez le chat chez vous dans un panier, que vous placerez directement dans un coin de la pièce. Ouvrez le panier, mettez une friandise à côté et partez. L'animal ne sortira peut-être pas tout de suite du panier mais, après votre départ, il pourra procéder à une première exploration et choisir sa propre cachette.

Votre premier souci concerne le chat que vous aviez déjà. Il peut ne s'être rendu compte de rien ou bien se trouver derrière la porte, l'air furieux et dégoûté. Conduisez-vous normalement en passant devant lui. Vous pouvez laisser tomber une friandise par terre. (Comme vous le voyez, je suis en faveur de la corruption bien comprise.)

À ce moment, vous pouvez procéder à une séance de jeu avec votre chat, le nourrir, ou lui donner pour le distraire un jouet d'activité. Ne vous étonnez pas, toutefois, s'il ne s'intéresse à rien d'autre que ce qui se trouve derrière cette porte fermée. Il peut la renifler, se camper devant, et même feuler ou gronder. Ne vous inquiétez pas – ce sont des réactions normales. Le fait d'avoir isolé le nouveau venu signifie que seule une portion du territoire de votre chat a été violée.

Occupez-vous beaucoup de lui, mais de façon détendue. N'essayez pas de le réconforter en le prenant dans vos bras. Il faut que votre voix et votre attitude soient normales – calmes et rassurantes.

Lorsque vous vous rendez dans la pièce sanctuaire pour nourrir le nouveau chat ou jouer avec lui, essayez d'être discret pour que le premier animal ne s'installe pas derrière la porte, ne comprenant pas ce qui se passe. Choisissez un moment où il dort, mange ou se trouve occupé ailleurs.

Il faudra peut-être du temps pour que le nouveau venu se prenne d'affection pour vous et sorte de sa cachette ; cela dépend de si c'est un adulte ou un chaton, et du type de socialisation qu'il a connu.

Gagnez sa confiance grâce à des friandises, des repas et des séances de jeux interactifs. Vous n'aurez guère de mal à séduire un chaton – il se montrera enthousiaste – mais un adulte peut se montrer plus sceptique. Reportez-vous au chapitre VI pour savoir comment l'attacher à vous et le mettre en confiance.

La phase suivante des présentations concerne l'*odeur*. Il vous faudra une paire de chaussettes. Enfilez une chaussette sur votre main et caressez le nouveau venu pour imprégner le tissu de son odeur, en insistant sur son visage et notamment les côtés de la bouche. Une fois la chaussette bien parfumée (le chat appréciera sans doute ces caresses), déposez-la dans le territoire de l'autre animal. Servez-vous de la deuxième chaussette pour capturer l'odeur de celui-ci, et laissez-la dans la pièce où est enfermé le nouveau venu. Cela permet aux deux animaux de se familiariser avec leurs odeurs respectives sans se sentir menacés. Il vous faudra sans doute répéter le processus plusieurs fois, en changeant de chaussettes.

Après que le chat ait examiné la chaussette, récompensez-le d'une friandise, ou d'une séance de jeu, pour que l'expérience se termine sur une note positive.

Une fois l'échange de chaussettes bien engagé, vous pouvez procéder à un échange de pièces. Laissez votre chat examiner le sanctuaire du nouveau venu et celui-ci découvrir le reste de la maison. Cela leur permet de se familiariser plus encore avec leurs odeurs, notamment celles de leurs caisses respectives. Une séance d'une heure suffit sans doute à ces visites. Poursuivez-les pendant environ une semaine, deux fois par jour.

Maintenant, si tout va bien et que le premier chat n'a pas déclaré la Troisième Guerre mondiale, vous pouvez entrouvrir la porte du sanctuaire. Gardez à portée de main de quoi détourner l'attention des animaux ; s'ils sont particulièrement intéressés par la nourriture, des friandises comme par exemple des morceaux de poulet cuit jetés sur le sol empêcheront efficacement les hostilités de se développer. Cela amènera les deux chats à associer des éléments positifs à leur présence mutuelle.

Si l'un d'eux paraît dangereusement agressif ou s'il ne semble pas encore capable d'accepter que la porte du sanctuaire s'ouvre, vous pouvez y placer plusieurs barrières pour enfant superposées ; choisissez des barrières montées sur gonds pour pouvoir les ouvrir sans trop de difficultés. De cette façon, les chats peuvent s'observer sans possibilité de s'attaquer.

Quand vous donnerez au nouveau venu la liberté de votre maison, laissez le sanctuaire en l'état un certain temps, pour qu'il ait un refuge en cas de tensions initiales.

Disposez deux caisses à chats dans des endroits éloignés l'un de l'autre. Si votre chat est d'humeur combative, le nouveau venu pourra aller ailleurs.

Examinez soigneusement votre maison pour vous assurer que chaque animal disposera d'un espace suffisant. Par exemple, n'avez-vous qu'un seul perchoir de fenêtre ? Un seul bol de nourriture ? Ne forcez pas les chats à partager.

Des ennemis sous le même toit :
diminuer les tensions

Maintenant que les deux chats ont accès à l'ensemble de la maison, il y aura forcément des tensions et des moments difficiles pendant qu'ils établiront leur territoire et décideront de leur espace individuel.

Qu'il s'agisse de deux animaux faisant à peine connaissance ou de compagnons de longue date qui se tolèrent difficilement, vous pouvez diminuer l'hostilité qu'ils ressentent l'un envers l'autre.

La première règle est de vous assurer que les fournitures indispensables sont en quantité suffisante. Aucun chat ne devrait être contraint de partager contre son gré caisse, bol de nourriture, griffoir, couche ou jouet. Le mieux est d'avoir autant de caisses que d'animaux, ou presque, et de nombreuses cachettes où aller dormir.

Si vous n'avez pas encore d'arbre à chats, je vous recommande fortement de procéder à cet investissement. En rajoutant des *niveaux*, vous étendrez le territoire disponible. Un arbre muni de plusieurs plateaux permet à deux chats ou plus de partager la même zone sans que leur espace individuel soit menacé.

Il est indispensable que chaque animal dispose d'endroits protégés, de cachettes et d'un accès à une caisse et à son bol de nourriture. Il vous faudra aussi employer deux outils très utiles, la *corruption* et la *redirection*. J'en ai déjà parlé plus haut, et c'est parce qu'ils se montrent efficaces avec les chats.

Si vous tentez de faire se supporter deux chats, démontrez-leur que lorsqu'ils se trouvent en présence de leur « ennemi » ils reçoivent plus de friandises et ont plus d'occasions de jouer, et ainsi de suite ; ils finiront par avoir des sentiments positifs l'un vis-à-vis de l'autre.

L'art subtil de la corruption implique l'emploi de friandises ou d'aliments particuliers comme du blanc de poulet cuit. Les deux animaux se trouvant ensemble, donnez une friandise à chacun. Si le nouveau venu se trouve encore confiné derrière les barrières à cause de l'extrême hostilité du chat résident, cela vous aidera de leur distribuer en même temps des aliments irrésistibles. Commencez par les nourrir à bonne distance, puis rapprochez leurs assiettes. Ne les placez cependant jamais assez près pour qu'ils puissent échanger des coups de patte. Je préfère le blanc de poulet comme outil de corruption parce que les repas de mes chats n'en comportent jamais, aussi est-ce une vraie friandise. L'odeur en est à tel point captivante que mes chats ne peuvent l'ignorer, si agressive que soit leur humeur.

Les techniques de redirection impliquent l'usage de jouets interactifs. Gardez-en un à portée de main, comme le Cat Dancer, qu'il est facile de dissimuler. Voilà le scénario : vous êtes assis sur le canapé et regardez la télévision, un chat dort paisiblement sur son arbre et, soudain, vous voyez du coin de l'œil l'autre animal entrer dans la pièce, l'air prêt à en découdre. Il fixe le chat endormi, et est sur le point d'attaquer. Sortez discrètement et très rapidement votre jouet interactif et détournez l'attention de l'agresseur. Étant un prédateur, il préférera probablement s'en prendre au jouet. Ainsi, il dépensera son agressivité de façon positive et oubliera son intention originale. Plus vous parviendrez grâce à la redirection à éviter d'attaques, plus les chats apprendront à se tolérer, et en viendront peut-être à s'apprécier. Si les rapports entre vos chats sont tendus, gardez un jouet interactif dans chaque pièce pour en avoir toujours un à portée de main.

Essayez de procéder à la redirection *avant* l'attaque elle-même. Si vous soupçonnez qu'il va se passer quelque chose, faites une diversion. Puisque vous employez une méthode positive, même si vous vous trompez, que se passe-t-il ? Votre chat a droit à une séance de jeu supplémentaire. Si les deux chats se fixent d'un bout à l'autre de la pièce, sans que le combat ait commencé, utilisez une diversion ou la corruption ouverte. Prenez un jouet ou jetez plusieurs friandises sur le sol. En détournant leur attention par le jeu ou l'appétit, vous éviterez que l'hostilité s'accumule. Voici un petit scénario tiré de votre propre enfance pour mettre les choses en perspective : Votre nouvel(le) ami(e), que vous n'êtes pas encore certain(e) d'apprécier, et vous-même jouez dans le jardin et commencez à vous disputer. Votre mère arrive, renvoie l'ami(e) chez ses parents et vous dit d'aller dans votre chambre. Là, vous vous asseyez sur le lit, en colère contre votre camarade. Ainsi, même si votre mère a mis fin au conflit, vous gardez une impression négative de l'autre enfant. Revenons au début de ce scénario, au moment où commence la dispute ; cette fois-ci, votre mère annonce qu'elle vient de faire des gâteaux, ou bien elle vous tend à chacun une glace. Les deux enfants oublient leur querelle, leur attention est détournée vers une chose positive. Votre mère a ainsi mis fin à la tension sans mettre en danger cette amitié naissante.

Chaque fois que vous percevez de la tension, servez-vous d'une redirection positive pour changer l'état d'esprit des animaux. Si le combat a déjà éclaté, il y a très peu de chances que l'un d'eux réponde favorablement ou même remarque un jouet ou une friandise. Dans ce cas, surprenez-les par un bruit violent, en frappant par exemple sur une casserole. N'essayez pas de les séparer vous-même, ils vous blesseraient vraisemblablement. Si le bruit ne suffit pas, envoyez-leur un jet d'eau.

Une fois les chats séparés, ils partiront probablement chacun de leur côté. N'essayez pas de les caresser immédiatement, ils sont encore trop excités. Veillez à ce qu'ils restent séparés un bon moment, pour pouvoir se calmer. Ramenez leur attention vers des choses positives grâce à des jouets ou des friandises. Soyez *très* calme et ne jetez pas jouet ou nourriture en direction du chat, qui doit se sentir en sécurité et pouvoir se cacher s'il le veut. Simplement, vous êtes en train de faire quelque chose d'irrésistible ou au moins d'intéressant dans la même pièce. Un jouet comme Quickdraw McPaw est très adapté à ce genre de situation parce que le chat aura du mal à ignorer l'apparition et la disparition de la plume.

Présenter votre chat à un chien

Contrairement à ce que vous croyiez peut-être, chiens et chats peuvent s'entendre. Animaux de meute, les chiens en général s'adaptent facilement à la vie avec un chat. Certains chats, incapables de tolérer la présence sur leur territoire d'un animal de leur espèce, supportent plus aisément celle d'un chien. L'avantage de faire cohabiter un chat et un chien est que leur conception différente du territoire les pousse moins au conflit que deux chats. L'inconvénient est qu'ils parlent deux langages différents et qu'il vous faudra les aider à trouver un terrain d'entente.

CONSIDÉRATIONS PRÉALABLES

Avant de présenter un chien à votre chat, prenez le temps de réfléchir à ce que cela implique pour vous. Les responsabilités quotidiennes d'un possesseur de chien sont différentes de celles du maître d'un chat. À moins que le chien ne vous arrive déjà établi comme membre de la famille, par exemple dans le cas d'un mariage, demandez-vous quel type de chien conviendrait le mieux au caractère de votre chat. Un animal craintif n'appréciera pas un chien trop actif. Si vous choisissez un chiot, vous avez l'avantage de pouvoir l'accoutumer aux chats. Mais les jeunes chiens sont pleins d'énergie et il faut les dresser ; pourrez-vous lui donner toute l'attention nécessaire pour en faire un chien bien élevé ?

Si vous choisissez un adulte, vous pouvez en trouver un qui apprécie les chats. Si vous ne savez rien de l'animal, soyez très prudent et surveillez toujours les deux bêtes jusqu'à ce que vous puissiez avoir confiance.

Certains possesseurs de chats se trouvent dans la situation difficile de voir faire irruption dans leur vie un chien hostile aux chats. Dans ce cas, consultez un dresseur ou un spécialiste du comportement canin pour évaluer la situation. Même après un dressage, on ne peut pas faire confiance à certains chiens vis-à-vis des chats. J'ai vu des chiens dressés à accepter les chats se contrôler en présence de leur maître et attaquer en son absence.

Même si le chien est particulièrement sociable, sachez que l'excitation et le jeu peuvent l'entraîner trop loin dans certaines circonstances. Un chien qui a l'habitude des jeux brutaux ou qui est trop excité peut non seulement effrayer un chat mais représenter pour lui un risque très sérieux. Si plusieurs chiens arrivent dans la vie de votre chat, leur *esprit de meute* peut faire qu'ils s'excitent mutuellement ; le groupe peut alors s'en prendre à un chat. Soyez conscient du danger.

PRÉPARATIFS

Avant la présentation proprement dite, votre chat appréciera de pouvoir s'accoutumer à ce bouleversement majeur. Commencez par enregistrer sur cassette le chien du voisin (le plus bruyant). Dites au voisin que vous n'avez pas l'intention d'utiliser la cassette pour porter plainte contre lui et son chien qui dérange tout le quartier mais que vous voulez habituer votre chat aux aboiements. Au début, passez la cassette très bas, puis augmentez lentement le niveau sonore. Procédez en même temps à des jeux interactifs pour que le chat associe des choses positives au son.

Si un chien vient s'installer chez vous, il vous faudra peut-être procéder à des changements pour protéger le territoire de votre chat. Le faire progressivement, avant l'arrivée du chien, permettra au chat de s'adapter plus facilement. Si par exemple vous laissez le bol de votre chat sur le sol pour qu'il mange quand il en a envie, il vous faudra le mettre en hauteur. En créant un lieu pour ses repas hors de portée du chien ou en nourrissant le chat dans une pièce où celui-ci n'a pas accès, vous lui éviterez du stress.

Réfléchissez bien à l'emplacement de la caisse du chat. La dernière chose dont il a envie est qu'un chien veuille jouer avec lui pendant qu'il est dans sa caisse. En interdire l'accès au chien l'empêchera aussi de manger les excréments du chat, que beaucoup de chiens considèrent comme des friandises parce que le régime du chat comporte beaucoup plus de graisses. Une caisse couverte n'arrêtera pas forcément un chien déterminé, le mieux est donc de placer la caisse là où le chien ne peut aller. Si le chien est de petite taille, vous pouvez la mettre dans la baignoire de la chambre d'amis, ou l'empêcher d'approcher grâce à une barrière pour enfants. Beaucoup de gens installent une chatière (assez petite pour que le chien n'y passe pas).

Si vous devez changer la caisse d'emplacement, faites-le progressivement et bien avant l'arrivée du chien. Evitez les changements brutaux, que les chats supportent mal. Déplacez la caisse de dix centimètres par jour si nécessaire, pour que le chat n'ait pas l'impression qu'elle a disparu.

Il est très important que le chat dispose d'une retraite sûre si un chien doit venir vivre chez vous. Un arbre à chats sera un havre pour votre chat pourchassé par un jeune chien ; plus celui-ci est grand, plus l'arbre doit l'être. Si vous avez des problèmes de budget, prévoyez un endroit où le chat pourra grimper pour dormir tranquille.

Avant les présentations, vous devez aussi vous assurer que tous les animaux sont sains et dépourvus de parasites. Il ne faut pas que le chien nouvellement arrivé donne des puces à votre chat d'intérieur. Occupez-vous de tous ces problèmes au préalable. Pour en savoir plus sur les puces, voyez le chapitre XIII.

Si vous et votre chat allez vous installer sur le territoire du chien, il vous faudra prévoir un sanctuaire pour le chat afin qu'il ait le temps de s'adapter à son environnement. Imposer à l'animal une nouvelle maison et un chien en même temps serait lui en demander trop. Une fois que le chat s'est adapté à la pièce sanctuaire, laissez-le explorer la nouvelle maison et s'y familiariser avant de lui présenter le chien. S'il vous est possible avant le déménagement d'amener le chien chez vous pour procéder à une introduction graduelle, cela pourra aider le chat à l'accepter plus facilement. Il se trouvera en territoire familier et saura où aller pour se sentir en sécurité.

N'essayez pas de présenter à votre chat un chien non dressé. Si vous ne pouvez pas le contrôler verbalement, inscrivez-le dans un cours de dressage.

LA PRÉSENTATION

Laissez le chien se dépenser auparavant, en le faisant jouer dehors. Nourrissez ensuite les deux animaux qui, le ventre plein, auront moins d'énergie. Si possible, faites-vous aider, ce sera plus facile.

Le chien doit être en laisse. Si vous vous trouvez sur le territoire de celui-ci, que le chat soit dans son panier, il paniquera moins. Si la présentation a lieu chez le chat, il peut être soit libre (avec de nombreuses cachettes disponibles), soit dans son panier, selon son degré de nervosité. S'il est de caractère curieux et a tendance à observer tout ce qui se passe, laissez-le libre. Si vous pensez qu'il se précipitera vers la cachette la plus reculée de la maison, mettez-le dans son panier. Ne laissez en aucun cas quelqu'un essayer de le tenir dans ses bras. Le chat se sentirait prisonnier, et la personne en question a toutes chances d'être blessée.

Il faut que les animaux s'aperçoivent pour la première fois à bonne distance, qu'ils se découvrent d'un bout à l'autre de la pièce. Ne laissez pas encore le chien approcher le chat. Calmez le chien en lui parlant et en le complimentant. Ne l'excitez pas en parlant d'une voix aiguë ou en donnant des ordres brefs. Utilisez un ton rassurant, en étirant vos mots (boooon chien), baissant la voix à la fin. Le chien se guidera sur votre comportement et, si vous êtes excité, il s'excitera lui aussi, ce qui paniquera le chat.

Il faut caresser doucement le chien sur la poitrine avec des mouvements longs et lents, pas de caresses brusques ou de tapes. Évitez les caresses sur la tête ou le dos, qui peuvent l'énerver. Les caresses sur la poitrine ont un effet calmant.

Les deux animaux s'étant vus un moment, emmenez celui qui n'est pas chez lui dans le sanctuaire. Recommencez cette présentation plusieurs fois par jour pour les habituer l'un à l'autre. S'ils semblent à l'aise, vous pouvez les laisser se rapprocher. Le chien toujours en laisse, permettez-lui de faire quelques pas vers le chat. S'il essaie de courir ou tire sur la laisse, retenez celle-ci en lui donnant un ordre verbal. Il doit apprendre à approcher le chat lentement ; dans ce cas, la laisse restera détendue, mais il lui est interdit de se précipiter. Récompensez le chien quand il se comporte comme il faut.

Un chat a une « zone d'intimité » plus étendue qu'un chien, et il faut que ce dernier apprenne à la respecter. S'il bondit vers le chat, il ne rencontrera que coups de patte et feulements. Le chat doit décider lui-même de la distance.

Ne retirez pas la laisse du chien avant d'être sûr que les animaux sont à l'aise l'un avec l'autre. Ne vous hâtez pas, une erreur peut avoir de graves conséquences. Si le chien n'est pas très grand, vous pouvez installer une barrière pour enfants à la porte de la pièce réservée au chat pour qu'il lui soit possible de s'y réfugier. Un grand chien peut être dressé à ne pas sauter cette barrière, donnant ainsi un sentiment de sécurité au chat, puisqu'il sait qu'un espace lui est réservé.

Quand les deux animaux commencent à s'habituer l'un à l'autre, restez vigilant. Surveillez le chien pendant les repas pour détecter toute agressivité liée à la nourriture. De plus, les techniques de jeu étant différentes (les chiens poursuivent et les chats chassent à l'approche), assurez-vous qu'il n'y a pas de problème de communication.

Vaincre la peur des inconnus

La sonnette retentit et votre chat disparaît sous vos yeux. Pour l'aider à triompher de cette peur fréquente, reportez-vous au chapitre VII.

Pourquoi votre chat insiste pour grimper sur les genoux de l'invité qui déteste les chats

Ça ne rate jamais. Vous invitez quatre ou cinq amis, et votre chat ignore tous ceux qui aiment les chats pour s'intéresser à la personne qui non seulement *n'aime pas* les chats mais les *déteste*. Si cependant vous examinez ce comportement du point de vue du chat, il est parfaitement raisonnable. Le chat est attaché à son territoire, et celui-ci vient d'être envahi par un groupe d'inconnus. Il a besoin de se faire un avis sur eux, mais les gens qui *aiment* les chats s'approchent souvent immédiatement de lui, essayant de le caresser ou – pire encore – de le prendre dans leurs bras. L'animal n'a pas eu le temps d'évaluer ces inconnus et ne veut certainement pas être pris au piège. La seule personne qui l'ignore, restant tranquillement assise, est celle qui *déteste* les chats. Ce comportement permet au chat de l'examiner, de s'approcher pour renifler ses chaussures, peut-être même de sauter sur le siège pour une inspection plus détaillée, et cela sans

313

qu'une main se tende vers lui. Ce n'est pas un grand mystère – simplement du bon sens félin.

Que faire si le chat déteste votre nouveau conjoint

Je trouve ce sujet très intéressant. Au fil des années, j'ai rencontré bon nombre de maîtres prêts à renoncer à leur conjoint si le chat ne l'appréciait pas. Quand j'étais célibataire, Albie me servait de baromètre. Je m'étais aperçue que si Albie n'aimait pas l'homme avec lequel je sortais, il s'asseyait sur la table basse en face de lui et le regardait fixement. Si le garçon essayait de le caresser, Albie se déplaçait juste assez pour ne pas être touché. J'ai vite découvert que les hommes qu'Albie fixait ainsi se révélaient d'habitude des zéros. J'ai appris à faire confiance au jugement d'Albie et ai soupiré de soulagement en voyant qu'il n'essayait pas de faire baisser les yeux à mon futur mari, Scott.

Du point de vue d'un chat, l'ajout inattendu d'une nouvelle personne au *nid* peut être très effrayant. Si le nouveau conjoint s'installe chez vous, il s'agit de l'intrusion non seulement d'une personne, mais aussi de ses affaires. Le chat, animal attaché à son territoire et à ses habitudes, voit son environnement transfiguré. Les meubles sont souvent déplacés, les horaires modifiés et, pire que tout, l'endroit où il dormait sur votre lit peut lui être maintenant interdit. Ajoutez à cela le manque d'attention dont il peut souffrir à cause de toute l'activité liée au mariage et à la lune de miel. Le pauvre chat peut se sentir perdu dans cette agitation.

Si votre chat et vous allez vous installer chez le conjoint, ou même emménagez dans une maison neuve, imaginez l'ampleur du bouleversement. C'est une situation difficile pour vous, mais *vous* l'avez choisie, votre chat n'a pas eu son mot à dire. Le voici maintenant dans un nouvel habitat, avec un inconnu (et peut-être d'autres animaux ou même des enfants), et *vous* êtes son seul point de repère. Les techniques exposées au chapitre XIV l'aideront à s'adapter à ce nouvel environnement.

Quand vous dites que votre chat déteste votre conjoint ou en est jaloux, il est en fait angoissé, bouleversé et terrifié. Il lui faut s'adapter à des modifications majeures en peu de temps.

Si votre chat paraît mal à l'aise ou même agressif vis-à-vis de votre nouveau conjoint, il vous faut ralentir le mouvement et le laisser suivre son propre rythme. Il a besoin lors de la transition de conserver autant de ses habitudes que possible. Le chasser de l'endroit où il dort sur votre lit ne fera que le désorienter et l'angoisser plus encore. Il doit sentir qu'il est un membre de la famille, pas un animal rejeté. Pendant la transition, continuez à voir la situation par les yeux du chat.

Une des choses qui peuvent angoisser l'animal est le bruit des pas et le type de mouvements du conjoint. Un chat qui n'a connu que sa maîtresse peut avoir besoin de temps pour s'habituer aux pas plus lourds d'un homme, ainsi qu'à ses gestes plus amples et sa voix plus grave. Il serait bon que vous demandiez à celui-ci de marcher et parler plus doucement pendant les premières semaines. Les mêmes ajustements concernent le chat d'un propriétaire masculin qui doit maintenant s'habituer à des gestes plus rapides et une voix plus pointue. La nouvelle venue devra éviter les gestes trop rapides et les sons trop aigus.

Une des meilleures façons d'amener un chat à se lier au nouveau conjoint, c'est par le jeu. Grâce à un jouet interactif, celui-ci peut aider le chat à former des associations positives. Apprenez-lui à utiliser ces jouets et laissez-le ou la conduire des séances de jeu. Il est important que le conjoint reste immobile pendant toute la session, sans gestes menaçants. Si le chat refuse de jouer, vous pouvez initier le jeu vous-même et donner ensuite le jouet à votre conjoint. Assurez-vous qu'il joue avec le chat comme celui-ci en a l'habitude – avec de nombreuses réussites et captures. Même si votre conjoint n'apprécie pas les chats, ce sentiment vient souvent de ne jamais en avoir fréquenté de près et de ne pas les connaître. Grâce aux séances de jeu, le chat et votre conjoint seront plus détendus vis-à-vis l'un de l'autre. Votre conjoint commencera aussi à voir votre chat d'un autre œil en découvrant à quel point il se montre gracieux, rapide et drôle lors de ses jeux.

Il faut aussi que votre conjoint nourrisse l'animal. Même si vous laissez les aliments à disposition, le conjoint devrait s'en occuper pour que le bol porte son odeur, et aussi distribuer des friandises au chat.

Laissez l'animal établir son rythme et donnez-lui de nombreuses occasions d'examiner votre conjoint de près sans crainte d'être soulevé du sol, repoussé ou tenu dans les bras. Votre conjoint meurt peut-être d'envie de caresser le chat pour lui montrer son affection, mais il n'est pas sûr que l'animal y soit prêt. Au bout d'un certain temps, grâce à des associations positives concernant le jeu, les repas et les friandises, votre chat trouvera à votre conjoint les mêmes merveilleuses qualités que vous.

Préparer le chat à l'arrivée d'un bébé

Quand une femme découvre qu'elle attend un bébé, elle se met trop souvent à paniquer au sujet du chat. Des amis et voisins pleins de bonnes intentions lui disent à quel point ces animaux sont dangereux, et beaucoup de chats, jusqu'alors faisant partie de la famille, se retrouvent dans la cage d'un refuge, sans espoir de revoir leur propriétaire. Certains autres, bien que n'étant pas ainsi emprisonnés, sont bannis de la maison et forcés de vivre dehors – ce qui est horriblement traumatisant et potentiellement mortel pour un chat d'intérieur.

Je suis certaine maintenant que vous ne croyez plus que les chats étouffent les bébés. Peut-être des chats innocents étaient-ils accusés de ce que nous connaissons maintenant sous le nom de syndrome de la mort subite du nourrisson, faute de meilleure explication. Toutefois, une femme enceinte devrait avoir un souci vis-à-vis des chats, la toxoplasmose. Ce danger peut être évité grâce à un nettoyage convenable de la caisse à chat et un minimum de connaissances. *Vous n'avez aucune raison de vous débarrasser de votre chat !* Référez-vous à l'appendice médical, qui vous expliquera ce qu'est la toxoplasmose et comment l'éviter.

Certains chats acceptent l'arrivée d'un bébé sans remuer une vibrisse. D'autres considèrent cela comme l'invasion d'un monstre sans poils, bruyant et à l'odeur étrange. Rappelez-vous que c'est l'*angoisse* et non la *jalousie* qui peut amener votre chat à feuler ou à se montrer inamical. Ne le punissez pas, ne l'enfermez pas dans le garage à cause de son appréhension. Patience, amour et renforcement positif lui permettront de traverser cette phase.

Sauf dans le cas où l'enfant arrive de façon inattendue à la maison, vous avez tout le temps durant la grossesse de préparer le chat. Même si vous adoptez un enfant, vous aurez sans doute un délai suffisant. En prenant le temps de faciliter la transition pour le chat, vous vous assurerez qu'il reste calme et soit prêt aux changements provoqués par le bébé.

Si vous comptez refaire la chambre destinée au bébé, changeant peintures ou papiers peints, moquette ou mobilier, faites-le progressivement. Prenez-vous y bien à l'avance et procédez graduellement pour que le chat puisse s'adapter. Rappelez-vous qu'un chat est une créature d'habitudes ; si une des pièces de la maison se transforme soudain en tourbillon d'activité, l'animal s'inquiétera. Faites les choses une par une et donnez au chat la possibilité de surveiller les travaux. Si vous les faites vous-même, prenez le temps de jouer plusieurs fois par jour avec lui s'il semble troublé par ce qui se passe. Si vous faites venir des ouvriers, prévoyez des intervalles entre les différentes phases des travaux. Laissez le chat s'habituer aux modifications de la pièce et pratiquez-y des séances de jeu pour que son territoire entier continue de lui être familier.

Achetez le berceau bien à l'avance pour avoir le temps d'apprendre au chat à ne pas sauter dedans. La méthode que je préfère consiste à remplir celui-ci de boîtes métalliques de soda contenant quelques piécettes, l'ouverture étant bouchée par du papier collant. Mettez-en partout dans le berceau pour que le chat ne trouve pas d'endroit confortable où faire une sieste. Laissez les boîtes en place jusqu'à l'arrivée du bébé. Si l'animal essaie ensuite de sauter dedans, vous pouvez recouvrir le berceau d'une moustiquaire.

Les sons émis par un bébé peuvent être très déconcertants pour un chat (sans parler des parents). Vous vous rappelez la technique utilisée pour qu'un chat s'habitue à un chien ? Habituez l'animal à ces bruits avec une cassette de pleurs de bébé, que vous pouvez demander à une amie. Je me suis une fois installée dans la salle d'attente d'un pédiatre avec mon fidèle magnétophone pour enregistrer une bande de pleurs enfantins. J'ai pu enregistrer de nombreux spécimen sonores, et il m'a suffi de deux aspirines pour me débarrasser de ma terrible migraine.

Faites passer la bande très bas pendant les repas du chat et lors des séances de jeu. Augmentez progressivement le volume jusqu'au niveau sonore réel. Placez le magnétophone dans la chambre de l'enfant pour que le chat s'habitue à ce que ces bruits en viennent.

Si vous avez des jouets musicaux pour enfants,

faites-les fonctionner lors des séances de jeu ou des repas ; ces bruits n'auront rien de nouveau pour l'animal après la naissance du bébé.

Si une de vos amies a un bébé, invitez-la à vous rendre visite pour accoutumer le chat à la vue et l'odeur d'un nourrisson. Il ne faut pas que l'enfant soit capable d'aller partout dans la maison, choisissez un enfant en âge de rester dans son siège ou sur les genoux de sa mère. Procédez à une séance de jeu avec le chat, à bonne distance.

L'odorat est très important pour les chats et, avant la naissance du bébé, la mère devrait commencer à se mettre du talc, des lotions et autres produits qui seront employés pour le nouveau-né. Ceci permettra au chat d'associer ces odeurs à sa maîtresse, et elles lui seront familières quand il les sentira sur le bébé.

Si possible, le père ou un autre membre de la famille devrait amener au chat, peu après la naissance, une couverture ou serviette portant l'odeur du nourrisson. Quand celui-ci arrive chez vous, laissez l'animal renifler ses vêtements. Essayez de vous montrer calme et détendue en accueillant l'animal, jouez avec lui et occupez-vous de lui. C'est un moment excitant pour toute la famille, mais angoissant pour le chat, qui a besoin d'être rassuré.

Que la routine du chat soit aussi peu perturbée que possible. Ne sautez pas de séances de jeu, même si quelqu'un d'autre doit s'en charger pendant que la mère s'occupe de l'enfant. Laissez l'animal participer, rien n'empêche qu'il soit sur vos genoux ou à côté de vous pendant que vous bercez le nouveau-né.

Une chose dont il faut tenir compte est que le grand nombre de visiteurs qui viennent chez vous voir l'enfant peut stresser le chat. Employez Feliway suivant le besoin, n'oubliez pas les jeux interactifs et limitez les visites si l'animal paraît anxieux.

Si vous trouvez que le chat est trop fasciné par le

bébé, vous pouvez installer une porte grillagée à l'entrée de sa chambre.

Les jeunes enfants

Un des spectacles les plus effrayants que votre chat puisse rencontrer est celui d'un petit enfant s'approchant de lui, bras tendus et mains prêtes à saisir une poignée de fourrure. Aïe ! Surveillez toujours les petits enfants près d'un chat. Il est si facile d'empoigner une queue ou de tirer une oreille. Un chat qui se sent attaqué par un enfant risque de le griffer ou de le mordre.

Apprenez aux enfants que le chat est un membre de la famille qu'il convient de traiter gentiment et avec respect, et non pas un jouet à embêter, déguiser ou capturer. Montrez-leur comment le caresser, main ouverte, et d'une seule main pour que l'animal ne se sente pas prisonnier. Dès que les enfants sont assez âgés, apprenez-leur à décoder le langage corporel et vocal du chat pour qu'ils comprennent quand l'animal préfère qu'on le laisse tranquille. La caisse à chat, le lieu où on le nourrit et celui où il dort devraient être interdits aux enfants. Il vous faudra peut-être installer une barrière à la porte de la pièce où se trouve le bac.

Si vos enfants veulent jouer avec le chat, donnez-leur des jouets interactifs sûrs, comme Quickdraw McPaw. Apprenez-leur à s'en servir comme il convient et assurez-vous qu'ils ne le dirigent pas vers la face de l'animal. Ils peuvent utiliser un jouet du type canne à pêche s'ils sont assez grands pour s'en servir correctement. Il faut vérifier que les enfants ne heurtent pas accidentellement le chat avec la tige, et ne le taquinent pas en maintenant le jouet hors de son atteinte. Expliquez-leur que le chat se sent heureux de réussir des captures, tout comme eux quand ils gagnent lors d'un jeu.

Je vois souvent le chat de la famille porté par un enfant qui ne soutient qu'une petite partie de son corps. L'animal pend des bras de l'enfant, tenu par les aisselles et les pattes avant tendues vers le haut. Apprenez aux enfants comment soulever et porter un chat comme il le faut. S'ils ne sont pas assez forts pour soutenir son poids, il ne faut pas qu'ils le portent.

Vous êtes responsable du bien-être de votre chat

Une fois les enfants suffisamment grands, c'est une bonne idée de les laisser participer à l'entretien du chat. Ils peuvent remplir les bols d'eau et de nourriture, vous pouvez leur montrer comment brosser l'animal ou nettoyer la caisse, mais un enfant ne peut s'occuper seul d'un chat. Vous devez le surveiller pour vous assurer que l'animal ne manque de rien. Un enfant ne remarquera pas que le chat n'urine pas ou ne mange pas assez, et peut ne pas s'apercevoir d'un cas de diarrhée ou de constipation. Négliger le chat parce que c'est celui de votre enfant n'apprendra de leçons à personne – cela fera simplement souffrir l'animal.

Malheureusement, il arrive que des enfants fassent du mal aux bêtes. Ne tolérez aucun mauvais traitement et demandez-vous si un « accident » n'était pas intentionnel. Si vous avez des soupçons, mettez immédiatement l'animal en sécurité et consultez un thérapeute pour l'enfant.

Prévoyez une pièce sanctuaire pour le chat quand des enfants inconnus viennent chez vous et veulent « jouer » avec lui. Même s'ils ne lui veulent aucun mal, ils sont souvent incapable de comprendre les avertissements de l'animal. En tant que maître responsable, jugez par vous-même et veillez toujours à la sécurité de votre chat.

CHAPITRE XII

Le toilettage

Si un chat n'est pas profondément endormi, il y a de bonnes chances qu'il procède à sa toilette. Ils ne se livrent pratiquement à aucune activité sans terminer par quelques coups de langue sur leur fourrure ou une séance de toilettage complète. Ce sont des orfèvres en la matière.

Le toilettage remplit de nombreuses fonctions dans la vie d'un chat. Les gens qui n'aiment pas ces animaux vous diront qu'ils ne se livrent à cette activité que pour avoir le plaisir de vomir une boule de poils sur votre lit, mais c'est loin d'être vrai.

Quand le chat passe sa langue râpeuse sur son pelage, il arrache les poils morts, et enlève aussi poussières, boue et particules étrangères. Il fait de son mieux pour se débarrasser des parasites comme les puces en se servant de sa langue et de ses dents. Il écarte les orteils pour nettoyer l'espace qui les sépare ainsi que la base des griffes. Une fois satisfait de ce travail, il lèche sa fourrure entière pour la rendre aussi isolante que possible au froid et à la chaleur. La salive permet de mieux répartir les huiles naturelles du pelage, ce qui le rend luisant et protège l'animal de l'humidité.

L'odorat est une forme majeure de communication du chat, et le toilettage répartit de façon égale son odeur sur tout son corps. Après avoir caressé l'animal, vous le verrez souvent se lécher là où votre main l'a touché. Il renforce sa propre odeur et prend aussi plaisir à la vôtre. Mais après un contact négatif (comme celui d'un vétérinaire), le chat se toilettera entièrement une fois rentré chez lui, pour se débarrasser des odeurs déplaisantes et porter à nouveau la sienne.

Après avoir dévoré une proie, le chat se toilette pour éliminer de sa fourrure l'odeur de celle-ci, car elle pourrait attirer l'attention d'autres proies ou de prédateurs.

Le toilettage mutuel entre chats vivant ensemble est une façon de resserrer leurs liens en mêlant leur odeur.

Le toilettage sert aussi de comportement de substitution. Lorsqu'un chat n'a pas la possibilité de faire ce qu'il voudrait, il recourt souvent au léchage pour évacuer son stress. Vous pouvez le voir lorsque l'animal regarde des oiseaux à travers une fenêtre. Il lui est impossible de les attraper et il a besoin de dépenser son énergie. Je m'en aperçois avec Olive quand elle vient dans la cuisine alors que de la nourriture se trouve sur le plan de travail. Elle aimerait aller goûter celle-ci mais sait que c'est interdit ; aussi, pour se libérer de la frustration, elle bondit sur son arbre et se lave le visage.

Pourquoi vous devez toiletter votre chat

Bien que très méticuleux en ce qui concerne son hygiène, votre chat a besoin de votre aide pour que son pelage garde son bel aspect. La fourrure des chats à poil long est splendide, mais l'inconvénient est que l'animal est incapable de l'entretenir lui-même. Il est bon de brosser même un chat à poil court, quoique cela doive être fait moins souvent. Plus soigneux vous vous montrerez dans cette tâche, plus beaux et sains seront son pelage et sa peau.

Les chats perdent leurs poils surtout à deux moments de l'année, avant l'hiver et avant l'été. Les chats d'intérieur, exposés à la lumière artificielle et à des températures constantes, perdent leurs poils toute l'année mais en moins grande quantité. Le brossage est très important ; ainsi d'une part vous retrouverez moins de poils sur les chaises, canapés et lits, et d'autre part l'animal en ingérera moins en se toilettant, ce qui réduira la fréquence des boules de poils, lesquelles peuvent présenter un sérieux problème de santé. Elles sont gênantes aussi pour les maîtres qui marchent pieds nus, parce que le chat s'arrange toujours pour régurgiter ses boules de poils là vous mettrez le pied (voyez la section sur les boules de poils dans ce chapitre). Un brossage régulier, ainsi que d'autres mesures d'entretien courant, peuvent aussi prévenir les problèmes d'allergie chez les humains.

La plupart des chats apprécient le massage que procure la brosse, et l'attention dont ils sont l'objet. Les miens considèrent cela comme un moment d'intimité. Quand Albie était un chaton, j'ai commencé à l'habituer doucement au brossage, et depuis il a toujours trouvé ça plaisant. Il a fallu trois semaines à Olive, que j'ai recueillie alors qu'elle avait un an environ, pour accepter l'idée d'une brosse. En me montrant douce, patiente, en faisant du brossage une continuation des caresses (et il lui a fallu du temps pour accepter même cela), j'ai fini par lui en donner le goût. Elle se détend à tel point maintenant qu'elle s'endort pendant que je la brosse. Quelle différence avec l'animal qui pensait qu'il fallait à tout prix éviter d'être touché par un humain !

Brosser régulièrement votre chat vous permet aussi de surveiller sa santé. Quand je brosse un chat, mes mains parcourent son corps entier, et je peux détecter dès son apparition toute grosseur, blessure ou irritation. Je vois s'il y a eu perte ou gain de poids. Je vérifie qu'il n'y a pas de puces et, en leur nettoyant les oreilles, je cherche des traces de parasites. En leur brossant les dents, je vérifie l'état des gencives. Un maître qui ne toilette pas son chat risque de ne pas repérer une grosseur ou blessure avant qu'elle ait évolué. Le toilettage permet aussi, dans le cas des chats qui sortent à l'extérieur, de découvrir des tiques cachées là où vous ne trouveriez pas autrement – entre les orteils, dans les plis des oreilles, ou sous la queue.

Enfin, si vous n'apprenez pas au chat à accepter le brossage, il vous sera sans doute difficile de lui administrer des médicaments en cas de besoin. Si vous tentez de mettre des gouttes dans les oreilles d'un animal qui n'a pas l'habitude qu'on touche celles-ci, il est probable qu'une plus grande quantité de médicament finira sur vos vêtements ou sur les murs que là où il faudrait.

Les ustensiles dont vous aurez besoin

Il est plus facile de réunir tous les ustensiles nécessaires dans une trousse que de quitter le chat pour aller chercher peigne ou lime à ongles là où vous les avez laissés la dernière fois. Ce dont vous aurez besoin dépend du genre de pelage de l'animal. Les instructions que je vous donne sont d'ordre général et visent à garder la fourrure propre, saine et dépourvue de nœuds. Si vous voulez présenter le chat à des concours, ou s'il a des besoins particuliers, adressez-vous à un bon toiletteur professionnel, ou demandez des conseils à l'éleveur.

Le mieux est une brosse à pointes métalliques, qui ressemble à une pelote d'épingles pourvue d'un manche. Les pointes rigides pénètrent bien le pelage fin et dense. Il vous faudra aussi des peignes à l'écartement espacé, moyen et fin. Dans le cas de nœuds que ni la brosse ni le peigne ne permettent de démêler, vous pouvez acheter un produit spécial pour chats ou utiliser de la farine de maïs, ce qui est plus salissant. La fourrure de certaines races à poil long se salit souvent sous les yeux. Utilisez un produit spécial pour enlever les traces de larmes. Je termine la séance en lissant le poil avec une brosse douce.

LES CHATS À POIL COURT

Une brosse lissante, souple et de petite taille, avec des pointes recourbées à l'extrémité, marche bien avec les poils courts. Dans le cas d'un pelage très court et dense, servez-vous d'une brosse à pointes droites plutôt que recourbées. Pour détacher les poils morts et procurer au chat un agréable massage, commencez avec un peigne fin en plastique souple, ou servez-vous d'une brosse en caoutchouc à pointes longues. Si l'animal n'accepte pas d'être brossé, vous pouvez commencer par le caresser avec un gant de toilettage, pourvu de petites protubérances en caoutchouc qui capturent les poils morts, pour l'habituer. Ce n'est pas aussi efficace qu'un peigne fin, mais c'est mieux que rien. Un peigne aux dents très fines, aussi appelé peigne à puces, vous permettra de débarrasser le chat non seulement des puces mais aussi de leurs excréments (du sang séché) et de leurs œufs. Cela nettoie bien la fourrure. Et rien ne termine aussi bien le toilettage d'un chat à poil court que de frotter sur son pelage, dans le sens du poil, une peau de chamois ou un morceau de velours.

LES CHATONS

Peu importe qu'ils soient à poil long ou court, habituez-les au brossage en employant une brosse douce.

FOURRURES PARTICULIÈRES

Si vous avez un chat au poil frisé ou ondulé, il vous faut les mêmes ustensiles que pour un chat à poil court. Dans le cas d'un pelage peu fourni, servez-vous d'une brosse pour bébé et d'un peigne à puces. Pour un Sphinx (chat nu), un peigne en caoutchouc masse la peau et retire le fin duvet qui la couvre. La peau du Sphinx peut devenir grasse, ce qui amène la saleté à s'accumuler dans les plis. Il est utile aussi d'utiliser des lingettes pour bébé entre les bains.

LES USTENSILES NÉCESSAIRES POUR TOUS LES CHATS

Un tapis de bain en caoutchouc posé sur la table évite que le chat ne glisse. Vous l'utiliserez également si vous lui donnez un bain.

Il vous faudra un coupe-ongles même si l'animal a subi l'ablation des griffes (au cas où les griffes des pattes arrière devraient être coupées). Achetez un coupe-ongles fait pour les chats, ceux pour chiens sont trop grands et vous risqueriez de le blesser. Les coupe-ongles pour humains ne conviennent pas à la forme des griffes d'un chat et, si vous vous en servez, l'extrémité de la griffe peut être inégale. Toutefois, si vous vous sentez plus à l'aise avec ceux-ci et obtenez de bons résultats, continuez. Prévoyez une poudre astringente au cas où vous feriez saigner la griffe.

Protégez les oreilles du chat avec des boules de coton quand vous lui donnez un bain. Elles peuvent aussi servir à nettoyer celles-ci et le dessous des yeux. Si une brosse ne vous convient pas pour lui nettoyer les dents, vous pouvez utiliser de la gaze enroulée autour d'un doigt. La gaze est efficace aussi pour le nettoyage des oreilles, mais un outil sûr, conçu pour les chats, devrait faire partie de votre trousse.

Gardez des cotons-tiges à portée de main pour appliquer la poudre astringente. Je vous déconseille cependant de les employer pour nettoyer les oreilles de l'animal parce que vous pourriez facilement percer le fragile tympan du chat.

Pour nettoyer les dents de l'animal, vous pouvez utiliser de la gaze ou une brosse pour chat, ou même pour bébé. Il vous faut aussi un dentifrice spécial pour chats. Ne vous servez pas de dentifrice pour humains, il brûlerait la gorge, l'œsophage et l'estomac d'un chat.

Le début

Il faut habituer votre chat à être toiletté dès le début. Commencez par l'accoutumer à être touché.

Faites-lui découvrir progressivement les outils de toilettage. Caressez-le un moment, puis prenez une brosse et passez-la doucement sur sa nuque (c'est en général l'endroit favori pour les caresses et le brossage). Si vous avez un peigne fin en caoutchouc, ce sera sans doute le contact le plus agréable pour l'animal. Après un coup de brosse ou de peigne, recommencez à le caresser de la main. Faites du brossage une continuation des caresses. Une fois cette association établie, le toilettage deviendra un plaisir pour lui et pour vous.

Je suis sûre que votre chat souhaiterait que vous connaissiez quelques règles avant de commencer pour de bon à le toiletter. La première est : *ne lui faites pas mal*. Une des raisons pour lesquelles tant de chats détestent le toilettage est que cela devient une véritable séance de torture. Ne tirez pas les poils et ne vous montrez en aucune façon brutal. Le corps d'un chat est *très* sensible, et sa peau se déchire facilement. De plus, comme elle est fine, frotter un peigne ou une brosse sur l'épine dorsale ou une autre zone osseuse est douloureux. Du moment où vous ferez mal au chat, il se tendra et commencera à ne pas aimer le toilettage. Mes chats ne se débattent pas quand je les toilette parce qu'ils ont confiance en moi – je veille à ne jamais leur faire mal. Avant d'utiliser un peigne ou une brosse, passez l'ustensile sur l'intérieur de votre poignet pour estimer la force à employer.

Une autre raison pour laquelle les chats n'aiment pas le toilettage est qu'il dure souvent un temps insupportable. Les propriétaires de chats à poil long qui ne les brossent que lorsqu'ils y pensent ou trouvent un nœud dans la fourrure soumettent leur animal à une séance d'une demi-heure ou plus. Un brossage quotidien peut être fait en trois minutes, et est impératif pour les chats à poil long, c'est la seule façon d'éviter les nœuds. Même si la fourrure du vôtre n'y est pas sujette, un brossage quotidien entretient le pelage, évite la perte de poils et le risque d'en avaler. De brèves séances de brossage en font une plaisante routine dans la vie quotidienne du chat.

Il suffit pour entretenir le pelage d'un chat à poil court de le brosser une ou deux fois par semaine. Si l'animal a des problèmes de boules de poils, il peut être nécessaire de le brosser plus souvent.

Il n'est pas nécessaire à chaque fois de lui nettoyer les oreilles et de lui couper les griffes. Cette dernière opération se fait en général une fois par mois. Les oreilles de l'animal peuvent être très propres et ne nécessiter qu'un nettoyage toutes les quelques semaines, mais certains chats ont besoin d'un nettoyage hebdomadaire. Vérifier les oreilles à chaque fois vous permettra de détecter de façon précoce un éventuel problème.

Il convient de nettoyer quotidiennement les dents de l'animal. C'est un processus rapide (décrit plus loin dans ce chapitre) et, quand vous en aurez pris l'habitude, vous pourrez le faire en dix secondes. Mais, maintenant que je vous ai dit qu'il fallait le faire tous les jours, je vous avouerai que la plupart des maîtres ne respectent pas cette règle. Malheureusement, beaucoup d'entre eux ne brossent jamais les dents de leur chat. C'est une grave erreur, parce que ce brossage préventif évitera à l'animal de subir aussi souvent des anesthésies générales chez le vétérinaire pour un nettoyage complet. Il permet souvent aussi d'éviter la gingivite et les maladies parodontaires. Cela adoucira aussi l'haleine du chat. J'ai rarement eu besoin de faire nettoyer les dents de mes chats chez le vétérinaire, je sais donc que quelques brossages par semaine au moins servent à quelque chose.

Où procéder au toilettage ?

Il sera moins dur pour votre dos d'installer le chat sur une table ou une surface élevée. Placez un tapis de bain en caoutchouc ou au moins une serviette sur la table pour que le chat puisse s'y accrocher. Il se sentira bien plus à l'aise que s'il glissait sur la table sans pouvoir se retenir. Il faut utiliser une surface où le chat ait le droit de monter, pour ne pas lui envoyer de message incompréhensible. Dans le cas d'un chat à poil long, cela peut valoir la peine d'acheter une table de toilettage spéciale.

Si vous êtes plus à l'aise avec le chat sur les genoux, posez dessus une épaisse serviette pour recueillir les poils tombés et vous protéger au cas où l'animal planterait ses griffes. Je me suis aperçue que les chats s'impatientaient plus vite quand ils étaient toilettés sur les genoux de leur maître, parce qu'ils ont chaud. Il est aussi plus difficile d'atteindre toutes les parties du corps quand l'animal se met en boule.

Techniques de brossage

Employez d'abord le peigne en caoutchouc par mouvements circulaires, pour éliminer poils morts et pellicules. Le chat y prendra sans doute plaisir. Passez ensuite la brosse lustrante sur le dos et les flancs de l'animal, en partant de la tête. Ne passez pas la brosse directement sur l'épine dorsale. Aux endroits du corps où il vous faut donner des coups de brosse plus courts, soyez très doux quand vous posez et relevez la brosse. Passez d'abord à rebrousse-poil, puis dans le sens du poil. Faites particulièrement attention quand vous brossez à rebrousse-poil, certains chats y sont très sensibles.

Il peut être très difficile de brosser la poitrine et le ventre. Une possibilité est de soulever le chat sur ses pattes arrière. Je place l'animal dos tourné vers moi, en me penchant un peu pour qu'il me sente près de lui, et je le soulève en passant le bras sous ses pattes avant. Si votre chat préfère rester assis, soulevez doucement une patte après l'autre pour atteindre l'aisselle et les zones inférieures. Ne tordez pas la patte, levez-la simplement.

Pendant la saison des puces, servez-vous du peigne à dents fines pour capturer les puces et leurs débris (peignez dans le sens du poil). Procédez ensuite au brossage, puis lustrez le pelage avec une peau de chamois ou un morceau de velours, toujours dans le sens du poil.

Si le poil de votre chat est très court, servez-vous d'une brosse souple plutôt que de la brosse lustrante et finissez à la peau de chamois. Le peigne à dents fines reste nécessaire pour attraper les puces.

Commencez par le peigne à dents larges, une partie du corps à la fois. Débutez à la base de la queue. Soulevez une zone de pelage supérieur pour peigner les poils qu'il recouvre, c'est la meilleure façon de traiter en profondeur la fourrure dense. Continuez, zone après zone, jusqu'à la tête du chat. Soyez très doux, au cas où vous tomberiez sur un nœud. Faites particulièrement attention aux endroits difficiles tels que les aisselles, l'arrière des oreilles et les parties génitales, où on peut aisément laisser passer un nœud. Si vous en trouvez un, défaites-le avec douceur entre vos doigts, sans tirer sur la peau. Si vous n'arrivez pas à le défaire, utilisez un baume démêlant ou de la farine de maïs, puis peignez. N'oubliez pas de peigner la crinière, la poitrine et le ventre. Soulevez le chat comme il est dit dans le passage concernant les chats à poil court. Certains maîtres trouvent plus facile d'allonger l'animal sur le flanc. Votre chat et vous découvrirez à l'usage ce qui vous convient le mieux. Après avoir terminé avec le peigne à dents larges, prenez un peigne moyen, toujours avec des mouvements doux. Ce peigne vous permettra de vérifier que vous n'avez pas oublié de nœuds.

Vous verrez peut-être votre chat agiter la queue pendant le toilettage. Cela indique qu'il commence à perdre patience. Agissez doucement mais vite. Et, à ce propos, soyez là aussi doux et rapide pour brosser cet appendice, les chats n'aiment pas qu'on leur immobilise la queue.

Quand le peigne passe librement dans le pelage, vous pouvez utiliser la brosse, d'abord à contre-poil puis dans le sens du poil.

Suggestion

Si les choses se passent mal et que le chat s'énerve, faites une pause et recommencez plus tard. Essayer de finir le toilettage alors que l'animal est agité aboutira seulement à lui faire détester ça.

Si votre Sphinx a la peau huileuse, il vous faudra sans doute le baigner tous les huit à dix jours. Toutefois, cette espèce ne doit pas prendre froid ; veillez donc à ce que la salle de bains soit bien chauffée. Enveloppez l'animal dans des serviettes chaudes, remplaçant sans cesse celles qui sont mouillées. Vous pouvez les réchauffer dans le sèche-linge au préalable.

Si le chat produit trop de sécrétions entre deux bains, nettoyez les plis de la peau avec des lingettes pour bébé.

Si votre Sphinx a les pores bouchés par l'abondance des sécrétions, demandez à votre vétérinaire un produit sûr que vous appliquerez sur les zones en question.

L'entretien des griffes

Vous avez intérêt à commencer le toilettage par les griffes, s'il est nécessaire de les tailler. Si l'animal a tendance à griffer, cela limitera les dégâts pour vos vêtements ou votre peau.

Dans le cas d'un chaton, il se sentira plus en sécurité si vous le tenez contre vous. Le soutenir sur votre bras vous permettra de tenir facilement sa patte pour faire sortir les griffes et de manier le coupe-ongles de l'autre main.

Posez le pouce sur le dessus de la patte, vos autres doigts en dessous, et appuyez doucement ; les griffes sortiront. Ne coupez que l'extrême bout de la griffe, composé de tissus morts. Si votre chat a les griffes de couleur claire, vous pouvez voir en regardant attentivement où commence une zone rose. C'est la veine, l'entamer ferait souffrir et saigner l'animal. Dans le cas de griffes de couleur sombre, il est impossible de voir la veine, ne coupez donc que l'extrémité de la griffe, sans jamais dépasser le début de la courbure. Si vous n'êtes pas sûr de vous, demandez à votre vétérinaire de vous faire une démonstration. N'oubliez pas les griffes des ergots, qui ressemblent à de petits pouces.

Si vous faites accidentellement saigner la griffe, appliquez une poudre astringente. Si vous n'en avez pas, passez un peu de savon doux. Rappelez-vous, il faut toujours tailler la griffe moins que vous ne le pensez. Si vous entaillez régulièrement la partie *vivante* de la griffe, le chat refusera de vous laisser faire, puisque vous lui faites mal à chaque fois.

Si l'animal se débat pendant que vous lui coupez les griffes, n'essayez pas de les faire toutes en même temps. Il vaut mieux ne pas aller au bout de sa patience, risquant ainsi des blessures de la griffe même sur laquelle vous avez travaillé si dur.

Les chats *polydactyles* ont des doigts surnuméraires. Si c'est le cas du vôtre, n'oubliez pas les griffes de ces doigts-là.

Brosser les dents de votre chat

Pour cela, vous pouvez utiliser une petite brosse qui se fixe sur le doigt (se trouve chez les vétérinaires ou dans les animaleries), une brosse spéciale pour animaux ou même une brosse pour bébé. Vous pouvez aussi enrouler un morceau de gaze autour de votre doigt si vous le préférez. Utilisez l'instrument qui vous convient le mieux pour brosser ou essuyer la face externe des dents du chat. Quant au dentifrice, employez-en un qui soit fait pour les chats (souvent parfumé à la viande ou la volaille), jamais de dentifrice pour humains, qui provoquerait des brûlures depuis la gorge jusqu'à l'estomac.

S'il vous est impossible malgré tous vos efforts de brosser les dents de votre chat, on trouve des liquide anti-tartre qu'on peut projeter dans la bouche de l'animal ; leur goût n'est pas aussi agréable, mais cela vaut mieux que rien. Demandez conseil à votre vétérinaire. Pour que ces produits se montrent efficaces, il convient de suivre exactement les instructions du fabricant. Par exemple, il ne faut pas nourrir l'animal pendant au moins une demi-heure après l'application.

Si vous ne parvenez pas à brosser les dents de votre chat et s'il refuse même le liquide anti-tartre, renseignez-vous auprès de votre vétérinaire sur les croquettes spéciales qui réduisent le tartre. La nourriture en boîte se colle aux dents, créant des conditions parfaites pour la plaque dentaire (qui se transforme en tartre dur comme la pierre). Les croquettes frottent la surface des dents quand le chat mâche, ce qui élimine une certaine quantité des bactéries provoquant la plaque dentaire. Si vous donnez des friandises à l'animal, qu'elles soient de type anti-tartre et non ordinaire. Ce type d'alimentation ne remplace pas le brossage des dents, mais tout ce qui va dans la bonne direction est utile.

Le nettoyage des oreilles

Regardez l'intérieur des oreilles de votre chat avant de commencer à les nettoyer, et cherchez des signes d'infection, d'inflammation ou de gale auriculaire. Si vous voyez un matériau brun-noir qui se délite, c'est le signe de la gale. Il faut amener le chat chez le vétérinaire pour un traitement spécifique (si vous voulez en savoir plus sur la gale auriculaire, reportez-vous à l'appendice médical).

Si les oreilles paraissent enflammées, sont sensibles au toucher ou sentent mauvais, il faut faire examiner le chat par un vétérinaire. N'essayez pas de nettoyer les oreilles dans ce cas, vous ne feriez qu'aggraver les choses.

Si les oreilles sont saines mais sales ou pleines de cérumen, mettez un peu de produit spécial sur un coton et essuyez l'intérieur de l'oreille. Ne vous servez pas de contons-tiges, vous pourriez endommager le fragile tympan de l'animal.

Puces et autres démangeaisons

Vous entendez le chat se gratter la nuit alors que vous essayez de dormir. Pendant la journée, vous voyez que l'animal, prêt à bondir sur un jouet, s'arrête soudain pour se gratter frénétiquement le cou. Cela pourrait tout simplement être que son collier le gêne, ou un de ces problèmes cutanés qui atteignent les chats de tous âges. Les allergies, les mycoses et les parasites peuvent exaspérer un chat. Une des choses qui les amènent le plus souvent à se gratter sont les exécrables puces. Si votre chat souffre d'une allergie aux puces, il en suffit d'une pour que lui et vous connaissiez des nuits d'insomnie.

Si l'animal paraît avoir des problèmes cutanés tels qu'inflammations, éruptions, peau trop grasse ou trop sèche, grosseurs ou tout autre signe inquiétant, amenez-le chez le vétérinaire qui, en plus d'un traitement oral ou local, vous conseillera peut-être un shampooing spécial.

Les chats font si bien leur toilette que vous pouvez dans le cas de puces ou de tiques ne jamais voir aucun parasite ; vous devriez toutefois pouvoir détecter leurs excréments sur la peau de l'animal.

Les nouveaux produits permettant de lutter contre

les puces, comme Advantage, Frontline et Program sont si efficaces qu'il n'est vraiment pas nécessaire de laisser votre chat souffrir de ces parasites. Pour en savoir plus sur le contrôle parfait des puces et tiques pour le chat et son environnement, reportez-vous au chapitre XIII.

Oh, ces glandes sébacées hyperactives !

Il arrive qu'une production trop importante de sécrétions par le corps du chat donne à l'extrémité de sa queue (surtout dans le cas d'un mâle non stérilisé) une apparence graisseuse. Vous pouvez nettoyer le bout de la queue avec un shampooing spécifique ; si cela ne suffit pas, et notamment en cas de perte de poils et d'inflammation, consultez votre vétérinaire.

L'acné féline, résultat d'une trop grande activité des glandes sébacées du menton, prend la forme de points noirs friables, mais peut aussi provoquer des pustules plus graves. Dans les cas peu sérieux, nettoyez avec de la gaze imprégnée d'eau tiède ou une lingette. Si le problème perdure, un vétérinaire vous recommandera un traitement spécifique.

Reportez-vous à l'appendice médical pour en savoir plus sur ces problèmes.

Les boules de poils

Les aiguillons tournés vers l'arrière que portent sa langue forcent un chat à avaler tous les poils qui lui entrent dans la bouche. Certains de ces poils traversent sans difficulté le système digestif mais, si l'animal en ingère trop, il peut régurgiter une masse cylindrique de poils humides que ceux d'entre nous qui marchent dessus appellent *boules de poils*. Mais tous les poils avalés ne sont pas vomis ou excrétés, certains restent bloqués dans les intestins, provoquant des occlusions. Si vous vous apercevez que les crottes de votre chat sont dures comme de la pierre ou qu'il n'en fait pas du tout, cela peut être dû à une occlusion partielle ou totale causée par une boule de poils. Appelez immédiatement le vétérinaire.

Certains chats ne connaissent jamais ce type de problème ; les chats à poil long y sont particulièrement vulnérables, tout simplement à cause de la longueur de ceux-ci. Mais les chats à poil court ne sont pas immunisés, surtout s'ils ne sont pas toilettés régulièrement. Si vous avez plusieurs chats, un animal à poil court qui lèche souvent un autre chat à poil long peut avoir soudain des problèmes de boules de poils.

La solution ? Le brossage !

Si malgré vos efforts le problème persiste, il existe des produits qui réduisent les boules de poils. Sous forme de pâte à base laxative, ces produits sont présentés en tube et d'ordinaire parfumés au malt. Fabriqués à partir d'huiles minérales, ils ne sont pas absorbés par le corps et servent juste de lubrifiant. Il convient de ne pas les administrer plus de deux fois par semaine, parce que les huiles minérales inhibent l'absorption par les corps des vitamines solubles dans les graisses. Faites sortir du tube sur votre doigt deux centimètres de produit et offrez-le au chat. Beaucoup d'entre eux aiment le goût et lécheront votre doigt. Si ce n'est pas le cas du vôtre, ouvrez-lui la bouche et frottez le doigt contre son palais. Certains maîtres essaient d'appliquer le produit sur une patte de l'animal, pensant que celui-ci l'avalera en se léchant. J'ai vu beaucoup de tels laxatifs sur les murs, les chats ayant décidé de secouer leur patte plutôt que de se servir de leur langue. Ces produits peuvent aussi salir la fourrure ; si vous tenez à employer cette méthode, n'en placez qu'une petite quantité sur la patte en attendant de voir si l'animal l'avalera. Si une dose ou deux de laxatif par semaine ne suffit pas, demandez à votre vétérinaire s'il ne conviendrait pas d'augmenter la quantité de fibres dans l'alimentation du chat.

Donner un bain au chat

Certains chats à poil long ont besoin de bains fréquents parce que leur pelage devient huileux, et il peut être nécessaire de baigner occasionnellement un animal à poil court, suivant l'état de sa fourrure. Cela peut se révéler relativement facile, ou être une bataille épuisante dont vous sortez plus mouillé que le chat qui a déchiré le rideau de douche dans ses efforts pour vous échapper avant de s'enfuir au fond de la maison. La méthode douce est préférable pour vous, votre chat, votre salle de bains et vos rapports avec votre conjoint.

Commencez par rassembler tout ce dont vous aurez besoin. Il ne faut pas vous apercevoir que vous avez oublié le shampooing quand le chat est déjà mouillé. Quant au shampooing, toujours prévu pour chats, il en existe de différents types : pour renforcer la blancheur du pelage, pour limiter les sécrétions, etc. Basez-vous sur les besoins individuels de votre chat. Ne vous servez pas de liquide à vaisselle, cela dégraisse trop. Même si vous n'avez jamais besoin de baigner votre chat, ayez du shampooing pour chat chez vous juste au cas où. Les animaux à poil long auront besoin d'un produit démêlant. Il vous faudra pour donner un bain à votre chat une pomme de douche ou un système se fixant au robinet, un linge doux pour bébé et de nombreuses serviettes. Si votre sèche-cheveux fait un bruit d'avion à réaction, achetez un modèle plus discret et ne chauffant pas trop.

AIDE-MÉMOIRE	
• shampooing pour chats • démêlant (pour les chats à poil long) • plusieurs serviettes très absorbantes • du coton en boules	• une brosse • un tapis de bain en caout-chouc • une pomme de douche • un linge doux pour bébé • un sèche-cheveux

Avant qu'une goutte d'eau ne touche le pelage du chat, il faut l'avoir brossé pour démêler tous les nœuds. Une fois mouillés, ceux-ci se resserreraient à tel point qu'il serait nécessaire de les couper. Prenez avant le bain le temps d'un bon brossage.

Vous pouvez baigner le chat dans le lavabo, en vous servant d'un système fixé au robinet, ou dans la baignoire avec la pomme de douche. L'évier de la cuisine ou de la buanderie éviterait des efforts à votre dos, mais vous vous sentirez peut-être plus à l'aise derrière la porte fermée de la salle de bains. Il est aussi plus facile de bien chauffer une petite salle de bains. Il y a tant d'éclaboussures quand je baigne mes chats que je n'ai pas d'autre choix que la salle de bains ; il y a des flaques partout.

Placez le tapis de bain en caoutchouc au fond de l'évier ou de la baignoire. Cela permettra au chat de planter ses griffes et le rassurera. Certains toiletteurs se servent d'un treillis métallique où l'animal peut s'accrocher. Si vous n'avez pas de tapis de bain sous la main, utilisez une serviette. Le but est de rassurer le chat autant que possible et de le laver avec le minimum de stress.

Avant d'aller chercher le chat, je fais couler de l'eau pour réchauffer la baignoire et la pièce. Ouvrez la bouteille de shampooing à l'avance. Placez avec douceur une boule de coton dans chacune des oreilles du chat. Dans le cas d'un animal de petite taille, servez-

341

vous de la moitié d'une boule. J'en garde une paire à portée de main, au cas où le chat se débarrasserait d'une d'elles.

Quand vous mettez l'animal dans la baignoire, veillez à ne pas relâcher votre prise. Ne le maintenez pas plus fermement que nécessaire, mais je vous promets que le chat s'enfuira en un éclair si vous le lâchez.

Mouillez entièrement le pelage grâce à la pomme de douche, sans pousser le chat sous le jet. Il faut que l'eau soit tiède, vérifiez-en la température sur l'intérieur de votre poignet. Ne mouillez jamais la tête de l'animal ; si vous devez la nettoyer, servez vous d'un linge pour bébé humide. Il ne faut jamais mettre d'eau dans les oreilles, les yeux, le nez ou la bouche d'un chat.

Savonnez d'abord le cou. Si vous commencez par le dos et que le chat a des puces, celles-ci se précipiteront vers sa tête et risquent d'entrer dans les oreilles, les yeux, le nez et la bouche. Du shampooing sur le cou les en empêchera. Si l'animal a des puces sur la tête, nettoyez-la doucement avec la lingette pour bébé – ne l'aspergez pas d'eau. N'oubliez pas de nettoyer le dessous de la queue, et jusqu'au bout des pattes. Évitez de frotter vigoureusement la fourrure, surtout dans le cas d'un chat à poil long, vous provoqueriez des nœuds.

En vous servant de la lingette essorée (vous pouvez le faire d'une main), essuyez le visage de l'animal. En cas de taches de larmes, insistez sur le dessous des yeux.

Rincez soigneusement le pelage. Tenez la pomme de douche contre la peau, cela soulèvera les poils et chassera toute trace de shampooing. Si l'animal est très sale, vous pouvez le savonner une deuxième fois.

Rincez, rincez, rincez. Tout reste de shampooing sur la peau, une fois le pelage sec, provoquera des démangeaisons ou des irritations.

Le rinçage terminé, retirez doucement avec vos mains la majeure partie de l'eau hors de la fourrure. Enlevez ensuite les balles de coton des oreilles du chat.

Enveloppez l'animal dans une serviette et tapotez-le pour absorber l'eau. Ne le frottez pas, ce qui provoquerait des nœuds dans le pelage d'un chat à poil long. De toute façon, les chats n'aiment pas trop qu'on les frictionne.

Si le vôtre ne supporte pas le sèche-cheveux, laissez-le dans une pièce bien chauffée jusqu'à ce qu'il soit sec. Surveillez-le pour vous assurer qu'il ne prend pas froid. Si nécessaire, montez le chauffage.

Récompensez l'animal quand vous avez fini et, une fois qu'il est parti se toiletter lui-même pour arranger sa fourrure de la façon qui *lui* plaît, vous pouvez aller enlever les poils de l'évacuation de la baignoire.

Les bains secs

Si votre chat ne supporte pas les bains ou n'est pas en assez bonne santé, vous pouvez le laver à sec. Il existe un certain nombre de produits ; les poudres existent depuis longtemps, et il y a aussi des mousses, qui à mon avis sont plus efficaces. Ce n'est certainement pas aussi utile qu'un bain, mais cela peut servir en cas de besoin.

Mon chat a rencontré un putois !

La meilleure suggestion que je puisse faire est de le placer dans un carton pour qu'il ne coure pas dans toute la maison. Vous pourrez ensuite jeter le carton.

Vous avez le choix entre baigner le chat vous-même ou appeler une clinique vétérinaire. Le plus souvent, un membre du personnel baignera l'animal.

Si vous le faites vous-même, mettez de vieux vêtements que vous ne regretterez pas ; l'odeur ne s'en ira pas. Il vous faut aussi de vieilles serviettes. Commencez par shampooiner le chat avec le produit habituel, puis à nouveau avec du jus de tomate ou un produit spécial anti-putois (qui se trouve en animalerie ou chez votre vétérinaire). Ensuite, procédez à un nouveau shampooing avec le produit habituel. Si le chat ne supporte pas le sèche-cheveux, laissez-le dans un carton jusqu'à ce qu'il soit sec, pour éviter qu'il n'empuantisse la maison entière.

Quand une aide professionnelle devient nécessaire

Si vous avez un chat à poil long et êtes incapable d'éviter la formation de nœuds dans son pelage, vous aurez besoin des services d'un toiletteur professionnel. Si les nœuds sont trop importants, il faudra peut-être les couper.

Certains maîtres s'adressent régulièrement à un professionnel pour baigner l'animal.

Demandez à des amis et à votre vétérinaire de vous recommander un toiletteur. Avant de laisser votre chat en sa compagnie, faites un inventaire des lieux. Assurez-vous que votre chat ne sera pas placé dans une cage près de chiens ou d'autres chats. Qu'utilise-t-on pour nettoyer tables et ustensiles ? Le toiletteur exige-t-il que les animaux soient vaccinés ? Sinon, cela met tous les chats en danger. Voyez-vous des poils partout ? Si le toiletteur semble ne pas apprécier son travail ou se montre impatient envers les animaux, attrapez votre chat et fuyez. Les chats doivent être manipulés avec douceur, cherchez donc un toiletteur qui le comprenne.

CHAPITRE XIII

Puces et tiques

Les puces sont le parasite qui affecte le plus souvent les chats, et ces minuscules créatures peuvent causer de graves ennuis. Les puces adultes sautent loin et vite, il est très difficile d'en attraper une. Les chats se toilettent si efficacement qu'ils font souvent disparaître les traces laissées par les puces avant que le maître se rende compte de l'invasion.

Le problème posé par les puces est plus sérieux lors des mois d'été. Elles ont besoin pour compléter leur cycle d'un environnement chaud et humide.

Les puces se nourrissent du sang de leur hôte. Elles passent leur vie entière sur le chat, dans un cycle constant d'ingestion, d'élimination et de reproduction. Les femelles déposent sur la fourrure leurs œufs qui en tombent rapidement pour se nicher dans la moquette, les couvertures ou les fauteuils pour terminer leur incubation. Au bout de dix jours, les larves éclosent et se cachent mieux encore. Elles se nourrissent de débris, principalement les excréments des puces adultes.

Au bout d'une semaine environ, les larves tissent un cocon et deviennent des pupes. C'est de ces cocons qu'émergent les puces adultes. Selon l'environnement, la puce peut rester jusqu'à plusieurs mois dans le cocon, attendant que les conditions soient favorables. Dès que les adultes émergent du cocon, ils cherchent un hôte.

Certains chats sont sensibles aux antigènes contenus dans la salive des puces et développent des réactions allergiques. Irritation et rougeurs de la peau, dartres et zones dépourvues de poil (d'ordinaire sur la croupe, à la base de la queue) sont quelques signes de la *dermatite allergique aux puces*. Il peut suffire d'un seul insecte pour déclencher la réaction.

Les puces sont les hôtes intermédiaires du ténia, que le chat peut attraper en avalant une puce porteuse.

Une forte infestation peut provoquer une anémie à cause de la perte de sang. Les chatons et les animaux affaiblis par l'âge ou la maladie y sont particulièrement vulnérables.

Voici comment vous assurer de la présence de puces : écartez les poils du chat et cherchez leurs traces. Elles sont si rapides que vous n'en verrez peut-être aucune, mais vous trouverez leurs excréments, faits de sang digéré et ressemblant à de minuscules grains de poivre. Vous pouvez aussi apercevoir de petits points blancs, des œufs de puce. Vérifiez en particulier sur la croupe, la queue, les parties génitales et le cou.

Pour venir à bout d'une infestation de puces, vous devrez traiter tous vos animaux. Une erreur souvent commise est de ne traiter que celui qui va dehors, oubliant que les puces se jetteront aussi sur un chat d'intérieur.

Le secret d'un traitement efficace est de commencer tôt, *avant* que les puces aient eu l'occasion de sauter sur votre chat ou d'entrer chez vous. Heureusement, il existe maintenant des produits anti-puces vraiment efficaces. Toutefois, ils ne serviront à rien si vous ne les utilisez pas correctement.

Avant de commencer un programme de traitement, je vous conseille d'aller discuter avec votre vétérinaire de toutes les possibilités et du meilleur choix pour votre chat, selon son âge, l'importance de l'infestation, les réactions de l'animal à divers produits et vos possibilités financières. Ne vous précipitez pas dans une animalerie ou un supermarché pour acheter des produits que vous ne connaissez pas. Les niveaux de toxicité varient d'un produit à l'autre, et vous pourriez faire plus de mal que de bien. Dans le cas d'un chaton, il faut se montrer particulièrement prudent. Souvenez-vous, tout ce que vous déposerez *sur* le pelage d'un chat se retrouvera *dans* son estomac, à cause du toilettage. Il y a aussi sur le marché des produits sans aucun effet, qui ne sont qu'un gaspillage d'argent. Votre vétérinaire vous aidera à planifier un programme de traitement efficace et sans danger.

Un autre aspect à prendre en compte est la *durée* du traitement. Selon le type de climat, il vous faudra peut-être protéger vos chats toute l'année. Dans les régions où l'hiver est assez chaud, les puces prospèrent douze mois sur douze. Même dans les régions aux hivers froids, les puces peuvent s'installer dans votre maison douillettement chauffée si l'infestation n'a pas été jugulée.

Trois bons produits anti-puces pour chats

PROGRAM (PRINCIPE ACTIF : LUFENERON)

Ce produit s'administre par voie orale une fois par mois, ou par injection tous les six mois. Quand une puce adulte pique le chat, ses œufs n'écloront pas. C'est une méthode de contrôle des naissances facile à employer. La version par voie orale existe sous forme de liquide qu'on peut mêler à la nourriture ou de comprimés parfumés. Le produit étant à usage interne, il n'est pas affecté par le toilettage ou les bains, votre chat reste donc protégé.

Program ne tue pas les puces adultes et, bien qu'il en diminue grandement la population, votre chat peut être piqué. Il faut en tenir compte en cas d'allergie.

FRONTLINE (PRINCIPE ACTIF : FIBRONIL)

Un produit d'application locale, administré une fois par mois aux chats et aux chatons âgés de plus de douze semaines. Une petite pipette en plastique permet de déposer le produit sur la peau du chat, entre les omoplates, ce qui empêche l'animal de l'ingérer. Le produit se répand sur tout le corps du chat. Après l'application, l'emplacement paraîtra huileux, mais cela ne se verra plus le lendemain. *Frontline* agit en s'attachant au sébum et aux follicules pileux. Le produit résiste à l'eau et reste efficace même si l'animal est baigné ou mouillé par la pluie.

Frontline tue les puces adultes et les tiques. Ce que j'apprécie dans ce produit, c'est qu'il est d'application facile et ne provoque aucun stress chez le chat, contrairement aux poudres, pulvérisations et mousses.

ADVANTAGE (PRINCIPE ACTIF : IMIDACLOPROD)

Une application par mois. Comme pour *Frontline,* mettre le produit entre les omoplates du chat évite qu'il ne le lèche.

Advantage tuera toutes les puces présentes sur le corps du chat en douze à vingt-quatre heures, et ne perd pas ses propriétés si l'animal est mouillé.

J'utilise ces produits sur mon chien et mes chats depuis qu'ils sont sur le marché, et nous n'avons jamais eu de puces. Je veille à les appliquer bien avant la saison des puces, et je continue tard dans l'année. Je marque le jour du traitement sur le calendrier pour ne pas oublier. C'est tout ce que cela demande, et les chats sont certainement très heureux de ne plus avoir à subir les pulvérisations, poudres et mousses que j'employais autrefois.

Les chats détestant en général les pulvérisations et l'application de poudres, ces produits réduisent grandement le stress lié au traitement. Vous en aurez fini avant même que le chat réalise ce que vous faites. Une autre chose que j'apprécie est que cela ne laisse pas de trace disgracieuse ni d'odeur sur le pelage.

En utilisant ces produits, vous éviterez peut-être même d'avoir à traiter l'environnement du chat, tant ils sont efficaces.

LES AUTRES MARQUES

De nouveaux produits d'application locale arrivent sur le marché à un rythme soutenu. Avant d'en choisir un dans un magasin ou sur catalogue, demandez son avis à votre vétérinaire.

L'efficacité des autres produits anti-puces

À mon avis, tous les autres produits pâlissent en comparaison d'*Advantage* et *Frontline* en termes d'efficacité, de facilité d'application et de sûreté pour le chat. Pourquoi vous donner la peine de pulvériser le chat ou d'enfumer la maison ? Juste au cas où ne sauriez pas quelles sont les autres possibilités ou ne seriez pas encore convaincu, voici quelques méthodes traditionnelles de lutte contre les puces.

LES PULVÉRISATIONS

En général, les chats détestent ça. L'application tourne au match de catch et, dès que c'est fini, le chat enlève le produit en se léchant.

Les pulvérisations sont efficaces, mais l'expérience est souvent stressante et pour l'animal et pour son maître. Si vous avez plusieurs chats, les autres iront se cacher dans les endroits les plus reculés de la maison pendant que vous traitez le premier. Les pulvérisateurs à main sont moins effrayants pour eux que les bombes sous pression, mais cela reste un combat.

Les pulvérisations ont souvent une forte odeur d'insecticide qui perdure longtemps. Ils peuvent aussi donner un aspect collant et huileux à la fourrure. Une autre chose qui me déplaît est qu'il faut les appliquer de façon répétée, ce qui ajoute au stress de l'animal.

Certains chats se toilettent à fond après une pulvérisation et se mettent à saliver en excès ou même à baver. Des produits contenant de l'alcool peuvent se montrer particulièrement irritants pour la peau si le chat a des problèmes cutanés. Choisissez un produit à base aqueuse pour limiter l'irritation.

Les pulvérisations tuent les puces qui se trouvent sur le chat mais, pour éradiquer ces insectes, *Frontline* ou *Advantage* sont plus efficaces, tuant les puces en vingt-quatre heures.

Si vous tenez à utiliser ce moyen, assurez-vous que le produit n'est pas dangereux pour les chats ou chatons, et ne contient pas d'organo-phosphorés. Commencez par traiter le visage de l'animal pour éviter que les puces ne se précipitent vers ses yeux, son nez et sa bouche ; elles chercheront à se cacher dès que vous commencerez. Ne pulvérisez pas vers son visage, appliquez le produit sur vos mains ou une serviette en papier et frottez-en la tête du chat. Veillez à traiter toutes les parties du corps, le ventre, le dessous du menton, les pattes et la queue. Les puces se précipiteront sur toute zone non traitée.

Après l'opération, frottez bien le pelage pour faire pénétrer le produit jusqu'à la peau, et surveillez votre chat après la première application en cas de réaction à l'insecticide.

LES MOUSSES

Elles sont mieux tolérées par les chats que les pulvérisations. Le son de la mousse sortant de la bombe sous pression peut effrayer l'animal, aussi il vaut mieux vous en mettre dans le creux de la main à l'écart du chat.

LES POUDRES

Exécrables ! Elles sont très salissantes et risquent de faire éternuer l'animal s'il en inhale. Il faut les faire pénétrer en profondeur dans le pelage, en répétant l'application deux à trois fois par semaine. Comme dans le cas des pulvérisations et mousses, les chats n'apprécient guère. De plus, les poudres ont tendance à dessécher le pelage.

LES SHAMPOOINGS ANTI-PUCES

Ces shampooings tuent les puces qui se trouvent sur le chat mais n'ont aucun effet résiduel. Veillez à utiliser un shampooing prévu pour chats et chatons. L'ennui est que, dès le chat sec, de nouvelles puces sauteront sur lui. C'est toutefois une bonne idée de baigner un chat infesté de puces pour le débarrasser de tous les débris laissés par celles-ci, mais vous n'avez pas besoin d'un shampooing anti-puces, tout produit pour chat convient. Une fois l'animal sec, appliquez *Frontline* ou *Advantage*. Pour des instructions sur le bain, voir le chapitre XII.

LES PEIGNES À PUCES

Il vous en faut un. C'est une excellente façon (non toxique) de retirer du pelage les puces, leurs excréments et leurs œufs. Les insectes sont piégés entre les dents peu espacées. Vous pouvez asperger le peigne d'insecticide ou le plonger dans une bassine d'eau contenant le même produit. Comme pour le shampooing, de nouvelles puces sauteront sur le chat dès que vous aurez fini, aussi le peigne ne sert que d'élément dans un programme complet.

Si vous ne pouvez pas baigner l'animal, c'est une bonne manière de nettoyer son pelage des résidus laissés par les insectes.

LES COLLIERS ANTI-PUCES

De l'argent jeté par les fenêtres. J'ai vu de nombreux chats portant de tels colliers et cependant couverts de puces.

Si vous ne me croyez toujours pas et décidez d'utiliser un collier anti-puces, veillez à choisir un modèle qui *se détache* sous une traction. Surveillez la peau du cou de l'animal, au cas où il montrerait une réaction à l'insecticide contenu dans le collier. Retirez celui-ci s'il est mouillé.

LES PRODUITS À BASE D'HERBES

Si vous ne voulez pas utiliser d'insecticides sur votre chat, il y existe de nombreux produits végétaux, shampooings, colliers et poudres. Mais il ne suffit pas que l'étiquette indique *entièrement naturel* pour que ce soit sans danger. Votre chat peut réagir aux végétaux entrant dans la composition du produit. Lisez soigneusement le mode d'emploi et ne l'employez qu'avec prudence. Comme beaucoup de gens, j'ai essayé beaucoup de ces produits dans l'espoir d'éviter les insecticides chimiques, mais je n'en ai trouvé aucun qui soit vraiment efficace.

LES RÉPULSIFS À ULTRASONS

Des gens se font beaucoup d'argent en vendant ces objets inutiles à des maîtres désespérés. Qu'ils soient portés en collier ou installés dans la maison, je n'en ai jamais vu qui fonctionne. De plus, l'oreille d'un chat est si sensible que je ne suis pas sûre qu'il ne perçoive pas le son.

Traiter l'environnement intérieur

PASSEZ L'ASPIRATEUR

Pensez à votre habitat quand vous prévoyez une campagne contre les puces. Sauf en cas d'infestation grave, *Frontline* ou *Advantage* peuvent suffire. Si vous employez *Program*, il vous faudra sans doute traiter votre maison.

Je déteste passer l'aspirateur et cherche d'habitude des excuses pour éviter de le faire, mais c'est efficace dans la lutte contre les puces. Plus vous enlèverez d'œufs et de pupes de la moquette, des coussins et de sous les meubles, mieux cela vaudra. Passer souvent l'aspirateur vous permettra de réduire le nombre d'insectes. Montrez-vous impitoyable et aspirez ces petites créatures, puis aspergez le contenu du sac à poussières d'un jet de produit insecticide avant de le jeter à la poubelle, *dehors*. Si vous négligez de jeter le sac, les œufs aspirés y écloront.

En passant l'aspirateur, nettoyez bien *sous* les meubles et soulevez tous les coussins, car les puces et leurs pupes se cachent bien. N'oubliez pas la couche du chat, son arbre et les appuis de fenêtre.

LES FUMIGATIONS

Elles se montrent efficaces dans de grands espaces dégagés mais atteignent peu les coins et recoins qui abondent dans la plupart des maisons. Si vous souhaitez employer ce type de produit, il vous faut laisser ouverts les placards, retirer les coussins et la literie, ainsi que tout ce qui pourrait servir de cachette aux insectes. Pour un travail bien fait, pulvérisez auparavant un produit insecticide sous les meubles, contre les plinthes et dans tous les endroits où vous craignez que la fumigation ne se montre pas efficace.

Il convient lors de l'opération d'éloigner tous les animaux. Lisez soigneusement le mode d'emploi. Choisissez un produit qui ne tue pas seulement les puces adultes mais comporte un inhibiteur de croissance pour insectes, ce qui empêchera les puces au stade larvaire ou pupal de se développer.

Il est important pour la réussite des fumigations de respecter le délai entre les applications. Il convient de procéder à une deuxième fumigation quinze jours après la première, car les puces sont presque indestructibles dans leur cocon. Parlez-en à votre vétérinaire pour mettre au point un plan de bataille efficace.

LES SERVICES PROFESSIONNELS À DOMICILE

Moquettes, tapis, meubles et sols sont traités à l'aide d'une poudre ou d'un liquide. Les produits utilisés n'ont pas d'odeur et sont inoffensifs pour les animaux de compagnie et les humains.

Les compagnies qui offrent ce service affirment que le traitement reste efficace un an. Parlez-en à votre vétérinaire si l'infestation de votre maison est très importante.

Traiter l'environnement extérieur

Il convient de traiter l'extérieur en même temps que l'intérieur, et il vous faudra procéder à plusieurs applications pendant la saison. Tondez la pelouse, enlevez l'herbe coupée et tous les débris avant de pulvériser ou d'épandre un insecticide. Suivez les instructions du fabriquant et ne laissez pas les animaux sortir avant un certain temps.

Essayez, dans la mesure du possible, d'empêcher vos chats d'approcher des repaires de puces tels que le dessous d'une maison surélevée ou d'une véranda.

Le maître emmène son chat chez un toiletteur pour un bain censé le débarrasser de ses puces et, pendant ce temps, procède à une fumigation de la maison et à une aspersion du jardin. C'est un bon plan, mais il ne faut pas oublier les puces qui ont pu s'installer dans la voiture. Servez-vous d'un fumigène de petite taille ou d'un pulvérisateur pour traiter le véhicule qui vous sert à transporter les animaux. N'oubliez rien quand vous luttez contre les puces, celles-ci sont tenaces et n'hésiteront pas à sauter dans votre propre lit.

Les tiques

Les chats se toilettent si souvent que vous ne verrez peut-être jamais de tiques sur eux, ou alors sur la tête, le cou et dans les oreilles, puisque l'animal ne peut accéder à ces endroits. On trouve même des tiques entre les orteils des chats.

Ces insectes s'accrochent à la peau et la percent pour y enfoncer leur tête. Avant leur repas, elles ressemblent à de petites araignées. Ensuite, on dirait une verrue, car l'abdomen se distend avec l'absorption du sang. C'est d'habitude à ce moment que le maître remarque la présence du parasite.

Pour enlever une tique, déposez sur elle une goutte d'alcool ou d'huile minérale. Attendez quelques secondes qu'elle relâche sa prise et saisissez-la en douceur avec des pinces à épiler, près de la tête pour vous assurer que celle-ci ne reste pas fichée sous la peau. On trouve aussi dans les animaleries des instruments servant à retirer les tiques ; ils ressemblent à des cuillères en plastique pourvues d'une indentation.

Après avoir retiré le parasite, laissez-le tomber dans un petit récipient rempli d'alcool et offrez-lui une tombe convenable en le jetant dans les toilettes.

N'utilisez jamais d'allumette enflammée pour enlever une tique, le risque de blesser le chat est trop grand.

Si vous avez du mal à retirer une tique, ou si vous pensez que la tête est restée sous la peau, consultez un vétérinaire.

Certaines tiques sont porteuses de maladies, il ne faut donc pas essayer de les retirer à main nue. Servez-vous toujours de pinces à épiler ou d'un outil spécial. Les tiques du cerf sont parfois porteuses de la maladie de Lyme, maladie véhiculée par le sang qui peut se transmettre aux chiens et aux humains. Le symptôme le plus courant consiste en des douleurs articulaires, et la maladie peut devenir très grave. On ne sait pas encore si les chats y sont sujets. Le traitement comprend des antibiotiques, et il existe des vaccins pour humains et canidés.

CHAPITRE XIV

Voyagez avec (ou sans) votre chat

Le mot « voyage » est grossier dans le vocabulaire félin. Si les chats régnaient sur le monde, les vacances consisteraient en une semaine d'accès permanent au plan de travail de la cuisine, de vue imprenable sur la mangeoire à oiseaux, de souris en nombre illimité, semaine pendant laquelle les dents ne seraient pas brossées ni les oreilles nettoyées et comprenant bien sûr dix-huit heures de sommeil sur vingt-quatre. À aucun moment l'animal n'envisagerait de *déplacement*. Les chats préfèrent rester à la maison, et aimeraient mieux que *vous* y restiez aussi. Nous aimons l'aventure, eux adorent leurs habitudes. Nous aimons découvrir des lieux exotiques – ils n'apprécient rien tant que leur territoire familier.

Si vous avez un chaton, vous pouvez vous éviter beaucoup d'ennuis en l'habituant jeune à voyager. Cela ne signifie pas qu'une fois adulte il ne jouera pas à cache-cache quand il vous verra sortir une valise du placard, mais ce sera bien plus facile que si vous l'emmenez hors de chez vous une seule fois par an pour ces abominables vaccins.

Dans le cas d'un chat adulte, il n'est pas encore trop tard pour lui rendre les déplacements moins effrayants. Il n'appréciera peut-être jamais les voyages, mais vous pouvez réduire grandement son angoisse et éviter des effets négatifs à long terme.

Qu'ils aiment ça ou non, les chats doivent voyager – que ce soit pour aller chez le vétérinaire, pour changer de maison ou même pour un toilettage.

Pourquoi un panier est indispensable

Même si votre chat est très habitué aux déplacements, il a besoin d'un panier ; c'est la seule façon de le transporter sans risque. Que vous preniez l'avion, la voiture, ou simplement traversiez la rue pour aller chez le voisin, il faut placer l'animal dans un panier. Cela lui donne le sentiment de sécurité d'une cachette. Si le chat a peur, devient agressif ou incontrôlable, le panier l'empêchera de s'enfuir. Imaginez-vous en train d'essayer de retenir un chat qui gronde et se débat. Il est aussi très dangereux de conduire avec un chat en liberté dans le véhicule, cela peut causer un accident.

Dites-vous que son panier est un des plus importants éléments de la sécurité de votre chat. Même si vous n'avez pas l'intention de voyager, si votre vétérinaire vient à domicile et si vous avez horreur des vacances, il vous en faut un.

Un panier vous permet de sortir sans risque le chat de chez vous en cas d'urgence. Si je devais évacuer ma maison à toute allure, il me serait impossible de transporter mes quatre chats à moins qu'ils soient dans leurs paniers. Ceux-ci sont toujours à portée de main, si bien que je suis toujours prête.

Choisir un panier

Le panier doit rassurer l'animal, le protéger, être facile à nettoyer, et vous devez pouvoir y faire entrer le chat sans qu'il vous griffe.

EN GRILLAGE

C'est sans doute la façon la plus effrayante de voyager pour un chat. il est enfermé dans une cage et pourtant se sent totalement vulnérable. Quand vous arriverez à destination et essaierez de le sortir du panier, il sera sans doute très agité. Il n'est pas facile de manipuler un chat *agité.*

À PAROIS SOUPLES

Ces sacs ressemblent aux bagages que vous utilisez vous-même. En fait, j'ai utilisé un panier à parois souples comme sac de voyage une fois, lorsque mes bagages ont été perdus par la compagnie aérienne.

Ils sont légers et pour la plupart acceptés en avion (en cabine). L'ennui de ces paniers est qu'ils ne protègent pas le chat si un objet tombe dessus pendant le trajet. Ils sont aussi plus difficiles à nettoyer si l'animal s'oublie.

Si vous choisissez un tel panier, prenez-en un qui soit solide, avec un dessous rigide et dont les côtés ne retombent pas sur le chat.

EN OSIER

C'est peut-être joli, mais c'est un très mauvais choix. Essayez donc de nettoyer urine ou excréments dans un panier en osier...

Le mieux. Ils sont solides, faciles à nettoyer, de tailles diverses et protègent bien le chat. La plupart ont une porte grillagée sur le côté, ou parfois sur le dessus. Il en existe même qui ont deux portes, sur le dessus et sur le côté, ce qui rend plus facile d'en sortir un chat agité. Beaucoup sont approuvés par les compagnies aériennes, et les plus petits modèles sont acceptés en cabine.

Pratiquement indestructible, le panier en plastique durera sans doute toute la vie de votre chat. Comme l'animal se sentira mieux protégé s'il est caché, il convient de recouvrir la porte supérieure d'un tissu si elle est grillagée ou transparente. Faites un trou dans le tissu pour laisser passer la poignée.

Vous souhaitez bien sûr que votre chat voyage confortablement, mais n'achetez pas un panier trop grand. En fait, la plupart des chats se sentent plus à l'aise s'ils sont en contact avec les parois. Un panier de grande taille sera difficile à manipuler, et le chat y sera bousculé.

EN CARTON

Très bon marché, parfois même gratuits. Si vous adoptez un animal dans un refuge, on vous en donnera sans doute un. Ce type de panier convient à un chaton mais n'est pas assez solide pour un chat adulte. Un animal décidé peut le déchirer des griffes ou des dents en un clin d'œil. Même si le carton est doublé de plastique à l'intérieur, la boîte n'est plus utilisable si le chat y vomit ou urine. J'ai peur quand je vois quelqu'un essayer de transporter un grand chat mécontent dans un panier en carton qui tombe en pièces. Quand je travaillais en clinique, j'ai vu le fond de tels paniers céder et le chat tomber sur le sol du cabinet ou – pire – celui du parking.

Il y a toutefois quelques éléments qui me plaisent dans ces paniers. Comme ils peuvent se replier complètement et ne prennent pas de place, ils sont très utiles en tant que paniers de rechange. Si vous avez dix chats et ne voulez pas ou ne pouvez pas avoir dix paniers, procurez-vous en quelques-uns en plastique et d'autres en carton. Ainsi, vous aurez assez de paniers si vous devez emmener tous vos chats hors de chez vous.

Habituer le chat à son panier

Ne pas y accoutumer l'animal vous obligera à attraper sous le lit un chat feulant et grondant et à essayer de faire rentrer dedans quatre pattes tendues tout en évitant dix-huit griffes acérées qui se déplacent à la vitesse de la lumière. Relâchez juste une seconde votre prise, et l'animal vous grimpe sur la tête avant de se précipiter à nouveau sous le lit. Sanglant, couvert de poils de chat, les vêtements lacérés, vous devez recommencer. L'autre possibilité est d'habituer votre chat à entrer paisiblement dans le panier sans considérer que c'est un sort pire que la mort.

Commencez le dressage en posant le panier dans un coin de la pièce. Si la porte est amovible, retirez-la, ou au moins fixez-la en position ouverte. Placez une serviette au fond du panier. Si l'animal se montre méfiant, occupez-vous de vos affaires en laissant le panier en place pendant deux jours avant de passer à la phase suivante. Il finira par s'habituer à l'objet (même s'il refuse de s'en approcher). Procédez à une séance de jeu interactif à proximité, mais pas trop près.

Mettez ensuite quelques friandises près du panier, à une distance suffisante pour que le chat se sente à l'aise. Une fois ces friandises consommées, placez-en plus près, sur les côtés et devant le panier. Procédez avec lenteur pour que l'animal ne se méfie pas.

Le lendemain, placez deux friandises juste devant la porte du panier et, le jour suivant, au bord de la porte. Par la suite, mettez-les de plus en plus loin à l'intérieur. À partir de ce moment, ne donnez plus de friandises au chat à un autre endroit.

Maintenant que l'animal entre et sort librement du panier, ayant compris que ce n'était pas une telle affaire, vous pouvez remettre en place la porte. Quand il entre dans le panier pour manger une friandise, fermez la porte, comptez jusqu'à cinq et rouvrez-la. Ayez un jouet à portée de main et, dès que l'animal sort du panier, jouez avec lui. Répétez le processus à plusieurs reprises pour habituer le chat à la fermeture de la porte.

Ensuite, lancez une friandise au fond du panier et, quand le chat y entre, fermez la porte, soulevez le panier et faites quelques pas avant de le reposer au sol. Ouvrez la porte, laissez sortir l'animal et jouez avec lui, ou donnez-lui une friandise.

Faites cela tous les jours, en transportant à chaque fois le panier un peu plus loin. Veillez à ce que l'expérience reste positive, parlez doucement au chat et remuez aussi peu que possible le panier. Quand l'animal est en confiance, vous pouvez le mettre dedans vous-même. Faites-le entrer en douceur, sans le pousser. Une fois le chat à l'intérieur, fermez la porte, faites quelques pas avec le panier et reposez-le. N'oubliez pas de le récompenser ensuite.

Vous pouvez aussi dresser votre chat à entrer dans le panier sur un commandement verbal, comme pour un chien. Dites simplement le mot « panier » à chaque fois que vous lancez une friandise à l'intérieur. Vous pouvez aussi tenir celle-ci devant le nez du chat et l'attirer vers le panier, en répétant le mot d'une voix gaie et positive. Donnez-lui la friandise une fois qu'il est entré.

Commencez à l'habituer aux voyages en panier en l'emmenant faire de brefs trajets en voiture. Au début, contentez-vous de faire le tour du pâté de maisons. Récompensez l'animal dès votre retour et augmentez graduellement la durée de ces promenades.

Pour empêcher l'animal d'associer le panier à la seule horreur des visites chez le vétérinaire, faites-lui faire de courtes promenades pour qu'il comprenne que le panier ne signifie pas forcément une mauvaise expérience. Si vous avez un chaton, emmenez-le régulièrement chez le vétérinaire pendant sa croissance, juste pour qu'il soit caressé par le personnel, ce qui l'aidera à ne pas avoir peur des bruits et odeurs du cabinet.

Avant même de commencer à le dresser, laissez sorti le panier avec une serviette au fond. En fait, le laisser dehors en permanence évitera la panique qui s'empare du chat quand vous prenez le panier dans le placard.

Comment faire entrer dans un panier un chat peu coopératif

Vous n'avez pas habitué votre chat au panier et il vous faut l'y faire entrer *maintenant*. Il s'y refuse des griffes et des dents. Voici la méthode la plus rapide et la moins traumatisante.

Pulvérisez un peu de *Feliway* dans le panier une demi-heure avant d'y introduire l'animal. Si le panier a une porte sur le devant, tournez-le de façon à ce qu'elle soit orientée vers le haut. Prenez d'une main le chat par la peau du cou (comme une chatte transporte ses chatons), en soutenant l'arrière-train de l'autre. Déposez rapidement mais avec douceur le chat dans le panier, l'arrière-train en premier. Relâchez votre prise et refermez vite la porte, en faisant attention à ne pas la claquer sur ses pattes ou ses oreilles, et verrouillez-la avant que l'animal ne puisse essayer de forcer le passage. Remettez doucement le panier en position normale. Ouf, mission accomplie – le chat est dans le panier et vous n'êtes pas blessé.

Un chat doit-il voyager ?

Même si vous avez habitué votre chat au panier, cela ne signifie pas que vous devez l'emmener partout. Prenez en compte son caractère, sa santé, le genre de voyage que vous comptez effectuer et la saison. Un chat sujet au stress sera bien mieux chez lui pendant que la famille se rend à Eurodysney. Demandez-vous si votre destination conviendra au chat. Ce n'est pas parce que vous aimez aller à la plage tous les week-ends que l'animal partage vos goûts. L'amener pour des vacances chez un membre de votre famille qui déteste les chats serait sans doute très désagréable pour tout le monde.

Si vous prenez l'avion, je vous conseille de laisser le chat chez vous à moins qu'il ne puisse voyager en cabine avec vous (voir le paragraphe sur les voyages aériens plus loin dans ce chapitre). Un trajet en soute peut être terrifiant et même mettre en danger la vie de l'animal.

Les persans, chats de l'Himalaya et autres races à nez court ne doivent pas voyager par temps chaud, sauf en environnement climatisé.

Si vous n'êtes pas certain que votre chat soit capable de supporter un voyage, consultez votre vétérinaire. S'il ne vous est pas possible de le laisser à la maison et que vous êtes soucieux, évoquez avec le praticien la possibilité d'un sédatif léger. Ne vous en servez que si c'est absolument indispensable. Si vous n'avez jamais donné de sédatifs à votre chat, ce n'est pas une bonne idée de commencer lors d'un long voyage.

Les voyages en voiture

Lors d'un trajet en voiture, si vous comptez vous arrêter dans des hôtels ou motels, renseignez-vous à l'avance pour savoir lesquels acceptent les animaux. Pour éviter que le personnel n'ouvre la porte de votre chambre en votre absence et laisse s'enfuir le chat, veillez à informer la réception de la présence de l'animal. Il est possible de faire nettoyer la chambre en votre présence. Placez le panneau « Ne pas déranger » sur la porte quand vous sortez et, par surcroît de prudence, enfermez le chat dans la salle de bains avec une note sur la porte, juste au cas où.

LE PANIER

L'animal doit rester dans son panier pendant toute la durée du trajet. Pour un long voyage, il vaut mieux choisir un panier de grande taille (pour chien), afin de pouvoir y mettre une petite caisse à chat. Si cela ne vous est pas possible, donnez à l'animal accès à une caisse chaque fois que vous vous arrêtez pour vous dégourdir les jambes, mais assurez-vous que les portes et fenêtres du véhicule sont bien fermées.

HARNAIS, PLAQUE D'IDENTITÉ ET LAISSE

Même si vous n'avez pas l'intention de promener votre chat en laisse, vous devriez par sécurité l'habituer à porter un harnais et une laisse lors de vos déplacements. Gardez le chat harnaché pendant le voyage, avec toujours sa plaque d'identité. Quand vous le sortez du panier, mettez-lui la laisse. Quand vous vous arrêtez à l'hôtel ou arrivez à destination, enlevez le harnais et mettez-lui son collier (avec la plaque). Veillez à ce que la plaque comporte le numéro de téléphone de votre domicile et de votre destination.

BAC ET LITIÈRE

Vous pouvez acheter des caisses jetables en carton, c'est plus facile que de laver une caisse en plastique. Si vous avez assez de place dans la voiture et comptez rester un certain temps à destination, emmenez une caisse de taille normale, ce sera plus confortable pour l'animal. Emportez une quantité suffisante de votre litière habituelle, au cas où vous n'en trouveriez pas sur place. Si cette litière est vendue en sacs, il vous faudra peut-être la transférer dans un récipient de plastique fermant bien. Il m'est arrivé de nettoyer une voiture après qu'un sac de litière ouvert se soit renversé, et ce n'est pas drôle. Prévoyez un gobelet en plastique pour transvaser la litière.

N'oubliez surtout pas la pelle percée pour nettoyer la caisse. Si vous utilisez une caisse de taille réduite, il vous faudra la nettoyer plus souvent. Mettez la pelle dans un sac plastique muni d'une fermeture. Prévoyez des sacs-poubelles pour jeter la litière souillée, en particulier si vous séjournez à l'hôtel où vous ne pouvez pas vous débarrasser de la litière dans la corbeille à papiers, et aussi un produit pour vous laver les mains ensuite.

Vous aurez besoin de serviettes de rechange en cas d'accident. Les lingettes pour bébé sont très pratiques pour nettoyer l'animal s'il se salit lors du trajet. Il faut qu'elles ne comportent ni alcool ni parfum. Emmenez aussi un produit nettoyant à base d'enzymes.

Emportez la nourriture habituelle de l'animal. Si vous lui donnez des boîtes, prenez-en de petite taille, et n'oubliez pas l'ouvre-boîte et une cuillère en plastique, ainsi qu'une bouteille d'eau pour que l'animal puisse boire périodiquement. Pour éviter des ennuis digestifs dus à un changement d'eau, remplissez la bouteille de votre eau habituelle. Une fois arrivé à destination, remplissez le bol de cette eau et ajoutez graduellement de l'eau trouvée sur place. N'oubliez pas d'emmener ses bols habituels et, tant que vous y êtes, prenez aussi le paquet de friandises.

Il vous faut le carnet de santé de l'animal en cas de problème. S'il suit un traitement, n'omettez pas d'emporter les médicaments, et c'est aussi une bonne idée d'emmener une petite trousse d'urgence (voir le chapitre XVIII).

Vous aurez besoin des ustensiles de toilettage, surtout dans le cas d'un chat à poil long. N'oubliez pas le shampooing, au cas où l'animal se salirait à tel point qu'il vous faudrait le baigner.

Et n'omettez pas de prendre au moins un jouet interactif, faute de quoi ce ne serait pas des vacances pour le chat. J'emmène toujours aussi un peu d'herbe à chats et quelques jouets d'activité.

UNE PHOTO DE L'ANIMAL

Cela pourrait arriver – votre chat pourrait s'enfuir lors du trajet. Une bonne photo vous permettra de faire imprimer des affiches de recherche.

NE LAISSEZ PAS VOTRE CHAT SANS SURVEILLANCE

Si vous voyagez par temps chaud et vous arrêtez pour prendre de l'essence ou aller aux toilettes, emmenez l'animal avec vous. Je ne plaisante pas, prenez son panier parce que l'intérieur d'une voiture se transformera en four *très vite*. Je sais qu'il vous déplaît de devoir imposer à votre chat l'état habituellement déplorable des toilettes de station-service, mais il en appréciera peut-être mieux sa caisse d'une propreté immaculée. Le chat d'une de mes clientes a été volé pendant qu'elle se trouvait dans les toilettes d'une station-service. Depuis lors, je ne laisse jamais les miens seuls dans la voiture.

Les voyages en avion

L'idée de faire voyager mes chats en soute est effrayante. Heureusement, beaucoup de compagnies aériennes acceptent que les chats voyagent sous votre siège. Ils sont considérés comme des *bagages*, mais qu'importe ? Vous leur ferez des excuses plus tard. Toutefois, le panier doit répondre aux exigences de la compagnie. Vous pouvez employer un panier en plastique (vérifiez qu'il correspond à ces exigences), ou un sac à parois souples. Les transporteurs aériens ont des règles strictes à l'égard des animaux, il vous faut donc vous renseigner à l'avance. On vous demandera souvent de payer le transport du chat en cabine. Réservez sa place en même temps que la vôtre, car le nombre d'animaux à bord est limité. Certaines compagnies n'autorisent qu'un seul chat par avion.

Demandez quels documents seront nécessaires, comme par exemple un certificat de santé. Ne placez pas les papiers du chat dans vos bagages, gardez-les avec vous pour les présenter en cas de besoin.

Tant le panier que le chat doivent porter une identification. Le panier doit avoir une étiquette indiquant « Animal vivant ». Même si vous gardez le chat avec vous pendant le vol, c'est nécessaire en cas d'incident qui pourrait vous séparer. Indiquez votre numéro de téléphone à domicile et à destination.

Avant de partir et de placer le chat dans son panier, assurez-vous que celui-ci est en bon état. S'il s'agit d'un panier en plastique, resserrez les fixations et, dans le cas d'un sac souple, vérifiez que les coutures et le treillage d'aération sont exempts de toute déchirure.

Laisser le chat derrière vous

LES GARDES À DOMICILE

La meilleure solution, et de loin, pour votre chat est de rester chez lui en votre absence. Un garde peut être un rêve, ou un cauchemar si vous n'avez pas pris assez de précautions.

Un tel arrangement peut aller du voisin qui vient deux fois par jour nourrir l'animal et nettoyer la caisse à l'embauche d'un professionnel ou même à l'installation chez vous d'une personne en votre absence.

Si un de vos amis possesseur de chat accepte de s'occuper du vôtre deux fois par jour, c'est une bonne solution parce que vous pouvez avoir confiance et que la personne en question sait ce qu'il faut faire. Le chat aussi sera à l'aise puisqu'il ne s'agit pas d'un inconnu.

Montrez à votre ami où vous rangez les jouets interactifs et la façon dont vous vous en servez. Proposez de lui rendre la pareille en cas de besoin, et ce pourrait être un arrangement très commode.

Il est aussi possible de s'adresser à des professionnels qui, en plus de s'occuper de l'animal, prendront le courrier dans la boîte aux lettres, allumeront et éteindront les lumières et arroseront les plantes. Si vous connaissez des propriétaires de chat ayant fait appel à ces services, demandez-leur ce qu'ils en pensent. Votre vétérinaire peut aussi vous indiquer des adresses.

Avant d'engager une agence de garde-chats professionnels, posez les questions suivantes :

– *Depuis combien de temps exercent-ils cette activité ?* Il n'est pas recommandé d'engager des débutants.

– *Ont-ils des références ?* Sinon, allez voir ailleurs, et vérifiez les références qui vous sont fournies.

– *Sont-ils assurés ?* Un garde-chat professionnel devrait l'être.

– *Quelles dispositions ont-ils prises en cas de problèmes climatiques (en zone rurale) ?* À titre de précaution, laissez votre clef à un voisin, juste au cas où. Demandez de quel type de véhicule ils disposent et ce qu'ils ont prévu de faire en cas de conditions météorologiques difficiles. Il est préférable de choisir un garde-chat qui habite à proximité.

– *Une personne unique fera-t-elle toutes les visites ?* Certaines agences envoient des gens différents selon les jours. La personne à laquelle vous aurez affaire doit être celle qui viendra chez vous.

– *L'agence vous remet-elle un contrat écrit ?* Il est indispensable d'avoir un document écrit.

– *Quels sont les services rendus lors des visites ?* À préciser par écrit, une fois encore.

– *Le garde-chat est-il capable d'administrer des médicaments ?* C'est important si l'animal est sous traitement. Renseignez-vous sur la formation reçue par la personne en question et vérifiez qu'elle est capable de veiller à ce que le chat prenne bien les médicaments prescrits.

Renseignez-vous de façon exhaustive sur l'agence de garde. Après tout, vous lui confiez vos animaux et votre maison. Il vous faut rencontrer le garde en personne, et chez vous. Vous pourrez ainsi lui montrer exactement ce qu'il faut faire, et voir comment votre chat réagit à cette personne. N'oubliez pas de l'informer de tout élément particulier, par exemple une tendance de l'animal à mordre ou à se précipiter dehors.

La plupart des gardes effectuent une ou deux visites par jour. Chaque visite est payante, il vous faut donc réfléchir au nombre de visites quotidiennes nécessaires.

Laissez au garde toutes les informations utiles en cas d'urgence. Donnez-lui un numéro de téléphone où vous joindre, ainsi que celui d'un voisin au cas où il aurait besoin de quelque chose et, bien sûr, les coordonnées de votre vétérinaire. Vérifiez que le garde sait où se trouve le cabinet de celui-ci, prévenez le praticien que votre chat sera gardé et donnez-lui l'autorisation de procéder à une intervention en cas de nécessité. Donnez-lui aussi le numéro de téléphone où vous joindre pendant votre voyage. Montrez au garde où se trouve le panier du chat, pour qu'il puisse en cas de besoin l'emmener chez le vétérinaire.

Si vous devez vous absenter longtemps et que vous vous adressez à l'agence de garde pour la première fois, je vous conseille de faire un test au préalable et de faire venir la personne une fois avant votre départ pour voir comment les choses se passent. Ne dites pas que vous procédez à une vérification, simplement que vous rentrerez très tard ce soir-là, et demandez que le garde vienne en début de soirée. Je m'y suis prise ainsi une fois et, sur la base d'une unique visite, ai décidé que je ne souhaitais pas que cette agence-là s'occupe de mes chats pendant deux semaines. Des bols sales traînaient par terre (et même pas à l'endroit où j'avais dit qu'il convenait de les placer). De plus, les volets de la façade n'avaient pas été fermés, alors que je l'avais demandé.

J'ai maintenant trouvé une agence de garde en laquelle j'ai toute confiance, mais il m'a fallu la chercher.

LES GARDES À L'EXTÉRIEUR

Même dans les meilleurs endroits, c'est stressant pour un chat. Si le vôtre est anxieux, agressif ou particulièrement attaché à son territoire, il vaut mieux qu'il reste dans son environnement habituel. Essayez de trouver un arrangement qui le lui permette. S'il ne vous est pas possible de faire venir quelqu'un chez

Suggestion

Les agences de garde sont retenues d'avance pendant les périodes de congé, réservez donc à temps.

vous, peut-être un ami peut-il installer le chat dans une pièce inoccupée de sa maison ? Toutefois, dans certains cas, la seule possibilité est de placer l'animal chez un gardien.

Inspectez alors les lieux vous-même. La pièce où sera installé le chat doit être bien aérée. Si vous avez l'impression en arrivant d'entrer dans un bac à chats géant, imaginez ce que ce serait pour l'animal !

Tout gardien devrait vous demander de lui montrer le carnet de vaccination du chat. Malheureusement, ce n'est pas toujours le cas, ce qui signifie que les autres chats présents peuvent ne pas être vaccinés et les met tous en danger. Il ne faut pas faire garder des chatons non encore vaccinés.

Les installations vont de simples rangées de cages à de luxueuses chambres individuelles munies d'arbres à chats et de télévisions. Même si cela peut sembler ridicule à première vue, installer votre chat dans un de ces endroits qui semblent plus confortables qu'un hôtel destiné aux humains comporte des avantages. Le personnel s'occupe en général bien des animaux qui disposent de nombreuses cachettes et les fait jouer régulièrement. S'il existe un tel service près de chez vous, je vous conseille de vous renseigner ; les prix sont étonnamment bas.

Quand vous amenez votre chat sur place, emmenez sa nourriture habituelle, sa litière et éventuellement ses médicaments, mais pas sa caisse. Elle pourrait ne pas entrer dans une cage, et l'animal risque de développer des associations négatives une fois de retour chez vous. Donnez à votre chat un vêtement imprégné de votre odeur pour le rassurer. Il est bon de fournir un jouet du type Quickdraw McPaw, pour que le personnel puisse faire jouer le chat même dans un espace réduit.

Un des aspects les plus effrayants de ce mode de garde est que l'animal ne dispose d'aucun endroit où se cacher ; il arrive parfois qu'il se réfugie dans le seul espace disponible, le *bac*. Imaginez le stress que cela représente. Fournissez à votre chat une petite couche *à bords hauts* s'il y a assez de place dans la cage. Il faut qu'elle soit lavable, au cas où l'animal la salirait. Si la cage n'est pas de taille suffisante, mettez-y au moins un sac en papier ; donnez-en plusieurs aux gardiens pour les changer en cas de besoin, et assurez-vous qu'ils savent que le chat doit toujours disposer d'une cachette.

Si l'animal paraît trop stressé, demandez qu'une feuille de papier journal soit fixée sur le devant de la cage.

En cas de déménagement

Pour un chat, il n'y a sans doute pas pire. D'abord, le redoutable panier sort du placard, puis il y a un trajet en voiture et enfin on arrive dans un endroit inconnu que les maîtres appellent « la maison ». Il est néanmoins possible de lui rendre les choses plus faciles.

Si l'animal va dehors, ne le laissez plus sortir environ une semaine avant le déménagement. C'est le moment difficile où on finit les cartons, où on dort mal et où le stress s'accumule. Toujours observateur, le chat comprendra qu'il se passe quelque chose et peut décider de garder un profil bas en ne rentrant pas dormir à la maison. Il est désagréable de passer les dernières heures avant le départ à chercher votre chat dans les buissons. J'ai connu de nombreux et tristes cas de maîtres obligés de laisser leur chat derrière eux parce que les déménageurs étaient là et qu'il n'était plus possible d'attendre. Imaginez la terreur et l'incompréhension ressenties par l'animal quand il se décide à rentrer et trouve porte close. À moins qu'un voisin ne le reconnaisse et l'attrape, il passera du statut de membre de la famille à celui de vagabond sans asile. Vous trouvez peut-être que je dramatise, mais les maîtres oublient souvent cette précaution, et le chat disparaît bel et bien avant le déménagement. Même si l'animal proteste pendant cette semaine où il est enfermé, cela en vaut la peine pour assurer sa sécurité.

Faire les cartons est un travail ingrat mais, pour un chat, c'est une expérience très intense. L'animal peut trouver cela très amusant et sauter de carton en carton, heureux de ce nouveau terrain de jeu ou bien se cacher, terrifié par un tel bouleversement. Quelle que soit la réaction de votre chat, il vous faut veiller à ce qu'il ne soit pas enfermé dans un carton. Cela arrive. Le chat décide de faire une sieste dans un carton plein de linge, se glisse entre les piles et, sans vous apercevoir de sa présence, vous refermez le carton, qui est chargé dans un camion. Il vaut mieux enfermer l'animal dans une autre pièce lorsque vous remplissez des cartons, afin de toujours savoir où il se trouve.

Une semaine avant le déménagement, demandez à votre vétérinaire une copie du dossier de l'animal (si vous avez l'intention de changer de vétérinaire). Si vous en avez déjà choisi un, faites-lui transmettre le dossier, mais gardez-en un exemplaire pour le trajet. C'est aussi le bon moment pour faire fabriquer une plaque d'identité indiquant vos nouvelles coordonnées, que vous mettrez au collier du chat le jour du déménagement.

Ce jour-là, rangez la nourriture, les médicaments et tout ce dont l'animal a besoin dans un carton particulier que vous emmènerez avec vous. Il ne faut pas qu'en arrivant dans la nouvelle maison vous réalisiez que vous ne savez pas où est la nourriture. Le jour du déménagement sera agité, aussi est-il préférable d'enfermer le chat dans une petite pièce ou de le faire garder pour la journée. Si vous avez une salle de bains, mettez-y l'animal avec sa caisse, un bol d'eau et un endroit où se coucher. Laissez une radio portative branchée sur une station de musique classique (cela plaît aux chats) ou une station qui diffuse des débats, pour étouffer les bruits venant de l'autre côté de la porte. Fixez sur cette porte une affichette indiquant qu'il ne faut pas entrer.

Je mets aussi dans cette pièce le panier à chat, pour qu'il ne soit pas chargé dans le camion de déménagement.

Dans la nouvelle maison, le chat devrait disposer d'une petite pièce-sanctuaire. Une salle de bains est idéale parce qu'on y déballera moins de choses qu'ailleurs. Installez-y caisse, poteau-griffoir, couche, nourriture et eau, ainsi que quelques jouets. Si vous voulez utiliser une pièce d'habitation comme sanctuaire, mettez-y quelques meubles (même à titre temporaire), pour fournir des cachettes. Les meubles familiers réconforteront l'animal. Pulvérisez du Feliway dans la pièce et installez-y tout ce dont le chat a besoin.

Certains chats s'habitueront rapidement, mais d'autres devront passer une semaine dans le sanctuaire. Ne précipitez pas les choses.

Enfermer l'animal dans une pièce permet aussi de renforcer les comportements positifs, comme l'usage de la caisse et du griffoir.

Prenez le temps de rendre visite au chat pour jouer avec lui. Un quart d'heure de temps à autre ne perturbera pas trop votre horaire et sera d'un grand réconfort pour l'animal. Donnez-lui aussi de l'herbe à chats pour fêter l'installation comme il convient. La pièce-sanctuaire ne doit pas être une prison.

Vous saurez que le chat est prêt à sortir de la pièce quand son comportement redevient normal, c'est-à-dire qu'il mange, utilise sa caisse, cesse de se cacher, etc. Avant d'ouvrir la porte, pulvérisez du Feliway sur quelques objets saillants à différents endroits de la maison. Ne forcez pas le chat à sortir du sanctuaire, ouvrez la porte et laissez-le se décider. Vous pouvez déposer quelques friandises devant la porte.

Laissez la pièce-sanctuaire en l'état pour que l'animal puisse s'y réfugier si le stress se révèle trop important.

Si vous laissiez sortir votre chat là où vous viviez auparavant, c'est une excellente occasion d'en faire un chat d'intérieur. La nouvelle maison est un territoire neuf qui suffira à l'occuper. Dehors, le territoire est inconnu, et vous ne savez pas quels chats peuvent le fréquenter, peu disposés à le partager avec un nouveau venu.

Si vous tenez absolument à laisser sortir votre chat, attendez au moins un mois pour qu'il soit bien installé dans son territoire intérieur et se soit adapté au changement. Au début, ne le laissez sortir qu'en laisse ; comme ce nouveau terrain ne signifie rien pour lui, il risque de s'enfuir. Faites des promenades quotidiennes *près* de la maison pour que l'animal s'accoutume. S'il fait beau, asseyez-vous sur la terrasse avec le chat et donnez-lui à manger pour l'accoutumer à son nouveau territoire. Faites-lui franchir dans les deux sens la porte d'entrée pour qu'il la repère bien. Il a besoin de savoir où attendre qu'on le fasse entrer. Permettez-lui ensuite de s'éloigner un peu plus en utilisant une laisse rétractable (un modèle pour petits chiens sera le plus léger) pour lui donner un sentiment de plus grande liberté. Procédez ainsi quotidiennement pendant plusieurs semaines. Ayez sur vous quelques friandises et appelez le chat par son nom ; quand il réagit, récompensez-le.

Ne laissez jamais sortir votre chat s'il n'est pas complètement vacciné, ne porte pas de plaque d'identité et ne vient pas quand on l'appelle. Je sais que ce dernier point embarrasse beaucoup de maîtres, mais on peut y arriver (voir chapitre V).

Une fois de plus, envisagez sérieusement d'en faire un chat d'intérieur.

Si vous perdez votre chat

Malgré toutes vos précautions, cela peut malheureusement se produire. Voici quelques conseils dans le cas d'une telle crise.

PRÉPAREZ DES AFFICHETTES

Celles-ci doivent comporter en haut la mention « Chat perdu » et en-dessous une bonne photo de votre chat, suivie d'une description comprenant tout signe distinctif. Indiquez quand le chat a été perdu, où il a été vu pour la dernière fois, ainsi que vos numéros de téléphone personnel et professionnel. Il est bon de promettre une récompense substantielle ; ainsi, tous les gamins du voisinage se mettront à la recherche de votre chat.

Si vous disposez d'un ordinateur, tapez votre affichette en caractères gras, faciles à lire ; si vous devez l'écrire à la main, veillez à ce que vos numéros de téléphone soient bien lisibles.

Placez les affichettes *partout* où vous pouvez : chez les vétérinaires, dans les supermarchés, au coin des rues, dans les animaleries.

ADRESSEZ-VOUS PARTOUT

Appelez immédiatement le refuge local pour informer le personnel de la perte de votre chat. Allez ensuite y déposer une affichette.

Placez des affichettes chez autant de vétérinaires que possible. La plupart ont un panneau prévu pour cela. S'il n'y a pas la place pour une affichette, vous pouvez au moins laisser la photo de l'animal, avec les informations écrites au dos.

Adressez-vous aussi à la police.

LES PETITES ANNONCES

Faites passer une annonce dans le journal local. Il existe aussi beaucoup de petits journaux à diffusion restreinte – mettez-y aussi des annonces. Une photo sera très utile.

PARLEZ-EN À VOS VOISINS

Faites le tour du voisinage avec vos photos ou affichettes. Votre chat terrifié se cache peut-être dans un garage ou les buissons d'un jardin.

Si vous retrouvez l'animal, retirez toutes les affichettes. Appelez le refuge, les vétérinaires, etc., pour les prévenir. Ainsi, les gens ne perdront pas leur temps à rechercher votre chat déjà retrouvé.

Si la personne qui a retrouvé l'animal refuse la récompense, vous pouvez la donner en son nom au refuge local. De cette façon, un autre chat perdu regagnera peut-être son foyer.

CHAPITRE XV

Que faire quand votre chatte a des petits

L'accouplement des félins est violent et dangereux. En présence d'une femelle en chaleur, tous les matous du secteur se battront pour avoir l'occasion de se reproduire.

Le mâle fait nerveusement les cent pas, attendant que la femelle lui permette d'approcher. Il lui saisit alors la nuque entre ses dents et monte sur elle. La femelle creuse le dos, rejette la queue sur le côté, et le mâle la pénètre.

Après l'éjaculation, la femelle pousse un hurlement et se débat pour se libérer. Si le mâle ne s'écarte pas assez vite, elle l'attaque très violemment. Elle se roule ensuite sur le sol, s'étire et se lèche les parties génitales.

Les deux animaux peuvent s'accoupler à nouveau immédiatement, ou il peut falloir un certain temps avant que la femelle soit de nouveau prête. Il peut y avoir de nombreux accouplements en quelques heures. Pendant que le mâle attend, il reste sur ses gardes pour empêcher d'autres matous de prétendre à la femelle. Dans ce cas, les mâles se défient et le résultat en est le plus souvent un violent combat où les animaux se mordent et se griffent. Les combats de matous peuvent provoquer de *très* graves blessures et même aboutir à la mort. Si plusieurs mâles parviennent à s'accoupler avec la femelle, les chatons de la portée peuvent avoir des pères différents.

Si vous croyez encore que faire assister vos enfants au miracle de la naissance sera une bonne expérience pour eux, vous vous trompez. Ils devraient apprendre à devenir des maîtres conscients de leurs responsabilités, ce qui signifie stériliser le chat. S'occuper d'un animal et l'aimer pendant des années sera une leçon bien plus importante que de voir quatre chatons faire leur apparition dans un monde qui compte déjà trop de chats.

Pourquoi il est nécessaire de stériliser votre chat

Si vous avez une chatte de gouttière et pensez la faire se reproduire, je vous prie d'y réfléchir à deux fois. Je sais que vous aimez l'animal et pensez qu'elle aura de beaux chatons, mais en fait des millions de « beaux » chatons deviennent des vagabonds ou sont mis à mort simplement parce qu'ils sont trop nombreux. Les maîtres finissent par s'installer sur un parking de supermarché avec un carton plein de chatons, parce qu'il est très difficile de leur trouver un foyer.

Ne faites pas d'élevage en amateur, il y a déjà bien assez de chats. Le fait que vous ayez une femelle de race pure ne signifie pas que vous pouvez gagner de l'argent en l'accouplant à un mâle de la même race. Les éleveurs expérimentés et réputés sont experts en génétique féline. Essayer de faire se reproduire votre chatte sans disposer de cette compétence vous expose à obtenir des chatons victimes de déformations congénitales.

Si vous vous imaginez gagner ainsi de l'argent, vous vous préparez des surprises. N'importe quel éleveur vous dira que cela coûte cher. Les bons éleveurs consacrent beaucoup de temps et d'argent à créer un environnement convenable, à s'occuper des animaux adultes et à élever les chatons. Ils font ce travail parce qu'ils aiment les chats de la race en question et qu'ils souhaitent maintenir celle-ci – pas pour s'enrichir vite.

Même si vous n'aviez pas l'intention de faire se reproduire votre chatte, cela peut se produire « accidentellement » si vous laissez sortir une femelle non stérilisée. Vous pouviez avoir l'intention de faire procéder à l'opération mais être pris de vitesse, la chatte revenant à la maison pleine sans que vous vous y attendiez. Et, si vous avez un matou entier, ne croyez pas que l'absence de chatons est un avantage. En réalité, vous devrez régulièrement soigner un animal blessé lors de ses combats avec d'autres mâles. Votre responsabilité en tant que maître est aussi de ne pas contribuer à la surpopulation féline en laissant un mâle se reproduire au hasard.

En plus du problème de la surpopulation, il y a des raisons médicales et comportementales pour faire stériliser votre chat. Une femelle stérilisée avant ses premières chaleurs ne court presque plus aucun risque de cancer des mamelles. Stériliser un mâle lui évitera tout risque de cancer de la prostate à l'âge mûr.

La différence entre un chat stérilisé et intact est la même qu'entre le jour et la nuit. Stériliser l'animal avant la maturité sexuelle éliminera presque entièrement marquages urinaires et divagations. Ces comportements indésirables peuvent être grandement réduits si vous faites stériliser un mâle adulte. Dans le cas d'une femelle, ne pas procéder à cette opération vous forcera à supporter ses cris incessants et son agitation lorsqu'elle est en chaleur. De plus, elle attirera tous les matous du secteur... qui viendront uriner à votre porte.

Souvenez-vous, contrairement à ce que vous avez sans doute entendu dire, que ce n'est pas la stérilisation qui rend un chat obèse, mais une nourriture *trop abondante*.

Pour un mâle, l'opération consiste à retirer les testicules grâce à une incision du scrotum. Il n'y a pas besoin de points de suture et il suffit, lors de la convalescence, de vérifier que l'incision ne s'infecte pas. Si vous laissez d'habitude sortir l'animal, il est préférable de le garder chez vous quelques jours, jusqu'à guérison complète.

Pour les femelles, l'opération est plus importante. Elle consiste à retirer l'utérus, les trompes et les ovaires par une incision abdominale. La chatte recevra quelques points de suture sur son ventre rasé, qui seront enlevés une dizaine de jours plus tard, sauf si un fil auto-résorbant a été utilisé.

Votre vétérinaire vous donnera des instructions en ce qui concerne la convalescence. Il faut surveiller les points pour veiller à ce qu'ils ne s'infectent pas, et éviter que l'animal les enlève avec ses dents. Si vous le baignez régulièrement, il vous faudra pour cela attendre la guérison complète.

Limitez les mouvements de votre chatte pendant la convalescence en la confinant chez vous, et découragez sauts et efforts physiques.

Même si ce type d'intervention est sans doute le plus souvent pratiqué, méfiez-vous des cliniques proposant cette opération pour un coût très bas. Une intervention chirurgicale, pour ordinaire qu'elle soit, comporte toujours un risque. Si vous pensez vous adresser à une telle clinique plutôt qu'à votre vétérinaire habituel, renseignez-vous avec soin sur les procédures employées, l'anesthésique utilisé, la présence ou l'absence d'un assistant pendant et après l'intervention, et non seulement le type mais aussi le nombre de points de suture posés d'ordinaire par le praticien.

Si vous avez confiance en votre vétérinaire habituel,

ne cherchez pas à économiser en matière de chirurgie.
Il a tout intérêt à ce que votre chat reste longtemps
en bonne santé.

S'occuper d'une future mère

Votre chatte peut être pleine sans que vous l'ayez
prévu, peut-être parce que vous avez attendu trop longtemps pour la faire stériliser, ou parce qu'une chatte
errante est entrée dans votre vie déjà enceinte.

La gestation dure environ soixante-cinq jours. Il se
peut que vous ne remarquiez rien, à part une prise de
poids, durant les premières semaines.

Certaines chattes ont des nausées matinales vers la
troisième semaine. Cela ne dure d'ordinaire que quelques jours.

Si vous pensez que votre chatte peut être enceinte,
consultez un vétérinaire pour pouvoir en cas de besoin
commencer les soins prénataux. Il vous dira combien
de visites prévoir, selon l'état de santé de l'animal, et
vous indiquera quels changements apporter à son alimentation. N'y ajoutez rien sans ses instructions, qui
seront le plus souvent d'employer une nourriture *de
croissance*, à cause des besoins supplémentaires
notamment en protéines et calcium. Pendant la
deuxième partie de la grossesse, le praticien vous
conseillera peut-être d'augmenter la quantité de nourriture, suivant le poids et l'état de santé de l'animal.
Il ne doit bien sûr pas trop grossir, ce qui rendrait la
mise bas plus difficile.

Une semaine environ avant la mise bas, il sera peut-
être nécessaire de fractionner les repas de la chatte,
car son abdomen gonflé ne lui permet plus de manger
autant que d'habitude. Il vous faudra sans doute aussi
à ce moment l'amener à nouveau chez le vétérinaire
pour un dernier examen prénatal. Il vous expliquera

aussi comment préparer la mise bas, à quoi vous attendre et de quels soins ont besoin les chatons.

Vous préparer pour le « grand jour »

Une semaine environ avant l'événement, la chatte semblera agitée et peut se lécher plus souvent le ventre et les parties génitales. Il est possible qu'elle gratte les piles de vêtements et fouille dans les placards pour se préparer un nid.

Quels que soient vos préparatifs élaborés, l'animal préférera un endroit sombre, tranquille et chaud. Prenez donc un carton solide où vous découperez une ouverture, et placez au fond du papier journal propre. Si la chatte est nerveuse, posez un couvercle sur le carton, elle se sentira ainsi mieux protégée et vous pourrez facilement la surveiller et nettoyer l'intérieur. Le carton doit être assez grand pour que la chatte puisse se tenir sur ses pattes et se retourner aisément.

Placez les bols d'eau et de nourriture à proximité. La caisse doit être à portée, mais pas trop près.

Ne laissez pas sortir la chatte vers la fin de sa grossesse, elle pourrait mettre bas dans le garage d'un voisin. C'est une bonne idée de l'enfermer dans la pièce que vous avez choisie, pour qu'elle n'aille pas élire un autre endroit de la maison.

La veille du grand jour, la température de la chatte baisse d'environ un demi-degré. Si vous avez l'habitude de prendre sa température et si elle se laisse faire, vous pouvez essayer. Sinon, ne le faites pas – veillez juste à ce qu'elle soit à l'aise et laissez-la tranquille.

Dans la plupart des cas, la mise bas se passera très bien sans intervention humaine. Vous pouvez venir en aide à une chatte à poil long en coupant (ou en faisant couper par le vétérinaire) les poils autour de ses mamelles et en dessous de sa queue. Gardez aussi à portée de main, juste au cas où :

– le numéro de téléphone du vétérinaire (et le numéro d'urgence de nuit) ;
– une quantité de papier journal ;
– des serviettes propres ;
– des ciseaux ;
– de l'antiseptique ;
– du fil dentaire ou une bobine de fil à coudre ;
– une seringue pour bébé (sans aiguille).

La mise bas

Dans la première phase du travail, la chatte se mettra à haleter et à faire des efforts. Elle peut crier et essayer de se mordre le dos. Le mieux est de la laisser en paix, cela ne la réconforterait pas d'être observée par toute la famille. Il n'est pas inhabituel qu'elle feule si vous vous approchez trop. Il arrive même qu'une chatte dévore ses petits si les humains la dérangent trop.

Dans la phase active, vous remarquerez peut-être une perte claire suivie d'une perte plus sombre. Les contractions commencent et le premier chaton naît alors en trente minutes environ. Il est enveloppé d'une membrane que la mère ouvrira de ses dents avant de lécher le nez et la bouche du nouveau-né pour qu'il se mette à respirer. Elle coupera aussi le cordon ombilical et léchera grossièrement le chaton sur tout le corps pour stimuler la circulation.

À moins qu'un autre chaton ne s'annonce avant que la chatte ne puisse faire respirer le premier, *n'intervenez pas*. Si elle ne s'occupe pas du nouveau-né, vous pouvez déchirer doucement la membrane et frotter le chaton avec une serviette pour déclencher la respiration. Liez le cordon ombilical à environ deux centimètres du ventre puis coupez-le avec des ciseaux et désinfectez l'extrémité. Assurez-vous que le chaton respire avant de le placer contre sa mère. Sinon, servez-vous de la seringue pour lui nettoyer l'intérieur de la bouche. S'il ne respire toujours pas, prenez-le dans vos mains en lui soutenant la tête, tournez-le vers le bas et balancez-le très doucement en arc de cercle pour évacuer tout reste de fluides de son nez et de sa bouche. Dès qu'il respire, rendez-le à la mère pour qu'elle le lèche.

L'intervalle entre la naissance de deux chatons va de trente minutes à une heure. Le *placenta* de chaque nouveau-né doit être expulsé après la mise bas. La mère mange instinctivement les placentas (et parfois aussi les chatons mort-nés). Si elle mange plusieurs placentas, cela peut provoquer une diarrhée, vous devez donc les retirer immédiatement, ainsi que d'éventuels chatons mort-nés. Mais veillez à compter le nombre de placentas pour vous assurer qu'il y en a autant que de chatons ; un placenta non expulsé peut causer une grave infection.

Si la mise bas se passe mal, il vous faut contacter votre vétérinaire. Appelez-le immédiatement :
– si la chatte a de fortes contractions ou fait des efforts pendant une heure sans qu'apparaisse un chaton ;
– si elle semble souffrir ou s'affaiblir ;
– si elle vomit ;
– s'il n'y a pas autant de placentas que de chatons ;
– en cas de perte de sang frais ;
– en cas de baisse ou de hausse de température ;
– si l'animal est agité ;
– si les chatons pleurent sans cesse ;
– si vous avez l'impression qu'il se passe quelque chose d'anormal.
(Note : reportez-vous à l'appendice médical pour

en savoir plus sur les troubles reproductifs et néonatals.)

Les chatons commencent à se nourrir immédiatement après la naissance. Le premier lait, appelé *colostrum*, est vital parce qu'il transmet les anticorps de la mère, qui protégeront les chatons contre les maladies jusqu'à ce que leur propre système immunitaire se mette en route.

Si tout semble bien se passer, n'intervenez pas. Laissez la mère s'occuper de ses petits pendant les deux premières semaines sans la déranger, sauf pour nettoyer le nid, la nourrir et la surveiller.

Si les chatons semblent mal portants ou si la mère ne les laisse pas téter, contactez immédiatement votre vétérinaire ; il faudra au début les nourrir artificiellement. Dans ce cas, le praticien vous dira que faire.

Le lendemain de la mise bas, même si tout s'est bien passé, contactez votre vétérinaire parce qu'il doit examiner la mère pour s'assurer qu'il ne reste plus de fœtus non expulsés. Il vérifiera aussi que la production de lait est suffisante en quantité et qualité. Emmenez les petits pour ne pas les séparer de leur mère.

Les chatons nouveau-nés sont sourds et aveugles. Ils repèrent leur mère par l'odorat et peut-être grâce aux vibrations de ses ronronnements. Ils passent beaucoup de temps à téter et montrent souvent une préférence pour une mamelle particulière.

De nombreux changements se produisent dans les deux premières semaines. Deux jours après la naissance, le cordon ombilical tombe. Les chatons doublent de poids en une semaine, et leurs yeux s'ouvrent entre sept et dix jours.

La mère reste constamment attentive à ses petits. Après la tétée, elle les lèche de sa langue chaude pour stimuler l'élimination des excréments, qu'elle avale. Maintenir le nid propre évite d'attirer des prédateurs.

Quand ils sont âgés de trois semaines, vous pouvez

commencer à manipuler les chatons pour débuter le processus de socialisation. Des manipulations fréquentes et délicates les aident à s'habituer aux humains et à devenir sociables. N'en faites cependant pas trop, pour ne pas inquiéter la mère.

C'est aussi à l'âge de trois semaines que vous pouvez commencer le sevrage en donnant aux petits un peu de nourriture solide. Le mieux, tant pour la mère que pour les chatons, est que le processus soit graduel. Grâce à la nourriture que vous leur donnez, les chatons téteront de moins en moins au fil des semaines. Rappelez-vous : il faut que ce soit *progressif*. Choisissez une formule pour chatons d'aliments en boîtes ou de croquettes ramollies à l'eau tiède. Posez un petit morceau de nourriture sur le bout de votre doigt et placez-le sur les lèvres ou sous le nez du chaton.

La mère s'occupera dans la plupart des cas d'enseigner à sa progéniture l'usage du bac à litière. Veillez à ce que les chatons disposent d'une caisse à bords bas, d'accès facile.

À huit semaines, il convient de débuter les vaccinations.

Continuez de jouer souvent avec les chatons et de les manipuler pour favoriser leur socialisation. Ils développent progressivement leur habileté grâce à leurs jeux.

Vous serez peut-être tenté de leur trouver dès lors une nouvelle famille, mais il est important qu'ils restent encore un certain temps avec la mère et leurs compagnons de portée, cela conditionne la façon dont ils se comporteront une fois adultes avec les autres chats. Ne séparez pas les chatons avant qu'ils aient au moins douze à quatorze semaines.

Pour savoir comment nourrir un chaton sevré, reportez-vous au chapitre X.

LES ÉTAPES IMPORTANTES
DU DÉVELOPPEMENT DES CHATONS

Les deux premières semaines :
- ils naissent sourds et aveugles ;
- ils pèsent environ 110 grammes ;
- le cordon ombilical tombe deux à trois jours après la naissance ;
- ils sont incapables de régler leur température interne ;
- leur odorat est déjà très développé ;
- la mère reste pratiquement en permanence avec les chatons pendant les premières vingt-quatre heures ;
- leur poids double en une semaine ;
- la mère doit stimuler le processus d'élimination en léchant les chatons.

De deux à quatre semaines :
- les yeux s'ouvrent entre dix et quatorze jours ;
- les dents de lait apparaissent ;
- à l'âge de trois semaines, les chatons savent éliminer d'eux-mêmes ;
- la mère leur apprend à recouvrir leurs excréments ;
- les jeux sociaux commencent entre la troisième et la quatrième semaine ;
- c'est une période importante pour la socialisation ;

- les réflexes d'équilibre se développent.

De quatre à huit semaines :
- les chatons savent se toiletter eux-mêmes à cinq semaines ;
- le sevrage doit être terminé à sept semaines ;
- toutes les dents de lait ont poussé à huit semaines ;
- la socialisation continue ;
- les jeux deviennent plus brutaux au fil du temps.

De huit à quatorze semaines :
- les chatons se livrent plus souvent à des jeux impliquant des objets ;
- leurs sens sont complètement développés vers douze semaines ;
- la couleur définitive des yeux s'établit vers douze semaines ;
- les dents définitives commencent à apparaître vers quatorze semaines ;
- le rythme de sommeil adulte s'installe au fil des semaines.

De six mois à douze mois :
- les chatons atteignent la maturité sexuelle ;
- la croissance continue, à un rythme plus lent.

S'occuper de chatons orphelins

Il peut vous arriver de trouver un chaton orphelin, ou une portée entière. La mère a pu être tuée, ou rejeter ses petits, tomber malade ou se trouver incapable de les allaiter à cause d'une infection mammaire.

Des chatons orphelins, ne bénéficiant pas de la chaleur du corps de leur mère, doivent être maintenus à une température allant de $29°5$ à $32°$ pendant leurs deux premières semaines. Vous pouvez ensuite diminuer lentement la température semaine après semaine. Votre vétérinaire vous indiquera peut-être comment construire une couveuse grâce à un carton et une lampe, ou vous conseillera d'utiliser un chauffe-plats réglé au minimum.

Il convient d'emmener immédiatement des chatons orphelins chez le vétérinaire, qui vous dira comment les alimenter convenablement. C'est un travail à plein temps, puisqu'il faut les nourrir au début toutes les deux à quatre heures. La meilleure méthode est l'alimentation par tube (lequel traverse l'œsophage pour arriver directement dans l'estomac), ensuite remplacée par le biberon. Il faut utiliser un lait spécial pour chatons, car le lait de vache est trop pauvre en protéines et autres éléments nutritifs indispensables. Il convient de nourrir le chaton dans la position où il téterait sa mère, sur ses pattes et, si vous utilisez un biberon, il faut le faire roter. Pour cela, appliquez le chaton contre votre épaule et massez-lui le dos. Prenez garde de ne pas trop le nourrir, car son estomac est petit et ses reins ne supporteraient pas de surcharge. Une alimentation insuffisante est tout aussi dangereuse, assurez-vous donc d'avoir bien compris les instructions du vétérinaire, qui peut vous montrer comment tenir le chaton pour le nourrir et comment reconnaître qu'il est repu.

Des chatons très jeunes étant incapables d'éliminer d'eux-mêmes, ils vous faudra les aider. Vous pouvez utiliser une boule de coton imprégné d'eau tiède pour masser leur abdomen et la zone anale pour provoquer miction et défécation. Vous devrez le faire après chaque repas jusqu'à ce qu'ils aient trois semaines ; vous commencerez alors à leur apprendre l'usage de la caisse, en les y plaçant après les avoir nourris. En cas de besoin, venez à leur aide en leur massant le ventre d'un doigt mouillé d'eau chaude. Grattez un peu la litière pour leur faire comprendre ce qu'ils doivent faire, et laissez dans la caisse un peu de leurs excréments. Si un chaton élimine hors de la caisse, ramassez les excréments et placez-les dans la caisse, l'odeur l'y guidera la fois suivante.

Nettoyez régulièrement les chatons, ils ont tendance à beaucoup se salir lors des repas. Servez-vous d'un chiffon doux légèrement humidifié d'eau tiède (n'immergez jamais un chaton dans l'eau). Ils peuvent facilement prendre froid, et il faut les sécher immédiatement avec une serviette. Vous pouvez si nécessaire utiliser un sèche-cheveux réglé au plus bas, en gardant l'appareil éloigné du chaton pour ne pas risquer de le brûler.

Les orphelins ne bénéficient pas de la protection apportée par le colostrum de la mère, il devront être vaccinés dès l'âge de trois ou quatre semaines.

Comme il est très difficile de s'occuper de chatons orphelins, le mieux est de vous adresser autant que possible au vétérinaire. Certaines cliniques emploient des techniciens spécialisés et les garderont jusqu'à ce qu'ils mangent seuls, tout comme certains refuges. Prenez rendez-vous avant de vous présenter avec les chatons.

Un orphelin solitaire qui ne peut jouer avec ses compagnons de portée risque d'avoir des difficultés avec les autres chats une fois adulte. Si possible, essayez de trouver une chatte en train d'allaiter, elles acceptent facilement l'ajout d'un orphelin. Certaines ont même accepté des orphelins appartenant à d'autres espèces animales.

Trouver un foyer aux chatons

Si vous n'avez pas l'intention de les garder, il vous faut vous en préoccuper lorsqu'ils atteignent douze à quatorze semaines.

Qu'il s'agisse d'une reproduction décidée par vous ou d'un hasard, votre responsabilité ne se limite pas à veiller sur les chatons jusqu'à ce qu'ils soient en âge d'être adoptés. Leur précieuse vie dépend entièrement des efforts que vous consentirez pour leur trouver un foyer aimant.

En choisissant la solution de facilité, en vous « débarrassant » d'eux sur un parking de supermarché avec une pancarte indiquant qu'ils sont à donner, vous ne saurez jamais s'ils ont trouvé une bonne maison ou ont été condamnés à une vie affreuse. Prenez le temps de choisir les personnes qui veulent les adopter. Après tout, c'est une créature vivante qui se trouve sous votre responsabilité, pas un meuble.

Demandez aux personnes en question s'ils ont déjà eu des animaux. Dans ce cas, que leur est-il arrivé ? Je ne confierais certainement pas un chaton à une famille dont tous les chats ont été écrasés par des voitures. Ont-ils actuellement des animaux ? Des chats ? Des chiens ? Des enfants ? De quel âge ?

Suivant vos idées sur le fait qu'un chat doive être confiné à l'intérieur ou non, privé ou non de ses griffes, renseignez-vous.

Demandez combien de temps ces gens pourront consacrer au chat, quel est leur mode de vie et s'ils sont préparés à une telle responsabilité. Connaissent-ils les besoins d'un chat ?

Parvenez à un accord en ce qui concerne les vaccinations et la stérilisation de l'animal. Vous pouvez accepter de payer une partie des frais, contre une preuve que cela a bien été fait. Prévoyez tout à l'avance et obtenez un accord écrit.

Ne pas choisir la personne qui adoptera le chaton en posant des questions et en vérifiant les références qui vous sont données peut représenter une sentence de mort pour l'animal. J'ai connu des gens qui n'avaient pas fait preuve d'assez de prudence et supposaient que le chat était bien traité – pour découvrir ensuite qu'il avait servi à exciter des chiens de combat ou était battu. Certains malades répondent aux annonces qui proposent des chatons gratuits pour obtenir des victimes destinées à un sort horrible.

Un maître responsable et soucieux du bien-être de l'animal ne refusera pas de répondre à des questions concernant sa capacité à s'occuper d'un chat. Votre souci et le soin que vous mettez à vous informer lui montrera que le chaton a été bien traité et a fait un bon début dans la vie.

CHAPITRE XVI

Quand votre chat vieillit

Quand dire d'un chat qu'il est vieux ? Vous pouvez consulter le tableau du chapitre II pour vous faire une idée de la comparaison des âges entre humains et chats mais, tout comme dans notre cas, de nombreux facteurs influent sur l'espérance de vie. Un chat entier, non vacciné et vivant à l'extérieur qui parvient à l'âge de quatre ans est, à mon avis, vieux. Comparez cette vie à celle d'un chat stérilisé, vacciné tous les ans et vivant à l'intérieur. À quatre ans, celui-ci est au début de son existence et peut vivre encore dix ans ou plus. Vous jouez un rôle très important sur la façon dont votre chat vieillit en lui prodiguant amour, soins, un environnement sûr, une alimentation convenable, des examens réguliers, des vaccins, et en le faisant stériliser.

Son comportement

C'est intéressant, car vous remarquerez peut-être qu'un chat jusqu'alors agressif et refusant d'être touché s'adoucit. D'un autre côté, un animal au caractère facile peut devenir irritable.

Le chat qui avait l'habitude de traverser la maison comme une fusée peut maintenant se limiter à dormir, s'étirer et manger.

Le poteau-griffoir qui était pour lui le centre de la maison est peut-être moins utilisé. Certains chats qui dans leur jeunesse s'en servaient peu s'y font souvent les griffes pour détendre leurs muscles raides.

Les changements physiques

Avec l'âge, l'animal peut perdre ou gagner du poids. Il devient parfois obèse, parce qu'il consomme autant de calories mais se dépense moins. D'autres ont moins de tonicité musculaire et semblent maigres et amollis. Il se peut que l'épine dorsale soit plus proéminente.

Le pelage peut ne plus être aussi splendide, et l'animal se toiletter moins.

Quand vous regardez le chat dans les yeux, ceux-ci sont peut-être moins brillants, un peu voilés.

Sa démarche est plus lente, ses membres moins souples, et sa sieste de l'après-midi dure plus longtemps.

Il supporte moins bien le froid, et se pelotonne près du radiateur ou dans une flaque de soleil dès qu'il en a l'occasion.

Le déclin des perceptions sensorielles

Certains chats souffrent dans leur vieillesse d'un tel déclin. L'animal peut simplement ne plus avoir une vue et une audition aussi bonnes, ou devenir aveugle et sourd.

L'odorat d'un chat influe beaucoup sur son appétit. Si le vôtre ne s'intéresse plus à la nourriture, c'est peut-être qu'il ne la sent plus et qu'elle ne l'attire donc plus.

Un chat dont les perceptions sont défaillantes est très désavantagé à l'extérieur ; si vous ne l'avez pas encore confiné chez vous, vous devriez le faire dès que vous remarquez un déclin sensoriel. Si vous souhaitez qu'il puisse profiter des joies de l'extérieur, sortez-le en laisse quand il fait beau pour qu'il s'allonge au soleil.

Consultez votre vétérinaire au sujet de tout changement physique ou symptôme. Ne vous dites pas que c'est simplement un effet de l'âge – cela peut être un problème médical.

Quand votre chat vieillit, il est toujours important de le faire vacciner et surveiller régulièrement, mais il devient essentiel de prévenir les problèmes. Votre vétérinaire vous recommandera peut-être des examens sanguins et d'urine. Si vous vous y prenez tôt et les faites pratiquer régulièrement, vous pourrez détecter de nombreux ennuis de santé dès le départ, et voir à quelle vitesse ils évoluent. Le praticien peut aussi estimer qu'un électroencéphalogramme et une radio de la poitrine sont nécessaires. Certaines cliniques proposent des « forfaits gériatriques » comprenant de nombreux examens pour un prix réduit.

À partir de l'âge de six ans, l'examen annuel de mes chats comporte des tests sanguins et d'urine. C'est ainsi que nous avons découvert que les reins d'Alice lâchaient, bien avant qu'elle ne manifeste de symptômes.

Quand un chat atteint l'âge de neuf ou dix ans, je pense qu'il est bon de procéder à un examen tous les six mois et non tous les ans. Vous aurez beaucoup plus de chances de détecter précocement d'éventuels problèmes. Un an, c'est beaucoup dans une vie de chat, et une maladie peut évoluer de façon importante en quelques mois.

Avez-vous négligé les dents de votre chat ?

Dans ce cas, avec l'arrivée de la vieillesse, il risque de graves ennuis. Les problèmes dentaires peuvent rendre douloureuse l'ingestion de nourriture, et l'animal peut même complètement cesser de s'alimenter. Si des bactéries pénètrent dans le sang, elles peuvent provoquer une infection des organes internes.

Si vous brossez consciencieusement les dents de votre chat depuis des années et les faites nettoyer régulièrement par un professionnel, alors sa dentition est sans doute simplement un peu usée. Elle n'est peut-être plus aussi blanche qu'autrefois, mais elle est en bon état et il n'y a pas de signe de gingivite. Mais, si vous avez négligé ces soins, non seulement son haleine est probablement très déplaisante, mais ses gencives sont presque certainement enflammées, certaines dents branlantes, et il se peut qu'il y ait un ou deux abcès.

Vérifiez régulièrement l'état de la dentition de votre chat en retroussant sa lèvre supérieure. Les dents sont-elles jaunes ou même brunes ? Les gencives sont-elles gonflées et enflammées ? Ce sont des signes de gingivite ou de problèmes dentaires (reportez-vous à l'appendice médical pour une description plus complète). Si vous n'aimez pas regarder dans la bouche de votre chat ou s'il ne se laisse pas faire, demandez à votre vétérinaire de vérifier.

Votre chat étant âgé, vous hésitez peut-être à le soumettre à une anesthésie pour un nettoyage complet de la dentition. Le danger de laisser évoluer les problèmes dentaires est plus important que celui de l'anesthésie. Si le vétérinaire estime nécessaire une telle intervention, il pratiquera des tests pour déterminer le niveau de risque encouru.

Si votre chat subit un nettoyage complet, entretenez ensuite sa dentition chez vous. Brossez-lui les dents au moins trois fois par semaine (reportez-vous au chapitre XII). Si cela vous est vraiment impossible, renseignez-vous auprès de votre vétérinaire sur les pulvérisateurs buccaux.

Rendre la vie quotidienne plus facile à un chat âgé

Il fut un temps où Albie était le quadrupède le plus rapide de la maison. Il faisait des bonds qui semblaient impossibles et slalomait entre les meubles sans ralentir. Maintenant, son activité principale consiste en siestes sur le lit, au soleil. Ses bonds sont réfléchis et se limitent à des objectifs peu élevés. De temps en temps, quand il est en forme, il redevient le chaton d'autrefois mais, en général, il mène une vie tranquille.

Alors qu'il prenait de l'âge, j'ai dû effectuer quelques modifications pour qu'il soit aussi à l'aise que possible. Examinez *votre* maison et voyez ce qu'il convient de changer.

DES ACCÈS FACILES

Pour permettre au chat d'arriver aux endroits élevés qu'il aime, vous pouvez disposer un arbre à chats à paliers multiples qui lui permettra de faire plusieurs petits sauts. S'il a du mal à simplement monter sur une chaise, placez une rampe devant, que vous pouvez fabriquer vous-même ou acheter.

Les courants d'air, les sols froids et les garages ou caves non chauffés peuvent aggraver les douleurs d'un chat. De plus, un animal âgé résiste moins bien au froid. Si le chat dort sur une serviette posée par terre, doublez-la d'un matelas isotherme. Pour le protéger des courants d'air, offrez-lui une couche aux bords bas. Il en existe munies d'un système de chauffage.

LE BAC À LITIÈRE

Un chat âgé peut ne plus aussi bien contrôler sa vessie, surtout s'il souffre de diabète ou de problèmes rénaux. Installez des caisses supplémentaires pour qu'il n'ait pas à aller trop loin. Il en faut au moins une par étage. Si la caisse est placée au sous-sol ou dans le garage, il peut avoir du mal à emprunter les escaliers, ou ne pas avoir envie de sortir dans le froid. Si l'animal ne se servait pas d'une caisse et éliminait à l'extérieur, il aura maintenant besoin d'un bac dans la maison.

Vérifiez que le chat entre et sort facilement de la caisse. Il vous faudra peut-être la remplacer par un récipient aux bords bas. Surveillez attentivement l'usage qu'il en fait. Si vous remarquez une différence de quantité d'urine ou s'il élimine hors de la caisse, il est nécessaire de consulter le vétérinaire. La constipation est fréquente chez les chats âgés. Si vous remarquez un tel problème, amenez l'animal chez le vétérinaire.

EAU ET NOURRITURE

Si le chat a du mal à se déplacer, rapprochez ses bols de l'endroit où il dort. S'il boit beaucoup (peut-être à cause d'un problème de santé), placez des bols d'eau dans tous ses endroits favoris. Dans certains cas, le problème est inverse, l'animal ne boit pas assez.

Qu'il ait toujours de l'eau fraîche à sa disposition. Ne la laissez pas s'éventer, et lavez les bols tous les jours. Si le chat semble déshydraté ou si vous pensez qu'il ne consomme pas assez d'eau, consultez votre vétérinaire. Pour savoir si un chat souffre de déshydratation, soulevez doucement la peau sur ses épaules. Si elle ne revient pas immédiatement en position, il souffre sans doute de déshydratation.

Ne laissez pas le chat devenir obèse, ce qui le menace s'il réduit son activité et lui fait courir un risque de diabète. De plus, l'arthrite le fera davantage souffrir si ses articulations supportent davantage de poids.

Ne pas laisser l'animal *perdre* de poids peut aussi se révéler difficile. Demandez à votre vétérinaire une évaluation complète. En cas de manque d'appétit provoqué par une perte d'odorat, il est possible de rendre la nourriture plus appétissante, par exemple en mélangeant aux croquettes un peu de nourriture en boîte, plus parfumée. Réchauffer légèrement les aliments leur donnera une odeur plus forte. Le vétérinaire vous indiquera ce qui convient le mieux à votre animal.

Si vous avez toujours nourri le chat à heures fixes, il est possible que son estomac ne puisse contenir les mêmes portions ; il serait plus agréable pour lui de manger plus souvent et en moindres quantités.

Quant à un changement de régime, à moins que le vétérinaire ne le recommande pour raisons médicales, il n'est pas nécessaire de donner à l'animal des aliments spécifiques pour « chats âgés » (qui contiennent en général moins de protéines, plus de fibres, et sont plus faciles à mâcher). Si le chat a du mal à manger, cela peut être lié à des problèmes dentaires ; il convient de vérifier avant de changer de type d'aliments.

Votre chat faisait peut-être tourner les têtes quand il était jeune, mais il se peut qu'à son âge le toilettage l'intéresse moins. Brossez-le régulièrement pour entretenir son pelage. Le massage ainsi effectué lui sera sans doute très agréable. Si l'animal a la peau sensible, est devenu très maigre, ou si son poil s'est éclairci, utilisez une brosse plus douce. Il vous faudra peut-être changer d'ustensiles.

Profitez des séances de brossage pour surveiller sa santé, cela vous permet de détecter des grosseurs ou protubérances.

LES AUTRES ANIMAUX DE LA MAISON

Même s'ils sont dans les meilleurs termes du monde, guettez des signes d'irritation chez votre chat âgé. Assurez-vous aussi que ses compagnons ne s'en prennent pas au « vieux roi » maintenant qu'il n'a plus toutes ses forces.

Devriez-vous lui offrir la compagnie d'un chaton ? J'y réfléchirais à deux fois. Un chaton joueur ne correspond peut-être pas à ce que votre chat envisageait pour sa retraite.

À une époque de sa vie où il n'est plus guère capable de faire face au stress et aux changements, l'arrivée d'un chaton peut provoquer chez un chat âgé des troubles du comportement, par rapport à sa caisse par exemple.

Il ne serait pas bon non plus pour un petit chaton plein d'entrain de se voir continuellement repoussé par un vieux félin acariâtre.

Certains vieux chats réagissent très bien à l'arrivée d'un chaton. J'en ai vu reprendre goût à la vie, mais j'ai aussi vu des cas où cela provoquait une tension constante et rendait difficile les dernières années de l'animal.

Jugez vous-même, en tenant compte des besoins de votre chat. s'il semble s'ennuyer et avoir perdu tout goût à la vie, il se peut que jouer avec *vous* lui suffise. Peut-être n'est-il plus capable des incroyables bonds de sa jeunesse, mais je suis sûre qu'il lui reste quelques tours dans son sac.

JEUX ET EXERCICES

Si vous n'avez pas de jouets interactifs (honte sur vous), allez tout de suite en acheter. J'ai dit plus haut dans ce livre que les jeux et la chasse sont des exercices *mentaux* aussi bien que *physiques*. Même si l'animal n'a plus guère de moyens, il prendra toujours plaisir à la chasse victorieuse que votre habileté lui offrira. Il ne peut plus bouger aussi vite qu'autrefois, mais il est excellent pour lui de prendre un peu d'exercice. Il ne faut pas en faire trop et risquer qu'il se blesse, mais une séance de jeu adaptée à ses possibilités lui fera le plus grand bien.

Les jouets Kitty Tease et Quickdraw McPaw sont de bons choix pour des chats qui ont du mal à se déplacer, car ils sont très attrayants sans qu'il faille les bouger beaucoup.

N'oubliez pas l'herbe à chats parce que l'animal a vieilli. C'est une fête !

Faites preuve de patience

L'animal s'est montré merveilleux pendant des années, il vous faut donc pardonner des essais maladroits pour sauter sur la table qui l'amènent à renverser quelque chose. Pardonnez-lui aussi d'occasionnels oublis de sa caisse (sans omettre de le montrer au vétérinaire). Dites-lui qu'il est beau même s'il ne se toilette plus et ne se rend pas compte qu'il a le menton sale. Essuyez discrètement les restes de nourriture qui s'y trouvent pour qu'il ne soit pas embarrassé devant les autres chats de la maison. Ne le prenez pas mal s'il ne vient pas lorsque vous l'appelez ou s'il semble irrité quand vous dérangez sa sieste. Enfin, si les souris paraissent plus tranquilles, ne le lui reprochez pas.

Si vous vous inquiétez de la qualité de vie de l'animal et souhaitez des conseils sur des sujets tels que l'euthanasie, parlez-en à votre vétérinaire (voir chapitre XVII).

CHAPITRE XVII

La mort et après

On appelle pudiquement cela « endormir un animal ». C'est la plus difficile décision qu'il vous faudra prendre en tant que maître. On espère toujours que, dans un tel cas, on saura *quand le moment est venu* – que le chat nous fera comprendre qu'il souffre ou que sa vie n'est plus vivable.

Mais le plus souvent, le chat ne donne pas de signal clair. Suivant sa relation avec l'animal, le maître se sert de repères différents. Certains guettent une perte d'appétit, se disant que tant que le chat mange, c'est qu'il a envie de vivre. D'autres se basent sur la perte de motricité ou l'abandon de la caisse. Et, bien sûr, on ne veut jamais voir souffrir son chat. Vous le surveillerez tous les jours, le regarderez dans les yeux, lui demandant presque de vous répondre. Souffre-t-il trop ? Au moment où vous concluez que c'est le cas, vous commencez à douter. Certains maîtres, ne voulant pas que l'animal souffre en aucune façon, choisissent de le faire euthanasier dès le début d'une maladie mortelle.

Malheureusement, il arrive que *l'argent* soit un facteur décisif pour ce choix. Le coût des soins à long terme dépasse parfois les possibilités du maître. Les progrès de la médecine vétérinaire sont tels que le prix d'un traitement permettant de prolonger la vie du chat est parfois inabordable. Tout maître responsable aimerait ne rien épargner pour son chat bien-aimé, mais ce n'est hélas pas toujours possible.

Il faut aussi prendre en compte votre capacité à soigner longtemps un animal malade. Certaines personnes ne savent pas administrer de médicaments, faire des piqûres, ou effectuer les actes nécessaires au bien-être d'un chat malade.

Le plus souvent, il n'y a pas de signe évident. Vous ne pouvez jamais être *certain*. Il vous faut faire du mieux que vous pouvez pour l'animal et prendre une décision en vous basant sur son état physique et mental, sur vos capacités, sur l'avis du vétérinaire, et sur des interrogations sans fin. Vous pouvez demander conseil à des amis, des membres de votre famille, d'autres propriétaires de chats dans la même situation, des vétérinaires – mais la décision reste la vôtre.

L'euthanasie est la dernière preuve d'amour du maître à un chat aimé mais souffrant. Mettre fin de façon humaine à la souffrance d'un animal en lui permettant de quitter ce monde dignement et en paix est un véritable acte d'amour altruiste.

L'euthanasie

Une fois la décision prise, il faut répondre à d'autres questions difficiles. Pensez-vous rester avec l'animal ? Que ferez-vous de sa dépouille ? Ce qui convient à un maître ne convient pas forcément à l'autre. Prenez le temps d'en parler avec votre vétérinaire.

Prenez rendez-vous à l'avance et informez le personnel du but de votre visite, pour qu'on ne vous fasse pas attendre. Dès votre arrivée, on vous fera entrer dans une salle d'examen. Si vous ne vous sentez pas capable de rester, informez-en le personnel lors de votre appel. Ne vous sentez pas obligé d'accompagner l'animal jusqu'au bout si cela vous est insupportable. C'est une décision intime, pas une question morale. J'ai accompagné de nombreux maîtres chez le vétérinaire en de telles circonstances, et certains étaient incapables de voir mourir leur chat. Ils n'aimaient pas moins leur animal que les maîtres qui restaient là, mais l'objectif est de ne pas inquiéter le chat et de lui rendre ce moment aussi paisible que faire se peut.

Quand je travaillais dans une clinique vétérinaire, il m'a fallu assister à l'euthanasie de nombreux animaux errants envoyés par des refuges à cause de graves blessures ou maladies. Beaucoup d'entre eux n'avaient sans doute connu ni amour ni même caresses. Je les prenais tous dans mes bras, en leur disant qu'on les aimait. Je les remerciais aussi d'avoir embelli le monde par leur existence. De façon ironique, leur mise à mort était probablement le moment le plus paisible de leur vie courte et solitaire.

Le processus de l'euthanasie est en lui-même très rapide. Il s'agit en fait d'une surdose d'anesthésiant, si bien que cela ressemble à *endormir* l'animal. Si votre chat se montre très agité lors des visites chez le vétérinaire, on peut lui administrer un sédatif pour le calmer. Ensuite, le vétérinaire rasera la fourrure sur une patte pour rendre la veine apparente. Le produit est administré par injection. Le praticien vous expliquera que les animaux vocalisent parfois, mais que cela n'est pas dû à une souffrance. La seule douleur sera la piqûre de l'aiguille. Le chat plongera immédiatement dans l'inconscience, et une mort paisible interviendra en quelques secondes.

Le vétérinaire vous demandera si vous souhaitez rester seul un moment avec le corps. Ne soyez pas embarrassé si vous en éprouvez le besoin. C'est une expérience difficile et il vous faudra du temps pour l'affronter. Cela vous aidera peut-être de voir votre chat reposer paisiblement, surtout s'il souffrait beaucoup.

Certains vétérinaires se déplacent à domicile pour pratiquer une euthanasie. Si votre chat déteste aller chez le vétérinaire, ou si vous préférez qu'il passe ses derniers moments dans son environnement familier, parlez-en au praticien.

Une autre décision importante concerne le corps de l'animal. Votre vétérinaire vous informera des diverses possibilités. Il y a des cimetières pour animaux qui proposent enterrement ou crémation (dans la plupart des cas, le vétérinaire peut faire les arrangements nécessaires). Suivant les lois locales, il peut vous être possible d'enterrer l'animal chez vous.

Faire face au chagrin

Tous ceux qui ont vécu avec un animal familier comprendront votre perte. Soyez toutefois préparé aux inévitables remarques telles que : « Ce n'est qu'un *chat* », et aux gens qui ne comprendront pas votre douleur. Certaines personnes ne comprennent pas la profondeur des relations entre un humain et un animal aimé, même si celui-ci faisait partie de la famille depuis des années. Mon conseil est de vous entourer de gens qui comprennent vos sentiments.

Vous ne pouvez pas savoir à l'avance comment vous réagirez à cette perte. J'ai connu des maîtres qui étaient choqués par l'étendue de leur chagrin. Les émotions liées à la perte d'un animal peuvent être aussi intenses que pour celle d'un humain.

N'essayez pas d'abréger le travail de deuil. Votre chat était un membre aimé de la famille, un ami très cher, un compagnon qui vous aimait sans condition. Il vous faudra du temps pour ne plus souffrir mais, croyez-moi, cela viendra. Vous finirez par penser à lui sans que cela vous fasse mal. Avec le temps, ces souvenirs d'un ami exceptionnel vous feront chaud au cœur.

Si vous vous sentez incapable de faire face ou avez besoin d'une oreille compréhensive, il existe des numéros de téléphone spécialisés. Vous trouverez aussi des livres sur les façons de faire face à la perte d'un animal, notamment pour les enfants.

Aider vos enfants

Une des choses qui me gênent à ce sujet (pour les enfants âgés de plus de cinq ans) est le cas où les parents se procurent immédiatement un animal « de remplacement ». Plutôt que d'apprendre aux enfants que les animaux sont facilement remplaçables, nous devrions les aider dans ce moment difficile sans rabaisser la valeur d'une vie de chat.

Si vos enfants sont assez grands pour comprendre, donnez-leur des explications claires et honnêtes sur ce qui s'est passé. Ne leur fournissez pas trop de détails, mais ne dites pas de choses comme « le chat s'est enfui » ou « il s'est endormi ». Ne dites pas un enfant que le chat est mort d'une maladie ou d'une blessure sans lui expliquer que toutes les maladies et blessures ne causent pas la mort.

Faire ériger aux enfants un mémorial pour le chat peut aussi les aider à faire face à leur chagrin et aux questions qu'ils se posent. Soyez présent, et expliquez-leur qu'il est normal de pleurer et d'avoir de la peine. Pour beaucoup d'enfants, ce sera le premier contact avec la mort.

En cas de mort subite

Il est difficile de se préparer à l'euthanasie d'un chat âgé ou malade – l'idée de devoir affronter une mort subite est parfois insupportable. On ne veut pas y penser, mais cela se produit parfois. Les chats se glissent dehors et se font écraser, attaquer par des chiens, ou sont victimes d'humains cruels. Il leur arrive aussi de tomber d'une fenêtre. Dans le cas d'une mort subite, vous ressentez choc, déni et colère. Vous pouvez aussi blâmer la personne que vous tenez pour responsable (le vétérinaire, le conducteur de la voiture, ou vous-même). En cas de négligence, prenez conseil et agissez comme il convient. Si vous envisagez d'agir vous-même alors que vous êtes profondément perturbé, vous ne ferez qu'aggraver la tragédie. Si vous estimez qu'une action en justice s'impose, consultez un avocat.

Il arrive que les animaux meurent accidentellement, sans que ce soit la faute de personne. Si prudent que vous soyez, le chat peut filer dehors à l'arrivée d'un visiteur et être heurté par une voiture. C'est un affreux accident et il se peut que vous vous en blâmiez, mais même les gens les plus prudents ont parfois des accidents.

Aider les autres animaux à supporter la disparition d'un des leurs

On oublie souvent les animaux quand un décès se produit, mais ils ont conscience de la perte d'un compagnon et regrettent celui-ci. C'est même plus difficile pour eux parce que *votre* comportement les trouble. Voir leur maître endeuillé, pleurant et ne s'occupant pas d'eux peut provoquer chez vos autres chats de l'angoisse et même une dépression.

N'oubliez pas vos chats lors d'une telle crise, ils ont besoin de vous. Pour en savoir plus sur la dépression, reportez-vous au chapitre VII.

Quand reprendre un autre animal ?

C'est un de ces choix que vous seul pouvez faire. Si vous avez accepté la perte de l'animal et vous sentez à nouveau prêt à ouvrir votre cœur, les chats en quête d'un foyer ne manquent pas.

Quand convient-il d'adopter un autre chat ? Vous seul pouvez en décider. Je vous conseille cependant de ne pas essayer de remplacer l'animal défunt. Il serait injuste pour le souvenir de votre chat décédé de rechercher un animal lui ressemblant par le caractère ou l'apparence physique, et ce ne serait pas non plus bon pour le nouveau chat, qui ne répondrait certainement pas à vos attentes, sans cesse comparé à votre compagnon de tant d'années.

Si vous avez d'autres animaux, assurez-vous qu'ils aient accepté la perte de leur compagnon avant de leur présenter un autre chat, faute de quoi ils risquent de se montrer hostiles envers lui.

Et si le maître disparaît avant son chat ?

Même si l'animal est à vos yeux un membre de plein droit de la famille, du point de vue de la loi il n'est qu'une propriété. Il peut vous sembler bien plus méritant que tous vos parents, mais vous ne pouvez pas lui léguer votre héritage. Cela ne signifie pas que vous ne puissiez rien prévoir pour lui – en fait, vous devriez le faire. Nous ne pensons guère que nos animaux puissent nous survivre, mais cela arrive.

Vous pouvez léguer par testament à quelqu'un votre

chat et de l'argent pour son entretien. La personne en question pouvant prendre avantage de la situation, il vous faut avoir *toute confiance* en elle. Parlez-lui en pour vous assurer que vous êtes bien d'accord, puis consultez votre avocat. Il faut que l'arrangement permette à cette personne de recueillir immédiatement le chat après votre décès sans attendre le règlement de la succession.

Demandez aussi à l'homme de loi de prévoir, en cas d'hospitalisation, la visite quotidienne d'une personne qui s'occupera de l'animal. Une fois tous les éléments légaux prévus, prenez le temps de veiller aux besoins émotionnels de l'animal. Mettez par écrit des instructions destinées à qui s'en occupera, précisant non seulement le type de nourriture, de litière, les coordonnées du vétérinaire, etc., mais aussi des informations plus personnelles. Quels jouets votre chat préfère-t-il ? Quelles caresses aime-t-il ? A-t-il peur de certaines choses ? Passe-t-il ses journées devant la fenêtre ? Comment le toilettez-vous ? Mettez tout cela par écrit ; non seulement cela aidera le nouveau maître, mais cela facilitera la transition pour l'animal.

Vous pouvez soit remettre cette lettre à la personne en question, soit la ranger avec les ustensiles que vous utilisez pour le chat. Assurez-vous alors que cette personne sait où elle se trouve et mettez-la à jour en cas de besoin.

CHAPITRE XVIII

Urgences et premiers soins

J'ai ajouté à mon livre ce chapitre sur les premiers soins et les urgences, mais souvenez-vous que *le plus important est d'amener au plus vite le chat chez le vétérinaire*. Malheureusement, il peut se présenter un cas où chaque seconde compte (si par exemple l'animal s'étouffe ou ne respire plus), et la façon dont vous vous comporterez peut faire la différence entre la vie et la mort.

Savoir réagir immédiatement en cas de blessure, d'empoisonnement ou de maladie peut sauver la vie du chat et limiter ses souffrances.

Le plus important est d'avoir *prévu* l'urgence. Je sais bien que vous n'imaginez pas que votre petit chaton, roulé en boule sur vos genoux, pourrait être empoisonné, écrasé ou attaqué par un chien – mais cela arrive. Y être préparé signifie que vous ne perdrez pas de précieuses secondes.

Avant tout, sachez où vous adresser en cas d'urgence, y compris *hors des heures de bureau*. S'il y a une clinique ouverte vingt-quatre heures sur vingt-quatre près de chez vous, vérifiez comment vous y rendre et assurez-vous que tous les membres de la

413

famille le savent. Sinon, demandez à votre vétérinaire comment faire en cas de besoin.

Il vous faut aussi une trousse de premiers soins, dont le contenu doit vous être familier.

Gardez un panier à portée de main. De nombreux maîtres démontent le panier après usage, et cela prend alors trop de temps de le remonter. J'ai toujours disponible un panier, avec une serviette au fond ; mes chats y font souvent la sieste.

Un chat qui souffre est effrayé et se défend souvent. Un animal tendre et docile peut, s'il est blessé, mordre ou griffer lorsque vous venez à son aide. Protégez vos mains d'une serviette.

Bien connaître la respiration, le pouls et la température du chat dans des conditions normales vous aidera à évaluer son état lors d'une maladie subite ou d'une crise.

La trousse de premiers secours

Rien ne remplace des soins vétérinaires immédiats, mais une trousse de secours bien conçue peut faire la différence si les *secondes* comptent dans une situation où la vie de l'animal est en jeu. Une trousse complète et la connaissance des premiers soins vous permettront d'éviter perte de sang supplémentaire ou aggravation de l'état de l'animal pendant que vous le transportez chez le vétérinaire.

Apprenez les premiers soins aux membres de votre famille et rangez la trousse dans un lieu accessible, avec aussi une bouillotte, une couverture, des serviettes et une planche.

Les numéros de votre vétérinaire et de la clinique d'urgence doivent être près du téléphone. Vous pouvez y ajouter celui du centre anti-poisons pour animaux (voir plus loin, la section consacrée aux cas d'empoisonnement).

Il vous est possible d'acheter une trousse de premiers soins toute faite ou de la composer vous-même. Je préfère la deuxième possibilité, et j'utilise des produits que mon vétérinaire m'a recommandés et dont il m'a expliqué l'usage.

LE CONTENU DE LA TROUSSE DE PREMIERS SOINS

• Une lampe électrique (avec des piles de rechange).

• Un thermomètre rectal.

• Des compte-gouttes ou seringues en plastique (pour médicaments liquides).

• une pince à épiler à bout arrondi.

• Des ciseaux à bout arrondi.

• Des cuillères graduées pour mesurer les quantités de liquide.

• Une tasse graduée.

• Des bandages.

• Une petite boîte de tampons en coton.

• Un rouleau de sparadrap.

• Des compresses de gaze.

• Des bandes de gaze de largeur différente.

• Des abaisse-langue.

• Une pommade antibiotique.

• Une bouteille de produit lavant pour les yeux.

• Un flacon de gelée à base d'eau (et non de pétrole).

• Un flacon de Kaopectate ou d'Imodium.

• Un flacon de magnésie hydratée.

• De la diphenhydramine (Benadryl par exemple), contre les réactions allergiques.

• Une petite bouteille d'alcool à frictions.

• Un tube de pommade pour les yeux (à ne pas administrer sans avis vétérinaire à cause des risques de dommage à la cornée).

• Du charbon actif.

• Une poire pour l'administrer.

• Des pansements compressifs (des mouchoirs feront l'affaire).

• De la pâte pour prévenir la formation des boules de poils.

Comme récipient, une boîte pour matériel de pêche convient très bien. Tout le contenu en est immédiatement visible dès qu'on l'ouvre, si bien qu'il n'est pas nécessaire de chercher. Gardez votre trousse bien remplie, et remplacez les produits au fur et à mesure. Surveillez les dates de validité des médicaments.

Ce qui suit est une liste générale. Vérifiez auprès de votre vétérinaire si vous avez un doute.

Que faire en cas d'urgence ?

1) Le plus important est bien sûr d'amener immédiatement l'animal chez le vétérinaire.

2) Pour éviter une aggravation, retirez si possible la *cause* du problème.

3) Assurez-vous que le chat peut respirer. Vérifiez que sa poitrine se soulève, placez votre visage près de son nez pour sentir l'air expiré. Dégagez ses voies respiratoires de toutes obstructions, sang ou fluides.

4) Vérifiez le pouls.

5) Si vous en êtes capable, administrez la respiration artificielle si le cœur bat mais que l'animal ne respire pas. Si le cœur ne bat pas, effectuez des manœuvres de ressuscitation cardiaque.

6) Arrêtez l'hémorragie.

7) Déplacez le moins possible l'animal, vous ne savez pas la gravité de son état. Pour le déplacer, soutenez bien son corps pour éviter de lui infliger souffrance et nouvelles blessures. Servez-vous pour maintenir son corps de ce que vous avez sous la main, couverture, serviette, vêtement, planche ou boîte.

8) Si l'animal semble incapable d'avaler ou est inerte, placez sa tête plus bas que le corps, pour éviter qu'il n'inspire des fluides.

9) Recouvrez le chat pour qu'il ait chaud.

10) Ne paniquez pas. Je sais que c'est plus facile à dire qu'à faire, mais il vous faut rester assez calme pour évaluer la situation, apporter les premiers soins et transporter *en sécurité* l'animal chez le vétérinaire.

Attraper et maintenir un chat

Comment vous y prendre dépend de son état (calme, effrayé, agressif), et du type de blessures subies par lui. Voici quelques indications générales.

COMMENT SOULEVER UN CHAT

Ces instructions sont valables dans le cas d'un animal qui n'est pas gravement blessé. Si vous craignez une fracture, il faut vous montrer très prudent pour éviter d'aggraver la blessure et de faire souffrir le chat. S'il n'a pas peur et a l'habitude d'être manipulé, prenez-le de la façon habituelle et placez-le dans son panier.

Quand vous vous occupez d'un chat malade ou blessé, il faut prendre des précautions pour éviter griffures et morsures. Si vous portez l'animal dans vos bras, il pourrait attaquer votre visage. Souvenez-vous qu'un chat blessé, malade ou angoissé est imprévisible.

Si l'animal n'a pas l'habitude d'être manipulé, approchez-le *par le haut*. Ne vous mettez pas face à lui, il risque de se défendre. Parlez-lui d'une voix rassurante et laissez-le s'habituer à votre contact en lui caressant la tête et le menton. Glissez une main sous son corps pour que le poids de l'arrière-train repose sur votre bras. Serrez-le doucement contre vous pour immobiliser ses pattes arrière et serrez fermement mais sans brutalité ses pattes avant entre vos doigts. Vous pouvez lui gratter le menton de l'autre main ou, si cela le calme, la placer sur ses yeux et ses oreilles. Mettez-le avec douceur dans le panier. Si vous n'en avez pas, servez-vous de ce que vous trouverez pour le transporter sans risque. En cas d'urgence, une taie d'oreiller fera l'affaire.

Un animal blessé ne comprend pas ce qui lui arrive et est effrayé. Il ne sait pas pourquoi il souffre, il est simplement conscient de la douleur. S'il peut bouger, il aura tendance à s'enfuir. Dans cette situation de crise, il ne vous reconnaîtra sans doute même pas et ne comprendra bien sûr pas que vous voulez lui venir en aide. Vous avez de bonnes chances d'être griffé ou mordu, il vous faut donc prendre des précautions pour vous protéger le visage, les mains et les bras. Un animal blessé peut attaquer votre visage quand vous vous penchez pour examiner sa blessure, il est donc indispensable de le maintenir convenablement. La plupart des gens n'ont pas à portée de main des gants épais mais, si vous en avez, enfilez-les.

Dans le cas d'un chat qui risque de se montrer agressif, vous pouvez le saisir par la peau du cou et le déposer dans le panier. Soutenez son arrière-train de l'autre main, ce qui l'empêche de se débattre.

Il est souvent plus facile de manipuler un chat effrayé et agressif si on le recouvre d'une couverture ou d'une serviette épaisse. Laissez-le tranquille une minute et il se détendra un peu, parce qu'il se sent caché. Soulevez ensuite doucement chat et serviette, en rabattant les pans de celle-ci sous l'animal. Ne baissez pas votre garde pour autant, un chat reste très dangereux dans ces conditions. Après l'avoir soulevé, déposez-le dans son panier ou une boîte. Si vous n'en avez pas et devez transporter l'animal dans une couverture, assurez-vous que sa tête est dégagée, pour qu'il puisse respirer.

Si l'animal est trop dangereux pour être transporté dans une couverture, placez sur lui un carton retourné et faites glisser dessous un objet plat. Vous pourrez alors le déplacer sans risque.

En cas de crise, il vous faudra décider comment transporter au mieux l'animal, selon son état et ce dont vous disposez. Le plus important est de l'amener chez le vétérinaire rapidement, de façon sûre et sans être blessé vous-même.

Si vos essais pour le transporter causent trop de stress au chat, il pourrait s'épuiser, ce qui risque de provoquer un état de choc. Téléphonez au vétérinaire ou à la clinique d'urgence pour demander des instructions. On pourra peut-être vous envoyer quelqu'un.

Problèmes respiratoires

Des corps étrangers dans le nez, la bouche, la gorge ou les bronches peuvent empêcher la respiration, comme des blessures à la poitrine, au diaphragme, ou le décrochage d'un poumon.

Les signes indicateurs d'une détresse respiratoire sont : muqueuses pâles ou bleues (vérifiez les gencives du chat) ; halètement, respiration bouche ouverte ; respiration peu profonde ; inspirations courtes et brèves ; respiration pénible utilisant les muscles abdominaux ; inconscience.

Si la détresse respiratoire est provoquée par un corps étranger que vous pouvez voir, essayez de le retirer en utilisant des pinces à épiler à bout arrondi ou vos doigts. Si l'objet est très enfoncé dans la gorge, mettez le chat sur le côté et placez le bas de la paume juste derrière la dernière côte. Poussez fermement trois ou quatre fois, un peu vers le haut, pour déloger l'obstruction. Ne poussez pas trop fort, vous risqueriez de fracturer des côtes. Si cela ne suffit pas, amenez immédiatement l'animal chez le vétérinaire.

Si la détresse respiratoire n'est pas due à un corps étranger, elle peut être provoquée par une blessure ou une maladie. Amenez immédiatement le chat chez le vétérinaire.

Respiration artificielle

Si le chat ne respire plus, *mais que son cœur bat*, il faut recourir à la respiration artificielle. *Ne l'employez jamais sur un animal qui respire seul.* Voici comment procéder :

– Retirez le collier du chat.

– Ouvrez sa bouche et tirez la langue dehors pour éviter qu'elle ne bloque la gorge, et pour vérifier qu'il n'y a pas de corps étranger.

– Retirez de la bouche toute mucosité ou excès de salive. Si elle contient du vomi ou si le chat se trouvait sous l'eau, prenez-le par les hanches et balancez doucement son corps de gauche à droite pour évacuer le liquide.

– Allongez l'animal sur le flanc droit, la tête un peu plus basse que le corps. Le cou et la tête doivent être en ligne droite pour dégager les voies respiratoires.

– La langue de l'animal sortie, placez votre bouche sur ses narines (sans couvrir la bouche du chat). Insufflez de l'air pendant environ trois secondes ; vous devriez voir la poitrine du chat se dilater. L'air en excès s'échappera par la bouche. Répétez le processus toutes les deux secondes jusqu'à ce que la respiration reprenne.

Ressuscitation cardio-pulmonaire (RCP)

Si *le pouls ne bat pas et si l'animal ne respire pas*, il faut procéder à une RCP. Si le cœur bat mais que le chat ne respire pas, il convient d'utiliser la respiration artificielle. Ne jamais procéder à la RCP sur un animal qui respire. Si vous pouvez vous rendre chez un vétérinaire, faites-le, car il est difficile d'effectuer cette manœuvre. Si le praticien le plus proche est trop loin, il vous faudra agir vous-même :

– Couchez le chat sur le flanc droit.

– Continuez la respiration artificielle en alternance avec la RCP.

– Placez le pouce d'une main sur le sternum de l'animal et les doigts de l'autre côté pour que votre main encercle sa poitrine.

– Comprimez la poitrine avec douceur mais fermeté. Il ne faut pas appuyer trop fort, vous risqueriez de briser des côtes. Il faut exercer une pression par seconde. Exercez cinq pressions puis une respiration artificielle, sans interrompre le massage cardiaque.

– Guettez tout signe de vie, vérifiez souvent le pouls et la reprise de la respiration.

– Arrêtez-vous dès que le cœur se remet à battre.

– Une autre technique consiste à placer une main sur chaque côté de la poitrine de l'animal, juste derrière ses coudes. En vous servant des deux mains, comprimez cinq fois la poitrine avant de procéder à la respiration artificielle.

– Si vous avez pratiqué la RCP pendant trente minutes sans résultat, il est très peu vraisemblable que l'animal puisse être sauvé.

Étouffement

Les symptômes comprennent : toux, frottement des pattes sur la bouche, bave, difficultés à respirer, exophtalmie, inconscience.

Si l'animal est suffisamment calme, essayez de voir s'il n'y a pas de corps étranger dans sa gorge. Il vous faudra peut-être l'envelopper dans une serviette pour le contenir. Si possible, retirez l'objet avec des pinces à épiler à bout rond ou vos doigts. Si le chat panique ou se débat, ne tentez pas de retirer le corps étranger, vous pourriez l'enfoncer plus profondément dans sa gorge. Pourvu qu'il respire, contentez-vous de l'amener au plus vite chez le vétérinaire. S'il ne parvient pas à respirer, vous devrez administrer les premiers soins. Allongez-le sur le côté, la tête plus basse que le corps et la langue sortie. Placez une main en dessous du sternum, juste en arrière de la dernière côte. Maintenez l'animal en posant l'autre main sur son dos. Appuyez sur le sternum quatre fois en succession rapide, vers l'intérieur et le haut. Les pressions doivent être fortes, sans pour autant casser des côtes. Vérifiez immédiatement la bouche du chat pour voir si vous avez délogé le corps étranger. Si vous n'y avez pas réussi, effectuez quatre autres pressions. En cas d'échec, allez immédiatement chez le vétérinaire, tout en procédant à la respiration artificielle.

Contrôler une hémorragie

APPLIQUER UN PANSEMENT COMPRESSIF

Placez une compresse de gaze sur la blessure et appuyez de façon égale. Vous pouvez enrouler un bandage sur la blessure, mais vérifiez que le membre en question n'enfle pas ; il faut alors desserrer le bandage.

Si la compresse s'imbibe de sang, *laissez-la en place* et rajoutez-en une par-dessus. Déplacer la compresse pourrait gêner la coagulation.

Ne mettez *jamais* d'eau oxygénée sur la blessure, cela rendrait plus difficile de contenir l'hémorragie. Une fois celle-ci contrôlée, n'essuyez pas la blessure, vous risquez de déplacer des caillots et de faire à nouveau couler le sang.

Une autre technique possible si la pression ne suffit pas est d'appuyer fermement sur l'artère située sur la face interne de la patte avant (sous l'aisselle) ou arrière (à l'aine). Cela peut permettre de limiter la perte de sang pendant qu'une autre personne effectue un pansement compressif.

Un garrot ne doit être utilisé qu'en dernier ressort pour arrêter une hémorragie qui met en danger la vie de l'animal, lorsque le pansement compressif est insuffisant. Des dommages irréversibles et la perte du membre en question peuvent résulter d'un garrot trop serré ou laissé en place trop longtemps. N'utilisez de garrot que sur une patte ou la queue.

Entourez le membre atteint d'une bande de gaze d'au moins deux centimètres de large, quelques centimètres au-dessus de la blessure (entre celle-ci et le cœur de l'animal). Nouez la bande une seule fois, sans serrer, placez un crayon ou un bâton sur le nœud et refaites-en un. Tournez doucement le crayon jusqu'à ce que l'hémorragie cesse. *Important : le garrot doit être desserré toutes les cinq minutes (pendant une minute), pour que le membre soit irrigué.*

Il est crucial d'emmener immédiatement l'animal chez le vétérinaire pour éviter des dommages irréversibles.

État de choc

L'état de choc se produit lorsque la pression sanguine diminue et que les organes et tissus ne reçoivent plus assez d'oxygène. Pour tenter de compenser la circulation défaillante, le cœur accélère son rythme, le sang cesse d'alimenter les organes non vitaux. Toutefois, sans oxygène en quantité suffisante, les organes vitaux fonctionnent mal et, assez vite, le cœur ne parvient plus à fonctionner comme il convient.

Il n'est pas toujours facile de reconnaître un état de

choc, qui peut être confondu avec d'autres problèmes. Sans soins, cela peut entraîner la mort.

Des causes fréquentes de choc sont : traumatismes en général, coups de chaleur, brûlures, empoisonnements, hémorragies, maladies graves et déshydratation (due à la diarrhée ou des vomissements).

Les signes de choc sont :

– une chute de la température du corps (l'animal semble froid au toucher) ;

– des tremblements ;

– la pâleur des muqueuses ;

– un pouls faible (et souvent rapide) ;

– une respiration haletante ;

– un état de faiblesse.

Comment traiter le choc ? En cas d'hémorragie, arrêter celle-ci ; procéder à la respiration artificielle si un arrêt respiratoire se produit. Si le cœur cesse de battre, recourir à la RCP. Allongez le chat, tête plus basse que le corps mais, s'il veut s'asseoir, laissez-le faire. Calmez-le et permettez-lui de s'installer dans la position qu'il trouve confortable. Ne stressez pas l'animal, cela rendrait sa respiration plus difficile.

Enveloppez le chat dans une couverture et adressez-vous immédiatement à un vétérinaire.

Nettoyer des blessures

Cela ne s'applique qu'à des blessures mineures. Une blessure avec hémorragie nécessite un pansement compressif (voir « contrôler une hémorragie ») et des soins vétérinaires immédiats.

Une blessure de moindre gravité doit être soignée pour empêcher l'infection. Il est toujours préférable de montrer une blessure au vétérinaire, même si elle vous semble insignifiante.

Pour soigner à domicile une blessure mineure, procurez-vous si possible de l'aide afin de calmer et maintenir le chat. Assurez-vous que vos mains et les ustensiles que vous allez utiliser sont propres. Il faut couper les poils autour de la blessure. Le plus simple est de recouvrir celle-ci d'une gelée à base d'eau ou d'une pommade antibiotique que vous rincerez ensuite ; cela permet d'éviter que les poils se collent sur la blessure. Coupez ensuite *avec soin* les poils autour de la blessure grâce à des ciseaux. Si vous n'avez ni gelée ni pommade, soyez très prudent et tenez l'extrémité des poils entre les doigts pour les couper. Nettoyez ensuite les bords de la blessure avec de la gaze propre et humide. Lavez la blessure à l'eau pour enlever les corps étrangers. Si certains de ceux-ci sont enfoncés dans la blessure, servez-vous d'une compresse humide.

Vous pouvez nettoyer la blessure avec une compresse imprégnée de Betadine diluée. Il est indispensable que le produit soit dilué parce que la teinture d'iode pure détruit les cellules. Ne tamponnez la blessure qu'une seule fois avec la compresse et changez-en ; en la réutilisant vous pourriez contaminer la solution ou la blessure. Si vous n'avez pas de Bétadine et pensez employer de l'eau oxygénée, diluez-la avec de l'eau et nettoyez brièvement. L'eau oxygénée peut endommager les tissus, il faut donc être très prudent.

Après avoir nettoyé la blessure, vous pouvez appliquer une pommade antibiotique.

Il est souvent difficile de faire porter un pansement à un chat. S'il est nécessaire de couvrir la blessure pour qu'elle reste propre, fixez soigneusement le pansement avec du sparadrap. Veillez à ce que le pansement reste propre et sec ; changez-le au moins une fois par jour.

Demandez toujours au vétérinaire si la blessure en question doit être couverte d'un pansement. Certaines blessures guérissent pus vite à l'air libre et, s'il y a du pus, elles doivent ne pas être couvertes.

Fractures

Vous verrez peut-être votre chat marcher sur trois pattes, incapable de faire porter son poids sur la quatrième. S'il ne parvient pas à la soulever, elle traîne derrière lui. Un autre signe est un angle bizarre de la patte.

Une fracture de la colonne vertébrale empêche l'animal d'utiliser ses pattes si la moelle épinière est endommagée.

Ne perdez pas de temps à essayer de soigner vous-même une fracture, par exemple en posant des éclisses. Dans le cas d'une fracture ouverte (l'os perçant la peau), recouvrez la blessure d'un tissu stérile et emmenez immédiatement le chat chez le vétérinaire. N'essayez pas de remettre l'os en place.

Prenez bien garde de ne pas remuer le chat plus que nécessaire pour le transporter en sécurité. Le mieux est d'utiliser un carton contenant des serviettes.

Coup de chaleur

Les chats supportent moins bien que les humains les températures élevées. Ils peuvent être atteints d'un coup de chaleur en quelques minutes dans une voiture en stationnement. Laisser les fenêtres ouvertes ne suffira pas à faire suffisamment baisser la température. Même garée à l'ombre, une voiture se transformera en four en peu de temps. Le coup de chaleur menace aussi un chat enfermé par temps chaud dans un panier, une véranda ou un jardin sans ombre ni eau. Un animal qui se trouve dans un endroit clos sans air conditionné ni ventilation court le même danger. Les races à nez court comme les persans y sont particulièrement vulnérables, ainsi que les chats âgés, obèses ou asthmatiques. Trop d'efforts par un jour chaud ou une fièvre peuvent aussi provoquer un coup de chaleur.

Les chats ne transpirent pas comme les humains. Ils sont obligés de refroidir leur corps par évaporation en haletant et en léchant leur fourrure. Un chat qui a trop chaud bave beaucoup et se lèche pour essayer de se rafraîchir. Si la température augmente, ce système de refroidissement par évaporation devient inefficace.

En cas de coup de chaleur, l'animal se met à haleter. Les muqueuses et la langue deviennent rouge vif. La salive est très épaisse, le chat bave et souvent vomit.

Si on n'intervient pas, l'animal s'affaiblit, souffre de pertes d'équilibre et peut avoir la diarrhée. Les muqueuses deviennent pâles ou grises, le chat tombe ensuite dans le coma ou même meurt.

Que faire ? Transportez immédiatement l'animal dans un endroit frais. Si sa température interne atteint 41°, mouillez-le d'eau fraîche (pas froide) puis placez-le sous un ventilateur, ce qui accélère l'évaporation et donc le refroidissement. N'immergez pas l'animal dans l'eau, la peau se refroidirait trop vite. Sous l'effet du froid, les vaisseaux cutanés se contractent et le flux sanguin est redirigé vers l'intérieur du corps ; en conséquence, la température interne baissera moins vite. Donnez au chat de l'eau fraîche à boire. Massez le corps et les membres pour revenir à une circulation normale. Prenez la température rectale de l'animal toutes les cinq minutes. Une fois la température descendue à 39,5°, cessez de mouiller le chat. Son système étant instable, il ne faut pas trop le rafraîchir, ce qui pourrait provoquer une hypothermie.

Amenez dès que possible l'animal chez le vétérinaire pour vérifier qu'il ne souffre pas de complications internes et lui administrer un traitement complémentaire. Il est fréquent qu'un chat qui souffre d'hyperthermie soit en état de choc.

Surveillez le chat pendant plusieurs jours par la suite, car certaines complications liées à un coup de chaleur n'apparaissent pas immédiatement. Une diarrhée hémorragique (due à la mort de certaines cellules) ou des troubles rénaux peuvent se produire plusieurs heures ou même jours après.

PRÉVENIR LES COUPS DE CHALEUR

• Ne laissez pas votre chat dans une voiture garée, même à l'ombre.

• Lorsque vous voyagez avec l'animal par temps chaud, assurez-vous que son panier est bien aéré. Ne le placez pas du côté ensoleillé de la voiture.

• Veillez à ce que les chats à poil long soient bien brossés, un pelage emmêlé empêche la peau de se refroidir.

• Il faut que le chat ait tou-

jours accès à de l'eau fraîche. Par temps chaud, vérifiez l'eau plus souvent.

• Surveillez de près les chats fragiles tels que persans, himalayens, ainsi qu'animaux âgés ou asthmatiques.

• Dans le cas d'un chat d'extérieur, il lui faut des zones d'ombre et beaucoup d'eau fraîche.

• Souvenez-vous que s'il fait trop chaud pour vous, c'est aussi le cas pour l'animal.

Hypothermie

Cela peut se produire en cas de baisse de la température interne, provoquée par le froid, un état de choc ou une maladie, ou bien si l'animal est mouillé, ainsi qu'après une anesthésie. Les chatons nouveau-nés y sont aussi sujets.

Les signes comprennent : température rectale inférieure à 37°7, corps froid au toucher, tremblements, dépression, raideur, pupilles dilatées et angoisse. Faute de traitement, l'animal s'effondrera et tombera dans le coma.

Comment traiter une hypothermie ? Enveloppez l'animal dans une couverture ou une serviette, séchez-le s'il est mouillé. Ne vous servez pas d'un sèche-cheveux, vous risqueriez de le brûler. Remplissez une bouillotte d'eau *tiède* et enroulez-la dans une serviette avant de la placer contre le chat. Si vous vous servez d'un chauffe-plats, réglez-le sur *minimum* et intercalez une serviette. Pour éviter le choc, il faut réchauffer l'animal lentement. Prenez la température rectale du chat toutes les dix minutes. Continuez à utiliser la bouillotte jusqu'à ce que la température soit remontée à 37,7°.

L'hypothermie provoque une baisse des sucres sanguins. Quand l'animal se déplace à nouveau, donnez-lui un peu de miel pour relever le taux de sucre.

Emmenez le chat chez le vétérinaire pour un traitement complémentaire.

Si vous ne parvenez à ramener sa température à la normale en quarante-cinq minutes, transportez-le chez le vétérinaire immédiatement.

Si un chaton est victime d'hypothermie, placez-le sous vos vêtements pour le réchauffer. N'essayez pas de le réchauffer avec une bouillotte ni de le nourrir. Emmenez-le immédiatement chez le vétérinaire.

Gelures

Cela provient d'une exposition à un froid extrême. Les zones le plus souvent affectées sont les oreilles, la queue et le bout des pattes. La circulation s'interrompant, les tissus sont endommagés. Au début, la peau semble pâle. Quand la gelure s'installe, la peau rougit, gonfle et devient chaude. Il arrive ensuite qu'elle pèle. Le contact est *extrêmement* douloureux, soyez donc particulièrement délicat pour soigner des gelures.

Le traitement est le suivant. Emmenez l'animal au chaud. Vous pouvez soit immerger les zones atteintes dans de l'eau tiède (jamais chaude) soit appliquer des compresses trempées dans l'eau tiède jusqu'à ce que la zone rougisse. *Ne frottez ni ne massez l'endroit, vous risquez de provoquer des lésions supplémentaires.* Appliquez une pommade antibiotique et amenez immédiatement l'animal chez le vétérinaire.

Celui-ci prescrira peut-être un antibiotique par voie orale pour éviter l'infection, et éventuellement un analgésique.

Les zones victimes de gelures sont ensuite plus sensibles au froid.

Évitez les gelures en gardant votre chat à la maison par grand froid. Si vous nourrissez des chats errants, donnez-leur accès à un abri bien sec.

Brûlures

Les chats risquent de se brûler en marchant sur une cuisinière ou en étant éclaboussés d'huile brûlante ou d'eau bouillante s'ils sont près de vous lors de la préparation du repas. Les coussinets sont les endroits le plus souvent atteints, quand l'animal marche sur une surface chaude (cuisinière ou sol chauffé par le soleil).

LES DIFFÉRENTS DEGRÉS DE BRÛLURE

Dans le cas de brûlures superficielles, appliquez une compresse imprégnée d'eau froide pendant environ une demi-heure pour réduire la douleur. Séchez ensuite avec douceur l'endroit concerné. Coupez les poils autour de la brûlure, et assurez-vous qu'elle reste propre et sèche. Surveillez l'apparition d'ampoules.

N'utilisez *jamais* de glace, cela endommagerait les tissus et n'appliquez ni beurre ni pommade. Emmenez l'animal chez le vétérinaire au cas où un traitement complémentaire serait nécessaire.

Les *brûlures au second degré* provoquent souvent des ampoules, des gonflements et d'ordinaire des suintements. La peau est très rouge. Placez un tissu propre, imprégné d'eau froide, sur la brûlure, puis séchez très doucement l'endroit sans frotter. Placez dessus une gaze stérile, sans toucher d'éventuelles ampoules. Emmenez immédiatement l'animal chez le vétérinaire.

Les *brûlures au troisième degré* sont les plus graves. Les tissus sous-cutanés sont détruits. La peau semble charbonneuse ou même blanche. L'animal sera sans doute en état de choc. Trempez un tissu dans de l'eau froide et placez-le très délicatement sur la brûlure, recouvrez-le ensuite d'un tissu sec et emmenez le chat chez le vétérinaire. Ne perdez pas de temps à essayer de le soigner vous-même, un traitement professionnel est crucial.

BRÛLURES CHIMIQUES

Des produits chimiques éclaboussant le corps ou les yeux d'un chat peuvent causer des blessures graves. L'animal peut aggraver la situation en se léchant. Il est indispensable d'agir vite pour éviter des dommages supplémentaires.

Dans le cas de brûlures sur la peau, si vous ne savez pas quelle est la nature du produit, nettoyez l'endroit à l'eau. Si vous avez des gants en caoutchouc, enfilez-les car certains produits vous rongeraient la peau. Si vous savez que le produit est un *acide* (par exemple un détergent), lavez la zone avec une solution de bicarbonate de soude et d'eau (une cuillère à café de bicarbonate pour un demi-litre d'eau). Dans le cas de produits alcalins (comme les déboucheurs), servez-vous d'un mélange à parts égales de vinaigre et d'eau.

En cas de doute, n'utilisez que de l'eau pure. Si vous avez le récipient contenant le produit, lisez la notice pour savoir quoi appliquer sur la brûlure, et rendez-vous immédiatement chez le vétérinaire.

Dans le cas où les yeux du chat ont été atteints, allongez l'animal sur le flanc, maintenez ses paupières ouvertes et rincez à l'eau tiède ou avec une solution saline. Il vous faudra peut-être envelopper le chat dans une serviette pour le contenir. Si un seul œil est touché, tournez sa tête vers l'arrière et rincez en vous éloignant de l'œil indemne. Placez une gaze stérile sur ses yeux et précipitez-vous chez le vétérinaire.

CHOCS ET BRÛLURES ÉLECTRIQUES

En général dus à ce que l'animal a mordu un câble, a été en contact avec des fils dénudés, ou encore à un éclair.

Ne touchez jamais un chat s'il est au contact de fils dénudés. Les contractions musculaires involontaires peuvent l'empêcher de relâcher sa prise. Coupez le courant, puis utilisez un objet en bois pour écarter l'animal du câble. Il peut être en état de choc ou inconscient. S'il ne respire pas, appliquez la respiration artificielle. S'il est en état de choc, maintenez-le au chaud. Rendez-vous immédiatement chez le vétérinaire.

Un choc électrique peut provoquer un arrêt cardiaque, et aussi un œdème pulmonaire (accumulation de fluides dans les poumons). Les signes d'un œdème pulmonaire sont : respiration difficile, respiration bouche ouverte, préférence pour la posture assise ou debout plutôt qu'allongée. Des soins d'urgence sont nécessaires. Même si le chat semble s'être remis, il faut le montrer à un vétérinaire. L'œdème pulmonaire ne se déclare pas immédiatement.

Il se peut que vous ne voyez pas l'animal mordre un câble électrique, mais vous devriez remarquer les marques de brûlures électriques. Les emplacements les plus fréquents sont la langue et les coins de la bouche. Une inflammation ou rougeur de ces zones, ainsi que des ampoules ou des muqueuses grises sont des indications conduisant à penser à de telles brûlures. Si vous voyez de tels signes, consultez immédiatement un vétérinaire. Vérifiez aussi tous les câbles électriques de la maison pour trouver celui qui a été endommagé.

Reportez-vous au chapitre III pour savoir comment prévenir ce type de problème.

Empoisonnement

De nombreux produits d'usage quotidien sont toxiques pour les chats, et se trouvent souvent à leur portée. Laissez-vous par exemple des bouteilles de détergent sur le plan de travail de la cuisine, ou des médicaments ? Vous souvenez-vous de cette fuite de liquide antigel dans le garage ? Savez-vous quelles plantes sont dangereuses pour les chats ? Les récipients contenant du pétrole, de la peinture, des pesticides, etc., sont-ils bien fermés, sans coulées sur les côtés ? Même si l'animal n'a pas l'intention d'ingérer le produit, il nettoiera sa fourrure souillée avec sa langue. Ainsi, malgré le fait que les chats risquent moins d'ingérer des poisons que les chiens parce qu'ils n'avalent pas leur nourriture par gros morceaux, leurs habitudes de toilettage les mettent en danger. Il suffit d'une petite quantité de certains produits pour empoisonner un chat.

Les animaux qui peuvent sortir sont plus menacés que les chats d'intérieur. Ils risquent d'entrer en contact avec des produits chimiques ou des solvants mal stockés dans des garages, des engrais, des pesticides, du sel destiné à faire fondre la neige, de l'essence, de l'antigel, ou être volontairement empoisonnés. Les liquides antigel, par exemple, sont si toxiques que l'ingestion de moins d'une cuillère à café peut se révéler fatale.

Trop souvent, nous empoisonnons involontairement nos propres chats en leur administrant des produits qui ne leur conviennent pas, ou en trop grande quantité. Parfois, pour venir à bout des puces, nous utilisons ensemble différents produits, ou ne lisons pas les notices d'emploi. Il arrive aussi qu'on donne à l'animal des médicaments (comme l'aspirine) sans en connaître les très dangereux effets secondaires.

Quels sont les signes d'empoisonnement ? Selon le produit en cause, les signes vont de l'angoisse et des convulsions à la dépression suivie de coma. Vous remarquerez peut-être salivation excessive, faiblesse, odeur bizarre de l'haleine ou du corps, vomissements, difficultés respiratoires, muqueuses buccales rouge vif (indice d'empoisonnement par l'oxyde de carbone).

Les chats courent le risque d'avaler du poison destiné aux rongeurs, ou bien des rongeurs empoisonnés. La plupart de ces produits sont des anticoagulants, qui provoquent des hémorragies. Les signes indicateurs sont : sang dans les vomissement ou les selles, muqueuses pâles, saignement de nez, hématomes. Si possible, emmenez chez le vétérinaire des spécimens de selles ou de vomissements.

Si vous pensez que votre chat a été empoisonné, essayez d'identifier le produit responsable. Lisez les instructions portées sur l'emballage ou vérifiez si les feuilles de certaines plantes ont été mâchées. Vous pouvez aussi appeler un centre antipoison.

LES POISONS CHIMIQUES

En ce qui concerne les premiers soins, faire vomir ou non le chat dépend du type de produit ingéré. Des poisons acides ou alcalins comme les solvants ou les déboucheurs causeront encore plus de dommages en repassant par l'œsophage, la gorge et la bouche. Si l'animal vomit du pétrole, cela aussi provoquera des brûlures additionnelles. Vérifiez auprès de votre vétérinaire ou du centre antipoison, mais voici des indications générales :

– Pour des *acides* : donnez au chat de la magnésie hydratée (une cuillère à café pour cinq livres de poids).

– Pour les *produits alcalins* : jusqu'à quatre cuillères à café de mélange en parts égales d'eau et de vinaigre.

Une fois le poison, quelle que soit sa nature, dans l'estomac du chat, votre seule possibilité est de le diluer pour diminuer les dommages. De la magnésie hydratée, du Kaopectate ou du lait ordinaire administré par voie orale (avec une seringue) permettront de protéger les intestins.

Dans le cas de poisons *non corrosifs* (antigel, parfum, médicaments), vous pouvez provoquer un vomissement, mais seulement avant que le produit n'ait pénétré dans l'organisme. Ne le faites pas si le chat est inconscient ou pris de convulsions.

Pour *faire vomir l'animal*, donnez-lui une demie à une cuillère de sirop d'ipéca (la dose est d'environ une cuillère à café pour dix livres). Recommencez une fois, et une seule, si l'animal n'a pas vomi au bout de vingt minutes. Une autre possibilité est d'administrer une cuillère à café d'eau oxygénée. Vous pouvez recommencer dix minutes plus tard si le chat n'a pas vomi, sans excéder trois cuillères.

Si vous ne savez pas quel type de poison a été ingéré ou si aucun antidote n'est conseillé, le plus sûr est de diluer le produit. Vous pouvez vous procurer du charbon actif sous forme liquide, ou aussi en tube, sous forme de pâte. Suivez les instructions figurant sur l'emballage. Le charbon actif ralentit l'absorption des poisons. Ne confondez pas ce produit avec le charbon de bois utilisé pour les barbecues, il ne s'agit pas de la même chose. Le charbon actif s'achète en pharmacie. Ne l'utilisez pas si vous avez déjà administré du sirop d'ipéca, les deux produits se neutralisent l'un l'autre.

Vous pouvez aussi employer de la magnésie hydratée ou du Kaopectate (une cuillère à café pour cinq livres) pour protéger les intestins et diluer le poison. Si vous ne disposez pas de ces produits, servez-vous de lait ordinaire ; donnez-en autant que possible au chat, de façon graduelle.

QUELQUES POISONS DOMESTIQUES	
antigel	laxatifs
aspirine	liquide pour freins
cirage	lotion de rasage
cires pour meubles ou sols	médicaments
cosmétiques	naphtaline
déodorants	parfums
désinfectants	peinture et solvants
détachants	pétrole
détergents	plantes
engrais	poisons pour rongeurs
essence	produits débouchants
herbicides	shampooing
huiles de bain	teintures pour cheveux
huiles de bronzage	térébenthine
insecticides	vernis à ongles et solvant

Quel que soit le type de poison, emmenez immédiatement l'animal chez le vétérinaire. Apportez si possible la bouteille contenant le produit. Si le chat a vomi, emmenez un spécimen. Pendant le transport, gardez-le au chaud, surveillez les signes de choc et maintenez la tête plus bas que le corps pour que tout fluide ou vomi soit évacué.

Des produits insecticides organophosphorés peuvent être absorbés par la peau et provoquer des dommages métaboliques en plus de brûlures externes. Voir plus haut la section consacrée aux brûlures chimiques.

Empoisonnement par les plantes

Un chat d'intérieur qui s'ennuie peut grignoter vos plantes, se contentant d'un coup de dent ou ne laissant que des tiges dépouillées. Certaines plantes sont assez toxiques pour que le chat soit empoisonné par quelques bouchées de feuillage. Certaines, comme les *diffenbachia* provoquent d'intenses démangeaisons et gonflements de la bouche et de la gorge, ainsi que des difficultés à respirer. D'autres, y compris les diffenbachia, causeront de nouvelles brûlures si vous essayez de faire vomir l'animal.

Vous trouverez ci-après une liste partielle de plantes toxiques, mais elles sont très nombreuses. Si votre chat s'intéresse aux végétaux, mettez hors de portée tous ceux qui sont dangereux.

Signes d'empoisonnement par les plantes : suivant le type de plante ingérée, il peut se produire salivation excessive, vomissements, diarrhée sanglante, difficultés respiratoires, fièvre, douleurs abdominales, dépression, effondrement, tremblements, irrégularités cardiaques, ulcères de la bouche et de la gorge. L'état du chat peut se détériorer rapidement, amenant convulsions, coma, arrêt cardiaque et mort.

QUELQUES PLANTES IRRITANTES, TOXIQUES OU VÉNÉNEUSES (D'INTÉRIEUR ET D'EXTÉRIEUR)

Dans la plupart des cas, votre chat n'aura pas envie d'aller dehors se faire les dents sur la végétation mais, s'il semble s'y intéresser, il vous faudra prendre des précautions. D'autre part, un chat d'intérieur est plus susceptible de s'en prendre aux plantes domestiques.

abricotier
aglaonéma
amandier
amaryllis
amour en cage
aracéees (toutes)
arum maculatum
arum d'Italie
asparagus setaceum
avocatier
azalée
bégonia
belladone
bouton d'or
brugmansia
buis
cactus
caladium
caoutchouc (et tous les ficus)
celastrus scandeus
cerisier
cerisier de Jérusalem
champignons
chèvrefeuille
chrisanthème
cicuta virosa (ombellifère psychotrope)
ciguë (fleurs et feuillage)
coriaria (dont Rhus coriaria, le sumac vénéneux)
crocus d'automne
cytise (très dangereux, notamment pour les enfants, l'ingestion de quelques graines suffit à provoquer la mort)
datura (toutes parties toxiques)
delphinium
diffenbachia
digitale
épinard
euphorbiacées (toutes)
géranium
glycine
gui
gypsophyles (tous)
hémérocalle
herbe aux écus
hêtre
hibiscus
hortensia
houx
if commun (toutes parties mortelles, les baies sont particulièrement dangereuses pour les enfants à cause de leur apparence attirante de petites perles rouges)
if japonais
impatiens
ipomée
iris

438

jacinthe	pêcher
jasmin	pervenche
jonquille	philodendron
kalanchoë	physalis
laurier	phytolaque
laurier-rose	pied d'alouette
liane de Virginie	poinsettia
lierre (tous)	pois de senteur
lilas des Indes	pomme d'arbre (pépins)
liseron	pomme de terre
lys de Taiwan	pothos
margose	rhododendron
marijuana	ricin (graines)
marronnier rouge	robinier faux-acacia
monnaie du pape	rose de Noël
morelle	rhubarbe (feuilles)
muguet	sanseveria
narcisse	sapins de Noël
nux vomica (ou noix vomique, dont est tirée la strychnine, rarement cultivée par des particuliers)	schefflera
	tabac
	théliptéris des marais
	tulipes
oignon	vératre
oiseau de paradis	vigne vierge
orties	yucca
pâquerette	zantedeschia

Le traitement dépend de la plante responsable. Si vous pouvez l'identifier, contactez votre vétérinaire et le centre antipoison pour demander des instructions. Si on vous conseille de provoquer un vomissement, référez-vous au paragraphe sur « les poisons chimiques ».

Faire boire du lait à l'animal protégera ses intestins et diluera aussi le poison. Si vous ne lui avez pas administré de sirop d'ipéca pour provoquer un vomissement, vous pouvez lui donner du charbon actif (suivez les instructions portées sur l'emballage). N'utilisez pas ensemble charbon actif et sirop d'ipéca, ils s'annulent l'un l'autre.

Amenez immédiatement le chat chez un vétérinaire. Maintenez-le au chaud et surveillez les signes de choc.

Quand le chat tombe d'une fenêtre

Chaque fois que votre chat tombe d'une fenêtre, si proche du sol qu'elle soit, faites-le examiner par le vétérinaire. Même si vous ne voyez aucune blessure, l'animal peut avoir subi des lésions internes.

Pour éviter les chutes, vérifiez toutes les moustiquaires extérieures pour vous assurer qu'elles n'ont pas besoin de réparations. Ne laissez jamais entrouverte une fenêtre dépourvue d'écran, même si l'entrebâillement est peu important et le chat de taille respectable. Ne laissez pas sortir les chats sur un balcon, même s'il comporte un garde-fou. Ce n'est pas parce que l'animal n'a pas encore sauté sur le garde-fou qu'il ne le fera pas.

Piqûres d'insectes

Les chats, fascinés par tout ce qui bouge, peuvent facilement être piqués par une abeille, une guêpe, un frelon ou un autre insecte à la piqûre douloureuse. Une piqûre au visage ou dans la bouche peut se révéler dangereuse, l'œdème risquant de bloquer les voies respiratoires. Un œdème de la gorge peut amener l'asphyxie.

En plus de la douleur et du risque d'œdème, certains chats, comme les humains, peuvent présenter une réaction allergique aux piqûres d'insectes. Si l'œdème persiste ou si l'animal montre des difficultés respiratoires, bave, a des convulsions ou encore vomit, il a besoin de soins d'urgence.

Traitement : Si l'aiguillon est resté dans la chair, retirez-le avec une pince à épiler. Appliquez une fine couche de bicarbonate de soude mélangé à de l'eau pour soulager la démangeaison. Servez-vous de glaçons ou d'une compresse froide pour limiter l'œdème. Si vous utilisez un glaçon, enveloppez-le dans un tissu avant de l'appliquer sur la peau du chat. Surveillez d'éventuels signes de choc. Demandez conseil à votre vétérinaire si le chat semble perturbé par la démangeaison, il vous conseillera peut-être une pommade à base de cortisone.

Dans le cas d'une piqûre à l'intérieur de la bouche, emmenez immédiatement l'animal chez le vétérinaire pour qu'il prévienne d'éventuels problèmes respiratoires.

Si votre chat se fait souvent piquer, ayez du Benadryl à portée de main – ou, mieux encore, gardez l'animal à l'intérieur.

Tiques

Voir le chapitre XIII.

Araignées

Les tarentules, les Brown Recluse (*loxosceles recusa*) et les veuves noires sont extrêmement dangereuses. L'emplacement de la piqûre peut être très sensible. Le chat risque d'avoir une forte fièvre, des difficultés respiratoires et d'entrer en état de choc. Certaines piqûres d'araignée provoquent des nécroses ou des abcès sans signes évidents. Si vous voyez votre chat être piqué, amenez-le immédiatement chez le vétérinaire.

Noyade

Même si un chat peut nager sur une courte distance, il arrive souvent que l'animal se noie quand il lui est impossible de sortir de l'eau. Les chats se noient par exemple dans des piscines parce qu'ils ne parviennent pas à en franchir le rebord. Si vous avez une piscine de laquelle vos chats peuvent s'approcher, installez une rampe pour qu'un animal qui tombe accidentellement à l'eau puisse en ressortir.

Les premiers soins en cas de noyade sont : vider les poumons du chat de l'eau qu'ils contiennent. Pour cela, tenez-le par les hanches, tête en bas, et balancez doucement son corps en arc de cercle pendant dix à vingt secondes, ou jusqu'au moment où il ne rejette plus d'eau. Couchez l'animal sur le flanc droit et commencez la respiration artificielle, bouche à nez. Si le cœur ne bat plus, procédez à une RCP.

Quand la respiration reprend, emmenez immédiatement le chat chez le vétérinaire. Il peut être en état de choc, il convient donc de le garder au chaud.

Si l'eau dans laquelle est tombé l'animal était froide, enveloppez-le dans une couverture et branchez le chauffage dans votre voiture pour le transport.

En cas de déshydratation

Il s'agit d'une perte de fluides corporels et souvent aussi d'électrolytes (ou minéraux). Les causes de déshydratation sont : maladie, fièvre, diarrhée et vomissements prolongés.

Vous pouvez savoir si votre chat est déshydraté en tirant doucement la peau entre ses épaules. Elle doit se remettre immédiatement en place. Si la peau revient lentement en position ou reste dressée, l'animal est déshydraté. Les gencives sont un autre indicateur ; normalement humides, elles seront sèches et collantes en cas de déshydratation.

Traitement : des soins vétérinaires immédiats sont nécessaires. Des injections intraveineuses permettront de réhydrater le chat et de redresser son équilibre sanguin.

APPENDICE MÉDICAL

Dans cet appendice – qui ne prétend pas être un livre de références médicales complet, ni remplacer les soins de votre vétérinaire – sont abordées nombre des maladies que les chats peuvent contracter. Certaines sont très communes, d'autres rares, mais le fait d'être informé et prêt à remarquer les symptômes permet un diagnostic plus rapide ; l'animal souffrira ainsi moins longtemps. Être familiarisé avec le chat, avec son comportement et son apparence vous permettra de soupçonner un problème simplement parce qu'il n'est pas « comme d'habitude ». Des vies félines ont été sauvées grâce à de telles intuitions.

Les parasites internes

TÉNIAS

Ces vers vivent dans les intestins et sont sans doute les parasites internes les plus courants chez le chat adulte.

Ils ont besoin d'un hôte intermédiaire pendant leur stade larvaire, avant la transmission au chat. Les puces et les poux sont des hôtes coutumiers et, étant donné les habitudes de toilettage des chats, il est probable qu'au moins une puce porteuse de ténias immatures sera ingérée.

Les chats peuvent aussi contracter un ténia en mangeant viande ou poissons d'eau douce crus. Les chats qui chassent à l'extérieur sont aussi exposés par l'intermédiaire de leurs proies.

Le ténia s'attache à la paroi intestinale par des ventouses et des crochets qu'il porte sur la tête. Le corps est composé de segments, dont chacun contient des œufs. Ces segments se séparent et sont évacués avec les excréments. Longs d'un peu moins d'un centimètre, ils peuvent encore remuer s'ils viennent de se séparer du ver. Vous remarquerez peut-être un ou deux de ces segments mobiles attachés aux poils entourant l'anus du chat. En séchant, ils prennent l'apparence de grains de riz. On en trouve aussi parfois là où dort le chat.

Si vous découvrez de tels segments, le vétérinaire administrera une pilule vermifuge ou une injection spécifique.

Si votre chat a des vers, cela signifie probablement qu'il a aussi des puces. Combinez la vermifugation avec un programme complet de lutte contre les puces pour éviter la réapparition du parasite. Même si vous ne voyez pas de segments, si l'animal a un problème de puces important, il a sans doute aussi des ténias.

ASCARIDES

Ce sont sans doute les vers les plus fréquents chez les chatons et les chiots. Les larves d'ascarides sont transmises aux chatons par le lait de la mère. Les chatons infectés ont un ventre gonflé caractéristique, le reste du corps restant maigre.

Les chats contractent des ascarides par contact avec un sol contaminé par leurs œufs. Ceux-ci sont très résistants et peuvent rester longtemps dans le sol, attendant un hôte.

Les ascarides, qui peuvent atteindre dix ou douze centimètres de long, vivent dans l'estomac et l'intestin du chat. Vous pouvez remarquer un ascaride dans les excréments ou le vomi de l'animal. Cela ressemble à un spaghetti. Les symptômes d'infestation comprennent diarrhée, perte de poids, apparition de vers dans les excréments ou le vomi, gonflement du ventre et léthargie.

Lors des vaccinations, le vétérinaire vermifugera votre chaton par principe. Cela se fait en général en deux fois, espacées de trois semaines. Le médicament est administré par voie orale et ne présente aucun danger.

Les ascarides sont rares chez les chats adultes.

Si vous adoptez un chat errant, il convient non seulement de le faire tester pour diverses maladies et vacciner, mais aussi vermifuger.

ANKYLOSTOMES

Ils sont plus courants chez les chiens que chez les chats. Ces vers fins s'attachent à la paroi intestinale pour se nourrir. Les ankylostomes sont relativement petits, mesurant de six à douze millimètres.

La transmission se produit par contact avec des excréments ou un sol contenant des larves. Pour un chaton, ces vers peuvent être mortels. La transmission ne se fait jamais *in utero*. Les signes d'infestation sont : diarrhée, perte de poids et faiblesse. La présence d'ankylostomes peut conduire à l'anémie.

Le diagnostic se fait par examen au microscope d'un échantillon de fèces.

Le traitement consiste en un vermifuge. Les excréments doivent ensuite être de nouveau examinés.

C'est une maladie plus souvent associée aux chiens. Même si elle est plus rare chez les chats, certains la contractent, il est donc important de les protéger.

Ces vers sont transmis par des moustiques porteurs de larves. Quand le moustique pique le chat, il lui injecte les larves avec sa salive. Quand les larves se transforment en vers, elles se déplacent dans le système circulatoire et s'installent dans le cœur ou les poumons. Les signes d'infestation sont vomissements, toux, perte de poids, anémie. Le progrès de la maladie amène des difficultés respiratoires. Le diagnostic est confirmé par des tests sanguins et des radios.

Un médicament préventif peut être administré mensuellement. Parlez-en à votre vétérinaire. Si votre chat sort à l'extérieur et que vous vivez dans une zone à risques (toute région où se trouvent des moustiques), il est bon de protéger l'animal autant que possible. Dans un climat chaud, le médicament préventif doit être administré avant le début de la saison des moustiques, et le traitement doit continuer jusqu'après la fin de celle-ci.

Au moment où j'écris, il n'existe pas de traitement de cette maladie pour les chats.

TOXOPLASMOSE

La toxoplasmose peut provoquer des malformations à la naissance et toute femme enceinte devrait s'en méfier. Chats et humains peuvent infecter un fœtus. Si vous êtes enceinte ou pensez l'être, un autre membre de la famille devrait s'occuper de la caisse du chat. Reportez-vous au chapitre VIII pour des instructions plus détaillées.

Provoquée par le parasite protozoaire *toxoplasma gondii,* la toxoplasmose est contractée par les chats qui mangent des proies infectées, ou par contact avec un sol contaminé, ce qui est dangereux pour les chats à cause de leurs habitudes de toilettage (ils se lèchent les pattes ayant touché le sol).

Les humains comme les chats courent plus de risques de contracter le parasite s'ils mangent de la viande crue ou mal cuite contenant celui-ci. Les personnes utilisant la même planche à découper pour préparer de la viande crue et des légumes prennent un grand risque.

Les chats peuvent être porteurs sains de la toxoplasmose. Si ils présentent des symptômes, ceux-ci sont : fièvre, faible appétit, perte de poids, toux, léthargie, diarrhée, gonflement des ganglions lymphatiques, respiration irrégulière. Un animal ne présentant pas de symptômes peut cependant répandre la maladie par ses excréments.

Des tests permettent de déterminer si le chat a été en contact avec le parasite. Si le résultat est positif mais que l'animal est en bonne santé, cela signifie qu'il a développé une immunité et n'est sans doute pas porteur du parasite. La présence d'oocytes (spores) dans les excréments signifie cependant que l'animal répand dans son environnement des organismes infectieux. Les humains peuvent aussi être testés pour déterminer s'ils sont porteurs du parasite.

Note : Les oocytes deviennent infectieux quarante-huit heures après que le chat ait déféqué. Retirer rapidement les excréments de la caisse réduit grandement le risque d'infection. Si vous devez vous-même nettoyer la caisse alors que vous êtes enceinte, achetez une boîte de gants jetables en plastique et lavez-vous les mains immédiatement après. Vous devriez aussi porter des gants de jardinage quand vous travaillez à l'extérieur.

Si les tests révèlent que votre chat n'a jamais été en contact avec cet organisme et n'a pas développé d'immunité, gardez-le à l'intérieur pendant la durée de votre grossesse. Ainsi, tout le monde sera en sécurité.

On traite la toxoplasmose par des antibiotiques.

CONSEILS POUR PRÉVENIR LA TOXOPLASMOSE

• Faites tester votre chat.
• Détruisez les mouches, car elles peuvent transporter des spores d'excréments infectés et contaminer la nourriture.
• Ne mangez pas de viande crue ou peu cuite, et n'en donnez pas à vos animaux.
• N'utilisez pas la même planche à découper pour les légumes et la viande crue.
• Désinfectez les planches à découper et toutes les surfaces en contact avec la nourriture.
• Lavez-vous les mains souvent ! Lavez-les immédiatement après avoir touché de la viande crue, nettoyé la caisse ou fait du jardinage. Apprenez aux enfants l'importance de se laver les mains.
• Retirez immédiatement les excréments de la caisse à chat. Nettoyez-la deux fois par jour ; changez entièrement la litière et désinfectez la caisse chaque semaine (pour en savoir plus sur le nettoyage de la caisse, reportez-vous au chapitre VIII).
• Gardez près de la caisse une boîte de gants jetables pour que tous les membres de la famille en mettent.
• Si vous avez un bac à sable dans le jardin, laissez-le couvert et ne permettez pas aux enfants de jouer dans les bacs publics, ni dans les bacs de leurs amis si ceux-ci ne sont pas couverts. Des chats errants peuvent y avoir défécué.
• Lavez les légumes de votre jardin, des chats peuvent avoir contaminé le sol.
• Portez des gants dès que vous travaillez dehors.
• Enfermez votre chat chez vous.

COCCIDIES

Parasites intestinaux très contagieux qui affectent surtout les chatons, les coccidies peuvent aussi infester les chats adultes. La transmission se fait par contact avec des excréments infectés. Les signes de contamination sont : perte de poids, déshydratation et diarrhée contenant souvent du sang.

Des situations de stress telles que malnutrition, surpopulation et mauvaises conditions sanitaires peuvent diminuer la résistance des animaux et mener à la coccidiose. Les chats peuvent se réinfecter par contact avec leurs propres excréments, il est donc très important de garder propre la caisse. Le diagnostic est basé sur l'examen au microscope des fèces. Parfois cela ne permet pas de détecter le parasite et le vétérinaire se base sur les symptômes pour choisir un traitement.

Celui-ci implique des vermifuges. Il est important de traiter la diarrhée aussi bien que la coccidiose pour éviter une dangereuse déshydratation.

GIARDIA

C'est un parasite protozoaire qui vit dans l'intestin grêle du chat. À l'état larvaire, il est transmis par les excréments, qui peuvent infecter tout animal venant à leur contact. En plus du contact oral avec les excréments infectés, la giardia peut être transmise par l'ingestion d'eau contaminée.

Un chat peut ne montrer aucun signe de maladie mais néanmoins disséminer des organismes infectieux. Les signes d'infection sont une diarrhée, souvent de couleur jaune.

Le diagnostic est obtenu par examen au microscope des excréments ; le traitement comprend des antibiotiques.

Problèmes cutanés

La peau des chats est très sensible, plus vulnérable aux blessures et aux réactions allergiques que la nôtre. Des problèmes cutanés peuvent se produire quel que soit l'âge du chat, et le maître ne s'en aperçoit souvent que lorsque l'animal perd beaucoup de poils ou se toilette de façon anormale. Les troubles comprennent infestations parasites allergies, stress, déséquilibre alimentaire, infections bactériennes, blessures, brûlures, tumeurs, etc.

Un toilettage régulier, la prévention des parasites tels que les puces, la surveillance exercée par le maître et en cas de besoin un prompt traitement vétérinaire aideront à garder en bon état la peau de votre chat.

LES SIGNES INDIQUANT DES PROBLÈMES DE LA PEAU ET DU PELAGE	
• L'animal se gratte. • Il a des croûtes et des dartres. • Présence de nœuds dans le pelage. • Perte de poils excessive. • Poils cassés. • Inflammation. • Odeur désagréable de la peau.	• Boutons ou pustules. • Éruptions. • Apparition de taches blanches ou noires sur le pelage. • Apparition d'insectes. • Grosseurs. • Lésions. • Changements de couleur de la peau. • Pellicules.

PUCES ET TIQUES

Ces sales petites bêtes méritent un chapitre entier, le chapitre XIII.

POUX

Il est rare d'en trouver sur des chats. Lorsque cela se produit, il s'agit le plus souvent d'animaux mal nourris vivant dans de très mauvaises conditions.

Les poux sont des insectes dépourvus d'ailes, de couleur pâle. Leurs œufs, appelés des *lentes,* s'attachent aux poils. Elles ressemblent à des pellicules ou des grains de sable blanc, mais il est difficile de les enlever à la brosse.

Il faut couper les nœuds du pelage car les poux s'y cachent. On les trouve aussi autour des oreilles, sur le cou et autour des parties génitales.

Le traitement implique de baigner le chat puis de le shampooiner avec un produit pour les puces. *Note* : comme un chat infesté par des poux est sans doute en très mauvaise santé, il faut se montrer prudent. Consultez votre vétérinaire avant de procéder au traitement.

Il faut aussi traiter l'environnement de l'animal en passant l'aspirateur, en lavant les tissus sur lesquels il se couche et en nettoyant à fond tous les lieux où le chat s'est trouvé.

MOUCHES

Asticots

Diverses espèces de mouches pondent des œufs sur des blessures ouvertes, de la chair morte et des poils souillés ou emmêlés. Les chats courant le plus de risques sont ceux qui souffrent de blessures non soignées, dont le pelage est gravement sali ou emmêlé, ou encore souillé d'urine et d'excréments.

Les œufs éclosent, libérant des larves, en huit à soixante-douze heures. Il faut deux à dix-neuf jours aux larves pour atteindre leur taille maximale. La salive de ces asticots contient une enzyme qui endommage la peau du chat, provoquant des ulcères qui ressemblent à des trous faits à l'emporte-pièce. L'infestation par asticots s'accompagne d'une odeur désagréable. Sans soins, le chat peut entrer en état de choc et mourir à cause des toxines sécrétées par les asticots.

Le vétérinaire coupera les poils souillés, enlèvera les asticots et nettoiera les zones infectées. Un shampooing à base non alcoolique servira à tuer d'éventuels asticots résiduels.

Les blessures infectées seront traitées grâce à un antibiotique local. Il faudra peut-être prescrire aussi un antibiotique administré par voie orale.

Cuterebra

Les mouches *cuterebra* adultes pondent près des terriers de lapins ou de petits rongeurs. Les chats qui entrent en contact avec le sol infecté risquent alors de devenir hôtes. C'est plus fréquent chez des chatons que chez des chats adultes.

Les larves percent la peau et forment un nodule muni d'un trou pour l'aération. Elles restent sous la peau environ un mois, puis se laissent tomber sur le sol. On voit parfois une larve complètement développée bouger dans le kyste qu'elle a créé.

Le traitement consiste à couper les poils et soigneusement retirer chaque larve avec des pinces (il y a parfois plusieurs kystes). N'essayez jamais de les retirer vous-même car, si l'une se brise, le chat peut entrer en état de choc. Une fois les larves retirées, on nettoie la blessure et on administre des antibiotiques par voie orale.

ACARIENS

Ressemblant à de minuscules araignées, les acariens vivent sur la peau du chat. La *gale* provoquée par les différents types d'acariens peut causer la perte de poils par zones ou des inflammations provoquant des infections secondaires.

Gale démodécique

Ce type de gale se rencontre surtout chez les chiens. L'acarien responsable *(demodex)* vit habituellement sur la peau de l'animal et ne cause d'ordinaire qu'une dermatite localisée. Vous pouvez remarquer des zones où les poils tombent, avec sur la peau des lésions remplies de pus, en général vers la tête et le cou.

Dans le cas d'une dermatite généralisée, lésions et perte de poils (partielle ou totale) peuvent gagner la plus grande partie du corps. Les chats souffrant d'une démodécie généralisée ont souvent le système immunitaire atteint par une maladie séparée (leucémie féline, diabète, infection respiratoire chronique).

Le diagnostic est obtenu en prélevant des fragments de peau pour examen au microscope. Le traitement pour une démodécie limitée est local, le vétérinaire recommandera peut-être l'emploi d'un shampooing antibactérien. Dans le cas d'une démodécie généralisée, le vétérinaire procédera à des bains répétés avec un shampooing médical et des produits anti-acariens. Le traitement doit être poursuivi pendant trois semaines après que les tests soient devenus négatifs.

Gale *cheyletiella* (pellicules mobiles)

L'acarien *cheyletiella* provoque sur la peau des sortes d'écailles ressemblant à des pellicules.

Cette maladie n'est pas courante chez les chats, mais est très contagieuse et peut être transmise aux humains.

Le diagnostic est confirmé par un examen au microscope de fragments de peau. Le traitement, effectué par le vétérinaire, inclut une application hebdomadaire de shampooing insecticide. Il doit se prolonger deux semaines après la guérison apparente.

Il convient de traiter également l'environnement du chat, grâce à des produits anti-puces tels que pulvérisations et fumigations.

Gale féline

Il s'agit d'une maladie rare mais très contagieuse. Les acariens passent leur vie entière sur l'hôte et ne peuvent survivre ailleurs que quelques jours. Les femelles pondent juste sous la peau.

Le gale féline provoque d'intenses démangeaisons et, parce que le chat se gratte sans cesse, la peau s'écorche. Les pertes de poils sont fréquentes, des croûtes épaisses grises ou jaunes se forment et, dans les cas les plus graves, la peau s'épaissit.

Le diagnostic est obtenu grâce à l'examen de fragments de peau ; le traitement consiste à couper les poils des zones atteintes et administrer avec délicatesse des bains pour ramollir les croûtes. On utilise toutes les semaines des bains sulphurés, et cela jusqu'à deux semaines après la guérison apparente.

Gale auriculaire

C'est un problème courant chez les chats. Il sera abordé plus loin, dans la section consacrée aux oreilles.

Allergies cutanées

Une allergie cutanée, aussi appelée *hypersensibilité*, peut se produire suite à l'exposition à certaines substances (comme poussières ou pollens) par le biais des poumons. Certaines allergies proviennent aussi d'un aliment particulier qui provoque une réaction du système digestif. Des substances absorbées par la peau peuvent provoquer des réactions allergiques, par exemple les produits anti-puces. Les piqûres d'insectes causent parfois une hypersensibilité. Certains médicaments et même vaccins provoquent des réactions allergiques.

Les chats sont plus sensibles que les humains aux réactions allergiques, cutanées et du système digestif. Nous avons plus de problèmes avec les allergies du système respiratoire.

C'est l'hypersensibilité la plus courante chez les chats. Il peut suffir d'une puce pour déclencher la réaction, qui provoque de graves démangeaisons, la perte locale de poils, des irritations cutanées et même des infections.

Dans les cas les plus graves, il faut administrer des antibiotiques pour lutter contre l'infection. On emploie parfois de la cortisone, sous forme orale ou injectable, pour soulager la démangeaison et laisser aux irritations le temps de guérir, ou encore des antihistaminiques.

Dans les cas de dermatite due à une allergie aux puces, des produits comme Frontline ou Advantage sont très précieux, car la plupart des puces n'auront même pas le temps de piquer le chat.

Si votre chat souffre d'une forte allergie, vous pouvez utiliser à la fois Program (par voie orale ou injection) et soit Advantage, soit Frontline.

DERMATITE MILIAIRE FÉLINE

Cette maladie cutanée étendue est provoquée par diverses allergies, les puces, acariens ou poux, et certains médicaments ou même aliments. Le nom vient de l'apparence des petits boutons ressemblant à des grains de millet qui apparaissent sur la tête, le cou, le dos et la queue du chat. L'animal peut souffrir ou non de démangeaisons. S'il se gratte beaucoup, des zones dénudées peuvent apparaître.

Le traitement implique de découvrir l'agent allergisant. C'est plus facile s'il y a présence de puces ou d'acariens, plus difficile si on soupçonne un aliment ou une hypersensitivité d'ordre respiratoire. Le type de traitement dépend du genre d'allergisant.

Résultat d'un contact direct avec un produit particulier, l'hypersensibilité au contact peut même être causée par un bol de plastique. Les parties du corps le plus souvent affectées sont celles où le pelage est le moins épais, comme l'abdomen, les oreilles, le nez, le menton et les coussinets.

Les symptômes comprennent chute des poils, inflammation de la peau, démangeaisons et boutons.

Les produits antipuces (shampooings, pulvérisations et poudres) peuvent provoquer des réactions allergiques s'étendant à toute la peau. Les réactions aux produits contenus dans les colliers anti-puces atteignent le cou.

Le traitement implique d'identifier l'agent allergisant et, si possible, de ne plus y exposer l'animal. Il faut le baigner si l'agent allergisant est toujours présent. Des corticostéroïdes, par voie orale ou en application locale, peuvent être prescrits pour soulager la démangeaison, mais la meilleure thérapie est d'exposer le moins possible le chat à l'allergisant.

ALLERGIE PAR INHALATION (ATOPIE)

Elle est provoquée par l'inhalation d'agents allergisants tels que poussières domestiques, pollens et moisissures. Suivant la nature de l'agent, les réactions peuvent être saisonnières et les symptômes varier.

Les signes peuvent inclure une dermatite miliaire, des démangeaisons du visage et du cou, et des lésions sur la tête provoquant des chutes de poils.

Le diagnostic est établi par des tests intradermiques.

Le meilleur traitement est, bien sûr, l'élimination de l'agent allergisant. Il est possible d'administrer des antihistaminiques ou des corticostéroïdes.

Un chat peut devenir soudain allergique à un aliment qu'il consommait depuis des années. Les agents allergisants alimentaires courants comprennent le bœuf, le porc, les laitages, le poisson, le froment et le maïs.

Les signes incluent : éruptions douloureuses sur la tête, chute de poils et éventuellement lésions cutanées dues au fait que le chat se gratte. Des problèmes gastro-intestinaux tels que vomissements et diarrhées sont fréquents.

Le traitement consiste en un régime hypo-allergénique à long terme.

Infections fongiques

TEIGNE

C'est un des problèmes cutanés les plus courants des chats. La teigne s'attaque aux follicules pileux.

La transmission se produit par contact avec du sol infecté ou un autre animal porteur de la maladie. Elle peut aussi se transmettre par contact avec les poils d'un animal infecté, par exemple sur la couche de celui-ci. La teigne est extrêmement contagieuse et peut se transmettre aux humains.

Les lésions cutanées se présentent sous la forme d'un cercle rouge entourant une zone de peau écailleuse où les poils sont brisés. Chez les chats, ces lésions se présentent très souvent sous forme de croûtes ; les poils tombent irrégulièrement et semblent partiellement rasés. La teigne peut s'installer partout sur le corps mais se trouve le plus souvent sur les oreilles, le visage et la queue.

On peut parfois diagnostiquer la présence de teigne en utilisant une lumière ultraviolette spéciale. Les poils infectés brillent d'une couleur jaune-vert. Seules certaines sortes de teigne réagissent ainsi, aussi un résultat négatif n'en prouve pas l'absence. On procède également à des examens au microscope des poils et à des cultures fongiques.

Le traitement implique de couper les poils infectés, en particulier dans la cas de chats à poil long. Si la teigne est localisée, on nettoie la zone avec une solution à base d'iode, puis on applique une pommade fongicide. Il vous faudra appliquer cette pommade une ou deux fois par jour pendant un mois.

Dans le cas d'une infestation plus importante, il faut procéder à un bain fongicide toutes les semaines. Le vétérinaire prescrira peut-être aussi un médicament par voie orale. Il existe maintenant un vaccin permettant de prévenir et de traiter la teigne, mais on sait encore mal dans quelles conditions l'employer ou non.

Il est essentiel de traiter l'environnement pour empêcher la diffusion de la maladie. Jetez les couvertures où couche l'animal, ou lavez-les avec un produit chloré, ainsi que les instruments de toilettage. Il convient de passer l'aspirateur avec soin dans toute la maison deux fois par semaine pour retirer les poils infectés. Jetez immédiatement le sac de l'appareil. Nettoyez à fond les endroits fréquentés par le chat et utilisez un produit chloré, dilué, sur les surfaces (hormis le bois).

Lorsque vous traitez l'animal, portez des gants jetables et lavez-vous ensuite les mains.

Infections bactériennes

ABCÈS

Un abcès est une poche de pus sous la peau. Malheureusement, les abcès sont choses courantes dans le monde félin à cause des morsures et griffures reçues lors des combats. Si votre chat va dehors (en particulier dans le cas d'un mâle), il y a toute chance qu'il ait à l'occasion des abcès. En fait, vous aurez de la chance s'il n'en qu'un seul dans sa vie. Il est probable que vous irez souvent chez le vétérinaire faire soigner votre chat d'extérieur pour des abcès.

L'intérieur de la bouche d'un chat est un terrain idéal pour toutes sortes de bactéries nocives. Une blessure causée par crocs ou griffes se referme rapidement en surface, enfermant les bactéries à l'intérieur. Trop souvent, vous ne réalisez même pas que votre chat s'est battu quand il rentre, parce que la blessure et petite et dissimulée par la fourrure. Sous la peau, cependant, le système immunitaire essaie de lutter contre les bactéries. Vous ne comprenez qu'il y a un problème que lorsque vous remarquez une grosseur douloureuse ou de la fièvre, ou encore lorsque l'animal se met à boiter. L'abcès crève parfois, laissant s'écouler du pus malodorant, blanc ou rougeâtre.

Les abcès peuvent se trouver n'importe où sur le corps, mais le plus souvent sur le visage, le cou, les pattes et à la base de la queue, cibles favorites lors d'un combat ou d'une fuite.

Si l'abcès ne s'est pas percé, le vétérinaire l'ouvrira lui-même pour évacuer le pus, et prescrira des antibiotiques. Dans certains cas, il est nécessaire d'insérer chirurgicalement un drain pour évacuer le pus. Il faut aussi laver périodiquement la blessure avec un antiseptique pour qu'elle reste propre et ouverte. Le but est que la blessure guérisse de l'intérieur vers l'extérieur, pour que la peau ne piège pas les bactéries en

461

se refermant. Le drain est ensuite retiré par le vétérinaire (encore qu'un chat impatient s'en occupe parfois lui-même).

Stériliser l'animal ne garantit pas qu'il ne se battra plus, mais cela se produira moins souvent. L'opération limite la tendance à vagabonder des mâles, diminuant les chances de mauvaises rencontres.

Si vous remarquez une blessure, une grosseur ou sentez une zone chaude sur la peau, amenez immédiatement l'animal chez le vétérinaire. Plus vite une blessure est traitée, mieux cela vaut. Vous éviterez ainsi à votre chat beaucoup de souffrances et une longue convalescence.

Si votre chat d'extérieur entre en contact avec d'autres chats ou a l'habitude de se battre, vérifiez tous les jours qu'il n'est pas blessé. Si l'animal lèche de façon répétée un endroit particulier de son corps, il s'occupe peut-être d'une blessure. Un autre signe est qu'un chat qui apprécie d'ordinaire les caresses réagisse violemment lorsque vous touchez l'endroit en question.

ACNÉ FÉLINE

Trouble cutané assez répandu, l'acné se manifeste sous la forme de petits points noirs ou de boutons sur le menton, dus à l'engorgement des pores. Dans les cas les plus graves, les boutons se remplissent de pus, le menton et la lèvre inférieure gonflent. On pense que l'acné est due à un manque de toilettage du menton provoquant une accumulation de saleté et de graisses. Les chats qui mangent dans un bol plastique y sont plus susceptibles, car il est plus difficile de nettoyer du plastique que du verre, de la céramique ou de l'acier inoxydable. Dormir sur un sol dur contribue aussi à l'apparition de l'acné.

Dans les cas légers, où il n'y a que des points noirs, on peut doucement laver le menton de l'animal avec un tissu imprégné d'eau tiède et d'un peu de savon. Le frottement peut aggraver les choses, il faut donc veiller à ne pas nettoyer trop vigoureusement. Les cas plus graves nécessitent un traitement vétérinaire. Le nettoyage effectué, vous devrez appliquer un gel sur la zone touchée. Il est possible que des antibiotiques soient également prescrits.

Certains chats souffrent d'acné récurrente ; le traitement doit être répété indéfiniment.

QUEUE GRASSE

Provoqué par une surproduction des glandes sébacées, ce dérèglement se rencontre surtout chez les mâles entiers.

La queue semble sale et grasse, et répand une mauvaise odeur. En regardant de près, vous verrez la peau près de la base de la queue couverte de débris cireux bruns. Poussières et saletés sont attirées par la partie grasse de l'appendice. Dans les cas les plus graves, les follicules pileux sont enflammés et deviennent douloureux.

Le traitement consiste en lavages réguliers avec un shampooing médical. En cas d'inflammation, des antibiotiques ou même une intervention chirurgicale seront nécessaires. Il est recommandé de stériliser un mâle entier.

FOLLICULITE

Cette inflammation des follicules pileux peut se produire d'elle-même ou être le résultat d'un autre dérèglement, comme l'acné féline ou l'hypersensibilité aux piqûres de puces.

Une inflammation plus grave est appelée *furonculose*.

Le traitement vétérinaire comprend un nettoyage et l'administration d'antibiotiques locaux et oraux.

Survenant chez les chatons nouveau-nés, l'impétigo se manifeste sous forme de pustules et de croûtes. On pense qu'il est causé par la bouche de la mère qui déplace ses petits de façon répétée.

On administre des antibiotiques pendant une semaine environ.

ALOPÉCIE

L'*alopécie* – perte des poils – peut être complète ou partielle, et a de nombreuses causes.

Elle peut être due à un toilettage excessif provoqué par un problème comportemental. Il s'agit alors d'une *alopécie psychogène* ; c'est une activité de transfert qui pousse un chat victime de stress à l'évacuer ainsi.

L'alopécie peut aussi provenir d'une réaction d'hypersensibilité (par exemple aux puces ou autres parasites), d'une infection ou de déficiences nutritionnelles.

L'*alopécie endocrinienne*, aussi appelée *alopécie féline symétrique*, est sans doute due à l'insuffisance d'une hormone sexuelle, car elle se manifeste chez les chats stérilisés. La chute des poils est localisée aux parties génitales, à l'abdomen et à l'intérieur des cuisses. Le traitement est à base d'hormones, ce qui peut provoquer des effets secondaires graves, selon le type d'hormone employée.

Le traitement de l'alopécie dépend de la cause sousjacente. Les chats qui souffrent d'alopécie psychogène réagissent d'habitude bien à une thérapie comportementale accompagnée d'anxiolytiques.

Ulcères de la lèvre

Ils atteignent surtout la lèvre supérieure mais parfois aussi l'inférieure. Les lésions apparaissent sous forme de zones ulcéreuses épaisses qui ne provoquent pas forcément de douleur ou de démangeaison. Les chats peuvent en être atteints à tout âge.

Ces lésions peuvent être précancéreuses. Au début, elles sont rose vif, puis foncent en s'ulcérant.

Des soins vétérinaires précoces sont nécessaires. Le traitement comprend cortisone par voie orale ou injectable et antibiotiques. Si les lésions ne répondent pas à la cortisone, la chirurgie peut être envisagée.

La cause de cette maladie n'est pas connue avec certitude et peut être liée à des allergies.

Dermatite solaire

Inflammation chronique de la peau due à l'exposition aux rayons ultraviolets, la dermatite solaire affecte les chats blancs. Les symptômes sont rougeur de la peau, qui devient squameuse et irritée, et lésions (en particulier au pli de l'oreille). Faute de soins, la maladie peut évoluer en cancer.

Le traitement dépend du cas particulier. On peut prescrire des médicaments pour les cas bénins, mais la chirurgie peut être nécessaire si l'inflammation est grave.

La meilleure façon d'éviter les effets nocifs des rayons ultraviolets est de garder l'animal à l'intérieur pendant les heures de plus fort ensoleillement. Les chats qui aiment se coucher au soleil pendant de longs moments sont particulièrement menacés.

Le vétérinaire vous recommandera peut-être d'utiliser un écran solaire, sur les oreilles par exemple. N'en employez pas sans son avis, vous devez être sûr que le produit est inoffensif en cas d'ingestion.

Kystes, tumeurs et grosseurs

Toute grosseur découverte sur le corps du chat doit être immédiatement examinée par le vétérinaire. Ne considérez pas qu'elle est bénigne (non cancéreuse) parce qu'elle ne semble pas gêner l'animal.

Des tumeurs peuvent apparaître n'importe où, depuis la tête à l'espace entre les doigts de pied.

Les tumeurs cancéreuses sont évoquées plus loin, dans la section qui traite du cancer.

Troubles du système respiratoire

Les infections du système respiratoire supérieur vont de ce qui correspondrait chez un humain à un léger rhume jusqu'à des troubles mettant en danger la vie de l'animal. Nombre des symptômes initiaux (éternuements, nez et yeux qui coulent) sont à tel point similaires que vous pourriez repousser une visite chez le vétérinaire, vous disant que ce n'est rien. Ne laissez pas évoluer une infection respiratoire.

LES SIGNES INDIQUANT UN PROBLÈME RESPIRATOIRE	
• Toux • Éternuements • Respiration sifflante ou mouillée • Respiration pénible • Respiration haletante • Respiration peu profonde • Respiration bouche ouverte • Nez et/ou yeux qui coulent	• Miaulement excessifs ou cris • Perte de voix • Muqueuses pâles ou bleuâtres • Tête en extension • Hauts-le-cœur • Fièvre • Pouls rapide • Perte d'appétit

LARYNGITE

C'est une inflammation des cordes vocales (larynx). La cause la plus courante en est des efforts trop importants pour miauler, hurler ou tousser. Cela peut aussi être un symptôme d'allergie, d'infection respiratoire ou, dans de rares cas, de tumeur.

Consultez un vétérinaire pour déterminer si la cause est médicale ou comportementale (une laryngite due à des miaulements constants peut avoir une origine comportementale). Le traitement dépend du diagnostic exact.

ASTHME

Un chat atteint d'asthme chronique peut souffrir d'une toux sèche et déchirante, avec une respiration sifflante. On a souvent l'impression qu'il s'étouffe. On peut voir l'animal assis, tête en extension, essayer d'absorber suffisamment d'air. Dans les cas les plus aigus, le chat peut se trouver en insuffisance respiratoire (manque d'oxygène).

L'asthme peut être aggravé par l'exposition à la poussière, au pollen, à l'herbe, à la poussière de la litière, à la fumée de cigarette, aux produits anti-puces, à la laque pour cheveux, au parfum, aux produits d'entretien et aux déodorants.

Un traitement vétérinaire immédiat est indispensable. Il peut être nécessaire d'administrer de l'oxygène ainsi qu'un bronchodilatateur. L'asthme aigu est une chose effrayante pour un chat (tout comme pour un humain), aussi le niveau de stress de l'animal sera élevé. Essayez de le transporter chez le vétérinaire aussi doucement que possible. Le stress peut rendre mortelle une crise d'asthme.

Dans les cas d'asthme chronique, un traitement à vie peut être prescrit. Il est crucial d'éviter l'irritant, s'il est identifié. Cela est souvent difficile, mais vous pouvez limiter les risques de crise en employant une litière sans poussière et en évitant les produits en pulvérisateur, les laques et autres allergènes courants.

INFECTIONS RESPIRATOIRES SUPÉRIEURES

Les chats sont en général infectés par contact direct avec un autre chat. Les signes peuvent comprendre conjonctivite, éternuements et écoulement du nez et des yeux. Quand l'infection empire, l'écoulement, transparent à l'origine, peut devenir jaune-vert et l'animal respirer la bouche ouverte.

Les infections respiratoires *chroniques* sont particulièrement dangereuses pour les races à nez court comme les persans.

L'expression « infection respiratoire supérieure » recouvre beaucoup de choses. Deux groupes viraux principaux produisent la plupart de ces infections chez les chats – le groupe des *calicivirus* et celui des virus de l'*herpès*. En plus de l'attaque virale, des infections bactériennes secondaires peuvent s'installer.

Le traitement comporte l'administration de médicaments pour soulager les symptômes et d'antibiotiques. Il est important de veiller à ce que le chat continue à boire et manger, car souvent la perte d'odorat provoque une diminution de l'appétit. Si l'animal est déshydraté, il convient d'administrer une thérapie par voie intraveineuse ou sous-cutanée.

PNEUMONIE

Cette inflammation et infection du poumon peut s'ajouter à une maladie respiratoire si le système immunitaire, affaibli, est incapable de lutter contre les bactéries. Elle peut provenir de ce que l'animal a inspiré des mucosités, des liquides, de la nourriture ou des médicaments. Cela peut se produire si on le nourrit de force, lorsqu'il vomit, pendant une crise d'épilepsie ou sous anesthésie. C'est pourquoi vous devez être très prudent quand vous administrez un médicament liquide au chat ou le nourrissez de force. Les chats sont très sensibles à la pneumonie causée par inspiration de liquide ; demandez à votre vétérinaire comment l'éviter.

Les symptômes comprennent : respiration bruyante au bruit mouillé, fièvre, toux, léthargie et insuffisance respiratoire à des degrés divers. Le diagnostic est obtenu par auscultation, radiographies et tests de laboratoire. Le traitement dépend de la cause originelle, et comprend des antibiotiques.

ŒDÈME PULMONAIRE

Maladie opportuniste qui peut accompagner l'asthme, la pneumonie, les problèmes cardiaques, une blessure à la poitrine ou un empoisonnement. Un œdème peut aussi résulter d'une électrocution ou d'une grave réaction allergique.

L'œdème pulmonaire consiste en la présence de liquide dans les poumons. Les signes sont : respiration difficile et sifflante, respiration bouche ouverte.

Des soins vétérinaires immédiats sont nécessaires. Une fois le diagnostic établi, on administre de l'oxygène, ainsi que des diurétiques pour évacuer le liquide des poumons. La suite du traitement dépend de la cause originelle.

ÉPANCHEMENT PLEURAL

Il s'agit d'une accumulation de liquide dans la poitrine, autour des poumons, qui rend difficile la respiration parce que les poumons ne peuvent se dilater pleinement.

Cette accumulation de liquide peut être due à une maladie, comme la forme humide de la *péritonite infectieuse féline*, qui provoque la sécrétion de pus épais et collant dans la poitrine. D'autres causes peuvent être des problèmes cardiaques ou hépatiques, des tumeurs ou une dirofilariose.

Les signes comprennent difficultés à respirer et respiration bouche ouverte. Le chat peut être incapable de s'allonger et rester assis, la tête tendue en avant, pour essayer de respirer. Cela devenant de plus en plus difficile, les lèvres et les gencives de l'animal deviennent grises ou bleues à cause du manque d'oxygène.

Des soins d'urgence sont nécessaires. Le fluide sera aspiré hors de la cavité pulmonaire. La suite du traitement dépend de la cause originelle, mais le pronostic est souvent peu optimiste.

PNEUMOTHORAX

Présence d'air dans la cavité pulmonaire, le pneumothorax peut être la conséquence d'un coup à la poitrine. Cela peut se produire si le chat tombe d'un arbre ou d'une fenêtre, ou reçoit une blessure ouverte (provoquée par exemple par une voiture). Un pneumothorax peut également être la conséquence d'une maladie pulmonaire chronique. De l'air passe des poumons dans la poitrine, ce qui laisse moins de place à ceux-ci et cause une détresse respiratoire.

Les premiers signes de pneumothorax sont une respiration creuse et rapide. L'affection s'aggravant, le chat commence à respirer par l'abdomen et ses muqueuses deviennent bleues. Des soins vétérinaires d'urgence sont nécessaires pour évacuer l'air accumulé dans la cavité pulmonaire puis soigner la blessure.

Troubles du système urinaire

SYNDROME UROLOGIQUE FÉLIN

Le système urinaire inférieur est composé de la vessie et de l'urètre. La vessie est l'organe qui contient l'urine et l'urètre le tube qui en part et permet l'évacuation de l'urine. Cette dénomination recouvre en fait diverses maladies.

LES SIGNES INDIQUANT UN PROBLÈME URINAIRE	
• Augmentation ou diminution du volume d'urine. • Émission d'urine hors du bac à litière. • Émissions très fréquentes. • Cris ou efforts lors de l'émission d'urine. • Émission seulement de petites quantités d'urine. • Incapacité à uriner. • Présence de sang dans l'urine. • Changement de couleur de l'urine. • Changement d'odeur de l'urine.	• Incontinence. • Léchage fréquent du pénis ou de la vulve. • Abdomen douloureux. • Abdomen gonflé. • Perte d'appétit. • Perte de poids. • Dépression. • Agitation. • Irritabilité. • Odeur d'ammoniac sur l'haleine. • Vomissements. • Miaulements excessifs ou cris.

Le syndrome urologique félin (FUS) est un terme générique correspondant à différents troubles du système urinaire inférieur, et comprenant les cystites et obstructions (calculs).

Le FUS se produit à tout âge. Tant les mâles que les femelles sont touchés, mais le long et étroit urètre du mâle augmente le risque d'obstruction. Nombre de mes clients m'ont dit qu'ils s'étaient aperçus que leurs chats souffraient de problèmes de cet ordre parce qu'ils urinaient dans les baignoires ou les lavabos. L'urine teintée de sang se voyait bien sur l'émail blanc. Ces maîtres ont eu beaucoup de chance de recevoir des avertissements aussi clairs. Vous pourriez ne pas en avoir autant, c'est pourquoi il est très important de vous familiariser avec l'usage que votre chat fait de sa caisse.

Une des causes d'obstructions liées au FUS est la formation d'urolithes (des cristaux qui se transforment en calculs) dans le système urinaire. Pendant des années, ces cristaux étaient des *struvites*, composés de phosphate d'ammoniaque et de magnésium. On pense que le pH de l'urine joue un rôle dans la formation de ces cristaux. Les fabricants de nourriture pour chats réagirent en mettant sur le marché des aliments qui maintiennent un pH plus acide et comportent moins de magnésium. Hélas toutefois, l'urine acide qui permet d'éviter les cristaux de struvite pose parfois d'autres problèmes. Par exemple, un régime favorisant l'acidité de l'urine ne convient pas à un chat souffrant de cristaux d'*oxalate de calcium* (qu'on trouve de plus en plus souvent). Il est donc important que chaque animal soit examiné par votre vétérinaire. Ne supposez pas que votre chat souffre du même problème qu'un autre simplement parce que les symptômes sont similaires.

Les chats mâles sont plus susceptibles aux blocages urétraux. Il s'agit de l'accumulation dans l'urètre d'un matériau de consistance sablonneuse composé de fragments de cristaux et de mucosités. Faute de traitement, ce matériau « bouche » l'ouverture du pénis. Le chat souffre alors d'un *blocage*, l'urine continuant de s'accumuler dans la vessie. *Il s'agit d'une urgence, et l'animal mourra faute de traitement immédiat*. Quant aux signes, le chat peut se lécher sans cesse le pénis, ou avoir l'abdomen gonflé. Léthargie et déshydratation s'ensuivront bientôt. Ne perdez pas de temps pour l'amener chez le vétérinaire. Un tel blocage peut provoquer la mort en quelques heures. Ne vous imaginez pas que le chat est constipé, ne gaspillez pas un temps précieux à lui administrer des laxatifs.

Le traitement consiste d'abord à soulager la vessie. Le vétérinaire peut insérer à travers la peau une seringue dans la vessie pour en extraire l'urine. Il est parfois possible de retirer manuellement un « bouchon », sous anesthésie locale. Dans la plupart des cas, on pose alors un cathéter temporaire pour que l'urètre reste libre. Si l'incident se reproduit régulièrement, il peut être nécessaire de recourir à la chirurgie. La partie la plus étroite de l'urètre (près du pénis) est retirée pour créer une ouverture plus large. Cette opération ne réussit pas toujours et ne s'emploie qu'en dernier ressort. L'emploi de régimes spécifiques a rendu bien moins fréquent le recours à cette opération.

PRÉVENTION DU SYNDROME UROLOGIQUE FÉLIN

• Donnez au chat des aliments de bonne qualité. Si le vétérinaire prescrit un régime particulier, respectez-le et n'y ajoutez pas de reliefs de votre table.

• Veillez à ce que le chat dispose d'un nombre suffisant de caisses facilement accessibles.

• Nettoyez régulièrement les caisses.

• Donnez à l'animal de l'eau fraîche et propre. Lavez le bol tous les jours avant de le remplir. Si le chat ne mange que des croquettes, surveillez sa consommation d'eau pour vous assurer qu'il boit assez.

• Faites-lui prendre de l'exercice grâce à des jeux interactifs.

• Limitez le stress subi par l'animal.

• Surveillez quotidiennement son emploi de la caisse.

• Amenez l'animal chez le vétérinaire au premier signe de problème urinaire.

Le traitement à long terme du FUS implique un régime à base d'aliments spécifiques, choisis selon le cas particulier. Assurez-vous que le chat boit suffisamment et ne le laissez pas devenir obèse. L'exercice aussi est important. Le stress peut jouer un rôle dans la répétition des blocages, il faut donc surveiller tout ce qui pourrait inquiéter l'animal.

À titre préventif, il est essentiel que l'animal aie facilement accès à une ou plusieurs caisses propres.

Si la caisse est sale ou difficile d'accès, le chat risque d'uriner trop peu souvent, ce qui peut le prédisposer au FUS.

L'incontinence (émission involontaire d'urine) peut être provoquée par diverses maladies. Une atteinte de la moelle épinière peut aussi empêcher l'animal de contrôler sa vessie.

Le traitement dépend de la cause exacte. Certains médicaments sont parfois utiles pour rendre au chat le contrôle de sa vessie.

MALADIES RÉNALES

Le système urinaire *supérieur* est composé des reins et des uretères, les deux conduits menant des reins à la vessie. Une des fonctions des reins est de filtrer le sang pour en retirer les déchets. Sans cela, ceux-ci s'accumulent jusqu'à intoxiquer l'animal. Les reins étant le système de filtrage du sang, infections, maladies et poisons peuvent les endommager.

Si les reins fonctionnent moins bien, quelle qu'en soit la cause, il est nécessaire de procéder à une thérapie liquide pour remplacer les éléments perdus, corriger la déshydratation et effectuer la dialyse normalement faite par les reins. Un changement de régime est recommandé. Les aliments prescrits comporteront moins de protéines et de phosphore, ce qui limite la charge pesant sur les reins.

Pyélonéphrite

C'est le plus souvent la conséquence d'une infection de la vessie qui remonte jusqu'aux reins. Elle peut aussi être causée par une infection grave ailleurs dans le corps, la bouche par exemple. Dans le cas d'une pyélonéphrite *aiguë*, vous remarquerez peut-être du sang dans l'urine, de la fièvre et des vomissements. Les reins étant douloureux, le chat peut se tenir voûté.

Dans le cas d'une infection *chronique*, on peut constater perte de poids et apathie. À ce moment, les reins de l'animal ne fonctionnent plus.

SIGNES INDIQUANT DE POTENTIELS PROBLÈMES RÉNAUX	
• Augmentation ou diminution de la consommation d'eau. • Augmentation ou diminution de la production d'urine. • Présence de sang dans l'urine. • Mauvaise haleine. • Vomissements. • Diarrhée. • Sensibilité du dos ou dou-	leurs près des reins (le chat peut se tenir voûté). • Perte de poids et anorexie. • Pelage terne. • Perte de poils excessive. • Fièvre. • Léthargie. • Douleurs articulaires. • Décoloration de la langue. • Ulcères dans la bouche.

La réussite du traitement dépend d'un diagnostic précoce. On peut administrer une perfusion, et des antibiotiques sont d'ordinaire prescrits, ainsi qu'un régime particulier.

Défaut de fonctionnement des reins

On appelle *néphrons* les éléments filtrants des reins, qui se comptent par centaines de milliers. Lorsque trop de ces éléments sont endommagés ou détruits, les reins cessent de fonctionner.

Le défaut de fonctionnement rénal peut être *aigu*, à cause d'un empoisonnement, d'un traumatisme ou d'un blocage du système urinaire inférieur.

Un défaut de fonctionnement *chronique* peut être dû à une maladie (comme la *péritonite infectieuse féline* ou la *leucémie féline*), à une infection, à l'hypertension, à l'âge, à une exposition prolongée à des toxines, à un cancer ou à l'emploi à long terme de certains médicaments.

Un chat se trouve en état de défaut de fonctionnement *chronique* des reins lorsqu'environ 70 % de ceux-ci ont été détruits. Le premier signe visible est d'habitude une augmentation de la quantité d'urine émise, ainsi qu'une augmentation de la consommation d'eau. Il se produit parfois des émissions d'urine hors de la caisse, à cause de l'augmentation de volume de liquide. Le défaut de fonctionnement chronique peut provoquer une anémie.

Les reins continuant de se détériorer, les déchets qui ne sont plus filtrés restent dans le sang et les tissus. Il s'agit d'une *urémie*. Faute de traitement, l'animal tombera dans le coma et mourra d'empoisonnement.

Le traitement d'un défaut de fonctionnement des reins *aigu* consiste à essayer d'inverser les dommages avant que les tissus des reins soient détruits de façon définitive. Dans les cas *chroniques*, on restaure l'équilibre électrolytique (minéral) grâce à des perfusions. Un régime faible en protéines et en phosphore sera prescrit pour ralentir la dégradation. Un chat en état de défaut rénal a besoin d'avoir toujours de l'eau fraîche à disposition. Si l'animal ne mange ni ne boit assez, il devra être hospitalisé et réhydraté par perfusion.

Troubles du système digestif

VOMISSEMENTS

Les vomissements font partie des symptômes de pratiquement toutes les maladies.

SIGNES INDIQUANT DES PROBLÈMES DIGESTIFS	
• diarrhée • constipation • changement d'apparence des excréments • sang dans les excréments • perte ou gain de poids • changement d'appétit • changement de consommation d'eau • vomissements • agitation	• gonflement de l'abdomen • douleurs abdominales • difficultés à déglutir • flatulences • changement d'apparence du pelage • mauvaise haleine • apparition de vers dans le vomi ou les excréments • miaulements excessifs ou cris

À cause de leurs habitudes de toilettage, les chats vomissent souvent après avoir avalé des poils. Il existe des produits préventifs qu'il convient d'administrer à tout animal qui vomit des boules de poils ou se toilette beaucoup. C'est particulièrement important dans le cas de chats à poil long.

Une autre cause fréquente de vomissements est l'ingestion trop rapide ou en trop grande quantité d'aliments. Dans une maison où se cohabitent plusieurs chats, les animaux peuvent se mettre à manger de façon *compétitive*, chacun essayant de manger non seulement sa portion mais aussi celle des autres. Ce comportement peut être corrigé soit en nourrissant les chats à des emplacements différents soit en laissant des croquettes à leur disposition en permanence.

Les chats qui mangent l'herbe des pelouses ou s'attaquent aux plantes vertes d'intérieur vomissent souvent peu après. Le gazon ne présente pas de danger, mais beaucoup de plantes vertes sont vénéneuses.

En voyage, un chat peut être pris de vomissements. Il suffit souvent de ne pas le nourrir avant le départ. S'il continue à avoir des nausées, consultez votre vétérinaire qui pourra prescrire des médicaments.

Si l'animal vomit parfois mais semble à part cela normal et en bonne santé, sans modifications du comportement, il s'agit peut-être d'un simple dérangement stomacal sans gravité. S'il vomit plus d'une fois dans la journée, ne lui donnez ni à manger ni à boire pendant douze ou vingt-quatre heures, pour laisser en repos son estomac. Contactez votre vétérinaire pour lui demander des instructions spécifiques. Il vous demandera de décrire l'aspect du vomi. S'il pense qu'une consultation n'est pas nécessaire, il vous indiquera que faire et quels médicaments administrer éventuellement.

Ce qu'un chat rejette et *comment* peut donner des indices quant à la cause du problème. Par exemple :

S'il vomit un corps étranger. Ceci est grave, car vous ne pouvez savoir s'il y a des lésions internes, ni s'il reste une partie du corps étranger dans le système digestif. À cause des barbillons orientés vers l'arrière de la langue des chats, des corps étrangers que l'animal a léchés ou mâchés sont souvent ingérés. Il est particulièrement difficile pour un chat de ne pas avaler ficelles, rubans, élastiques et brins de laine. Quand votre chat rejette un corps étranger, consultez votre vétérinaire ; il sera peut-être nécessaire de faire une radiographie pour vérifier qu'aucune lésion ou occlusion ne s'est produite.

S'il rejette des vers. En cas d'infestation importante, le chat peut vomir des ascarides (vers ronds ressemblant à des spaghetti). Pratiquement tous les chatons ont des ascarides, aussi vous pouvez en voir dans le vomi. Il faudra vermifuger l'animal.

S'il vomit des excréments. Ceci peut indiquer une occlusion intestinale ou une blessure. Emmenez immédiatement l'animal chez le vétérinaire.

S'il vomit par jets. Cela peut être dû à une occlusion ou une tumeur. Allez immédiatement chez le vétérinaire.

S'il vomit plusieurs fois par semaine. En l'absence de boules de poils et si les vomissements ne sont pas liés aux repas, la cause peut être une maladie des reins ou du foie. Des vomissements se produisent aussi dans le cas d'inflammation intestinale, de pancréatite et de gastrite chronique. Votre vétérinaire procédera à un examen complet, comprenant des tests sanguins et des radiographies.

Bien entendu, si le chat montre des signes de détresse, rejette quoi que ce soit d'inquiétant, ou s'il y a présence de sang ou d'excréments dans le vomi, des soins vétérinaires immédiats sont nécessaires.

GASTRITE

Cette inflammation de la paroi de l'estomac peut être provoquée par de nombreux irritants. Une gastrite *aiguë* peut être due à l'ingestion de poison, de nourriture avariée, de plantes ou d'un médicament. Le signe le plus courant d'une gastrite est le vomissement. Le chat peut aussi avoir la diarrhée.

Le traitement implique d'identifier le produit irritant. Si l'animal a ingéré un poison reportez-vous au paragraphe sur « l'empoisonnement » dans le chapitre « Urgences et premiers soins ». Il est possible de traiter une gastrite peu grave (due par exemple à l'ingestion d'ordures) en ne donnant ni à manger ni à boire au chat pendant vingt-quatre heures, pour laisser l'estomac en repos. Si l'animal a soif, donnez-lui des glaçons à lécher. Après vingt-quatre heures, donnez-lui de petites quantités de nourriture non assaisonnée.

La gastrite *chronique* peut être le résultat d'une thérapie médicamenteuse à long terme, d'un problème chronique de boules de poils ou de l'ingestion de corps étrangers. La gastrite *chronique* peut accompagner une autre maladie, comme pancréatite, défaut de fonctionnement des reins, dirofilariose, hépatite ou diabète.

Certains cas chroniques de gastrite ont été attribués à l'*hélicobacter* – un des agents des ulcères gastriques.

Le traitement de la gastrite *chronique* nécessite d'identifier la cause du problème. Le vétérinaire procédera à de nombreux tests. Il sera peut-être nécessaire de modifier le régime de l'animal. La gastrite *chronique* nécessite habituellement une alimentation pauvre en fibres et facile à digérer. Le traitement peut comprendre des antibiotiques et des pansements stomacaux.

DIARRHÉE

La diarrhée est encore un symptôme qui peut correspondre à de nombreuses maladies. L'odeur, la couleur et la consistance de la diarrhée peuvent fournir des indices quant à sa cause.

Un changement d'alimentation peut provoquer une diarrhée chez les chats, c'est pourquoi toute modification doit être progressive afin d'éviter des troubles intestinaux. Une nourriture trop abondante est une autre cause fréquente de diarrhée.

Un changement de la nature de l'eau que boit le chat peut provoquer une diarrhée. Il est toujours bon d'emmener une certaine quantité de l'eau habituelle en voyage.

Les chats qui sortent dehors risquent de contracter une diarrhée en ingérant leurs proies, des ordures, des charognes ou des poisons.

La plupart des chatons, une fois sevrés, ne supportent plus la lactose. Quand ils commencent à manger de la nourriture solide, ils ne produisent plus de *lactase*, l'enzyme nécessaire à la digestion du sucre du lait, la lactose. C'est pourquoi les chats adultes souffrent souvent de diarrhée après avoir bu un bol de lait.

Des allergies alimentaires peuvent rendre difficiles à digérer certains types de nourriture. Il est particulièrement dangereux de donner aux chats des reliefs de votre table.

Le régime alimentaire n'est pas la seule cause de diarrhée. Le stress peut lui aussi jouer un rôle. Quand le chat est emmené chez le vétérinaire, séjourne chez un gardien ou connaît un bouleversement dans sa vie, il peut souffrir d'une attaque plus ou moins grave de diarrhée.

Une diarrhée qui se prolonge plus d'une journée peut provoquer une déshydratation. Sans traitement, cela peut mener à un état de choc.

Un chat qui souffre de diarrhée doit être montré au vétérinaire si :

– cela dure plus d'une journée,
– cela s'accompagne de vomissements, de fièvre ou de léthargie,
– les excréments contiennent du sang ou des mucosités,
– les excréments ont une odeur de putréfaction,
– les excréments sont de couleur anormale (la couleur ordinaire est brune),
– vous soupçonnez que le chat a avalé un produit toxique.

Apparence des excréments :
Brun : normal
Noir bitumineux : sang digéré, hémorragie possible du système digestif supérieur
Couleur sang frais : hémorragie du système digestif inférieur
Vert ou jaune : non digéré, transit intestinal trop rapide
Très clair : possibilité d'une maladie hépatique
Gris, très malodorant : non digéré
Très liquide : irritation du système digestif, défaut d'assimilation
Aspect huileux : mauvaise assimilation
Excrément mou, mal formé, de couleur normale :

alimentation peut-être trop abondante, changement de régime ou nourriture de mauvaise qualité, parasites.

Traitement de la diarrhée : un cas de diarrhée sans gravité ni signes particuliers peut être traité à domicile, sur les conseils du vétérinaire. Ne nourrissez pas l'animal pendant vingt-quatre heures, mais donnez-lui des glaçons à lécher. Au bout de vingt-quatre heures, vous pouvez lui donner en petites quantités des aliments non irritants.

CONSTIPATION

Provoquée par la rétention des excréments dans le côlon, ce qui les rend secs, durs et difficiles à évacuer, la constipation peut avoir de nombreuses causes, telles que boules de poils, occlusions, facteurs diététiques et diverses maladies.

Les chats évacuent en général une selle par jour. Ceux qui n'en produisent qu'une tous les deux jours sont enclins à la constipation.

Souvent, les maîtres ne remarquent pas que leur chat est constipé, simplement par inattention. En cas de diarrhée, le chat n'a pas toujours le temps d'atteindre sa caisse, et on trouve la preuve sur un tapis ; même s'il arrive à l'endroit voulu, l'apparence des excréments est clairement anormale. Mais, en cas de constipation, il est facile d'oublier quand le chat a déféqué pour la dernière fois. C'est parfois seulement lorsqu'on voit le chat faire des efforts pour déféquer ou quand on remarque enfin la dureté des excréments que l'on prend conscience du problème.

La constipation *chronique* est d'ordinaire une conséquence de l'ingestion de boules de poils. Les chats à poil long y sont plus sujets, ainsi que les animaux à poil court qui partagent leur environnement, à cause du toilettage mutuel. Vous remarquerez peut-être que le chat non seulement vomit des boules de poils mais que ses excréments en contiennent. Il est alors recommandé d'utiliser un produit prévenant la formation de boules de poils.

Un régime trop pauvre en fibres peut favoriser la constipation. Un chat qui ne boit pas assez d'eau aura souvent du mal à expulser ses selles.

Le *mégacôlon* est un trouble lors duquel le côlon s'élargit et ne peut se contracter suffisamment pour évacuer l'excrément.

Le stress est un autre facteur psychologique susceptible de provoquer la constipation. Un changement dans les habitudes quotidiennes, un déménagement, la naissance d'un bébé, être confié à une autre personne, etc., tout cela peut perturber un chat. Il est fréquent en cas de transfert dans un nouvel environnement que l'animal ne produise pas de selles pendant deux jours. Lors de tout bouleversement familial ou de situation potentiellement stressante, prêtez attention à la caisse de votre chat et consultez votre vétérinaire s'il ne fait pas de selles pendant plus de deux jours.

Une constipation grave peut provoquer une *occlusion fécale*, qui nécessite un traitement médical. Le vétérinaire administrera un laxatif par voie orale et un lavement. Il ne faut jamais utiliser de lavements destinés aux humains, qui sont très toxiques pour les chats. N'essayez pas d'administrer le lavement vous-même, le vétérinaire s'y prendra mieux que vous. Un cas grave peut nécessiter une hospitalisation et plusieurs lavements.

Le traitement de la constipation dépend de la cause première et de la gravité du cas. Une constipation peu importante peut être traitée par des laxatifs vétérinaires et une alimentation plus riche en fibres. Il est bon d'ajouter du son à la nourriture en boîte pour lui donner du volume ; les excréments sont ainsi plus mous et plus faciles à évacuer. Il faut que la nourriture soit assez humide, aussi on ne peut ajouter de son à des croquettes. Le potiron en conserve, par petites quantités, est lui aussi une excellente source de fibres. Veillez à ce que l'animal dispose toujours d'eau fraîche et propre. Les chats qui souffrent de constipation *chronique* ont souvent besoin pour leur vie entière d'un régime riche en fibres.

Un animal actif et d'un poids convenable court moins de risques d'être constipé. Pratiquez régulièrement des séances de jeux interactifs.

INFLAMMATIONS INTESTINALES

Il s'agit d'un terme générique décrivant divers troubles gastro-intestinaux. Ceux-ci sont :
– la *gastrite* : affectant l'estomac,
– la *colite* : affectant le gros intestin,
– l'*entérite* : affectant l'intestin grêle,
– l'*entérocolite* : affectant le gros intestin et l'intestin grêle.

Selon l'affection en cause, différents types de cellules inflammatoires s'installent sur les muqueuses intestinales. Un diagnostic précis quant à la nature exacte de la maladie nécessite une endoscopie ou une biopsie. L'endoscopie est pratiquée grâce à une mince fibre optique appelée endoscope que l'on enfonce dans le système digestif.

Le traitement des affections intestinales comprend des corticostéroïdes et des médicaments immunosuppressifs destinés à réduire l'inflammation. Un régime adapté est indispensable, et une augmentation de la quantité de fibres souvent salutaire.

DÉFAUT D'ASSIMILATION

Les inflammations intestinales et les maladies du pancréas et du foie entre autres empêchent l'intestin grêle d'absorber la nourriture.

Le défaut d'assimilation se manifeste par des selles d'aspect huileux à l'odeur rance (due à la présence de graisses non digérées). Le chat semble maigre et a pourtant beaucoup d'appétit.

Le traitement comprend un régime spécial et des médicaments qui améliorent la digestion. Le vétérinaire peut prescrire un supplément de vitamines.

MÉGACÔLON

Cela se produit lorsqu'une section du gros intestin (le côlon) s'élargit et se ballonne ; les fèces s'y logent au lieu de descendre vers le rectum. Plus longtemps les excréments restent piégés, plus ils perdent d'humidité, devenant durs comme de la pierre. Le chat est alors constipé.

On pense que le mégacôlon est provoqué par une constipation prolongée ou chronique. C'est une chose dont doivent être conscients les propriétaires de chats souffrant de fréquente constipation due à des boules de poils. D'autres causes sont des tumeurs ou des complications suivant des fractures du pelvis. La maladie peut aussi être congénitale, comme chez les chats de l'île de Man.

Le traitement implique d'identifier la cause première (ce qui n'est pas toujours possible), de retirer les excréments accumulés et de corriger la déshydratation (d'ordinaire au moyen de laxatifs et de lavements à l'eau tiède). Les soins à long terme comportent, pour lutter contre la constipation, un régime spécifique et des laxatifs ou un produit destiné à amollir les fèces. Le vétérinaire vous indiquera quel produit utiliser. Dans certains cas, la partie ballonnée du côlon est retirée chirurgicalement.

FLATULENCES

L'émission de gaz peut être liée à un régime riche en fibres, et peut aussi concerner des chats qui mangent des haricots ou des légumes qui fermentent, tels que chou, chou-fleur ou brocoli. De plus, le lait peut provoquer des flatulences (ainsi qu'une diarrhée). Les chats qui se jettent sur leur nourriture et avalent beaucoup d'air peuvent aussi avoir des gaz.

Des flatulences accompagnées de fèces anormales peuvent indiquer une maladie plus grave.

Ne donnez jamais à votre chat de produits anti-flatulences destinés aux humains. Consultez votre vétérinaire pour déterminer la cause première du problème. Il vous conseillera peut-être un changement de régime. Il est possible d'administrer des médicaments après les repas pour diminuer le phénomène. Dans le cas des chats qui mangent trop vite, laisser de la nourriture à disposition en permanence peut réduire le besoin de la consommer aussi vite.

OCCLUSION DES GLANDES ANALES

Ce sont deux poches situées de part et d'autre de l'anus, à environ cinq et sept heures sur un cadran d'horloge. Ces glandes servent à conférer aux selles du chat une odeur particulièrement malodorante qui permet d'identifier l'individu dont il s'agit et son territoire.

Les glandes anales se vident normalement lors de la défécation. Les sécrétions peuvent être très liquides ou épaisses et crémeuses. La couleur va du brun au jaune. L'odeur, bien sûr, est caractéristique.

L'occlusion des glandes anales est rare mais, si cela se produit, le vétérinaire peut les vider manuellement. Si le problème est récurrent, il pourra vous montrer comment le faire vous-même (ce n'est pas difficile, juste déplaisant).

Quand un chat souffre de ce type de problème, il se frotte en général l'anus sur le sol pour essayer de vider les glandes.

Si vous remarquez une odeur particulière venant de l'arrière-train du chat, cela peut indiquer un dysfonctionnement des glandes anales. L'odeur se trouve parfois sur l'*haleine* de l'animal, parce qu'il s'est léché. C'est sans doute le signe qu'il est nécessaire de vider manuellement les glandes.

Celles-ci peuvent aussi s'infecter ou être atteintes d'abcès. Les signes en sont un gonflement de part et d'autre de l'anus, de fréquents frottements de l'arrière-train sur le sol et des douleurs. S'il y a présence de pus ou de sang dans les sécrétions, des soins vétérinaires immédiats sont nécessaires. En cas d'infection, après que les glandes aient été vidées, on y injectera un antibiotique. Un antibiotique oral sera aussi prescrit. On vous conseillera peut-être d'appliquer chez vous des compresses imbibées d'eau tiède. En cas d'abcès, celui-ci sera incisé et drainé. La blessure doit guérir de l'intérieur vers l'extérieur, il faut donc qu'elle reste ouverte. On la nettoie d'ordinaire deux à trois fois par jour avec de la Bétadine. On administre aussi un antibiotique oral.

LIPIDOSE HÉPATIQUE

C'est un problème courant chez les chats ; de la graisse s'accumule dans les cellules du foie. La lipidose hépatique est d'habitude l'effet secondaire d'une autre maladie, telle que troubles rénaux, dénutrition, obésité ou diabète. Elle peut provenir de toute maladie qui fait cesser de se nourrir l'animal – le corps commençant à consommer ses graisses, celles-ci s'accumulent dans le foie. Les chats ne disposant pas de certaines enzymes qui permettent de complètement métaboliser les graisses, elles restent dans le foie. La lipidose hépatique *idiopathique* concerne les cas où aucune cause ne peut être identifiée.

Lorsque des graisses s'accumulent dans le foie, l'organe grossit et devient jaune. Le foie fonctionnant de moins en moins bien, la jaunisse devient apparente.

Le traitement comporte des perfusions et un soutien nutritif. En cas d'anorexie, il peut être nécessaire de nourrir l'animal de force ou par intubation. Quand le chat mange de nouveau par lui-même, il convient d'adopter un régime à long terme.

PANCRÉATITE

Le pancréas a deux fonctions principales : produire de l'insuline qui permet de métaboliser les sucres du sang et fabriquer des enzymes qui servent à la digestion. Le diabète est une maladie courante chez les chats, il provient d'une production insuffisante d'insuline.

Les causes de la pancréatite sont mal connues. On suppose qu'elle pourrait être due à des enzymes qui remontent de l'intestin grêle vers le canal du pancréas. Lorsqu'elles se trouvent, au début, dans le pancréas, les enzymes digestives sont inactives. En conséquence, un retour depuis l'intestin grêle de ces enzymes activées, accompagnées de bactéries intestinales, peut provoquer une inflammation.

Les signes d'une pancréatite chez le chat ne sont pas toujours très visibles. Il n'y a pas toujours de douleurs abdominales ou de vomissements. L'anorexie peut être le seul symptôme.

Le diagnostic nécessite des tests sanguins pour déterminer les niveaux d'enzymes pancréatiques.

Les traitements diffèrent, selon la gravité du cas.

Les atteintes du système musculaire et osseux

ARTHRITE

Il y a différentes sortes d'arthrites. L'*ostéo-arthrite*, la forme la plus courante, est aussi connue sous le nom de *maladie évolutive des articulations*. Dans ce cas, les cartilages des articulations se détériorent. C'est le plus souvent un effet de l'âge mais peut aussi provenir d'une blessure reçue par le cartilage.

Le signe le plus courant est la boiterie, aggravée par l'humidité ou l'exercice. Le chat peut aussi sembler raide au réveil.

La *polyarthrite* est une maladie inflammatoire qui peut être liée à une ou plusieurs infections virales.

La *dysplasie de la hanche* n'est pas courante chez les chats. Il s'agit d'un creusement de l'articulation de la hanche, qui évolue défavorablement.

Le traitement dépend du type de l'arthrite et de sa gravité, ainsi que des causes sous-jacentes. La chirurgie peut être nécessaire. Garder l'animal au chaud limitera la douleur, l'arthrite étant aggravée par le froid et l'humidité.

Malheureusement, l'aspirine – couramment utilisée pour l'arthrite chez les humains – est toxique pour les chats. Si l'animal souffre, consultez votre vétérinaire qui pourra prescrire des antalgiques.

Éviter qu'un chat âgé devienne obèse diminuera la douleur causée par l'arthrite en limitant le poids qui porte sur les articulations.

SIGNES INDIQUANT UN PROBLÈME DU SYSTÈME MUSCULAIRE ET OSSEUX

• boiterie	• pelage gras
• refus de se déplacer	• odeur de poisson sur le pelage
• douleurs	
• déplacements limités	• fièvre
• constipation	• perte d'appétit
• perte de poids	• dents branlantes
• sensibilité au toucher	• dos incurvé
• peau écailleuse	• raideur au réveil

Les quatre glandes parathyroïdes situées dans le cou (près de la thyroïde) sécrètent une hormone, la *parathormone*. Celle-ci aide à maintenir dans le sang un niveau convenable de calcium et de phosphore. Si le taux de calcium baisse ou si celui de phosphore monte, ces glandes relâchent de la parathormone pour relever le taux de calcium, qui est prélevé dans les os. En conséquence, ceux-ci peuvent s'amincir et devenir fragiles, ce qui fait courir au chat un risque accru de fractures.

La guérison dépend d'un diagnostic précoce. Le traitement inclut un apport de calcium et un changement de régime.

Hyperparathyroïdisme secondaire nutritionnel

Cette maladie est provoquée par un régime trop riche en viande et pauvre en calcium. C'est un exemple des dangers de préparer soi-même la nourriture des chats. Les aliments de bonne qualité du commerce sont équilibrés et apportent les quantités voulues de viandes et d'éléments minéraux. La déminéralisation des os peut aussi provenir d'un régime trop riche en légumes.

Cette maladie se rencontre le plus souvent chez des chatons qui ne mangent que de la viande, ce qui ne leur apporte pas assez de calcium pour la croissance et le développement de leur squelette.

Les symptômes chez les chatons sont répugnance à se déplacer, boiterie et pattes incurvées. La boiterie peut aussi provenir d'éventuelles fractures. Chez les adultes, la fragilité des os accroît le risque de fractures. Les dents se déchaussent. Sans traitement, le dos se courbe, ce qui peut amener un effondrement du pelvis.

Le traitement consiste à modifier le régime de l'animal pour répondre à ses besoins nutritifs, avec un ajout de calcium. Si le chat souffre de fractures, il faut le confiner dans une cage pour permettre la guérison et en éviter de nouvelles.

Dans le cas d'un diagnostic précoce, le pronostic est bon. Si la maladie est avancée au point que les os sont déformés, la guérison est très peu probable.

Hyperparathiroïdisme secondaire rénal

À cause d'une atteinte rénale, élevant le taux de phosphore, les glandes parathyroïdes sécrètent une quantité exagérée d'hormones pour augmenter le taux de calcium. Comme dans le cas de l'*hyperparathiroïdisme secondaire nutritionnel*, le calcium est prélevé dans les os, ce qui les affaiblit. Le pronostic est d'habitude réservé.

STÉATOSE

Connue aussi sous le nom de *maladie de la graisse jaune*, elle est causée par une déficience de vitamine E. La consommation d'acides gras insaturés en quantité exagérée détruit la vitamine E, avec pour résultat une inflammation douloureuse des graisses du corps, qui deviennent jaunes et très dures.

La chair du thon rouge contient des niveaux élevés d'acides gras insaturés, et un chat qui en mange beaucoup contractera cette maladie extrêmement douloureuse. Un régime à base de poisson mène d'habitude à la stéatose, sauf apport convenable de vitamine E. Le thon en boîte destiné aux humains est le plus dangereux de tous car il ne comporte pas d'ajout de vitamine E.

Les premiers signes sont un pelage gras et une peau écailleuse. Le pelage peut aussi prendre une odeur de poisson. La maladie progressant, le chat répugne à se déplacer ou à se laisser manipuler. Même les caresses deviennent trop douloureuses. Une fièvre se déclare, accompagnée d'une perte d'appétit.

Le diagnostic est basé sur le régime antérieur de l'animal et confirmé par une biopsie des graisses.

Le traitement implique un changement de régime en faveur d'aliments équilibrés, avec apport de vitamine E.

Commencez par prévenir cette maladie en ne donnant jamais de thon à votre chat, même dans des aliments pour animaux. Évitez en particulier le thon en boîte destiné aux humains. Le thon, très fort de goût et d'odeur, peut amener un chat à refuser toute autre nourriture.

Si vous tenez à donner à votre chat des aliments parfumés au poisson, que ce soit exceptionnel, et jamais de thon.

EXCÉDENT DE VITAMINES

La présence dans le corps de vitamines solubles dans les graisses (A, D, E, K) en quantité excessive peut contrarier le développement normal et la santé du chat. Les aliments de bonne qualité du commerce sont conçus pour être équilibrés, complets et répondre aux besoins de l'animal. Y ajouter des vitamines et des éléments minéraux peut provoquer des troubles tels que problèmes osseux, difformités, boiterie et douleurs.

La vitamine A est stockée dans le foie, si bien que des quantités excessives ne sont pas évacuées par l'urine. Une dose trop forte de cette vitamine, par des ajouts ou l'alimentation (foie, produits laitiers, carottes) peut causer de violentes douleurs du dos et du cou ainsi qu'un gonflement des articulations. Les troubles s'aggravant, le chat ne peut presque plus bouger le cou. D'autres signes sont constipation, perte de poids et sensibilité au toucher.

Si le diagnostic est précoce, une modification de

régime (et l'arrêt de tout ajout) peut mettre fin aux symptômes. Si on laisse progresser la maladie, les symptômes sont irréversibles.

Les troubles du système endocrinien

HYPOTHYROÏDISME

La glande thyroïde, située dans le cou, maintient le métabolisme. La thyroïde produit deux hormones principales, la tri-iodothronine (T3) et la thyroxine (T4). Si la glande ne parvient pas à fabriquer en quantité suffisante ces deux hormones, le résultat en est un hypothyroïdisme (insuffisance thyroïdienne). Bien que très rare chez les chats, cela peut toutefois se produire après l'ablation chirurgicale ou la destruction de la thyroïde lors du traitement d'un *hyperthyroïdisme*.

SIGNES INDIQUANT DES PROBLÈMES ENDOCRINIENS	
• changements d'appétit • changements de poids • léthargie • chute de température • agitation • augmentation ou diminution de la consommation d'eau	• augmentation ou diminution de la production d'urine • changements de comportement • changements dans les fèces

HYPERTHYROÏDISME

Une production en quantité excessive des hormones de la thyroïde (tri-iodothronine et thyroxine) constituent un *hyperthyroïdisme* (trop grande activité de la thyroïde). Cette maladie se rencontre le plus souvent chez des chats âgés (en moyenne douze ans). L'hyperthyroïdisme peut mener à une forme de *cardiomyopathie* (maladie cardiaque).

Les signes de cette maladie sont agitation, augmentation de l'appétit, perte de poids (malgré l'appétit), pouls rapide, pelage terne, vomissements, consommation d'eau et production d'urine plus importantes. Vous pourrez remarquer une activité plus intense et parfois de l'agressivité. Les taux d'hormones élevés faisant plus travailler le cœur, le chat peut être atteint de *cardiomyopathie*.

Le diagnostic est basé sur des tests sanguins permettant de déterminer les niveaux de T3 et T4.

Le traitement peut comprendre une médication anti-thyroïdienne, l'ablation chirurgicale de la glande ou l'administration d'iode radioactif. Le choix du traitement dépend de l'état du chat, de la présence ou non de troubles cardiaques et de la disponibilité d'un spécialiste capable de procéder à un traitement par radiations. L'idée même de l'iode radioactif peut vous effrayer, mais c'est dans de nombreux cas le meilleur traitement ; aucune anesthésie n'est nécessaire et il suffit habituellement d'une unique application pour que la thyroïde se remette à produire des hormones en quantité normale. Le désavantage de ce traitement est qu'il implique une quarantaine d'une ou deux semaines. Le coût peut aussi décourager certains maîtres. Il est possible aussi de recourir à la chirurgie.

Certains médicaments permettent de contrôler l'hyperthyroïdisme, mais cela implique une administration quotidienne durant la vie entière de l'animal. Il arrive aussi qu'un chat souffre d'effets secondaires, par exemple vomissements, perte d'appétit ou léthargie.

DIABÈTE

Le diabète est dû à une production insuffisante d'insuline par le pancréas. L'insuline, sécrétée dans le système circulatoire, permet aux cellules de transformer les sucres en énergie. Sans insuline, le taux de sucres du sang s'élève, et l'excès est éliminé par les reins, grâce à l'urine. Cela signifie que le chat urinera plus et aura plus soif. Des tests urinaires révéleront la présence de sucres. Comme les cellules ne peuvent pas utiliser le glucose contenu dans le sang, le chat devient léthargique, et commence à perdre du poids malgré un appétit renforcé.

Le diabète peut atteindre des chats de tous âges, mais les touche plus souvent après six ans. L'obésité contribue beaucoup au risque. Il convient de faire tester régulièrement un animal prenant des corticostéroïdes ou de la progestérone.

Lorsque le corps se montre incapable de métaboliser les sucres, il commence à puiser de l'énergie dans ses propres tissus. Cela a pour conséquence la présence dans le sang de *cétone* (un acide). Si la maladie est aussi avancée, on peut remarquer une odeur d'acétone sur l'haleine du chat. L'état de l'animal empirant, il éprouve des difficultés respiratoires et finit par tomber dans un coma diabétique.

Le diagnostic comporte des tests d'urine et de sang, pour rechercher sucres et cétone.

Le traitement dépend de la gravité du cas. S'il y a déshydratation et défaut d'équilibre électrolytique, une perfusion sera nécessaire. On procédera aussi à des injections d'insuline, et l'animal devra être hospitalisé jusqu'à ce que le dosage convenable soit déterminé.

Avant que le chat sorte de clinique, on vous apprendra à procéder à des injections sous-cutanées d'insuline. L'animal devra rester sous surveillance car il sera peut-être nécessaire de modifier les doses. Il vous faudra pendant un certain temps vous rendre régulièrement chez le vétérinaire. Un changement de régime sera aussi prescrit.

Dans certains cas, on n'a pas recours à des injections d'insuline mais à des médicaments administrés par voie orale, accompagnés d'un changement de régime. Cela n'est toutefois pas possible pour tous les chats.

Si votre chat est obèse, il faudra adopter un régime basses-calories pour mieux contrôler son diabète. Le changement d'alimentation doit être *très progressif*, il convient donc de suivre exactement les instructions du vétérinaire. Un régime comportant beaucoup de fibres aide à contrôler le taux de glucose dans le sang et permet aussi de limiter le poids de l'animal. Il faut nourrir le chat à des heures précises, correspondant aux injections d'insuline.

Il n'est pas très difficile de soigner à domicile un chat diabétique, à condition de suivre les instructions avec le plus grand soin. Il vous faudra aussi amener régulièrement l'animal chez le vétérinaire pour déterminer le taux de glucose dans le sang.

Les troubles du système circulatoire

CARDIOMYOPATHIE

Les cardiomyopathies sont des maladies qui affectent le muscle cardiaque et l'empêchent de fonctionner efficacement.

La cardiomyopathie *dilatée* correspond à un étirement du muscle cardiaque qui s'amincit, s'affaiblit et ne parvient plus à se contracter efficacement. Les cavités du cœur s'élargissent et se remplissent de sang en trop grande quantité. Cette maladie se rencontre surtout chez des chats d'un certain âge.

Une des causes principales de cette affection est une déficience en *taurine*, un acide aminé. Depuis que cela a été découvert dans les années 1980, les fabricants d'aliments pour chats ont ajouté de la taurine à leurs produits. En conséquence, on ne rencontre plus maintenant que rarement cette maladie. C'est une raison de plus pour donner à votre chat des aliments pour *chats* de bonne qualité et jamais de la nourriture pour *chiens*. Celle-ci ne comporte pas d'apport en taurine.

Les signes d'une cardiomyopathie dilatée apparaissent assez vite (en quelques jours) et peuvent comprendre difficultés respiratoires, perte d'appétit, perte de poids notable, faiblesse, pouls irrégulier et léthargie. Les difficultés respiratoires s'aggravant, le chat peut se tenir assis, tête tendue, pour essayer d'inspirer assez d'air.

SIGNES INDIQUANT DES PROBLÈMES CARDIAQUES	
• faiblesse • toux • léthargie • pouls anormal • rythme cardiaque irrégulier • muqueuses pâles ou bleuâtres • difficultés respiratoires	• membres froids • cavité abdominale enflée • vomissements • évanouissements • murmures cardiaques • cris • boiterie ou paralysie • tête penchée en arrière • perte d'appétit

Dans le cas d'une cardiomyopathie *hypertrophique*, les parois du ventricule gauche s'épaississent, diminuant le volume interne du ventricule. La quantité de sang pompée par le cœur diminue.

La cardiomyopathie *hypertrophique* n'est pas liée à une déficience en taurine. Une des causes en est une tension élevée due à un hyperthyroïdisme ou un dysfonctionnement rénal. Les signes en sont perte d'appétit, diminution de l'activité et détresse respiratoire. Un décès subit peut se produire.

Le diagnostic d'une cardiomyopathie (et de son

type) nécessite un électrocardiogramme, des radiographies et des examens sanguins.

Le traitement commence par faciliter la tâche du cœur. Selon le diagnostic exact, il peut inclure des diurétiques (pour corriger la rétention d'eau) et des médicaments pour le cœur, à base de digitaline par exemple. La plupart des produits sont aussi utilisés pour les humains. Ils peuvent être très toxiques, aussi une surveillance vétérinaire est nécessaire.

Un régime sans sel est presque toujours prescrit. Le traitement de la cardiomyopathie *dilatée* inclut souvent des apports de taurine.

ARYTHMIE

Les arythmies sont des modifications du rythme cardiaque normal. Elles peuvent avoir de nombreuses causes, y compris un déséquilibre électrolytique, le stress, une maladie cardiaque, certains médicaments, la fièvre, l'hypothermie et l'exposition à des toxines. Les arythmies peuvent provoquer des décès subits.

Un chat qui souffre de grave diarrhée ou vomissements, de diabète ou d'une maladie rénale peut contracter une *hypokaliémie* (déficience en potassium), qui provoque une arythmie. Les animaux souffrant d'hyperthyroïdisme, de cardiomyopathie ou soumis à un stress intense peuvent avoir un rythme cardiaque trop rapide (connu sous le nom de *tachycardie*). Un rythme cardiaque trop lent est appelé *bradycardie*, et peut être provoqué par de nombreuses causes, parmi lesquelles l'hypothermie.

Le traitement dépend de la cause première.

SOUFFLE CARDIAQUE

Cela est provoqué par un trajet anormal du sang dans le cœur. On entend des sons anormaux au stéthoscope.

Les murmures cardiaques sont classés de 1 à 6 (le plus grave). Ils peuvent avoir de nombreuses causes, y compris des troubles congénitaux ou des maladies du cœur. Beaucoup de chats par ailleurs en bonne santé ont un murmure cardiaque. Dans les cas les moins graves, s'il ne semble pas y avoir de maladie sous-jacente, on se contente d'une surveillance lors de chaque examen vétérinaire.

DIROFILARIOSE

Reportez-vous à la section consacrée aux parasites internes dans ce chapitre.

ANÉMIE

L'anémie est une insuffisance de globules rouges dans le sang, qui transportent l'oxygène vers les tissus.

Elle peut être provoquée par une perte de sang due à une hémorragie, une infestation parasitaire ou un empoisonnement. Une grave infestation par coccidies peut faire perdre beaucoup de sang. Des parasites externes, comme les puces, peuvent aussi prélever une grande quantité de sang. Les chatons infestés de puces sont très vulnérables à l'anémie, comme les chats âgés.

Des maladies qui attaquent la moelle des os ou détruisent les cellules peuvent provoquer des anémies (par exemple la *leucémie féline* et l'*anémie infectieuse féline*). Des réactions anormales à certains médicaments ou toxines peuvent aussi causer une anémie.

Les signes en sont muqueuses pâles, faiblesse, léthargie, perte d'appétit et faible résistance au froid.

Le traitement dépend de la cause première. En cas d'anémie grave, on peut avoir recours à des transfusions sanguines.

Il s'agit d'un caillot de sang dans une artère, qui bloque le flux sanguin. Les causes peuvent en être un traumatisme (par exemple une atteinte cardiaque), une cardiomyopathie ou une maladie du cœur.

Les signes dépendent de la partie du corps touchée. L'animal peut boiter ou même subir une paralysie d'un membre. Celui-ci peut être froid au toucher.

Cette maladie est extrêmement douloureuse, et le chat qui en est victime peut crier sans cesse. Le traitement est souvent inefficace.

Les troubles du système nerveux

BLESSURES À LA TÊTE

Ceci est le plus souvent causé par un heurt avec une automobile. L'animal peut aussi avoir fait une chute, ou avoir reçu un coup.

Le cerveau est protégé par le crâne et entouré de liquide. Malgré cela, un choc violent peut fracturer le crâne et endommager le cerveau. Celui-ci peut aussi être atteint même sans fracture du crâne.

Après une blessure à la tête, un hématome peut se produire dans le cerveau, exerçant une pression. Cela est grave et, faute de traitement, conduira à des dommages cérébraux et à la mort.

Si votre chat a reçu un coup à la tête, même mineur, il convient de le faire examiner par un vétérinaire. Si vous n'êtes pas certain qu'il ait reçu un tel choc, mais qu'il paraît faible, que sa démarche est mal assurée, qu'il semble étourdi ou que les mouvements de ses yeux sont anormaux, amenez-le immédiatement chez un vétérinaire.

Il y a des années, quand je travaillais dans une clinique vétérinaire, j'étais toujours surprise quand des gens téléphonaient pour dire que leur chat avait été heurté par une voiture, puis ajoutaient que l'animal paraissait étourdi mais non blessé. Les maîtres se demandaient si un examen était *vraiment* nécessaire. Je n'imaginerais jamais de ne pas faire examiner mon petit chat de *quatre kilos* après qu'il ait été heurté par un véhicule d'*une tonne et demie*.

La pression sur le cerveau se déclare dans les vingt-quatre heures qui suivent l'accident. Selon la gravité de la blessure, la tuméfaction peut être *légère, modérée* ou *grave*. Même une tuméfaction légère est sérieuse et nécessite des soins immédiats. Tout délai peut causer des dommages cérébraux irréversibles ou la mort.

SIGNES INDIQUANT DES TROUBLES DU SYSTÈME NERVEUX	
• agitation	• apoplexie
• faiblesse	• tressaillements de la peau
• perte d'équilibre	• mouvements spasmodiques de la queue
• mouvements oculaires anormaux	• agressivité soudaine
• pupilles fixes	• vomissements
• respiration irrégulière	• port de tête anormal
• inconscience ou semi-conscience	• paralysie d'une partie du corps (y compris la queue)
• pouls ralenti	• incontinence

ÉPILEPSIE

Des crises récurrentes d'épilepsie peuvent être provoquées par de nombreuses causes, telles que traumatismes, tumeurs, exposition à des toxines, dysfonctionnement rénal ou hypoglycémie.

Les crises sont provoquées par des activités cérébrales anormales, et sont plus courantes chez les chiens que chez les chats.

Le terme d'épilepsie devient générique en médecine vétérinaire pour des crises dont on n'identifie pas la cause. Par exemple, des crises dues à un dysfonctionnement rénal ne devraient pas être considérées comme épileptiques ; dans un tel cas, la correction de la cause sous-jacente met fin aux attaques. Des médicaments tels que *phénobarbitol* ou *valium* ne serviraient à rien à long terme.

La zone du cerveau affectée détermine le type et la gravité de la crise, qui peut se limiter à un regard perdu dans le vide pendant quelques secondes ou consister en une attaque majeure.

Avant une crise, le chat peut sembler agité. Au début d'une attaque majeure, l'animal tombe sur le flanc et se raidit, tandis que ses membres sont pris de mouvements spasmodiques. Il peut mastiquer dans le vide ou avoir des tremblements des muscles de la face. Miction, défécation et vomissements sont fréquents lors d'une crise. Recouvrez l'animal d'une serviette et veillez à ce qu'il ne se cogne pas contre des objets dangereux. Laissez-le au calme et dans la pénombre pour éviter de déclencher une autre crise. Toute attaque qui dure plus de quelques minutes nécessite des soins vétérinaires immédiats pour éviter des dommages au cerveau. À la fin de la crise, le chat peut sembler désorienté.

Les soins dépendent de la cause primaire. Les crises elles-mêmes peuvent être contrôlées par des médicaments.

HYPERESTHÉSIE FÉLINE

Ce trouble affecte surtout les jeunes chats âgés de moins de cinq ans mais peut se rencontrer chez des animaux plus vieux. Décrit par les vétérinaires comme un dysfonctionnement des neurotransmetteurs, l'hyperesthésie féline est comparable aux attaques de panique dont peuvent être victimes les humains. Ce trouble se rencontre le plus souvent chez les siamois, les birmans, les chats de l'Himalaya et les abyssins.

La majorité des chats atteints de cette maladie se toilettent excessivement, parfois jusqu'à se mutiler. Ils montrent aussi frémissements de la peau et battements de queue, suivis de soudaines explosions d'activité. Ce comportement peut aller de simples frémissements cutanés à des crises épileptiques. Certains chats se montrent agressifs lors de ces épisodes et attaquent leurs compagnons ou même leurs maîtres. Les chats stressés semblent courir plus de risques.

Le diagnostic nécessite un examen par imagerie à résonance magnétique, effectué par un spécialiste. Il est nécessaire de s'assurer que le problème ne vient pas d'une atteinte à la moelle épinière, d'une épilepsie ou de troubles cutanés.

Cette maladie est d'habitude limitée par un traitement médicamenteux.

TROUBLES DE L'APPAREIL VESTIBULAIRE

Le système vestibulaire détecte certains types de mouvements de la tête et permet de maintenir le sens de l'équilibre.

Le *labyrinthe* est une partie osseuse de l'oreille interne indispensable au sens de l'équilibre. S'il est endommagé ou enflammé, un dysfonctionnement de l'appareil vestibulaire s'ensuivra.

Les symptômes sont perte d'équilibre, déplacements en cercle, port de tête anormal, vomissements et mouvements anormalement rapides des yeux (nystagmus).

Le traitement dépend de la cause première.

Des soins précoces sont nécessaires pour empêcher la progression de la maladie, qui peut provoquer des dommages permanents.

Elles sont le plus souvent causées par des chutes ou un choc avec une automobile.

Un chat incapable de se tenir debout ou de marcher peut avoir subi une telle blessure et doit être transporté avec la plus grande prudence chez le vétérinaire. Placez-le sur une planche ou une couverture (utilisée comme brancard) pour éviter de nouveaux dommages.

La queue d'un chat est très vulnérable aux roues des véhicules ; une atteinte de l'épine dorsale peut s'ensuivre si l'animal essaie de s'enfuir. Ceci mène à une paralysie de la queue, des dommages du système nerveux et la perte de contrôle de la vessie et du rectum. Même si le chat semble aller bien mais que sa queue est inerte, des soins vétérinaires immédiats sont nécessaires, en cas de dommages à la vessie (qui peuvent être temporaires ou permanents).

Le traitement dépend de si l'épine dorsale a été atteinte ou non. Dans le cas d'un hématome, on administre des médicaments pour le réduire. Si l'épine dorsale a été brisée, l'animal restera paralysé.

SPINA BIFIDA

Courante chez le chat de l'île de Man, cette maladie héréditaire est une malformation des os du bas du dos. Les vertèbres de la queue risquent d'être mal formées. Un animal gravement affecté peut avoir des faiblesses des pattes arrières ou des difficultés pour uriner et déféquer. Il faut veiller à ce qu'un tel chat ne soit pas constipé.

VAGINITE

Il s'agit d'une inflammation et d'une infection du vagin. Sans soins, cette infection peut s'étendre à la vessie.

Le signe le plus courant est que l'animal se lèche sans cesse la vulve.

Le traitement se fait d'habitude par applications locales.

SIGNES INDIQUANT DES PROBLÈMES DU SYSTÈME REPRODUCTIF	
• chaleurs anormales • écoulements vaginaux (en dehors des chaleurs) • écoulements du pénis • testicules non descendus • testicules ou pénis irrités et enflés • vulve irritée ou enflée • mauvaise odeur • sensibilité et douleur • pénis non rétracté • léchage fréquent du pénis ou de la vulve	• mamelles gonflées, sensibles ou rouges • grosseurs • fièvre • vomissements • refus d'allaiter • agitation • léthargie • perte d'appétit • augmentation de la consommation d'eau • augmentation de la quantité d'urine

TUMEURS MAMMAIRES

Elles sont relativement communes chez les chats, surtout les femelles, mais adviennent aussi chez les mâles.

Les tumeurs mammaires *malignes* (cancéreuses) se rencontrent surtout chez des animaux âgés. Le traitement implique une mastectomie. L'animal doit ensuite être régulièrement surveillé, car les récurrences sont fréquentes.

Le risque de tumeurs mammaires peut être virtuellement éliminé si on stérilise l'animal avant les premières chaleurs.

HYPERPLASIE CYSTIQUE

Les tissus de la paroi de l'utérus s'épaississent et des kystes s'y installent. Cela se produit chez des chattes qui ont leurs chaleurs de façon répétée sans s'accoupler. Les follicules des ovaires sécrètent des œstrogènes en quantité anormalement élevée, ce qui provoque la formation de kystes. L'animal peut ne montrer aucun signe de maladie.

Le meilleur traitement est la stérilisation.

INFLAMMATION DE LA MATRICE

Cette infection touchant des chattes non stérilisées provoque une inflammation des muqueuses de l'utérus. Elle provient le plus souvent de mauvaises conditions d'hygiène ou d'un traumatisme lors de la mise bas.

Les signes d'une inflammation *aiguë* sont fièvre, écoulement vaginal, manque d'appétit et léthargie. Une telle inflammation peut être mortelle si elle n'est pas soignée.

Les signes d'une inflammation *chronique* sont plus difficiles à détecter, car ils se limitent souvent à des fausses couches ou à l'incapacité d'engendrer. Un autre signe possible est l'incapacité à prendre du poids. Un maître observateur peut en déduire que le chat ne va pas bien.

Il s'agit d'une infection grave. Le traitement comprend des antibiotiques. Il faudra peut-être nourrir les éventuels chatons au biberon.

Bien que plus courantes chez les chiennes, les grossesses nerveuses peuvent se produire chez des chattes dont les œufs n'ont pas été fertilisés.

Le signe le plus fréquent en est la recherche d'un nid. Certains animaux peuvent même présenter un développement mammaire.

Il n'y a pas de traitement particulier, mais il convient de faire examiner l'animal pour s'assurer qu'il n'y a pas eu de fausse couche.

Une chatte qui montre régulièrement des symptômes de grossesse nerveuse devrait être stérilisée.

MAMMITE

Il s'agit d'une infection d'une ou plusieurs glandes mammaires, due à des bactéries. Une blessure ou même une égratignure sur la mamelle peut y introduire des bactéries. Les griffes des chatons peuvent en causer alors qu'ils tètent. Le lait provenant de glandes infectées est toxique et peut empoisonner les chatons.

Les signes de mammite sont des mamelles gonflées, chaudes, sensibles ou rouges. La chatte peut avoir de la fièvre et perdre l'appétit. Le lait peut présenter un aspect anormal. Il convient d'éloigner immédiatement les chatons allaités et de les nourrir au biberon avec un lait de substitution.

Le traitement comprend des antibiotiques. Des compresses fraîches doivent être appliquées sur les mamelles plusieurs fois par jour. Il ne faut pas appliquer de compresses tièdes car cela stimulerait la circulation sanguine et la production de lait. Assurez-vous que les compresses soient *fraîches*. En cas d'abcès, un drain devra peut-être être posé.

Selon le cas, il faudra peut-être administrer des antibiotiques aux chatons.

Votre vétérinaire vous indiquera comment arrêter la lactation de la chatte en cas de besoin.

Les glandes mammaires touchées peuvent se durcir, du tissu cicatriciel remplaçant le tissu normal ; la production de lait pourra être moins abondante pour de futures portées.

ÉCLAMPSIE (FIÈVRE DU LAIT)

À cause des besoins en calcium lors de l'allaitement, une chatte qui ne dispose pas de cet élément en quantité suffisante peut être atteinte d'éclampsie. Cela se produit le plus souvent lorsque la mère a une portée nombreuse.

L'éclampsie provoque des spasmes musculaires. Les signes initiaux sont respiration rapide, agitation, pâleur des muqueuses, démarche hésitante et fièvre élevée. Les muscles de la face se raidissent, exposant les dents. L'animal est enfin pris de convulsions et de paralysie.

L'éclampsie est une maladie grave. Il convient d'amener immédiatement la chatte chez le vétérinaire pour lui administrer du calcium par voie intraveineuse. Les chatons seront nourris grâce à un lait de substitution.

Une fois la crise passée, la chatte recevra des apports en vitamines et éléments minéraux, mais les chatons ne pourront continuer à téter.

SYNDROME DE MORT SUBITE DU CHATON

C'est un terme générique qui couvre les diverses infections néonatales, maladies et autres facteurs (comme un faible poids à la naissance) qui peuvent provoquer la mort de chatons.

Les deux premières semaines sont les plus dangereuses pour les nouveau-nés. La plupart des décès se produisent lors de cette période.

Les nouveau-nés doivent livrer un combat inégal. Leur mère peut leur avoir transmis une maladie *in utero*. Des malformations congénitales peuvent aussi augmenter la mortalité. Un autre facteur est que les chatons ne peuvent réguler la température de leur corps ; si l'endroit où ils se trouvent n'est pas assez chaud, ils risquent l'hypothermie. Un trop faible taux de sucres dans le sang et la déshydratation représentent des dangers additionnels lors de cet âge tendre. De mauvaises conditions sanitaires peuvent leur faire contracter des maladies. Il y a aussi la possibilité de blessures reçues lors de la mise bas ou d'un manque de lait chez la mère, qui peut mal s'occuper de sa portée. Toutes les chattes ne lisent pas le manuel indiquant les besoins des chatons. Certaines les rejettent même.

Une production de lait insuffisante est une cause fréquente de mortalité chez les chatons. Cela peut être dû à l'importance de la portée ou à une alimentation de piètre qualité donnée à la mère.

SYNDROME D'ATTÉNUATION DU CHATON

On suppose que cette maladie est transmise aux chatons lors de la mise bas. Après la naissance, tout semble parfait : la mère est en bonne santé et les chatons tètent ; puis, au bout d'une ou deux semaines, un ou plusieurs chatons meurent. Si la maladie se déclare chez des chatons d'au moins trois semaines, elle ne sera pas fatale.

Les symptômes en sont une diarrhée jaunâtre, des pleurs excessifs, des vomissements, le refus de s'alimenter et des difficultés respiratoires.

Contactez immédiatement votre vétérinaire. Le traitement dépend de l'âge des chatons et de la gravité des symptômes.

HERNIE

Une hernie est un trou dans la paroi abdominale, qui se manifeste comme une petite protubérance sur le ventre. Celle-ci peut être souple, il est alors possible de la faire temporairement rentrer dans le ventre. Si la protubérance est dure et ne peut être remise en place, des soins immédiats sont nécessaires car le flux sanguin peut être interrompu. Les hernies ombilicales sont les plus courantes.

Si les hernies ombilicales ne se résorbent pas d'elles-mêmes dans les six premiers mois, elles peuvent être corrigées par la chirurgie. L'intervention est d'ordinaire pratiquée lors de la stérilisation. Si vous comptez ne pas faire stériliser votre chat, il faudra procéder à l'opération quand l'animal aura six mois.

Si vous remarquez une grosseur sur le ventre d'un chaton, faites-le examiner par le vétérinaire.

INFECTIONS LIÉES À LA NAISSANCE

Infection de l'ombilic

Le nombril du chaton est enflammé, avec écoulement de pus. Couper le cordon ombilical trop près de l'abdomen peut provoquer ce type d'infection, tout comme de mauvaises conditions d'hygiène.

Si le cordon a été coupé trop court, nettoyez le nombril et appliquez une pommade antibiotique. Ne laissez pas la mère lécher cette zone, cela pourrait aggraver les choses. Si vous hésitez, consultez votre vétérinaire. En cas d'infection déclarée, des soins médicaux spécifiques sont nécessaires.

Lait toxique

Des infections des mamelles comme les *mammites* peuvent rendre toxique pour les chatons le lait de la mère. Des laits de substitution mal préparés ou mal conservés peuvent aussi être toxiques. Les signes d'intoxication comprennent vocalisations excessives, diarrhée ou estomac gonflé. L'ingestion de lait toxique peut provoquer une *septicémie*.

Le traitement implique de séparer les chatons de la mère. Si celle-ci souffre d'une infection, des soins immédiats sont nécessaires, et il ne faut pas laisser les chatons la téter sans avis du vétérinaire. Il faut traiter diarrhée et déshydratation, et les chatons devront être nourris au biberon. Des antibiotiques leur seront peut-être administrés.

Septicémie

Cette infection peut pénétrer le flux sanguin par le cordon ombilical, ou être provoquée par du lait porteur de bactéries, chez des chatons âgés de moins de deux semaines.

Les signes en sont vocalisations excessives, gonflement de l'estomac et difficulté à déféquer. On pourrait croire que le chaton est constipé, mais en regardant son abdomen enflé, on voit que la peau est de couleur rouge ou bleu foncé. La maladie s'aggravant, le chaton cesse de s'allaiter, sa température chute, il perd du poids et se déshydrate.

Le traitement implique d'identifier la cause première. S'il s'agit de lait infecté, les chatons devront être séparés de la mère, qui aura elle aussi besoin de soins. Les chatons doivent recevoir un traitement pour la diarrhée et la déshydratation.

Insuffisance de lait

Si les chatons semblent affamés, ou si la mère s'en occupe mal (ce qui peut se produire dans le cas des primipares), la quantité de lait peut être insuffisante. Demandez à votre vétérinaire un lait de substitution.

PARAPHIMOSIS (INCAPACITÉ À RÉTRACTER LE PÉNIS)

Normalement, le pénis se rétracte dans son fourreau, mais peut en être empêché par de longs poils qui s'y collent après l'accouplement. Le cas le plus fréquent est celui de poils accumulés formant avec le temps un anneau.

Il est recommandé, à titre préventif, de couper les poils autour du pénis avant l'accouplement.

À titre curatif, faites glisser avec douceur le prépuce en arrière et retirez les poils attachés au pénis. Lubrifiez celui-ci avec de l'huile d'olive ou un gel vétérinaire. Remettez le prépuce en place. Si le pénis ne se rétracte toujours pas, amenez le chat chez le vétérinaire.

Des poils emprisonnés par les barbillons du pénis peuvent provoquer une irritation et même une infection. Si le pénis semble irrité, s'il y a des écoulements ou des odeurs, des soins vétérinaires sont nécessaires, même si le pénis se rétracte dans son fourreau.

TESTICULES CRYPTORCHIDES (NON DESCENDUS)

Les deux testicules d'un chaton mâle devraient être descendus dans le scrotum à la naissance. Si ce n'est pas le cas de l'un ou des deux, ils sont dits *cryptorchides*.

Le chat devrait être stérilisé et non utilisé pour la reproduction. Si le testicule non descendu reste en place, il peut développer une tumeur.

STÉRILITÉ CHEZ LE MÂLE

Essayer de faire se reproduire trop souvent un mâle (plus de deux fois par semaine) peut amener une chute du nombre de spermatozoïdes. D'un autre côté, des accouplements trop rares peuvent provoquer le même résultat.

Un chat dont les deux testicules ne sont pas descendus peut être stérile. Si un seul testicule est descendu, l'animal peut être fertile mais ne devrait pas être utilisé pour la reproduction.

L'âge aussi affecte la fertilité, comme l'obésité, une mauvaise alimentation, et diverses maladies.

En termes de génétique, les mâles écaille de tortue sont presque toujours stériles.

Le diagnostic implique d'identifier la cause sous-jacente par des examens cliniques et l'auscultation. Le traitement dépend du cas particulier.

STÉRILITÉ CHEZ LA FEMELLE

Elle peut être causée par des kystes sur les ovaires ou un rythme de chaleurs anormal (en particulier quand l'animal vieillit). Un rythme anormal peut être provoqué par une insuffisance de lumière du jour (facteur déclenchant du cycle). Les kystes sont retirés chirurgicalement, le traitement du rythme anormal dépend de la cause particulière. Si celle-ci est un manque de lumière solaire, on recommande d'ordinaire d'y exposer la chatte au moins douze heures par jour.

Les maladies infectieuses

MALADIES VIRALES

Rhinotrachéite virale féline

Cette maladie est provoquée par un virus de type *herpès*. C'est la plus grave des maladies respiratoires des chats, fatale pour les chatons. Elle se répand par contact direct avec la salive, des écoulements du nez ou des yeux, ou par contact avec la litière ou le bol d'eau.

Les symptômes commencent par une fièvre, suivie d'éternuements, de toux et d'écoulements du nez et des yeux. Les yeux s'enflamment, ce qui peut provoquer des ulcérations forçant le chat à fermer les paupières. Le nez peut être entièrement bouché par les sécrétions, amenant l'animal à respirer bouche ouverte. Il peut s'y ajouter une stomatite (ulcères buccaux), qui rend très douloureuse l'ingestion de nourriture, si bien que le chat perd du poids. Même en l'absence d'ulcères buccaux, la perte d'odorat résultant de l'encombrement du nez peut amener une perte d'appétit. Réchauffer légèrement la nourriture permettra d'en intensifier l'arôme, la rendant plus attirante.

Le traitement comprend des antibiotiques, des pommades pour les yeux, des perfusions et un soutien nutritionnel. Les yeux et le nez doivent être maintenus propres à l'aide d'un coton humide. Une petite goutte d'huile pour bébés peut être appliquée sur les endroits irrités de la truffe.

Après une infection grave, l'animal peut être victime de rhumes récurrents.

Une vaccination annuelle aidera le chat à ne pas contracter cette maladie.

Virus de la leucémie féline (FeLV)

C'est une maladie virale extrêmement contagieuse qui se développe dans la moelle osseuse et se répand par les sécrétions. Les chats atteints perdent leur système immunitaire, ce qui les expose à de nombreuses maladies opportunistes.

La transmission se produit le plus souvent par échange de salive infectée, peut-être par toilettage mutuel ou partage de bols d'eau et de nourriture. Accouplements et morsures sont des modes de contamination certains. Les chatons peuvent être infectés *in utero* ou par le lait de la mère.

Le virus peut ne pas être apparent dans le sang d'un chat infecté pendant un mois après l'exposition. Certains animaux peuvent en être porteurs sans développer eux-mêmes de symptômes, ou développer une immunité, appelée *virémie transitoire*. Le virus est alors présent dans le sang et la salive, mais les anticorps peuvent l'éliminer en huit à seize semaines. Dans le cas de la *virémie persistante*, le virus reste présent après ce délai. Ayant pris une ferme emprise sur le système immunitaire du chat, le virus rend le corps vulnérable à un grand nombre de maladies. C'est en cela que la leucémie féline peut être mortelle. Certains animaux développent une *infection latente*, c'est-à-dire qu'ils produisent des anticorps qui éliminent le virus dans le sang (et, à terme, dans la salive), mais qu'il demeure dans la moelle osseuse. La majorité des chats porteurs d'*infections latentes* s'en libèrent après quelques mois ou années. Le stress peut toutefois réactiver le virus avant que le corps ne l'élimine. Une chatte porteuse d'infection latente peut transmettre le virus *in utero*.

Les signes de leucémie féline sont peu spécifiques. Les signes initiaux peuvent comprendre fièvre, perte de poids, dépression, changement d'apparence des excréments et vomissements. Le chat peut aussi présenter une anémie, avec des muqueuses pâles. Les signes spécifiques se modifient ensuite quand des maladies opportunistes s'installent.

Le diagnostic est établi grâce à deux sortes de tests :

— Le test ELISA est pratiqué dans le cabinet du vétérinaire. Le résultat est disponible en vingt minutes environ. Ce test détermine la présence du virus dans le sang ou les sécrétions. Un chat qui répond positivement au test ELISA peut être au stade de la *virémie transitoire* et éliminer plus tard le virus. C'est pour cette raison qu'un test positif doit être répété douze à seize semaines plus tard.

— Le test IFA (par immunofluorescence) est envoyé en laboratoire et permet de détecter la progression à un stade plus avancé du virus.

Ces deux tests peuvent donner des résultats contradictoires parce qu'ils détectent le virus à des stades différents. Si on répète le test ELISA, il convient de procéder aussi au test IFA. Une infection latente peut être indécelable ; peut-être des tests futurs permettront-ils de la détecter.

Le traitement consiste à soulager les souffrances de l'animal et à prolonger sa vie si possible. Antibiotiques, suppléments vitaminés, perfusions et médications anticancéreuses sont utiles, mais le maître et le vétérinaire doivent réfléchir ensemble au problème éthique de la qualité de vie du chat. Les médications anticancéreuses sont très puissantes, et il vous faut considérer ce que vous acceptez de faire endurer à l'animal. Il y a aussi le risque de traiter un chat qui peut continuer à répandre le virus, mettant d'autres animaux en danger.

La prévention inclut de faire tester un nouveau chat avant de l'introduire chez vous. Dans l'idéal, si vous en avez plusieurs, tout nouveau venu devrait être testé, mis en quarantaine pour trois mois, puis testé de nouveau.

Si un chat positif se trouve chez vous, désinfectez la maison et remplacez caisses à chat et bols. Tous les autres chats doivent être testés immédiatement, puis à nouveau trois mois plus tard.

Si un chat porteur du virus meurt, désinfectez la maison, jetez caisse et bols et attendez au moins un mois avant d'adopter un autre chat.

Il existe des vaccins contre la leucémie féline. Pour les chatons, la première vaccination est effectuée à douze semaines, suivie d'un rappel trois semaines après. Même les adultes doivent recevoir deux injections séparées de trois semaines. Un rappel annuel est nécessaire.

Si un chat vacciné a été mordu par un animal que vous pensez pouvoir être positif (en fait, tout chat inconnu), faites-le tester car aucun vaccin n'est efficace à cent pour cent.

Virus de l'immunodéficience féline (FIV)

Il est proche du virus humain du sida (HIV), mais ne produit pas le HIV chez les humains, pas plus que celui-ci ne cause le FIV chez les chats.

Le FIV a d'abord été identifié en Californie dans les années 1980. Certaines études suggèrent que le FIV peut jouer un rôle dans certains lymphosarcomes non liés à la leucémie féline.

Le virus est principalement transmis par les morsures, ce qui met en danger les chats d'extérieur, en particulier les mâles entiers. Le contact accidentel n'est pas un mode de transmission.

L'immunodéficience causée par le FIV peut être difficile à discerner de la leucémie féline (anémie, infections et faible taux de globules blancs). Les signes de FIV peuvent comprendre des symptômes divers, suivant le point de départ de l'infection. Gingivite, périodontite et stomatite (ulcères buccaux) sont relativement courantes et mènent à l'incapacité de se nourrir, provoquant une perte de poids importante. On rencontre aussi des infections cutanées, urinaires, oculaires, auriculaires et respiratoires, ainsi que des diarrhées. La lenteur à guérir peut être un indice important.

Le FIV comporte plusieurs stades. Comme pour le HIV, cela commence par un stade aigu, après l'exposition ; l'animal contracte une fièvre et les ganglions lymphatiques gonflent. Le chat peut alors longtemps rester porteur asymptomatique. Ensuite se déclarent des maladies opportunistes.

Le diagnostic est basé sur un test ELISA, qui peut être effectué chez le vétérinaire, et doit être confirmé par des tests additionnels comme l'IFA ou le Western Blot. Ces deux derniers tests sont analysés en laboratoire.

Un test positif unique prouve seulement que l'animal a été exposé au virus et que son système immunitaire y a réagi. Il faut donc pour confirmation procéder à deux tests, de préférence à trois ou quatre mois d'intervalle.

Les chatons peuvent être positifs jusqu'à l'âge de quatre à six mois à cause des anticorps maternels. Un test positif chez un chaton de moins de six mois n'a guère de valeur.

Un test positif n'est pas une sentence de mort immédiate. Des chats positifs (s'ils sont en bonne santé générale) peuvent vivre des mois ou même des années. Toutefois, un résultat positif signifie que l'animal doit être strictement confiné à domicile et qu'il est impossible d'y introduire de nouveaux chats.

Le traitement comprend une thérapie de soutien dépendant des infections spécifiques dont souffre l'animal. On ne vise qu'à soulager ses souffrances et à contrôler les progrès de l'infection. Le médicament employé pour les humains, l'AZT, est toxique pour les chats.

À l'heure actuelle, la seule façon de prévenir le FIV est de limiter l'exposition des chats au virus en les gardant à l'intérieur. Comme il n'existe aucun vaccin, le mieux est d'empêcher la contamination.

Si vous laissez sortir un chat négatif aux tests, faites-le stériliser pour réduire sa tendance au vagabondage et aux bagarres. Respectez le calendrier de vaccination et procédez aux tests dès le premier signe anormal.

Panleucopénie féline

Connue aussi sous le nom d'*entérite infectieuse féline*, il s'agit d'une maladie grave et très contagieuse, qui peut attaquer des chats de tous âges et constitue une des causes principales de mortalité des chatons.

La maladie se transmet par contact direct avec un chat infecté ou ses sécrétions. Le virus étant aérien, il peut être transmis par contact avec les bols, la caisse, la couche ou les jouets d'un animal infecté ou même les mains et les vêtements contaminés d'un humain.

Le virus peut persister dans l'environnement plus d'un an. Toute personne manipulant un animal infecté doit se désinfecter soigneusement avec une solution chlorée.

Les signes varient mais peuvent comprendre fièvre et vomissements. Le chat se tient souvent courbé, à cause de douleurs abdominales. Il peut se tenir assis, tête penchée au-dessus de son bol d'eau. S'il parvient à manger ou boire, il vomit souvent ensuite. Une diarrhée jaune s'installe, avec parfois des traces de sang. Le pelage se ternit. Quand on manipule l'animal, il crie parfois à cause des douleurs abdominales.

La panleucopénie attaque les globules blancs du chat. Leur nombre diminuant, le corps devient vulnérable à des infections secondaires.

Plus vite l'animal sera amené chez le vétérinaire après l'apparition des premiers symptômes, plus il aura de chances de survivre. Le traitement comprend antibiotiques, perfusions et soutien nutritionnel.

La meilleure prévention est la vaccination. Il convient de vacciner un chaton vers six à huit semaines, avec un rappel trois semaines plus tard. Dans des situations à haut risque, une troisième injection est nécessaire. Il faut procéder à un rappel annuel.

Si la panleucopénie était présente dans l'environnement, il faut désinfecter celui-ci avec soin grâce à une solution chlorée. Jetez tout objet utilisé par le chat qui ne puisse être désinfecté.

Péritonite infectieuse féline (FIP)

Provoquée par un virus du groupe des *coronavirus*, cette maladie est transmise par contact direct avec les sécrétions. Le plus souvent, les chats infectés ont moins de trois ans. Certains animaux exposés ne développent que de légères infections respiratoires, mais peuvent ensuite rester porteurs sans manifester de symptômes. La maladie est cependant fatale dans la plupart des cas.

Les endroits le plus dangereux sont les chatteries, les maisons où se trouvent de nombreux chats et notamment des animaux mal nourris, des chatons ou des chats déjà atteints d'autres affections.

Cette maladie a deux formes : *exsudative* (« humide ») et *non exsudative* (« sèche »). Les deux sont fatales. Dans la forme humide, des fluides s'accumulent dans la poitrine ou l'abdomen. On remarque des difficultés respiratoires quand les poumons ne parviennent plus à se dilater. Les fluides accumulés dans l'abdomen le gonflent et le rendent douloureux au toucher. D'autres signes sont fièvre, perte d'appétit, diarrhée, anémie et vomissements. La jaunisse peut aussi s'installer. Les chats qui souffrent de la forme *exsudative* de la péritonite ne survivent guère plus de deux mois.

La forme *non exsudative* ne comporte pas d'accumulation de liquide, mais attaque des organes tels que le cerveau, le foie, les reins, le pancréas et les yeux. Les signes peuvent comporter dysfonctionnement du foie, du pancréas ou des reins, atteintes neurologiques ou rétiniennes et cécité. Les chats ainsi affectés peuvent survivre plusieurs mois.

Le diagnostic peut être basé sur les signes cliniques, des examens sanguins et des analyses, mais la seule méthode sûre est une biopsie. La plupart des examens sanguins ne feront que confirmer l'exposition du chat à un coronavirus – pas nécessairement celui de la péritonite. Les signes cliniques peuvent toutefois être assez clairs, surtout dans le cas de la forme expansive, pour parvenir à un diagnostic.

Le traitement se limite malheureusement à soulager la douleur grâce à des antibiotiques et des anti-inflammatoires. Il n'y a pas de remède.

Il existe un vaccin, administré par voie nasale en deux fois, à trois semaines d'écart. L'animal doit avoir au moins seize semaines. Certains chercheurs pensent que les chatons sont exposés au virus très tôt dans leur vie et que la maladie se déclare plus tard ; ils estiment donc que la vaccination après seize semaines n'a guère d'utilité. Le vaccin existant est très controversé, et les recherches continuent. De nombreux vétérinaires estiment que les chats d'intérieur ne font pas partie des catégories à risque et ne devraient pas être vaccinés. Les découvertes médicales progressant rapidement, consultez votre vétérinaire au cas où des avancées auraient été faites depuis la publication de ce livre.

Si votre chat fait partie des catégories à risque, veillez à le maintenir en bonne santé grâce à une nutrition adaptée, des examens vétérinaires réguliers et des vaccinations. Faites soigner l'animal au moindre problème, si mineur qu'il vous semble (par exemple puces ou autres parasites, le moindre reniflement ou éternuement). Désinfectez régulièrement l'endroit où il vit avec une solution chlorée. C'est particulièrement important en cas de forte population féline.

Calicivirus félin

Ce virus est transmis par contact direct avec un écoulement nasal ou oculaire, ou avec la salive, ainsi qu'avec la caisse ou le bol d'eau d'un animal infecté.

Les symptômes initiaux peuvent comprendre écoulement nasal ou oculaire, fièvre et éternuements. La maladie progressant, le chat se met souvent à baver à cause d'ulcérations de la bouche et de la langue. Il cesse de se nourrir, perd du poids et les difficultés respiratoires s'aggravent.

Le traitement comporte des antibiotiques et des antiinflammatoires. Vous pouvez nettoyer le nez et les yeux du chat avec un coton humide. Une goutte d'huile pour bébé peut être déposée sur les lésions de la truffe.

Il existe un vaccin qui protégera dans une certaine mesure votre chat contre cette maladie.

Rage

Cette maladie mortelle pénètre d'ordinaire dans le corps par la morsure d'un animal infecté. Le virus, présent dans la salive, part de la blessure ouverte et voyage jusqu'au cerveau par le système nerveux central. La période d'incubation peut durer de quinze jours à plusieurs mois, selon l'emplacement de la morsure par rapport au cerveau et le temps nécessaire au virus pour s'infiltrer dans le système nerveux – son chemin vers le cerveau.

La rage a deux formes, *furieuse* et *paralytique*. Un même animal peut montrer des signes des deux formes. La forme *paralytique* est le stade ultime, peu avant la mort, mais le chat peut ne jamais atteindre ce stade, le décès ayant été causé par une crise lors de la forme *furieuse*.

Au début de la maladie, l'animal peut être nerveux, agité ou irritable et sensible à la lumière et aux bruits forts. Il s'isole et cherche à se cacher. Ces symptômes peuvent durer quelques jours avant que ne commence la forme *furieuse*.

Celle-ci peut durer d'une journée à une semaine. Le chat devient agressif et mord dans le vide des choses imaginaires. Il peut attaquer soudain et mordre un humain ou un autre animal. Enfermé, il essaiera de ronger son panier. Peu après, le chat est victime de tremblements et de contractions musculaires menant à des convulsions.

Quand le stade *paralytique* s'installe, cela se manifeste d'abord au niveau de la tête et du cou, dont les muscles sont affectés. L'image qu'on associe surtout à la rage est celle d'un animal refusant de boire de l'eau. En fait, la paralysie l'en rend incapable. Le chat bave et, souvent, se touche la bouche de la patte. La paralysie l'empêche de fermer sa mâchoire inférieure, si bien que la langue pend. Cette paralysie partielle s'étend bientôt à tout le corps ; le chat s'effondre et meurt peu après.

Le seul diagnostic certain est obtenu par examen au microscope des tissus du cerveau lors de l'autopsie. Il n'existe pas de traitement.

Si votre chat *non vacciné* a été mordu par un animal enragé, on vous recommandera certainement de le faire euthanasier ou de le mettre en quarantaine pour au moins six mois. Si un chat vacciné est mordu, il recevra un complément de vaccin et sera placé en observation.

La prévention se limite à la vaccination. Un chaton peut la recevoir à partir de trois mois. Un rappel est effectué un an plus tard. Puis, suivant le type de vaccin et les ordonnances locales, des rappels ont lieu tous les ans ou tous les trois ans.

En cas de morsures, toutes les blessures doivent être immédiatement nettoyées avec de l'eau et du savon. Si vous vous inquiétez à cause d'une blessure reçue par votre chat, consultez votre vétérinaire.

MALADIES BACTÉRIENNES

Anémie infectieuse féline

Provoquée par un organisme appelé *hémobartonella felis*, qui s'attache aux globules rouges, cette maladie résulte en une anémie.

On pense qu'elle affecte surtout les mâles âgés d'un à trois ans, et que des puces ou autres parasites peuvent contaminer un chat en bonne santé après avoir piqué un animal infecté. Les chatons peuvent être infectés *in utero*.

Les signes comprennent gencives et muqueuses pâles, ainsi que vomissements. Si la maladie progresse lentement, on peut remarquer une perte de poids. Dans un cas *aigu*, le chat peut ne pas montrer de perte de poids mais faiblesse soudaine, fièvre et perte d'appétit.

La peau présentera des signes de jaunisse à cause de la perte de globules rouges.

Le diagnostic est obtenu par examen du sang au microscope. Il sera peut-être nécessaire de prélever plusieurs échantillons successifs, car il y a une période où le parasite n'est pas visible dans le sang.

On administre en général un traitement antibiotique, conjugué à d'autres médicaments, pendant plusieurs semaines. Dans des cas extrêmes, des transfusions sanguines pourront être nécessaires. Si la maladie n'est pas trop avancée, le traitement réussit souvent ; toutefois, il est possible que le parasite ne soit pas totalement éliminé et qu'il réapparaisse en cas de stress.

Un programme de lutte contre les puces et autres parasites doit faire partie de vos efforts pour réduire les risques d'exposition du chat.

Bordetella bronchiseptica

Autrefois surtout connue pour causer la *toux du chenil* chez les chiens, cette bactérie est maintenant considérée comme pouvant provoquer des pathologies respiratoires similaires chez les chats, lesquelles peuvent mener à une pneumonie.

Les signes comportent fièvre, perte d'appétit, agitation, écoulement oculaire et nasal, toux et éternuements, ainsi que bruits respiratoires. Bien que la toux soit un symptôme courant chez les chiens, elle peut ne jamais se manifester chez les chats.

On pense que la transmission se produit surtout par l'exposition aux sécrétions et excréments de chats infectés.

La *bordetella* ne peut être identifiée par auscultation ou signes cliniques, les signes associés à d'autres troubles respiratoires étant trop proches. Il faut effectuer des cultures en laboratoire.

Un chat ayant guéri de cette infection peut continuer à la répandre pendant environ cinq mois.

Le traitement est à base d'antibiotiques.

Il existe un vaccin. Des chats qui se trouvent dans un environnement à haut risque (chatteries, gardiens professionnels, expositions félines, maisons où vivent de nombreux chats) devraient être vaccinés. Si l'environnement de votre chat ne comporte pas particulièrement de risques, demandez son avis à votre vétérinaire au sujet d'une éventuelle vaccination. Celle-ci est effectuée par voie nasale.

Salmonellose

C'est une infection bactérienne provoquée par un type de salmonellose (ils sont nombreux). Les chats semblent le plus souvent être porteurs sains et se montrer assez résistants à la salmonelle. Les chats les plus vulnérables sont victimes de stress, vivent dans un environnement malsain ou surpeuplé, sont mal nourris ou déjà affaiblis par une maladie. La bactérie est disséminée par les excréments d'animaux infectés.

Les chats peuvent contracter la maladie en mangeant de la viande crue, des excréments de rongeurs ou d'oiseaux, et aussi de la nourriture en boîte contaminée.

Les signes de salmonelle sont fièvre, perte d'appétit, douleurs abdominales, déshydratation, diarrhée et vomissements. Cependant, dans certains cas, il n'y a pas de diarrhée.

Le diagnostic est établi par auscultation, cultures fécales et examens sanguins. L'infection est difficile à identifier. Le traitement comprend des perfusions pour lutter contre la déshydratation, et éventuellement des antibiotiques.

Pour prévenir la salmonellose, ne donnez jamais à votre chat de viande crue ou mal cuite. Si l'animal chasse, il court plus de risques de contracter cette infection. Si vous choisissez de ne pas le confiner chez vous, assurez-vous que son système immunitaire est en bon état grâce à une nutrition de bonne qualité, des vaccinations régulières (il n'en existe pas contre la salmonelle), des examens vétérinaires fréquents et un environnement sain. Enfin, ne laissez pas l'animal manger ses proies.

Maladie des griffures de chat

J'ai décidé d'inclure cette affection dans ce chapitre parce que beaucoup de gens ignorent de quoi il s'agit au juste, et savent seulement qu'elle a un lien avec les chats.

Cette maladie peut affecter les humains. Les chats peuvent en être porteurs sains. Elle disparaît d'ordinaire spontanément, et consiste en une inflammation rouge à l'endroit de la griffure ou morsure. Les ganglions lymphatiques les plus proches peuvent gonfler, pour plusieurs semaines ou mois, avant de reprendre leur taille normale. Dans quelques cas, la maladie s'aggrave, avec fièvre, épuisement, migraines et perte d'appétit. Pour un humain souffrant d'une atteinte au système immunitaire, la maladie peut devenir dangereuse.

Nettoyez et désinfectez toujours griffures ou morsures de chat, si mineure qu'elles soient. La maladie est plus susceptible d'intervenir si vous êtes griffé par un chat errant plutôt que par un animal domestique. Consultez votre médecin si vous avez des doutes à propos d'une blessure infligée par un chat.

Apprenez aux enfants comment manipuler les chats avec douceur ; avec un peu de chance ils éviteront ainsi d'être griffés.

Chlamydiose féline

Connue aussi sous le nom de pneumonie féline, c'est une infection respiratoire pouvant être bénigne ou très grave, contractée par contact direct.

Les symptômes comprennent conjonctivite (provoquant rougeur des yeux et écoulements), ainsi qu'éternuements, perte d'appétit, toux et difficultés respiratoires.

Le traitement est à base d'antibiotiques oraux et oculaires. Les chats guérissent le plus souvent de cette maladie, bien que les récurrences soient fréquentes.

Il existe un vaccin, qui ne fait pas forcément partie des vaccinations ordinaires.

MALADIES FONGIQUES

Histoplasmose

Cette maladie est provoquée par un champignon qui pousse dans le sol ; la transmission se fait par inhalation. Elle est rare chez le chat, mais les jeunes animaux y sont plus vulnérables.

Les symptômes peuvent comprendre difficultés respiratoires, fièvre, faiblesse, perte d'appétit et diarrhée.

Le diagnostic est obtenu grâce à une culture, et le traitement implique la prise de fongicides pendant une longue période. Toutefois, le pronostic est rarement favorable.

Aspergillose

Les signes d'une infection par ce champignon, qui se trouve dans le sol et les déchets végétaux, comprennent d'ordinaire des troubles respiratoires et digestifs.

Les chats déjà atteints de panleucopénie semblent être particulièrement susceptibles de contracter une aspergillose.

Le traitement est à base de fongicides ; le pronostic est réservé.

Cryptococcose

Infection fongique courante chez les chats, elle est transportée par les fientes d'oiseau et se transmet par inhalation.

Cette infection provoque habituellement des troubles respiratoires qui se manifestent par éternuements, écoulement nasal épais, toux, difficultés respiratoires et perte de poids. Des excroissances dures peuvent apparaître sur la truffe.

Le diagnostic dépend de cultures effectuées en laboratoire, mais il existe aussi un test de dépistage sanguin.

Cette maladie est traitée par des fongicides. Dans certains cas, il est nécessaire de recourir à la chirurgie.

Les maladies buccales

PERSISTANCE DES DENTS DE LAIT

Les chatons ont vingt-six dents de lait, qui sont remplacées par les dents adultes. La transition débute vers l'âge de trois mois et est d'ordinaire terminée à sept mois.

Il arrive parfois qu'une ou plusieurs dents de lait ne tombe pas lorsque la dent adulte sort ; celle-ci risque de pousser de travers. En regardant dans la bouche de l'animal, vous pourrez voir des dents doublées. Sans intervention, ceci résulte en une dentition mal alignée, susceptible de s'abîmer rapidement.

Le traitement consiste en l'extraction des dents de lait.

Il s'agit plutôt d'un symptôme que d'une maladie en soi ; il est indispensable d'en découvrir la cause.

Gingivite, maladies périodontales, certaines maladies infectieuses et problèmes urinaires peuvent provoquer une mauvaise haleine. Cela peut aussi être un signe d'empoisonnement. Le diabète transmet à l'haleine une odeur caractéristique, due à l'acétone. Si l'haleine de votre chat est étrange ou malodorante, amenez-le chez le vétérinaire pour que la cause première soit déterminée.

Brosser régulièrement les dents de l'animal préviendra la gingivite, une cause de mauvaise haleine. Reportez-vous au chapitre XII pour savoir comment vous occuper de ses dents.

GINGIVITE ET PÉRIODONTITE

La gingivite, problème courant pour tous les animaux familiers, est une inflammation des gencives. Cela se produit lorsqu'une pellicule bactérienne appelée *plaque dentaire* recouvre les dents. Cette plaque invisible est causée par les bactéries qui se nourrissent des déchets coincés entre les dents. Du *tartre* se forme quand cette plaque molle se minéralise et durcit. Le tartre est visible, de couleur jaune ou brune.

Les signes de gingivite sont une fine ligne rouge sur les gencives, comme si elles étaient soulignées au crayon. La maladie progressant, vous remarquerez peut-être une haleine malodorante. L'infection s'aggravant, des poches de pus peuvent se former et le chat se mettre à baver.

La périodontite est une inflammation de la membrane qui entoure la dent. Celle-ci peut branler, avec des abcès des racines et une rétraction des gencives. L'infection peut atteindre l'os. Il devient très douloureux pour l'animal de s'alimenter.

Faute de traitement, l'infection peut mettre en danger la vie du chat en s'étendant aux organes internes.

Le détartrage des dents de votre chat devrait être effectué par le vétérinaire aussi souvent que nécessaire. Les dents branlantes seront extraites. L'intervention a lieu sous anesthésie et l'animal ne sent rien.

Reportez-vous au chapitre XII pour les instructions concernant l'entretien de la dentition de votre chat.

SALIVATION EXCESSIVE

Les glandes salivaires produisent un fluide qui aide à digérer la nourriture. Les chiens bavent plus souvent que les chats, mais ceux-ci peuvent baver après l'administration d'un médicament par voie orale. Cela peut aussi se produire lors de démonstrations d'affection où l'animal semble fou de bonheur. Il est fréquent qu'un chat bave après avoir été aspergé de produit anti-puces et s'être léché.

Toutefois, baver excessivement peut être le signe de nombreux problèmes de santé. Des troubles dentaires peuvent en être la cause, comme un corps étranger coincé dans la bouche ou la gorge, un empoisonnement, ou encore un coup de chaleur. Si la bave s'accompagne d'éternuements, d'écoulement nasal ou oculaire, cela peut indiquer une infection respiratoire.

STOMATITE (BOUCHE SENSIBLE OU ULCÉRÉE)

Les atteintes périodontales peuvent provoquer des inflammations et ulcères de la bouche. L'animal aura une haleine forte, les gencives enflées et rouges, et la salive brunâtre.

La stomatite peut être liée à certaines affections respiratoires ou rénales, entre autres.

Les symptômes comprennent inflammation buccale, bave, incapacité à se nourrir, porter une patte à la bouche et secouer la tête.

Le traitement nécessite d'identifier la cause première, puis de nettoyer la bouche (traiter les ulcères, extraire les dents branlantes) et d'administrer les antibiotiques convenables. On vous demandera de procéder à des soins buccaux chez vous, et l'animal ne devra manger que des aliments mous pendant sa convalescence.

Les troubles oculaires

CONJONCTIVITE

C'est une inflammation de l'intérieur de la paupière et parfois aussi de la conjonctive bulbaire. Un seul œil peut être affecté, ou les deux. Il y a d'ordinaire un écoulement, qui peut être clair et liquide ou épais, ressemblant à du pus. Les yeux sont rouges ou enflammés, ou même fermés, avec parfois présence d'un œdème. Il est possible que l'animal cligne souvent des yeux et y porte la patte. Des croûtes peuvent se former sur les paupières.

La conjonctivite peut être provoquée par un irritant tel que poussière, débris ou allergène. Un écoulement aqueux peut indiquer une maladie virale du système respiratoire supérieur ou une allergie. Si l'écoulement est épais et change de couleur, cela peut indiquer une infection bactérienne secondaire.

Il existe plusieurs causes de conjonctivite. Le traitement dépendra de la cause spécifique. Gouttes ou pommades oculaires seront prescrites et, en cas de croûtes sur les paupières, des compresses tièdes.

Si le chat louche ou présente des signes de conjonctivite, ne lui administrez aucun médicament précédemment prescrit avant d'avoir consulté un vétérinaire. En cas d'ulcère de la cornée, un médicament inadapté pourrait aggraver son état.

SIGNES INDIQUANT DES PROBLÈMES OCULAIRES	
• saignements de l'œil • strabisme • clignements d'yeux fréquents • écoulements • l'animal porte la patte à ses yeux • apparition de la troisième paupière • gonflement de l'œil ou des alentours • douleurs	• pupilles fixes • différence de taille des pupilles • film opaque sur l'œil • œil injecté de sang • conjonctive irritée, rouge ou enflammée • croûtes • œil enfoncé ou saillant • paupières pendantes • pleurs

Certains chats sabotent le traitement en se frottant sans cesse les yeux. Dans ce cas, le vétérinaire vous recommandera de faire porter à l'animal une collerette qui l'en empêchera.

APPARITION DE LA TROISIÈME PAUPIÈRE

Une maladie ou une blessure peuvent rendre visible la troisième paupière. Si elle n'apparaît que sur un œil, il s'agit sans doute d'une infection ou d'une blessure de l'œil lui-même. Si les deux yeux sont concernés, la cause peut être une maladie.

Syndrome de la membrane nictitante, ou syndrome de Haws

C'est un trouble relativement commun chez les chats, où la troisième paupière devient visible. La cause en est inconnue et peut être liée à une diarrhée passagère. Ce trouble est temporaire mais peut durer d'un à deux mois. Le traitement implique des soins locaux. En cas de diarrhée, celle-ci doit être soignée aussi.

Syndrome de Horner

Le syndrome de Horner, apparition partielle mais constante de la troisième paupière, est dû à une perte de stimulation nerveuse du muscle rétracteur. En plus de l'apparition de la membrane, les symptômes peuvent comprendre étrécissement de la pupille, enfoncement de l'œil et abaissement des paupières supérieures.

Le syndrome de Horner est le signe d'un problème neurologique. Les causes peuvent en être une blessure au cou ou à la partie supérieure de la colonne vertébrale, ainsi qu'une infection de l'oreille interne. Le traitement dépend de la cause première.

BLOCAGE DES CONDUITS LACRYMAUX

Normalement, les larmes en excès sont évacuées par les conduits lacrymaux, qui débouchent dans le nez. Si ce système d'évacuation est bloqué, les larmes débordent de l'œil et coulent sur la face, tachant le pelage. Un chat qui pleure de façon chronique un liquide transparent, sans que l'œil soit irrité, peut souffrir d'un tel blocage.

Celui-ci peut avoir des causes diverses, par exemple les tournants brusques que décrit le conduit chez les chats au nez court et au visage plat, comme persans et himalayens, ou bien une blessure, des sécrétions épaisses, une infection (en particulier si elle est chronique), ou encore une tumeur. Même de la poussière peut provoquer un blocage.

Pour vérifier si les conduits fonctionnent, le vétérinaire utilisera de la *fluorescéine*, une teinture ophtalmique. Sous une lumière spéciale, la teinture sera visible à la sortie de la narine si les conduits ne sont pas bouchés. Il arrive qu'un seul le soit.

Le traitement dépend de la cause première. Les infections sont traitées par antibiotiques. Réduire une inflammation grâce à des gouttes à base de stéroïdes peut rouvrir les conduits. On applique souvent du sérum physiologique pour dissoudre ce qui bouche les conduits, en général sous anesthésie.

ULCÈRES DE LA CORNÉE

D'habitude causés par une blessure, souvent reçue lors d'un combat, ils peuvent aussi être le résultat d'une infection secondaire. Une production de larmes insuffisante peut aussi provoquer un ulcère.

Celui-ci peut être assez important pour que vous le voyez, ou trop petit pour être détecté à l'œil nu. Un traitement précoce permet d'éviter une aggravation. Pour découvrir de petits ulcères, le vétérinaire appliquera de la fluorescéine puis rincera l'œil. Sous une lumière spéciale, on verra l'ulcère qui aura absorbé le colorant.

Si votre chat louche, ne supposez pas qu'il s'agit d'une conjonctivite et ne lui administrez pas un médicament prescrit auparavant. Certains produits peuvent gravement endommager l'œil en cas d'ulcère.

KÉRATITE

C'est une inflammation de la cornée qui peut toucher un œil ou les deux. Les signes comportent apparition de la troisième paupière, strabisme, écoulements, sensibilité à la lumière. Cette inflammation est douloureuse. Sans traitement, l'animal peut perdre la vue.

La kératite peut être le résultat d'une blessure ou d'une lésion *endogène*, lorsque la paupière s'enroule vers l'intérieur et que les cils blessent la cornée. De nombreux agents infectieux peuvent aussi être en cause.

Il convient de consulter immédiatement un vétérinaire. On prescrit d'habitude des antibiotiques, et on administre aussi une pommade pour limiter la douleur.

GLAUCOME

Il s'agit d'une augmentation de la pression des fluides internes de l'œil. Chez les chats, le glaucome est d'habitude secondaire, provoqué par une blessure, une infection, une cataracte ou une tumeur. Les fluides s'accumulent parce que la voie d'écoulement est bloquée.

La pression augmentant, l'œil devient plus grand, plus dur et fait saillie. C'est douloureux. Le glaucome peut toucher un seul œil ou les deux.

Sans traitement, la rétine est endommagée et l'animal peut perdre la vue.

La pression oculaire peut être mesurée par le vétérinaire grâce à un instrument placé sur l'œil.

Dans les cas aigus, il faut recourir à l'hospitalisation et éventuellement à la chirurgie pour diminuer la pression. Il est parfois nécessaire de procéder à l'ablation de l'œil. Le glaucome chronique peut être traité par des médicaments locaux et oraux.

CATARACTE

La cataracte, opacification du cristallin qui lui donne une apparence laiteuse, peut être le résultat d'une blessure ou d'une infection. Elle n'est pas liée à l'âge, les chats peuvent souffrir de cataracte à n'importe quel moment de leur vie. Les animaux diabétiques y sont particulièrement sujets en vieillissant.

Selon la cause de la cataracte, il peut être nécessaire de recourir à la chirurgie. Dans ce cas, l'acuité visuelle du chat peut baisser, et il est alors nécessaire de le garder à l'intérieur.

VOILE OCULAIRE

Trouble oculaire courant de la vieillesse. Avec l'âge, le cristallin continue à croître vers le centre de l'œil. L'accumulation de cellules provoque une brume grise ou bleutée. Ce trouble, normal et lié à la vieil-lesse, ne semble pas gêner la vision et ne nécessite d'ordinaire aucun traitement. Il ne s'agit pas de la même chose que la cataracte.

UVÉITE

Inflammation interne de l'œil souvent liée à diverses maladies infectieuses, comme *leucémie* ou *péritonite infectieuse félines*. Elle peut aussi être le résultat d'un traumatisme. En cas d'uvéite, l'œil devient de plus en plus mou.

Les symptômes sont œil rouge et pleurant, stra-bisme, pupilles contractées et sensibilité à la lumière. La maladie est très douloureuse.

Le traitement inclut diagnostic et soins de la cause première, ainsi qu'administration de médicaments pour réduire l'inflammation et soulager la douleur.

Faute de soins, l'uvéite peut provoquer une cécité.

CÉCITÉ

Elle peut être causée par de nombreuses maladies, ou par une blessure. Si vous pensez que votre chat perd la vue ou est aveugle, contactez votre vétérinaire pour en déterminer la cause.

Un animal aveugle ou ayant une vision déficiente ne doit jamais aller dehors. À l'intérieur, il peut vivre confortablement tant que son environnement ne change pas. Évitez de déplacer le mobilier et laissez sa caisse et ses bols au même endroit.

Les troubles du nez

INFECTIONS

Les infections nasales peuvent être le résultat d'une maladie respiratoire, d'une blessure ou de la présence d'un corps étranger. Les signes sont d'ordinaire écoulements, éternuements, difficulté à respirer, respiration bruyante ou mouillée et perte d'appétit. Le nez s'engorgeant de plus en plus, le chat peut se mettre à respirer bouche ouverte.

Des écoulements jaunes, à l'apparence de pus, indiquent une infection bactérienne.

Après l'établissement d'un diagnostic précis, les antibiotiques appropriés seront prescrits, ainsi éventuellement qu'un décongestionnant. Il est de la plus grande importance d'aider l'animal à respirer aisément, il vous faut donc nettoyer doucement écoulements et croûtes avec un coton humide. Vous pouvez aussi mettre sur la truffe une goutte d'huile pour bébé afin qu'elle ne s'irrite pas. Le vétérinaire peut recommander des pulvérisations.

Important : Un chat privé d'odorat devient souvent anorexique.

SIGNES INDIQUANT DES PROBLÈMES NASAUX	
• éternuements • écoulements • croûtes • saignements • l'animal se touche le nez de la patte • difficultés respiratoires	• respiration bouche ouverte • gonflement • grosseurs ou tumeurs • graves infections dentaires ou buccales • perte d'appétit • changement d'apparence

Les symptômes comprennent éternuements et écoulement blanc ou jaune, avec parfois présence de sang. Une infection des sinus peut être la conséquence d'une allergie, d'une infection respiratoire ou fongique, ou encore d'une blessure. Un abcès dentaire peut aussi provoquer une sinusite.

La cause sous-jacente doit être traitée. Des antibiotiques seront prescrits et, dans les cas extrêmes, il faudra avoir recours à la chirurgie.

Les troubles de l'oreille

OTITE

Les chats peuvent souffrir d'une inflammation de l'oreille externe (*otitis externa*) provoquée par des bactéries, une accumulation de cérumen, une attaque de gale auriculaire ou une blessure infectée.

Les symptômes comprennent inflammation, grattage de l'oreille, mauvaise odeur, écoulements, secouements de tête ou port des oreilles à un angle inhabituel.

Le traitement implique de nettoyer les oreilles (voir le chapitre XII) et l'application locale d'un médicament.

Une otite de l'oreille moyenne (*otitis media*) peut être provoquée par des parasites, des bactéries, des atteintes fongiques ou des corps étrangers.

Les symptômes sont tête penchée et perte d'équilibre.

Le traitement peut comporter des antibiotiques ou des fongicides. Il est parfois nécessaire d'avoir recours à la chirurgie.

Les otites de l'oreille interne (*otitis interna*) sont très graves et peuvent provoquer des dommages irréversibles, et même la mort. Les signes sont perte d'audition, vomissements, perte de la coordination et de l'équilibre et mouvements oculaires anormaux. Le traitement peut inclure des antibiotiques ou des fongicides.

SURDITÉ

Elle peut être causée par nombre de choses, y compris blessures, infection, vieillesse, obstructions, tumeurs, poisons, et certains médicaments. Elle peut aussi être congénitale. Les chats blancs aux yeux bleus sont souvent sourds. Chez les chats blancs aux yeux vairons, la surdité intervient du côté de l'œil bleu.

Si un chat âgé devient sourd ou l'est déjà, évitez de le surprendre. Annoncez-lui votre approche ou votre intention de la prendre dans vos bras par les vibrations de vos pas. Si l'animal dort, marchez plus lourdement. Si son attention est fixée ailleurs, entrez lentement dans son champ visuel. Ne vous approchez jamais de dos d'un chat sourd pour le saisir.

Si vous pensez que votre chat devient sourd, faites-le examiner par le vétérinaire au cas où il souffrirait d'une infection, d'une blessure ou d'une obstruction.

GALE AURICULAIRE

Ces parasites qui se nourrissent de tissu cutané sont la cause la plus courante de problèmes auriculaires chez les chats. Ils vivent et se reproduisent dans le canal auditif, provoquant des démangeaisons, mais peuvent aussi coloniser d'autres parties du corps.

La gale auriculaire est très contagieuse ; si un chat est infecté, il est probable que les autres le sont aussi.

Sans soins, la gale peut devenir très gênante, le canal auditif s'irritant.

Le signe le plus courant est de voir l'animal se gratter les oreilles et secouer la tête. Le chat peut aussi tenir ses oreilles à un angle inhabituel. Vous verrez dans celles-ci un dépôt sombre ressemblant à du marc de café.

Les parasites sont en fait blancs. Le dépôt foncé est constitué de leurs excréments et de cérumen.

Le diagnostic est confirmé par un examen au microscope d'un prélèvement. On peut voir les minuscules parasites se déplacer. Il suffit d'un coup d'œil pour comprendre à quel point cela doit être déplaisant pour le chat.

Le traitement commence par un nettoyage en douceur des oreilles, nécessaire parce qu'elles seront certainement irritées, ainsi que vous le verrez quand elles seront propres. Il est important de procéder à un nettoyage complet pour que les parasites ne puissent se cacher.

Suivez les instructions concernant la durée du traitement, car les parasites ont un cycle de vie de trois semaines. Si vous cessez les soins trop tôt, ils réapparaîtront.

Il existe de nombreux traitements dans le commerce, dont les dosages varient. Certains produits doivent être conservés au réfrigérateur.

Le vétérinaire peut administrer une injection qui remplace ou complète le traitement local.

Pendant les soins, veillez à bien couper les griffes des pattes arrière du chat pour qu'il ne se blesse pas en se grattant.

HÉMATOMES

Quand un chat secoue violemment la tête, il est possible que se produise une rupture de vaisseau sanguin, ce qui provoque un hématome dans le pavillon de l'oreille. Ces violents mouvements de tête peuvent être dus à la gale auriculaire ou à une infection. Il est souvent nécessaire de recourir à la chirurgie pour prévenir des récurrences, faute de quoi la poche formée par l'hématome se remplira de fluides.

D'autres causes d'hématomes sont les combats et les chocs à la tête.

COUPS DE SOLEIL SUR LES OREILLES

Pour les éviter, limitez les sorties de l'animal par temps ensoleillé et appliquez de l'écran total sur le pavillon des oreilles, après avoir pris le conseil de votre vétérinaire quant au produit. Vérifiez régulièrement l'état des oreilles et consultez un vétérinaire au moindre signe de coup de soleil ou d'ulcère, qui peuvent se transformer en cancer.

GÉLURES

La pointe des oreilles y est particulièrement sensible. Voir le chapitre XVIII.

Cancer

Le cancer peut intervenir sur toutes les parties du corps : la peau, la bouche, les ganglions lymphatiques, les globules sanguins et les organes internes. De nombreux cancers n'étant pas détectables de l'extérieur, consultez votre vétérinaire dès que le chat semble ne pas aller bien.

Vous entendrez souvent le mot *néoplasie* à propos de tumeurs ; il décrit une tumeur qui continue à se développer.

Les tumeurs sont divisées en deux catégories, *bénignes* et *malignes*. Une tumeur bénigne se développe d'habitude plus lentement, ne s'étend pas à d'autres parties du corps, et il est très souvent facile de l'extraire chirurgicalement. Les tumeurs malignes sont cancéreuses, se développent vite, sont de forme irrégulière et se disséminent. La chirurgie ne réussit pas toujours.

Le traitement des tumeurs malignes dépend du cas particulier. Une règle s'applique cependant à tous les cancers : un diagnostic précoce donne plus de chances de guérison.

Les différents traitements incluent :

– *chirurgie* (parfois en combinaison avec d'autres techniques),

– *chimiothérapie* (médicaments curatifs),

– *irradiation* (parfois combinée à la chirurgie ou à la chimiothérapie),

– *cryogénie* (gel des tissus),

– *hyperthermie* (consiste à chauffer les tissus à haute température, parfois combinée à d'autres thérapies),

– *immunothérapie* (agents naturels ou chimiques soutenant l'organisme, parfois utilisés en combinaison avec d'autres thérapies).

SIGNES DE CANCER	
• grosseurs • anomalies cutanées • perte de poids • perte d'appétit • blessures qui ne guérissent pas • faiblesse	• dépression • léthargie • anémie • toux • difficultés respiratoires • diarrhée chronique

Chaque traitement présente des avantages et des inconvénients. Des tumeurs qui se sont disséminées ou se trouvent dans des emplacements difficiles d'accès peuvent nécessiter des irradiations. Il n'est pas inhabituel de combiner divers traitements pour contrôler la progression du cancer et peut-être l'éliminer.

Malheureusement, cette maladie est assez courante chez les chats.

REMERCIEMENTS

Après des années passées à travailler avec des chats, leurs propriétaires, des vétérinaires et tant de gens s'occupant d'animaux de compagnie, j'ai eu la chance d'apprendre des choses de tous (à deux et surtout à quatre pattes). Ce fut un privilège d'observer au quotidien l'amour et la loyauté que se vouent maîtres et chats. J'éprouve même de la reconnaissance à l'égard de tous les propriétaires qui me considéraient au début avec scepticisme (et ils étaient nombreux, croyez-moi), ainsi qu'envers les chats qui ont fait de leur mieux pour me faire prendre la fuite. Dans les premiers temps, certains ont failli y parvenir. Les difficultés sont devenues occasions de progresser, et combien de ces occasions ai-je eues !

Les vétérinaires avec lesquels j'ai eu le privilège de travailler au fil des ans se sont montrés exceptionnellement généreux de leur temps et de leur savoir. Les vétérinaires sont vraiment les héros anonymes de nos animaux de compagnie ; ils s'occupent de patients rien moins que coopératifs, souvent prêts à mordre le praticien qui est en train de leur sauver la vie. Je suis impressionnée par les réflexes éclair développés par certains d'eux et par la patience dont ils font preuve envers le chat le plus rétif.

Merci à mon éditrice, Wendy Wolf (elle-même très patiente) et à ma nouvelle famille de Penguin Books.

Merci à Joe Ed Conn, docteur en médecine vétérinaire, pour ses informations en ce qui concerne la partie médicale de ce livre, pour sa sagesse, et le cœur qu'il met à donner les meilleurs soins possibles.

Merci tout spécialement à mon agent, Linda Roghaar, pour ses conseils.

Et à la remarquable Ellen Jones Pryor, qui a fait tant de choses pour moi qu'un livre entier serait nécessaire pour en faire la liste.

À Steve Dale, que je suis heureuse de pouvoir appeler mon ami. Merci de t'être occupé de moi.

Des baisers félins à Ginger Barnett, pour son soutien et son amitié.

J'ai aussi eu la chance de devenir membre par alliance d'une famille merveilleuse. Merci aux Bennett de m'avoir accueillie parmi eux. Si l'idée que leur fils unique épousait une *psy pour chats* leur a fait hausser les sourcils, ils n'en ont jamais rien laissé voir.

Mon amour et mon émerveillement à ma précieuse famille velue, Mary-Margaret, Béatrice, Olive, Annabelle et Albie.

Enfin, merci à l'esprit toujours présent de mon plus grand professeur en matière féline, Ethel, qui m'a appris nombre des plus importantes leçons de la vie : aimer sans condition, exprimer ses vrais sentiments, respecter le territoire des autres, protéger sa famille, dormir à satiété et toujours rester aux aguets d'une éventuelle souris.

TABLE

550